D1430413

Feu

Tome 1
La rivière profanée

Du même auteur

Au nom du père et du fils, Éditions La Presse, 1984 ; Paris, Presses de la Cité, 1994 ; VLB éditeur, collection « Bonheurs de lecture », 2004.

Le Sorcier, Éditions La Presse, 1985 ; VLB éditeur, collection « Bonheurs de lecture », 2004.

Sire Gaby du Lac, Quinze Éditeur, 1989.

Les Ailes du destin. L'alouette en cage, Éditions Libre Expression, 1992 ; collection « Zénith », 2002.

Le Grand Blanc, Éditions Libre Expression, 1993 ; collection « Zénith », 2002.

L'oiseau invisible, Éditions Stanké, 1994.

Bécassine, l'oiseau invisible, Éditions Alexandre Stanké, 2000.

Bip, Éditions Libre Expression, 1995.

Bip, fantaisie philosophique, Éditions Alexandre Stanké, 2001.

Francine Ouellette

Feu

Tome 1
La rivière profanée

Libre Expression
QUEBECOR MEDIA

Catalogage avant publication de la Bibliothèque nationale du Canada

Ouellette, Francine, 1947-

Feu : la rivière profanée

ISBN 2-7648-0159-9

I. Titre.

PS8579.U423F48 2004   C843'.54   C2004-941694-4

Maquette de la couverture
France Lafond

Infographie et mise en pages
Édiscript enr.

Les Éditions Libre Expression remercient le ministère du Patrimoine canadien, le Conseil des arts du Canada, la Société de développement des entreprises culturelles du Québec (SODEC) et le Programme de crédit d'impôt du gouvernement du Québec du soutien accordé à son programme de publication.

Les Éditions Libre Expression
7, chemin Bates
Outremont (Québec) H2V 4V7
Dépôt légal

4ᵉ trimestre 2004

ISBN 2-7648-0159-9

À la mémoire des peuples disparus.

Comment
c'était avant?

Certains dimanches après-midi d'été, ma mère nous emmenait jouer au parc Nicolas-Viel, près de la rivière des Prairies, à Montréal. Je savais qu'à cause de la rivière c'était plus prudent qu'elle nous accompagne. Ça se noie vite, un enfant, mais ma mère savait nager…

Chaque fois, je m'amusais tout mon saoul avec ma grande sœur, mon petit frère et leurs amis, convaincue que la joie de ma mère consistait à nous regarder courir, sauter et rire. Sans doute en était-il ainsi, je ne lui ai jamais posé la question, mais j'ai toujours noté son empressement à « aller au parc », laissant le train-train quotidien pour se retrouver au bord de la rivière des Prairies, dans ce pays nouveau pour elle. Car ma mère venait d'ailleurs. D'Allemagne plus précisément. Copains et copines prétendaient qu'elle parlait avec un accent. Nous, nous contestions. Jamais nos oreilles n'avaient décelé le moindre accent chez elle. Elle venait d'ailleurs, c'était tout. Pour le reste, elle était comme les autres mamans. Seul différait le regard qu'elle portait sur le pays. Elle voulait en connaître les racines profondes pour y nouer les siennes, extirpées du sol natal.

Souvent, au bord de l'eau, elle s'arrêtait devant une stèle qui, avec ses inscriptions gravées dans la pierre, inspirait beaucoup de gravité. Ma mère avait appris à lire le français en même temps que ma sœur aînée et avec les mêmes manuels scolaires. Parfois, elle lisait le texte de la stèle à haute voix, sans accent, bien sûr, et d'autres fois elle se taisait, mais toujours ce monument nous propulsait hors du temps, à l'époque lointaine des premiers Français ayant exploré le pays. Ainsi, ma mère apprenait l'histoire du Canada avec nous.

S'il vous arrive de visiter le parc Nicolas-Viel, vous y retrouverez ce monument érigé par la Société Saint-Jean-Baptiste, et ce texte, tel que nous le lisions alors. « Dans ces rapides, le père récollet Nicolas Viel et son néophyte huron Ahuntsic, premiers martyrs canadiens, furent jetés en haine de la foi par leurs guides païens, le 25 juin 1625. Cet endroit a depuis été connu comme Sault-au-Récollet. »

Dans nos petites têtes et dans celle de notre mère se déroulait l'invariable scénario des méchants Indiens, du bon missionnaire et du brave néophyte, exécuté par les siens pour avoir reconnu le seul vrai dieu, dit le bon Dieu. Cependant, même en ayant recours à notre imagination, il nous était difficile de voir des rapides dans cette section de la rivière, plutôt paisible, et nous en étions arrivés à la conclusion que le père Nicolas Viel ne savait sans doute pas nager et que, de toute évidence, sa mère n'y était pas.

Aujourd'hui, je réalise à quel point le texte de cette stèle a déclenché chez moi une soif de connaître comment c'était avant. Avant nous, les Blancs. Que de fois j'ai regardé cette rivière en tentant de la recréer telle qu'elle était à l'origine !

Mon intérêt pour l'histoire remonte donc à ces beaux dimanches après-midi passés au parc Nicolas-Viel. Peut-être est-elle devenue ma matière préférée simplement parce que j'ai toujours aimé entendre raconter des histoires. La découvrir et l'apprendre étanchait ma soif de connaître, stimulait et orientait mon imagination. Ah ! que de scénarios j'ai ébauchés à partir de nos manuels d'alors ! Des scénarios basés sur la vraie histoire. L'authentique, véridique histoire consignée dans les livres et enseignée dans les écoles. Hélas ! Comme je me trompais ! Comme je fus trompée !

À force de consulter différents auteurs et de puiser aux sources premières, tels les écrits de Samuel de Champlain, de Gabriel Sagard et des jésuites, j'ai appris qu'Ahuntsic était un jeune domestique français catholique au service des récollets et que les Hurons l'avaient plutôt nommé Auhaitsic ; que lesdits guides hurons étaient les principaux alliés des Français et que la noyade du père Nicolas Viel était purement accidentelle, telle que relatée un mois plus tard par le père Jérôme Lallemant dans une lettre adressée à Champlain. Adieu méchants Indiens, bon missionnaire et brave néophyte ! Mon scénario de base s'écroulait et le monument censé détenir la vérité gravée dans la pierre ne perpétuait que le mensonge.

Oui, je fus trompée dans l'enseignement de notre histoire. Nous le fûmes tous. Des pans entiers ont été occultés, tronqués, des faits ont été falsifiés, des personnages ont été déformés. Il ne m'appartient pas de juger par qui et pourquoi, cela n'étant nullement le but de cette saga historique que je prévois en six tomes dont voici le premier.

Bien que j'aie effectué beaucoup de recherches, j'en sais encore bien peu, trop peu sur l'histoire de mon pays. Il me faudrait plus d'une vie pour la connaître à fond, et encore, car historiens chevronnés, anthropologues et archéologues présentent différentes hypothèses et conclusions, parfois même contradictoires. Personne ne possède la vérité en ce domaine. Elle appartient au passé, et j'ai tenté de la cerner du mieux que j'ai pu pour montrer « comment c'était avant ».

À toi qui t'apprêtes à entamer la lecture de cette saga, sache qu'elle raconte une histoire à l'intérieur de l'histoire ; qu'elle te présente des hommes, des femmes, des enfants qui auraient pu exister et évoluer dans le contexte de l'époque où elle se déroule. Sache aussi que j'ai fait de mon mieux, le plus honnêtement possible, consciente du fait que je bouleverse les notions apprises, détruis des mythes et enfreins des tabous.

Je ne prétends pas être historienne. Les quelques notes accompagnant le texte ne servent qu'à te situer dans le temps et l'espace et ne sont pas indispensables à la compréhension. J'ai choisi de les inclure au bas des pages pour t'éviter d'aller les consulter à la fin et de fausser ainsi compagnie aux personnages nés du simple désir de montrer comment c'était avant.

FRANCINE OUELLETTE

Pour mieux profiter de la lecture

Avant de plonger la tête la première dans cette saga, il serait sage d'apprendre à nager un peu en prenant connaissance de certains éléments de base.

Avant qui ? Avant quoi ?

J'ai longtemps pensé que, avant l'arrivée de l'Européen en Amérique du Nord, il n'y avait pas d'histoire sauf chez les Aztèques du Mexique. J'imaginais, à l'Ouest, çà et là, des tribus de style hollywoodien chassant le bison et, à l'Est, des petits groupes de chasseurs moins flamboyants, inventeurs de la raquette et du canot. Quelle ne fut pas ma surprise de découvrir, dans l'ouvrage *Histoire de l'Outaouais* (sous la direction de Tchad Gaffield), l'existence des Archaïques laurentiens ! Ces premiers habitants de l'Outaouais extrayaient, 4 000 ans avant Jésus-Christ, le cuivre natif au nord du lac Supérieur afin de le façonner en outils, armes et ornements sur l'île aux Allumettes pour ensuite transiter ces divers objets aussi loin que dans le nord de l'État de New York. Dès lors, ma conception de l'histoire changea radicalement.

Les fouilles archéologiques de l'île aux Allumettes et de l'île Morrison, distantes l'une de l'autre de moins de deux kilomètres, ont livré trente-quatre sépultures saupoudrées d'ocre rouge, de personnes ornées de leurs bijoux et accompagnées de leurs objets personnels, en plus de cinq mille objets qui attestent les vocations de centre de façonnage, de poste de pêche et de cimetière de ces endroits. Les artefacts trouvés à l'île Morrison (hameçons, alènes, harpons, couteaux, haches, aiguilles, bracelets, perles, pendentifs) témoignent de la deuxième phase de l'évolution des Archaïques laurentiens vers 2500 avant Jésus-Christ et révèlent une volonté d'expression artistique. La découverte d'une flûte taillée dans un os d'oiseau et sur laquelle était gravée une plume m'inspira le début de cette saga.

Une grande rivière

Tout comme il est essentiel de remonter le temps, on doit effacer les frontières de l'espace géopolitique actuel. Canada, États-Unis, Mexique n'existent pas encore. Il n'y a que le continent nord-américain, occupé par divers peuples séparés par des guerres ou unis par des alliances et le commerce. Ces peuples ont délimité des territoires et développé un réseau de transport à partir de celui des fleuves et des rivières (fleuve Saint-Laurent, Mississippi, rivière des Outaouais, Ohio, etc.) Ainsi, toutes les découvertes que s'attribuent les Européens n'en sont pas véritablement car ils n'ont eu que le mérite de suivre l'Indien leur dévoilant ses voies de communication.

L'une d'entre elles, d'une incontournable importance, traverse cet ouvrage de la première à la dernière page. Il s'agit de la Grande Rivière.

Connue aujourd'hui sous le nom de rivière des Outaouais, elle a longtemps porté celui de Grande Rivière ou Kichesipi (*kiche* signifiant «grande», *sipi* signifiant «rivière»). Parfois aussi, on l'a désignée sous le nom de Mahamoucébé, c'est-à-dire «rivière du commerce».

Ces deux appellations lui conviennent parfaitement. En effet, plus longue rivière du Québec (1 130 kilomètres de sa source, à l'est du réservoir Dozois, à son exutoire dans le lac des Deux-Montagnes), elle servit d'artère commerciale pendant des millénaires, devenant, au fil du temps, route du cuivre, des fourrures et finalement du bois.

Son trajet d'ouest en est, combiné à son formidable réseau d'affluents, relie les Grands Lacs à l'État de New York, via le Saint-Laurent et les rivières Richelieu et Hudson. Elle permet également de se rendre à Tadoussac par l'arrière-pays en remontant les affluents de la Gatineau ou de la rivière du Lièvre, dont les sources voisinent celles des rivières Saguenay et Saint-Maurice. Avant l'arrivée des Européens, à ce lieu de rencontre des sources nommé Nékouba se tenaient des foires annuelles où différents peuples s'échangeaient leurs produits. Par la suite, lorsque les guerres entre l'alliance franco-huronne-algonquine et les Cinq-Nations iroquoises s'intensifièrent, le trajet consistant à remonter la rivière du Lièvre jusqu'à sa source pour emprunter ensuite la rivière Saint-Maurice et redescendre à Trois-Rivières permit d'éviter la zone la plus active des conflits sur l'Outaouais et aux alentours de Montréal, et fut nommé « chemin détourné ».

Différentes cartes illustrent le trajet des principaux réseaux, les territoires des peuplades, les lieux d'échanges commerciaux importants ainsi que les établissements amérindiens et européens.

Deux grandes familles

Comme tous les peuples, ceux de l'Amérique du Nord ont connu une constante évolution et l'Européen est débarqué parmi eux à un moment donné de celle-ci. L'absence de l'écriture a fait en sorte qu'il n'a eu qu'une vague idée de ce qu'avaient été ces peuples antérieurement ainsi que des rapports qui existaient entre eux à son arrivée.

Cependant, il a pu distinguer assez tôt deux grandes familles linguistiques et culturelles : celle des chasseurs et celle des horticulteurs, qu'aujourd'hui on désigne respectivement sous le nom de famille algonquienne et famille iroquoienne. Chacune d'elles est constituée de différents groupes partageant sensiblement le même mode de vie, la même langue, la même culture et les mêmes croyances.

Les membres de la famille algonquienne vivaient de la chasse, de la pêche, de la cueillette de petits fruits sauvages et, parfois, d'une horticulture très rudimentaire. Leur organisation sociale était basée sur l'ascendance paternelle et, lors d'un mariage, la femme suivait son mari. La naissance d'un mâle était fortement désirée afin que celui-ci puisse chasser pour ses parents lorsqu'ils seraient devenus trop vieux pour le faire. Les Algonquiens étaient constitués de plusieurs tribus, dont celles, plus connues, des Innus (Montagnais), des Algonquins proprement dits, des Cris, des Mohicans, des Micmacs, des Abénaquis et des Outaouais.

Pour leur part, les membres de la famille iroquoienne tiraient leur nourriture de base principalement de la culture du maïs, qu'accompagnait celle des fèves, des courges, des citrouilles et du tournesol. S'y ajoutaient aussi la culture du tabac ainsi que des activités complémentaires de pêche et de chasse. Leur organisation sociale était basée sur l'ascendance maternelle et, lors d'un mariage, en règle générale, l'homme allait vivre dans la maison de sa femme. Pour cette raison, on se réjouissait davantage de la naissance d'une fille, qui assurait la survie de la famille matriarcale.

Les Iroquoiens étaient socialement et politiquement plus structurés que les Algonquiens. Alors que ces derniers, nomades, se déplaçaient par bandes de quinze à trente personnes sous la conduite d'un chef choisi pour ses qualités de chasseur, les Iroquoiens, sédentaires, vivaient dans de longues maisons groupées en village, en périphérie duquel se pratiquaient les cultures. Chacune de ces maisons pouvait réunir jusqu'à une centaine d'individus d'un même lignage matrilinéaire et constituait un segment de clan. Celui-ci se choisissait un chef civil et un chef guerrier pour le représenter au Conseil du village, qui, à son tour, choisissait parmi ce dernier des représentants pour siéger au Grand Conseil d'une confédération. Ce système gouvernemental, basé sur l'obtention d'un consensus général, a d'ailleurs inspiré le gouvernement des États-Unis et celui des Nations unies.

Ces modes de vie différents firent se développer des comportements différents par rapport à la guerre. Pourvoyeur de la famille se déplaçant sans cesse à la poursuite du gibier, l'Algonquien démontrait son adresse et son courage à la chasse. Bien qu'étant un excellent guerrier, il était de nature moins belliqueuse que l'Iroquoien, dont la subsistance de base dépendait du travail de la femme aux champs. Ainsi, ce dernier trouvait-il dans la guerre une manière de faire valoir ses habilités et sa bravoure pour défendre un territoire défini par l'horticulture.

La majeure partie de ce roman se déroule dans la première moitié du XVIIe siècle, alors que deux grandes confédérations se livrent une guerre de longue date. Il s'agit de la confédération des Ouendats, composée de quatre tribus dont la plus importante est celle de l'Ours, et de la confédération des Cinq-Nations, composée de cinq tribus dont la plus guerrière est celle des Agniers, mieux connue sous le nom de Mohawks. Dans cette guerre entre gens de culture iroquoienne, les Algonquiens se sont rangés du côté des Ouendats, qu'ils nomment les *bons* Iroquois, par opposition à ceux, ennemis, de la confédération des Cinq-Nations.

Les Sauvages

L'un des premiers problèmes à surgir dans l'élaboration de cette saga fut l'emploi des noms. D'abord, quel terme général utiliser dans la bouche des protagonistes européens pour désigner les autochtones ? Convaincu d'avoir découvert les Indes, Colomb les nommait « Indiens ». Champlain, de son côté, y va du mot « Sauvages », au sens latin, dit-on, de *silva*, signifiant « forêt », donc « hommes de la forêt ». Parfois, il les nomme « Canadiens », la Nouvelle-France étant aussi connue sous le

18

nom de Canada. Utiliser le mot « Canadien » s'avère très confondant alors que celui de « Sauvage » est très « *politically incorrect* ». Par contre, faire abstraction de cette dernière appellation n'équivaudrait-il pas à tronquer la réalité d'alors ? Mon intention étant de montrer comment c'était avant, j'en suis venue à la conclusion que je n'avais pas à « arranger les choses », et ce mot, fidèle à son époque, fait donc parfois partie du vocabulaire des colonisateurs français figurant dans ce roman.

Ensuite, quel nom utiliser pour désigner telle ou telle tribu ? C'est là une question de point de vue. Prenons par exemple l'appellation « Iroquois », qui vient du mot *Iri-Akhoiw*, signifiant « véritable serpent ». Dès le début, Champlain s'est allié aux Algonquiens, faisant ainsi de leurs ennemis les siens propres, au point de franciser la désignation « Iri-Akhoiw » en « Iroquois ». Dans ce roman, donc, le terme « Iroquois » s'applique à la confédération des Cinq-Nations, bien que, la plupart du temps, il concerne plus spécifiquement l'une de ces nations, soit celle des Agniers (Mohawks).

Les Algonquiens se nommaient eux-mêmes des Anishnabecks (ou Anish-nah-be), ce qui signifie « les vrais hommes ». Ce terme générique est utilisé par les protagonistes et englobe toutes les tribus de la grande famille des peuples chasseurs.

Quant aux Ouendats, ce sont ceux que l'histoire a présentés comme étant des Hurons.

Les dieux de la terre

Diverses vagues d'épidémies fauchèrent au moins cinquante pour cent de la population amérindienne et quatre-vingt-dix pour cent dans certaines tribus plus exposées. S'ajoutèrent à ce fléau les guerres de la fourrure, se greffant à des conflits déjà existants, de sorte que plusieurs tribus se sont éteintes. Qui ne connaît pas *Le Dernier des Mohicans* de Fenimore Cooper? Par contre, qui connaît les Kichesipirinis, aussi appelés «Gens de l'Île»? Il fut un temps où ce peuple régna en maître dans le réseau commercial de la rivière des Outaouais. Qui a déjà entendu parler des Oueskarinis, que Champlain nomma «la Petite Nation»? Si peu de gens... Pour cette raison, les noms de ces deux tribus, aujourd'hui éteintes, de la famille algonquienne (ou *anishnabecke*) revivront dans ces pages.

C'est sur cette note de la disparition silencieuse de peuples entiers que je te laisse, chère lectrice ou cher lecteur. Le texte qui suit, traduit de l'ancien français, a été écrit par le père Paul Raguenau, jésuite, en 1650, alors qu'il redescendait la rivière des Outaouais avec quelques centaines de survivants ouendats (hurons) et qu'il traversait le pays des Anishnabecks (Algonquiens).

«Lorsque je montais cette grande rivière, il n'y a que treize ans, je l'ai vue bordée de quantité de peuples de langue algonquine, qui ne connaissaient pas un Dieu, et lesquels au milieu de l'infidélité s'estimaient les dieux de la terre, voyant que rien ne leur manquait dans l'abondance de leurs pêches, de leurs chasses et du commerce qu'ils avaient avec leurs nations alliées, et avec cela, ils étaient la terreur de leurs ennemis. Depuis que la foi est entrée dans leur cœur et qu'ils ont adoré la croix de Jésus-Christ, il leur a donné pour partage une partie de cette croix vraiment pesante; les ayant mis en proie aux misères, aux tourments et à des morts cruelles, en un mot, c'est un peuple effacé de dessus la terre[1].»

---

1. *Relations des jésuites*, volume XXXV, 1649-50, page 204.

Ce sont le fer et le blé qui ont civilisé les hommes
et perdu le genre humain.

JEAN-JACQUES ROUSSEAU

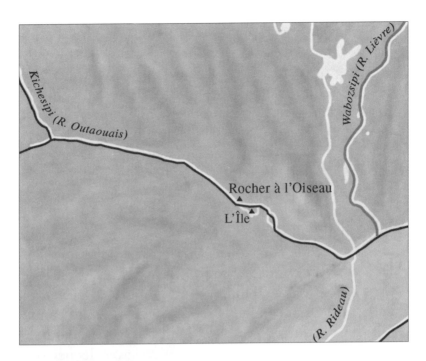

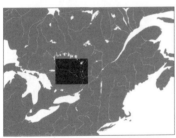

Chapitre 1

La flûte

2500 ans avant J.-C., sur l'île de la Grande Rivière.

Sans l'entendre, il l'entend passer tout autour de leur île. Peut-être l'entend-il vraiment. Une chose lui semble certaine : il l'entendra toujours. Car toujours elle ira, la Grande Rivière, traversant le pays du soleil couchant au soleil levant. L'eau qui passe à l'instant ne reviendra jamais plus. L'eau est comme le temps : elle passe. Ainsi, la vague piquée d'une étoile de lumière qui s'éloigne est à jamais, pour lui, hors d'atteinte. La Grande Rivière l'emmènera jusqu'au fleuve qui rejoint le Grand Lac Salé[1]. De là, jusqu'où ira-t-elle? Il ne le sait. L'eau est comme le temps, en éternel mouvement. Il aurait pu boire cette vague piquée d'une étoile de lumière et la faire sienne. Comme lorsque l'on fait sien le temps présent. Mais aujourd'hui, le temps présent qu'il boit est salé comme ses larmes.

Et les larmes tombent sur sa main tremblante qui tient la flûte qu'il a fabriquée pour son fils dans un os d'oiseau. Toute petite flûte sur laquelle il a gravé une plume. Il a exigé d'être seul pour n'être pas vu à pleurer. C'est là le propre d'une femme. Lui, il est un grand chasseur et un grand voyageur. Il connaît le sentier des cerfs et le chemin qui mène aux autres hommes. Il sait remonter la Grande Rivière jusqu'aux gisements de cuivre avec lequel son peuple façonne pointes de flèche et de lance, haches, hameçons, alènes, pointeaux, aiguilles à chas, couteaux, pendentifs et bracelets. Son peuple est le peuple parce que, de son île, il permet les échanges entre les hommes. De cette île sacrée au centre du monde, il emprunte le chemin de la Grande Rivière qui marche vers les autres hommes. Par lui circulent et se troquent les objets de cuivre, les fourrures, les dents de morse, les peaux de wapiti, les filets de pêche en fibre d'ortie, le poisson fumé, la viande séchée, les coquillages et le silex.

Les gens de son peuple sont les enfants de la Grande Rivière. Elle les nourrit de ses poissons et enserre leur île dans ses bras d'eau comme la mère enferme l'enfant dans les siens. Il ne devrait pas pleurer parce qu'elle lui a ravi son fils unique mais plutôt considérer cela comme un honneur.

---

1. Grand Lac Salé: océan Atlantique qui, dans la conception amérindienne, comprenait également l'estuaire du Saint-Laurent.

Il a honte et mal. Honte de ses larmes et mal de ce vide en lui. Quelque chose s'est arrêté, là, en dedans. C'est comme si la Grande Rivière venait de lui arracher le cœur.

Il a honte de sa main qui tremble en déposant la flûte près du cadavre de son fils étendu dans la fosse. Et il a mal en contemplant ce garçon robuste et plein de promesses. Ce garçon qui lui donnait la conviction que lui, le père, ne mourrait pas à sa mort, du moins pas tout à fait, parce que son fils le continuerait dans ce monde. Par son sang, par tout ce qu'il lui avait enseigné.

Mais voilà, son fils est parti avant lui. Les eaux de la rivière ont fait chavirer son embarcation remplie de pépites de cuivre qu'il rapportait de son premier voyage là où on les trouve près d'un grand lac[2].

Si lourd à porter, le cadavre d'un fils noyé!

Voilà maintenant qu'il repose, couché sur le dos, le corps peint d'ocre rouge, les bras et avant-bras parés de bracelets. Qu'il est beau, ce fils qui aspirait aux longs et périlleux voyages sur le dos de la Grande Rivière pour alimenter en cuivre ceux qui le transforment en objets sur l'île! Il se le rappelle poupon vigoureux, puis enfant infatigable le suivant partout, et enfin adolescent agile triomphant aux jeux d'adresse. Il se rappelle les seize printemps de son existence qui ont nourri sa fierté de père.

Où est-il maintenant, son fils? Voilà son âme hors d'atteinte comme l'est la vague qui passe. Longtemps, dans la nuit, il a parlé à la rivière, qui n'a laissé que le corps sur la grève. Aurait-elle emmené l'âme au même endroit qu'elle emporte toutes ses vagues? Inlassablement, il a demandé une réponse. «Où es-tu, mon fils? Fais que le vent, par sa bouche, souffle dans ta flûte afin que je te

---

2. Ce cuivre natif provenait de dépôts situés au nord du lac Supérieur. Ils furent exploités à partir de 4000 avant Jésus-Christ jusqu'à la période historique.

sache quelque part. » Et, toute la nuit, il tenait dans le vent au bout de son bras la petite flûte muette. Immobile, patient et attentif comme chasseur à l'affût, il attendait d'elle un son, si faible soit-il, mais il n'a entendu que le vent et la rivière… qu'il entendra toujours.

Au matin, la petite flûte pesait très lourd au bout de son bras.

Son fils repose près de son arc, de ses flèches, de son couteau et de cette flûte dont il tirait des sons qui faisaient du bien en dedans. Des sons qu'il aurait aimé entendre pour réanimer ce qui s'est arrêté et qui gît en lui, inerte, raidi de froid et noué de silence.

« C'est pour ton voyage là-bas », dit-il au cadavre peint d'ocre rouge pour la circonstance. Un grand frisson le parcourt. « Tu m'en joueras lorsque j'irai aussi. » Il tremble de tout son être car maintenant il doute des réponses qu'ont les hommes sur l'au-delà. Il tremble et ne fait plus que pleurer… Comme une femme.

Et la Grande Rivière passe.

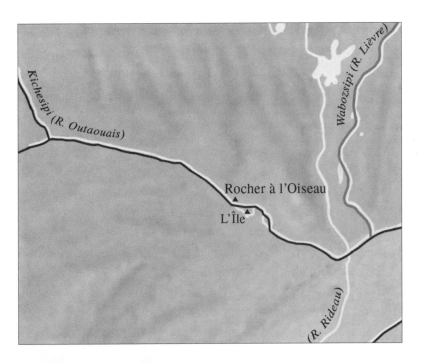

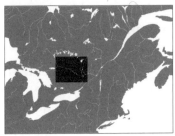

Chapitre 2

La hache

1503, rocher à l'Oiseau[1], en amont de l'Île,
rive nord de la Grande Rivière.

La falaise de granit se dresse, s'impose. Recueillis, les
Enfants de la Grande Rivière contemplent les figures

---

1. Falaise qui surplombe de 152 mètres la rivière des Outaouais et qui est
reconnue comme site d'art rupestre préhistorique. Nommée le rocher à l'Oiseau, elle se situe un peu en amont de l'île aux Allumettes et de l'île Morrison,
dans la municipalité de Sheen-Esher-Aberdeen-et-Malakoff, au Québec.

dessinées à l'ocre rouge, leurs regards revenant sans cesse à l'aigle, l'oiseau suprême associé à la foudre et à la prophétie. La légende raconte qu'il aurait sauvé la vie d'un bébé tombé de la falaise. Lui qui, du haut du ciel, voit si loin, les guidera-t-il aujourd'hui ?

Inquiets, ils sont venus le consulter. L'objet de leur crainte est aussi objet de convoitise. C'est une hache d'une matière dure et inconnue. Une pure merveille. Plus tranchante et résistante qu'une hache de cuivre, elle-même réputée supérieure à celle de silex. Elle leur a été troquée par des chasseurs situés en aval, à l'est de l'Île. Ces membres de leur grande famille anishnabecke (algonquienne) possèdent l'avantage de pouvoir atteindre le fleuve qui rejoint le Grand Lac Salé. Par contre, eux, les Enfants de la Grande Rivière, ils possèdent celui de pouvoir trafiquer avec les horticulteurs amis situés en amont, à l'ouest de l'Île, ce qui favorise leur rôle d'intermédiaires.

Cette hache, ils l'ont négociée à la grande foire annuelle de Nékouba, où aboutissent autant de rivières que de peuples. Est-elle ensorcelée ? Elle provient d'Étrangers qui prétendent venir d'Ailleurs, de l'autre côté du Grand Lac Salé. Est-ce possible ? N'est-ce pas là le royaume des âmes ? Qui sont ces êtres ? Pourquoi viennent-ils pêcher poissons et baleines Ici ? Est-ce qu'Ailleurs il n'y a ni poissons ni baleines ? Ils ont, paraît-il, le corps et le visage couverts de poils. Sont-ils vraiment des hommes ? Ou des esprits maléfiques, mi-hommes, mi-animaux ? Est-ce que l'aigle, si haut dans le ciel, peut voir d'où ils viennent, combien ils sont et quelles sont leurs intentions ? Vont-ils revenir et rapporter d'autres haches comme celle-ci en échange de laquelle ils ont voulu des fourrures ?

Avec quels yeux faut-il voir cet objet ? Depuis des générations, dans leurs mains transitent os de baleine, maïs, riz, tabac, cuivre, poterie, quartz, obsidienne, pierres à feu, cordes, filets de pêche, fourrures, peaux de wapiti, de caribou, de chevreuil et d'orignal, poisson fumé, viande et baies séchées. Voilà maintenant cet objet exotique, peut-être sacré, peut-être maléfique.

À leurs yeux d'intermédiaires, il représente une grande valeur de troc car tous les Peuples d'Ici le convoiteront sans le moindre doute, mais, à leurs yeux d'Enfants de la Grande Rivière, il est considéré comme un élément perturbateur. Venu d'Ailleurs, cet objet s'est glissé dans la circulation des biens. Symbolise-t-il l'ouverture d'un nouveau marché par les Étrangers? Un marché qui bouleversera les normes et les réseaux établis par leurs pères et les pères de leurs pères. En trafiquant avec ces Anishnabecks sur la rive du fleuve, les Étrangers ne leur ont-ils pas déjà attribué un rôle d'intermédiaires? Et, s'ils envisagent de revenir échanger d'autres objets de cette nature, la rive du fleuve ne deviendra-t-elle pas, à l'instar de leur île, un lieu de passage et un lien entre les Peuples d'Ici et les êtres qui habitent de l'autre côté du Grand Lac Salé? Qu'adviendra-t-il alors de la Grande Rivière et de ses Enfants? Qu'adviendra-t-il de leurs alliances et de leurs ententes?

Qu'en pense l'aigle suprême, lui qui voit si loin? Y aura-t-il d'autres haches comme celle-ci pour abattre ce que des générations ont élaboré? Y aura-t-il d'autres haches comme celle-ci pour déterrer celle de la guerre? L'aigle voit-il par-delà le Grand Lac Salé d'où prétendent venir les Étrangers? Voit-il à l'intérieur des palissades ceinturant les villages des horticulteurs ennemis qui occupent l'amont du fleuve? Si jamais les Étrangers parvenaient à découvrir leurs villages et leur maïs, ils pourraient fort bien les choisir en tant qu'intermédiaires et les rendre alors maîtres d'un nouveau réseau développé à partir du fleuve au détriment de la Grande Rivière.

Qu'en pense l'aigle suprême, lui qui voit si loin?

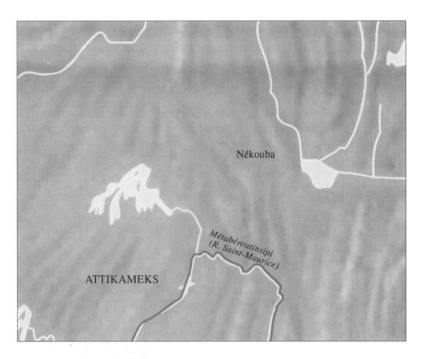

Nékouba

Métabéroutinsipi
(R. Saint-Maurice)

ATTIKAMEKS

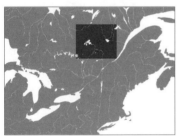

Chapitre 3

Entre eux

*1585, en la lune algonquienne des fruits sauvages
(août), Nékouba, vaste clairière en Abitibi*[1].

Nékouba, grand cercle dégagé à l'intérieur de la forêt
d'épinettes où les hommes se rencontrent. Où les

---

1. Abitibi: mot algonquien signifiant «eau mitoyenne», appellation
pleinement justifiée de cette région nommée aussi «hauteur des terres où
les sources des cours d'eau ont à choisir entre deux versants qui se séparent
dos à dos»: celui du Saint-Laurent et celui de la baie James.

hommes se reposent d'avoir remonté le cours des rivières jusqu'à leur source. D'innombrables coups de pagaie et d'ardus portages les ont menés avec leurs produits en ce lieu de la grande foire. Çà et là, au gré des liens et des amitiés, ils ont érigé leur campement, qui d'écorces, qui de peaux, qui de branchages. Près de leur feu, ils fument, mangent, s'entretiennent. Des enfants s'amusent, des femmes s'occupent, des chiens se promènent en quête d'un reste de nourriture.

Demain, plusieurs repartiront vers leur territoire respectif, rapportant aux leurs ce dont ils ont besoin. Parfois, ce dont ils ont rêvé.

Ce soir est le dernier avant le rendez-vous de l'an prochain pour le Kichesipirini[2] qui a convié ses partenaires à un festin. À chacun d'eux, il donnera un présent de choix, illustrant ainsi son prestige. En tant qu'intermédiaire, ne doit-il pas leur démontrer que sa richesse n'a d'égale que sa générosité? Après tout, il a besoin de ses invités autant qu'ils ont besoin de lui.

Sa femme, sa fille et sa bru travaillent depuis deux jours à préparer la nourriture. Elles ont cueilli quantité de bleuets et de feuilles de thé; apprêté la viande et le museau d'un orignal; cuit de bonnes baniques[3] sous la cendre. Brochets, truites, farine de maïs et gousses d'ail mijotent dans le pot alors qu'anguilles et esturgeons fumés regorgent dans les plateaux d'écorce sur de généreux lits de riz[4]. Ces mets variés et appétissants reflètent ce qu'il est. Ils attestent de sa valeur, de sa grandeur, de son importance. Il est celui par qui l'on doit passer pour sillonner la

---

2.   Kichesipirini: peuple ou enfants de la Grande Rivière.
3.   Banique, bannock: galette, principalement de farine de maïs.
4.   Riz: zizanie aquatique. Appelé *menomin*, c'est-à-dire «bons fruits», par les Algonquiens, qui le récoltaient sur les rives de certains lacs. Désigné sous le nom de «folle avoine» par les Français et considéré aujourd'hui comme une denrée de choix sous le nom de riz sauvage.

Grande Rivière. Celui qui peut convier près du même feu l'horticulteur allié qu'il nomme Bon Iroquois et le chasseur innu[5] qui rejoint la rive du fleuve. Membre comme lui de la grande famille des Anishnabecks (Algonquiens), c'est-à-dire des « vrais hommes », celui-ci se présente escorté de ses deux fils et suivi de sa femme, de ses brus et de quatre enfants. Chacun, chacune apporte son écuelle d'écorce et, après les salutations, s'assoit sur les nattes de jonc, le père et ses fils d'un côté de lui près du feu, les femmes et les enfants en retrait.

— Nous retrouver là où ton feu brûle est une marque d'amitié, commence l'Innu (Montagnais).

— Je vous regarde comme mes amis.

— Voici pour te montrer notre amitié, poursuit l'homme en lui offrant un chaudron de métal, préféré aux poteries pour sa conductivité, sa légèreté et sa résistance.

Sans dire mot, le Kichesipirini l'accepte, signifiant ainsi qu'il accepte l'amitié.

— Tes femmes cuisent la tête de l'orignal de la même manière que nos femmes, remarque l'Innu après un moment en observant la pièce suspendue au-dessus du feu et à laquelle on imprime un mouvement de rotation.

— Nous sommes de la même grande famille.

L'Innu acquiesce, au grand contentement du Kichesipirini. Bien que ses invités soient physiquement différents de lui, leur taille étant plus courte, leur peau plus foncée et leurs traits plus rudes, ils lui sont apparentés par leur langue et leur mode de vie depuis la nuit des temps et ils occupent présentement le rôle d'intermédiaires entre les Étrangers et les Peuples d'Ici. Comme c'est par leurs mains que transitent les objets de fer, rien n'est plus avantageux que d'évoquer la parenté et de renforcer l'amitié.

---

5. Innu : mot signifiant « être humain » en langue algonquienne. « Montagnais » est le nom attribué par les Français.

— Le museau de l'orignal est la meilleure partie de la bête, souligne-t-il.

Nouvel acquiescement.

— Le museau de l'orignal est meilleur que les biscuits de l'Étranger, convient l'Innu après un moment de silence, affichant l'intimité de sa relation avec ces gens qui viennent de l'autre côté du Grand Lac Salé.

— Un jour, j'aimerais goûter ces biscuits.

— Un jour, je te ferai goûter.

— Est-ce que les biscuits de l'Étranger sont meilleurs que le maïs des Bons Iroquois?

— Le maïs des Bons Iroquois est meilleur, reconnaît l'Innu.

Il voit alors s'approcher un homme de grande taille au crâne rasé et dont la peau, encore plus pâle que celle du Kichesipirini, est tatouée au niveau des pectoraux, des épaules et du dos. Le visage peint moitié en rouge, moitié en bleu, il porte des anneaux et des pendentifs de perles de wampum[6] aux oreilles. Un jeune homme visiblement hautain arborant de riches parures et un adolescent observateur au corps joliment peint l'accompagnent. Chacun apporte une écuelle de bois.

Le Kichesipirini s'avance et, s'exprimant en la langue des nouveaux arrivants, les invite à prendre place dans le cercle.

Oreilles-Ouvertes trouve fort risible l'accent de leur hôte, mais il n'en montre rien. Comme disent les marchands de son village, le fait que le Kichesipirini

---

6. Wampum: terme générique dérivé de l'algonquien *wampupeake* ou *wampumpeag*, signifiant «cordelettes de blanc» ou «muscle» et faisant référence aux coquillages marins d'où est extraite une perle blanche ou pourpre que l'on perfore, taille en petit cylindre et polit. Ces perles de wampum étaient montées en collier ou en ceinture. Avant l'arrivée des Européens, le wampum, fabriqué par les Algonquiens, était utilisé comme monnaie d'échange.

baragouine leur langue prouve qu'il possède une certaine intelligence. L'esprit attentif et curieux, le garçon savoure le moment. Quelle chance il a de se retrouver ici avec son oncle maternel et son cousin! Après tout, il n'a que treize ans, bien qu'il paraisse plus vieux en raison de son physique costaud. Nékouba le fait rêver depuis qu'il se souvient des choses. Lieu magique et unique, la clairière est associée à son père qui s'y rendait avec l'oncle et en rapportait toutes sortes de marchandises. Les soirs d'hiver, quand il lui enseignait à fabriquer leurs armes et leurs outils, il lui parlait de Nékouba comme d'un cœur d'où partaient les artères des rivières permettant aux hommes de voyager. Étrangement, depuis son arrivée ici, il a l'impression d'être en présence de son père. Cela le réconforte de son décès et l'encourage à se montrer digne de lui. Et digne de son oncle et tuteur qu'il observe pendant que celui-ci présente au Kichesipirini un grand collier de perles de wampum. « Pour consolider notre amitié », déclare-t-il. Avec quelle prestance ce collier d'une grande valeur est offert! Et avec quelle discutable lueur d'intérêt mercantile il est accepté! Son oncle a raison de dire que ces Gens de l'Île accordent au commerce une importance qu'ils ont parfois peine à dissimuler, contrairement à eux qui enrobent toujours de politesse les échanges de produits.

Le Kichesipirini désigne deux nattes près de la sienne. « Mon neveu a sa place auprès de mon fils », lui déclare le Bon Iroquois. Aussitôt, l'hôte envoie une femme chercher une autre natte sur laquelle Oreilles-Ouvertes s'assoit posément, masquant sa joie de se trouver au premier rang et non en retrait comme il s'y attendait. En fait, il n'espérait même pas être invité. Il n'a accompli jusqu'à maintenant que les tâches de moindre importance, en raison de son jeune âge, et grande fut sa surprise quand son oncle lui a dit: « Tu as ta place à ce repas ». Avec application, il s'est dessiné différents motifs sur les membres et le torse avec des restants de couleur et le voici siégeant parmi les hommes, tout disposé à se conduire comme il se doit en pareille occasion.

Le Kichesipirini ouvre le festin.

— Le soleil disparaîtra bientôt à l'horizon, dit-il. Quand il reviendra, chacun de nous entreprendra le voyage du retour, gardant dans son cœur l'espoir de revenir… Il ne tient qu'au Maître de la Vie que nous nous revoyions.

L'homme marque une pause, puis se tourne vers le Bon Iroquois.

— Dans ton canot, tu rapportes des peaux de wapiti, de caribou et d'orignal, et même des vêtements tout faits que nos femmes décorent avec des poils de porc-épic. J'ai vu des fourrures de toutes sortes, des nattes de peaux de lièvre, de la viande séchée. Pour objets de valeur, j'ai vu des couteaux et des haches de fer… Toi, mon frère anish-nabeck, poursuit-il en se tournant vers l'Innu, tu rapportes dans tes canots de la farine de maïs, du tabac, des gourdes d'huile de fleur-soleil, des filets, des cordages, des poteries, du cuivre et les marchandises de luxe que sont les wampums et les peaux d'écureuil noir… Par tes mains, les articles de fer proviennent jusqu'aux nôtres. Mon cœur se réjouit d'être ton ami et de pouvoir t'appeler frère, et mon cœur se réjouit aussi d'être ton ami et de parler ta langue, ajoute-t-il à l'intention du Bon Iroquois avant de marquer une seconde pause.

Oreilles-Ouvertes apprécie que l'évènement se déroule dans sa langue car celle des chasseurs, il ne la comprend pas. Son oncle prétend que quiconque désire obtenir de leur maïs, qui est en voie de détrôner le wampum comme monnaie d'échange, se doit de connaître leur langue. C'est ainsi.

— Les peaux et les fourrures serviront à vêtir les Bons Iroquois et les viandes séchées serviront à agrémenter leurs repas, poursuit le Kichesipirini.

L'adolescent se révolte intérieurement d'entendre l'expression «Bon Iroquois». Dans sa tête et dans son cœur, il ne peut y avoir de bons Iroquois car ce sont là des ennemis. D'ignobles ennemis qui ont tué son père. Comme il admire la parfaite impassibilité avec laquelle son oncle ignore l'absurdité de ce terme!

— Toi, mon frère innu, tu ramènes le maïs aux tiens. Ils en auront grand besoin quand l'eau des lacs et des rivières devient glace puis redevient eau, les empêchant de chasser et de pêcher... Si le Maître de la Vie nous permet de nous revoir en la prochaine lune des fruits sauvages, ce que, demain, vous rapporterez aux vôtres aura été mangé ou utilisé.

Une troisième pause pendant laquelle le Kichesipirini, d'un signe de la main, commande à sa fille et à sa bru de s'avancer. Oreilles-Ouvertes s'étonne de l'empressement de ces dernières. Depuis qu'il côtoie des chasseurs à Nékouba, il a remarqué que leurs femmes ne se comportent pas comme celles de son village. Elles semblent se considérer comme étant au service de l'homme, qu'elles suivent partout avec leurs enfants. Chez lui, les femmes demeurent au pays pour cultiver le maïs, pleinement conscientes de l'importance que cela leur confère.

Une des femmes s'agenouille devant son oncle et l'autre devant l'Innu pour leur présenter un cadeau enveloppé d'une peau souple. Emphatique, le Kichesipirini poursuit, accordant équitablement une grande considération à ses deux invités.

— J'ai voulu, pour mon frère et pour mon ami, un présent qui ne connaîtra pas l'usure. Un présent qu'ils pourront léguer en mémoire de nos liens. J'ai voulu un présent que ni le feu, ni la pluie, ni le froid, ni le temps ne peuvent détruire. Un présent qui vous fera vous rappeller de moi et de notre entente...

Chaque femme dépose le paquet sur le sol et déballe avec cérémonie une pipe en catlinite[7] dont le fourneau est admirablement sculpté en tête d'aigle.

— Les Anishnabeks mistassins qui fabriquent ces pipes les nomment «pipes de l'Amitié»... L'aigle monte très haut dans le ciel... Sa vue est perçante... Puisse l'aigle nous inspirer et nous guider... Puisse l'aigle nous dévoiler l'ennemi caché en embuscade et nous aider à le chasser de nos rivières... Puisse l'aigle veiller sur notre amitié.

La femme du Kichesipirini s'avance pour lui remettre une pipe semblable à celle de ses invités. L'homme prend ensuite un petit sac attaché à son cou et qui lui pend dans le dos, y pige du tabac et le passe au Bon Iroquois, puis à l'Innu.

— Les mains des horticulteurs ont cultivé le tabac... Les mains des chasseurs ont fabriqué les pipes.

Chacune des femmes présente un tison.

— La fumée qui monte vers le Grand Esprit, Maître de la Vie, réunit le souffle de l'horticulteur et celui du chasseur. La fumée qui monte est celle de notre amitié, conclut le Kichesipirini en inspirant profondément une première bouffée qu'il expire ensuite lentement, s'envoyant la fumée au visage comme pour se laver avec.

L'Innu et le Bon Iroquois font de même avec recueillement alors que les femmes se retirent pour préparer les plats.

Ébloui, Oreilles-Ouvertes regarde s'élever la fumée qui transcende les nombreux trocs effectués à Nékouba. Il la voit comme la vision dont il est en quête depuis qu'il s'est isolé pour jeûner, ainsi qu'il est d'usage quand un garçon

---

7. Catlinite: grès ou pierre rouge facile à sculpter. Détenteurs du monopole des pipes avant l'arrivée des Européens, les Mistassins organisaient des expéditions à partir du grand lac Mistassini pour aller chercher la catlinite au Minnesota (U.S.A.).

atteint la puberté. Il a tant désespéré qu'elle ne se soit pas encore manifestée à lui. La voilà enfin, sa vision ! Celle qui le guidera tout au long de sa vie et lui permettra de changer son nom. Il n'aime pas celui d'Oreilles-Ouvertes que sa mère regrette aujourd'hui de lui avoir donné, le voyant si peu enclin et adroit à utiliser la parole. « J'aurais dû te nommer Bouche-Ouverte », échappe-t-elle parfois, la mine soucieuse. Maintenant, elle n'aura plus à s'inquiéter. Maintenant, il sait qui il est car il sait qui il sera. Cette fumée vient de le lui révéler. Dorénavant, il s'appellera Fumée-d'Échange et sera marchand.

L'adolescent multiplie les efforts pour cacher son émotion. Il a envie de crier, de sauter, de courir, mais il s'astreint à demeurer tranquille à sa place. Cette place que, par deux fois, son tuteur a mentionnée. Celui-ci aurait-il deviné la révélation de son avenir, pour l'avoir convié à ce festin ? Lui lèguera-t-il un jour cette magnifique pipe plutôt qu'à son propre fils ? Pourquoi pas ? Ce dernier échoue à cacher le dédain que lui inspirent les chasseurs. Ne préconisait-il pas d'apporter à ce festin leur propre nourriture pour n'avoir pas à manger celle de leurs hôtes ? « Cette attitude ne favorise pas les échanges avec l'orgueilleux Kichesipirini », a argumenté l'oncle pour l'amener à changer d'avis.

Fumée-d'Échange se met à rêver. Un jour, il sera lui aussi acteur d'un festin de ce genre. Sa vision l'y destine et il lui revient de l'accomplir. Oreilles-Ouvertes l'aidera en ce sens en mettant à contribution sa formidable capacité d'écoute et son sens de l'observation. Rien ne doit lui échapper des conventions d'un tel événement. Conventions qui, à l'instar de la fumée des pipes, vont au-delà du strict échange matériel et au-delà de leurs différences.

Après s'être accordé le temps de fumer tout à son aise en compagnie de ses invités, le Kichesipirini se lève et décroche la tête d'orignal de dessus le feu avec l'aide des femmes, qui étalent ensuite les différents mets devant lui.

— Amis ici assemblés, le festin se compose de la tête de l'orignal que mon fils a tué en arrivant ici.

— Hô-ô-ô! répondent les convives.

— Il y a aussi des truites et des brochets cuits avec de la farine de maïs et des gousses d'ail...

— Hô-ô-ô-!

— Il y a de la banique et du riz.

— Hô-ô-ô-!

— Des anguilles et des esturgeons fumés.

— Hô-ô-ô-!

— Des bleuets frais cueillis.

— Hô-ô-ô-!

— Du grand thé.

— Hô-ô-ô-!

D'un geste vif, il dépèce la tête, séparant le museau en deux, retirant la langue, les yeux, les bajoues.

— Mon ami, voilà ton museau, dit-il en déposant un des morceaux à l'aide d'un bâton pointu dans l'écuelle du Bon Iroquois. Nous le mangeons maintenant.

— Mon frère anishnabeck, voilà ton museau, continue-t-il, donnant l'autre partie du mets de choix.

Il poursuit ainsi, distribuant d'abord la nourriture dans les écuelles des hommes, ne se servant pas lui-même, ravi de voir les autres manger avec appétit et contentement. Pouvait-il espérer festin plus réussi? Voilà le Bon Iroquois et l'Innu témoins et bénéficiaires du privilège de sa position. Que seraient l'un et l'autre sans lui? Et que serait-il, lui, sans cette Grande Rivière qui le mène chez l'un et chez l'autre? Que seraient-ils sans Elle qui mêle ses eaux à celles du fleuve découvert par l'Étranger? Que seraient-ils sans Elle que leur ennemi commun convoite? Si, dans les temps anciens, cette rencontre des eaux favorisait le transit du cuivre, elle permet aujourd'hui aux Iroquois d'infester le fleuve et la Grande Rivière dans l'espoir d'obtenir le contrôle de ces deux voies. Pour cette raison, la vieille route de Nékouba par l'intérieur des terres demeure la plus sûre car elle contourne les serpents iroquois qui se tiennent en embuscade le long des rives.

— Les Étrangers sont-ils nombreux à Tadoussac[8]? demande-t-il à l'Innu qui se lèche les doigts, la mine satisfaite et rassasiée.

— De leurs bâteaux de bois, j'en ai vus autant que j'ai de doigts aux mains et aux pieds. Ils ne sont pas tous d'un même peuple.

— Des peuples ennemis?

— Ils ne semblent pas en guerre, mais ils se querellent entre eux pour les fourrures[9].

— Il doit faire froid en leur pays pour qu'ils veuillent tant de fourrures.

— Très froid. Ils recherchent les fourrures qui ont le duvet dense. Plus elles viennent du Nord, meilleures elles sont pour eux.

— Les fourrures que nous t'apportons viennent du Nord, précise le Kichesipirini.

— Ce sont de bonnes fourrures.

— Celles des Iroquois viennent du Sud; elles sont moins bonnes.

— Quand elles sont moins bonnes, l'Étranger donne moins d'objets de fer et plus de perles de verre, mais l'Iroquois ne se rend pas à Tadoussac, sachant que c'est là un lieu innu.

— Hi! hi! hi! Son canot prend l'eau… Il veut être maître du fleuve, mais il ne sait pas construire de bons canots, se moque le Kichesipirini.

---

8. Tadoussac ou Totokbak: mot algonquien signifiant « mamelles », relatif à la forme des montagnes du lieu.

9. Dès 1560, Tadoussac est un lieu de traite où Basques, Normands et Bretons développent une certaine concurrence, surtout à partir de 1580, où le chapeau de feutre devint à la mode.

— Il n'y a pas de bouleau chez lui. Sans écorce de bouleau, il n'y a pas de bons canots. Les Anishnabecks font les meilleurs canots, déclare l'Innu avec une pointe de vantardise.

— Les Étrangers font des canots capables de traverser le Grand Lac Salé, glisse habilement le Bon Iroquois qui, aimant bien à l'occasion se procurer les canots de ces chasseurs, se refuse cependant à en faire l'éloge.

— Leurs canots de bois sont capables de traverser le Grand Lac Salé, mais incapables de remonter les rivières, réplique l'Innu, imperturbable.

— Nos Anciens racontent que les canots de bois ont déjà remonté ce fleuve nommé Hochelaga[10] par des Iroquois qui y vivaient en grand nombre, souligne le Bon Iroquois.

— Nos Anciens racontent que les Anishnabecks ont chassé ces Iroquois du fleuve. Depuis, les Étrangers qui échangent le fer avec nous ne remontent plus son cours, assure l'Innu.

— Un des leurs a ouvert la voie. Pour l'instant, les Étrangers peuvent obtenir les poissons, les baleines et les fourrures sans se donner la peine ni prendre le risque de suivre cette voie. Leurs besoins semblent grands. Un jour viendra où ils remonteront le fleuve, prédit le Bon Iroquois.

— Tu parles avec sagesse, ami, car une voie, une fois ouverte, ne se referme pas. Ainsi en est-il des routes qui nous ont conduits à Nékouba et que nos ancêtres ont ouvertes. Avec leurs mauvais canots, les Iroquois descendent jusqu'au rétrécissement du fleuve [à la hauteur de la ville de Québec] et ils ambitionnent d'établir un contact avec les Étrangers. Si ce contact a lieu, l'Iroquois deviendra

---

10. Hochelaga ou Hochlayé : mot iroquoien signifiant « digue de castors ». En 1535, Jacques Cartier remonta ce fleuve (Saint-Laurent) qui, selon ses écrits, allait en se rétrécissant jusqu'au Canada (issu également d'un mot iroquoien, kanata, signifiant « village, bourgade, groupe de tentes »).

maître du fleuve et maître des échanges avec l'Étranger, élabore le Kichesipirini, cherchant à dissimuler son intérêt à protéger avant tout la Grande Rivière.

L'Innu hoche la tête.

— Tes paroles, mon frère, rejoignent mes inquiétudes, admet-il. Même s'ils ont de mauvais canots, les Iroquois sont à craindre. Eux aussi cultivent le maïs, poursuit-il en jetant un regard oblique au Bon Iroquois, et, avec le maïs, ils peuvent obtenir les fourrures des chasseurs du Nord. Si ces serpents établissent le contact avec les Étrangers, il y aura des armes de fer dans leurs mains et ces armes leur serviront contre nous.

— Ces armes leur serviront à s'emparer de la Grande Rivière, ajoute le Bon Iroquois.

Silence. Voilà les faits établis, les enjeux énoncés. Leur union commerciale n'a d'autre garantie de survie qu'une alliance dans les guerres se profilant à l'horizon.

Le Kichesipirini observe ses partenaires. Ce qui n'est pas dit se voit dans l'attitude de l'Innu, qui aimerait conserver le monopole des échanges avec l'Étranger, et dans celle du Bon Iroquois, qui se juge plus digne d'en hériter en raison de son maïs. Solennel, il présente ses mains ouvertes à l'Innu.

— Nos mains réunies ne suffiront pas. Il faut des armes de fer dedans pour chasser à tout jamais l'Iroquois du fleuve.

L'Innu dépose un couteau dans la main droite. Le Kichesipirini présente alors ses mains à l'autre partenaire.

— Pour obtenir le fer, il faut des fourrures. Pour obtenir les fourrures, il faut le maïs.

Le Bon Iroquois se déleste alors du petit sac contenant le maïs grillé qui lui sert lors de ses expéditions et il le dépose dans la main gauche.

— Unis en nos échanges, unis en nos guerres, conclut le Fils de la Grande Rivière.

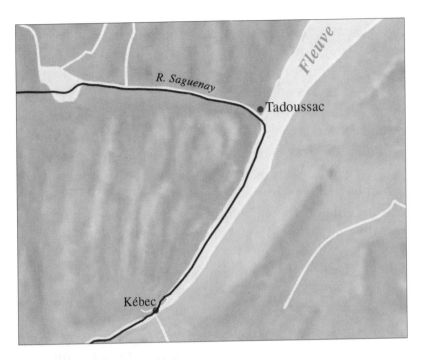

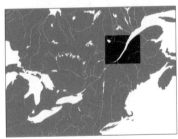

Chapitre 4

Avec l'Étranger

*1603, en la lune algonquienne de la ponte
des oiseaux aquatiques (juin), Tadoussac.*

Hier, c'étaient les cérémonies de la victoire remportée sur leurs ennemis iroquois. Plus de mille Anishnabecks y participaient sur la place publique et les Étrangers français y assistaient. À ces derniers, ils doivent les armes de fer qui, par leur supériorité, ont permis de battre l'ennemi qui les surpasse par le nombre.

C'est avec les Anishnabecks innus que les Français ont fait affaire jusqu'à maintenant, mais, hier, ils ont eu un aperçu de l'importance des Kichesipirinis. Alors, dans les yeux de l'Étranger, une étincelle s'est allumée. Il revient dorénavant aux Enfants de la Grande Rivière de veiller à ce que cette étincelle ne s'éteigne ni ne s'enflamme.

Hier, lui, Tessouat, Grand Chef des Kichesipirinis de l'Île, vêtu de ses plus beaux habits et paré de ses plus riches ornements, a présidé à la célébration, assis entre deux bâtons auxquels pendaient les têtes de leurs ennemis. Devant lui dansaient leurs filles et leurs femmes, ne portant que colliers, ceintures et bracelets. Belles, fortes et saines, elles proclamaient la suprématie de leur peuple car seuls des hommes exceptionnels peuvent être issus de tels ventres et avoir été nourris à de telles mamelles.

Hier, ses guerriers chantaient pour que dansent leurs mères, leurs femmes, leurs filles. Lui, de temps à autre, il se levait et se promenait parmi ses alliés. « Voyez comme nous nous réjouissons. Célébrez avec nous », les invitat-il. À ces mots, Anadabijou, Grand Chef des Innus, s'est dépouillé de ses vêtements, et ses gens en firent autant, exhibant les corps de la grande famille des « vrais hommes ». Puis chacun, chacune fit présent aux Kichesipirinis, qui d'une hache, d'une épée, d'un couteau ou d'un chaudron de métal, qui de graisse ou de viande séchée. Ensuite, ils ont organisé une course entre leurs meilleurs athlètes, attribué un présent au vainqueur, puis mangé en abondance et fumé ensemble. Hier, Champlain a vu.

Il y a douze soleils, ce Français et son compagnon ont conclu une alliance avec la coalition anishnabecke représentée par Anadabijou, qui, l'an dernier, a dépêché deux ambassadeurs pour rencontrer le Chef Très Grand des Français[1] de l'autre côté du Grand Lac Salé. De retour au

---

1. Chef Très Grand des Français : le roi des Français (Henri IV).

pays, ces deux envoyés ont rapporté la volonté de ce Chef Très Grand d'établir de solides relations commerciales avec les Anishnabecks et de les assister dans leurs guerres. Ainsi donc, la politique des Étrangers s'apparente à celle des Peuples d'Ici, à savoir que le partenariat commercial engage à des alliances. Cette proposition leur convint et Anadabijou exprima son contentement d'être l'ami du Chef Très Grand des Français. Il leur souhaita la bienvenue et les autorisa à s'installer à Tadoussac pour y recevoir les fourrures, puis il les invita à conclure officiellement l'entente en fumant avec lui, ce qu'ils ont fait. Désormais, ces alliés de taille participeront à leurs combats pour libérer le fleuve de toute présence iroquoise.

Après avoir livré aux chefs le compte rendu de leur voyage, les envoyés se plurent à raconter leur séjour en France à qui voulait les entendre. Personne n'en croyait ses oreilles de découvrir un monde si nouveau. Si différent. Dans ce monde, longtemps imaginé comme une région surnaturelle où se rendaient les trépassés, on naît, on mange, on dort et on meurt. En un mot, on y vit, quoique de bien étrange façon. Là-bas, on ne partage point les richesses. Il y en a qui n'ont ni feu ni toit et d'autres qui ont des feux si grands qu'ils y brûlent des troncs d'arbres et qui peuvent abriter sous leur toit de très nombreuses personnes aux habits richement décorés.

Ils ne portent pas les fourrures pour se protéger du froid, mais en fabriquent des chapeaux qu'ils coiffent sans égard à la température. Ils ne voyagent pas non plus par les chemins d'eau pour se rendre d'une tribu à l'autre, mais par de larges sentiers, en prenant place dans des engins tirés par une sorte d'orignal sans bois. Lors des festins, les hommes portent des scalps de vieillard par-dessus leurs cheveux et se blanchissent le visage avec de la poudre au lieu de se le peindre.

Avec le fer, ils fabriquent des armes et des outils de toutes sortes et de toutes grosseurs. Ils sont très nombreux, et leurs villages comptent plusieurs habitations qui sont en pierres et qui ne se déplacent jamais. Il y a de ces habitations qui sont l'une par-dessus l'autre et qui sont grosses comme des montagnes. Dans l'une d'elles habite le Chef Très Grand des Français, qui les a bien reçus et a manifesté son intérêt pour leurs fourrures, surtout pour celles des castors du Nord. Ces fourrures, les Kichesipirinis peuvent en obtenir en quantité, et Anadabijou est un homme sage et sensé de les avoir présentés à Champlain. Ainsi, le Grand Chef des Innus œuvre pour que la grande famille des Anishnabecks obtienne l'exclusivité du commerce avec les Étrangers par le contrôle du fleuve et par celui de la Kichesipi, qui en est tributaire.

Hier, lors de la cérémonie de la victoire, Champlain a vu l'importance des Enfants de la Grande Rivière, et aujourd'hui, il vient lui demander la faveur d'en remonter le cours. Rien de moins.

Cet homme réalise-t-il l'ampleur de sa demande? À l'entendre, seule l'intéresse la découverte d'une voie menant à l'Eau Salée et qui le conduirait vers le soleil couchant[2]. Tessouat en doute. Qui donc se hasarderait en de si périlleux voyages sans espoir d'y trouver des richesses? Ces Français ne traversent-ils pas le Grand Lac Salé pour venir pêcher leurs poissons, tuer leurs phoques et leurs baleines, ramasser leurs fourrures? Et ne viennent-ils pas de conclure une alliance militaire pour s'assurer le contrôle de ces fourrures? Qu'est-ce qui les intéresse au terme de cette route menant vers le soleil couchant?

---

2. Route qui aurait mené à la Chine ou à l'Inde et que toutes les monarchies européennes brûlaient de découvrir pour s'assurer le monopole des précieuses épices, notamment le poivre, dont la valeur, de la cueillette au consommateur, augmentait de 1 700 %.

L'étincelle brille bien ardemment dans l'œil de l'homme qui prétend être envoyé par son Chef Très Grand à la découverte de la Grande Rivière dont les envoyés ont parlé en France. D'elle, ils ont raconté qu'elle menait à des mers intérieures (les Grands-Lacs) où vit un peuple qui cultive le maïs. Ces envoyés auraient mieux fait de se taire plutôt que de dévoiler la provenance du maïs, une monnaie d'échange des Peuples d'Ici, car, à trop souffler sur l'étincelle, on risque de mettre le feu.

Tessouat croit qu'il lui faut user de prudence avec leur partenaire et allié étranger car la parole de ce dernier peut être double. Ces mêmes envoyés innus n'ont-ils pas rapporté que les wampums d'imitation (ornements de verre) que les Français disent être d'une très grande valeur ne sont en réalité dans leur propre pays que de peu de valeur? Et cet entretien avec Champlain ne vise-t-il pas à passer éventuellement par-dessus la tête d'Anadabijou, chef des Innus, pour faire affaire avec lui, Tessouat, maître de la Grande Rivière et chef de ses Enfants? Une fois acquise sa confiance, Champlain ne tentera-t-il pas de lui passer par-dessus la tête pour faire directement affaire avec les Bons Iroquois, mettant la main sur leur maïs?

Que doit-il penser de cet envoyé du Chef Très Grand des Français, qui tantôt se permettait d'affirmer que le Grand Esprit des siens est le Seul Vrai alors que celui des Peuples d'Ici ne peut même exister. Il a trouvé irrévérencieux et déplacé qu'un simple envoyé se permette de dénigrer leurs croyances en sa présence. Bien que chef de l'Ile et, par cela, maître de la Grande Rivière, il a servi un exemple de diplomatie à Champlain en le laissant élaborer ses théories farfelues à propos du Grand Esprit. Si la politique des Français s'apparente à la leur en matière de partenariat commercial et d'alliance militaire, il en va tout autrement en matière de relations étrangères, où le respect de l'Autre ne semble pas être essentiel.

Hier, c'était la consécration de leur victoire remportée par la suprématie des armes que leur fournit le Chef Très Grand de cet homme qui veut tout savoir des régions de l'intérieur et de toute route menant à l'Eau Salée. Alors, il lui raconte sans tout dire.

Aujourd'hui, ils sont partenaires et alliés par leur volonté commune de chasser l'Iroquois du fleuve. C'est à cette route d'eau que les Français et les Innus devront limiter leur contrôle. Lui, Tessouat, il veut bien le leur laisser. Son peuple est depuis toujours le peuple de la Kichesipi (Grande Rivière). Il en est aussi le gardien et doit la préserver de toute intrusion. C'est là une tâche aussi délicate qu'avironner dans les rapides, où il faut se servir du courant sans être projeté par lui contre les rochers. Alors, lui, le Grand Chef, il s'entretient avec Champlain, qui vient d'un pays où l'on fabrique des armes et des outils avec lesquels les leurs, en cuivre, ne peuvent pas rivaliser. Avec adresse et sagesse, sa parole navigue comme se doit de le faire celle d'un chef. Elle devient nette comme la lame d'un couteau de fer quand il s'agit d'alliance contre les Iroquois et vague comme le nuage quand on aborde les possibilités d'être guidé sur la Kichesipi.

Lui, Tessouat, il sait que présenter aujourd'hui la Grande Rivière à Champlain, c'est ouvrir demain les portes du pays à l'Étranger.

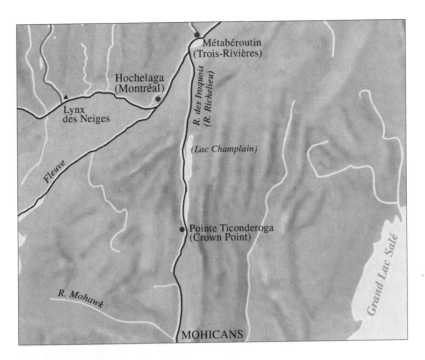

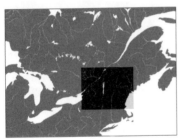

Chapitre 5

L'arme secrète

1609, 30 juillet, pointe de Ticonderoga,
lac Champlain[1].

Dans le noir de la nuit, agenouillé dans son canot au cœur de la flottille, Couteau-Magique attend. Il est ici parce que son fils n'est plus. Les autres y sont parce qu'ils se sont alliés à l'Étranger afin de se débarrasser

---

1. Connu aussi sous le nom de Crown Point (État de New York).

de l'Iroquois. Depuis des lunes, cette expédition se prépare. C'est Champlain qui en est l'instigateur. L'automne dernier, il a promis son assistance au fils d'Iroquet lors d'un entretien dans l'habitation qu'il venait de construire à Kébec [2]. Chef des Oueskarinis, Iroquet en a discuté à son tour avec son ami Ochasteguin, chef d'une tribu d'horticulteurs chez qui il hiverne. Depuis des lunes, les guerriers de l'un et de l'autre fourbissent leurs armes. Les voici enfin en présence de l'ennemi et lui, en présence des assassins de son fils !

Champlain et deux de ses hommes les accompagnent. Quels fascinants êtres que ces Étrangers ! À la fois attirants et inquiétants. On parle beaucoup d'eux le long de la Grande Rivière depuis qu'Anadabijou a donné des couteaux et des haches de fer à Tessouat. Ils piquent la curiosité, attisant celle des jeunes que la sagesse ne tempère pas encore. À la lune passée des changements de couleurs (septembre), répondant au désir de les voir, son fils s'est rendu à la grande pêche aux anguilles qui se tient annuellement en face de Kébec. Il n'en est jamais revenu. La flèche d'un Iroquois lui a ravi le souffle alors qu'il s'était quelque peu éloigné des autres pêcheurs.

Haineux, Couteau-Magique se résigne à l'attente. La longue, pénible et patiente attente jusqu'au lever du soleil. Tantôt, ils sont tombés face à face avec une imposante flottille d'Iroquois alors qu'ils doublaient une pointe à la faveur de l'obscurité. Ce fut un incroyable saisissement de part et d'autre, les Iroquois ne s'attendant pas à les voir profondément engagés en leur pays et leur coalition croyant minime le risque d'une telle rencontre pendant la nuit. Spontanément, les cris de guerre ont jailli, et les deux flottilles ont rebroussé chemin, celle des ennemis gagnant

2. Kébec, Gépeg : signifie « au rétréci de la rivière, détroit ». En 1608, Samuel de Champlain y construit une habitation, fondant la ville aujourd'hui appelée Québec.

la rive, où ils viennent d'ériger une barricade, la leur demeurant sur l'eau, à distance respectable.

De leurs retranchements, les Iroquois exécutent maintenant leurs chants et leurs danses. La lueur de leurs torches découpe la silhouette des troncs et des branches enchevêtrés derrière lesquels ils s'exaltent au combat. « Nous sommes les plus forts. Chiens d'Anishnabecks, demain vous serez morts », répètent-ils avec arrogance.

« Serpents et fils de serpents, demain vous serez exterminés », riposte Iroquet. Quelle satisfaction Couteau-Magique éprouve en entendant son chef ! Oui, demain le sang iroquois coulera pour racheter celui de son fils. Ces infâmes n'ont pas la moindre idée de ce qui les attend. Ils auront beau danser et chanter toute la nuit alors qu'eux sont condamnés à l'immobilité dans leurs canots serrés flanc contre flanc, demain ces assassins seront massacrés. Le fait qu'ils soient plus nombreux et plus expérimentés n'y changera rien.

« Quand le soleil se lèvera, les chiens d'Anishnabecks goûteront à la puissance de nos armes », lancent à tue-tête les Iroquois.

— Quand le soleil se lèvera, les serpents et fils de serpents seront anéantis, profère Iroquet. Quand le soleil se lèvera, ils verront ce que jamais leurs yeux n'ont vu. Ils entendront ce que jamais leurs oreilles n'ont entendu. »

Couteau-Magique grimace un sourire. Quand les Iroquois verront et entendront, il sera trop tard pour eux. L'arme secrète aura fait ses ravages. Elle éclate comme le tonnerre, foudroie comme l'éclair, et sa puissance n'a d'égal que son mystère. Lorsque les Étrangers leur en ont fait la démonstration, ils en ont été frappés de stupeur. De crainte. D'admiration, voire même de vénération. Il leur tarde maintenant de l'expérimenter sur des êtres vivants. Que de puissance en elle et par elle ! Ceux qui la maîtrisent possèdent-ils des pouvoirs surnaturels ?

Étonnants êtres que ces Étrangers! Bien que laids et poilus, ils détiennent le feu dans leurs bâtons de guerre, savent fabriquer de merveilleux objets et peuvent traverser le Grand Lac Salé. Pourtant, à certains égards, ils leur ressemblent. Ainsi, leur chef, Champlain, lui fait penser à son frère Toujours-Plus-Loin, avec qui il s'est brouillé parce qu'il délaisse le territoire familial, continuellement en quête d'un endroit plus giboyeux. Champlain serait-il lui aussi en quête d'une contrée plus prometteuse pour tant vouloir être conduit sur leurs voies d'eau, particulièrement sur la Grande Rivière? Son assistance n'est-elle pas en quelque sorte conditionnelle à de futurs voyages d'exploration?

Couteau-Magique ne se sent pas concerné par la question. Il est ici parce que son fils n'est plus. Il revient aux autres, qui veulent commercer avec l'Étranger, de décider si leurs canots lui dévoileront les routes des Peuples d'Ici. De sa paume calleuse, il effleure le plat-bord du canot tout comme s'il caressait la main de son fils qui le lui a fabriqué. Héritier de son adresse et bénéficiaire de son enseignement, ce dernier aurait sûrement mérité un jour la réputation que lui confère son nom de Couteau-Magique. Hélas, l'Iroquois ne lui a pas laissé le temps d'acquérir l'expérience, fauchant sa vie à l'âge de dix-huit ans. La main de l'homme glisse sur les varangues de cèdre courbées à la vapeur et patiemment dolées. Ce canot, le premier que son fils ait construit entièrement seul, il s'est juré de le mener dans toutes les expéditions contre les Iroquois.

Dans leurs embarcations, les guerriers de la coalition entonnent leurs chants, chasseurs et horticulteurs en leur langue et à leur manière respective, s'étirant les membres à défaut de danser. Confiants en l'arme secrète, ils rivalisent d'insultes et de menaces que l'eau amplifie et porte aux oreilles des Iroquois. «Demain, serpents et fils de serpents, vous gémirez à nos poteaux de torture.»

Couteau-Magique se tait. Il est ici parce que son fils n'est plus.

* * *

Alors que les huards vocalisent sur le lac, le soleil se montre enfin pour être témoin du combat. Maintenue en bloc tout au long de la nuit, la flottille se met en branle, les Étrangers couchés au fond des canots avec l'arme secrète. Elle se déplace rapidement vers la rive, comme une seule entité mue par de multiples et énergiques pagaies. À peine les canots ont-ils accosté que les guerriers en débarquent et se rangent aussitôt en pelotons derrière leur chef, prenant soin de dissimuler Champlain dans leurs rangs et de couvrir ses deux hommes qui se faufilent vers la forêt.

Couteau-Magique constate que leurs adversaires sont beaucoup plus nombreux que prévu, opposant environ deux cents guerriers à la soixantaine de leur coalition. Tant mieux ! Cela fera plus de morts chez les assassins de son fils.

Iroquet et Ochasteguin entraînent leur troupe à leur suite, se ruant au-devant des Iroquois qui, convaincus de leur supériorité, marchent lentement, menés par trois chefs que Champlain pourra identifier grâce aux grandes plumes de leur panache. Quelle mauvaise surprise les attend ! jubile Couteau-Magique. Aussitôt parvenus à portée de flèche, chasseurs et horticulteurs s'écartent d'un seul coup pour laisser passer Champlain en tête. Saisis d'étonnement par sa présence, son allure et son armure, les Iroquois se figent sur place et le regardent s'avancer vers eux, sans réagir. Champlain s'immobilise et appuie l'arquebuse sur sa fourquine. Au moment où les ennemis s'apprêtent à bander l'arc, il les met en joue et fait feu. Trois hommes s'écroulent, dont deux chefs. Sous la terrible détonation, les uns se sont jetés par terre et les autres se sont bouché les oreilles sans comprendre comment ni pourquoi l'orage venait d'éclater. Profitant de leur désemparement, Couteau-Magique et les autres poussent leurs cris de guerre et décochent leurs flèches. Les vrais serpents se ressaisissent et parviennent à riposter, mais le tonnerre éclate à nouveau, cette fois aux bouches des arquebuses camouflées derrière l'écran des feuilles. C'est la consternation, bientôt suivie d'une panique générale. Abandonnant armes et blessés, les Iroquois fuient, poursuivis par les membres de la coalition, qui tuent, blessent ou capturent les moins rapides.

La bataille est vite terminée. Une odeur de souffre flotte dans l'air. C'est celle, grisante, de la victoire.

Avec curiosité et gravité, Couteau-Magique s'approche, avec les vainqueurs, de l'homme blessé qui gigote près des deux chefs abattus par Champlain. La bouche et les narines de l'Iroquois crachent le sang, les projectiles de l'arme secrète ayant traversé sans difficulté son armure de lattes de bois, pourtant efficace à le protéger des flèches. Sans doute ces morceaux de métal sont-ils ensorcelés, pour donner la mort si facilement.

Agonisant dans sa flaque de sang, l'ennemi les fixe d'un regard impavide. Malgré son état lamentable, il n'a rien perdu de sa fierté ni de son courage. Quel redoutable adversaire cet homme grand et fort aurait été dans une bataille conventionnelle! Que peut maintenant pour lui ce tomahawk[3] que sa main agitée cherche encore? Rien. Les règles du jeu viennent de changer. Aucun combat ne sera pareil désormais car l'arme nouvelle et toute-puissante réduit les plus valeureux guerriers au rang de proies faciles.

Il y a dans l'œil noir de l'Iroquois une interrogation qui demeurera sans réponse. Il ne comprend pas ce qui

---

3. Tomahawk: mot algonquien signifiant «on le frappe, il est frappé».

vient de lui arriver et il sait seulement qu'il va mourir. La façon qu'il a de les regarder glace Couteau-Magique et ses compagnons d'armes. Avant de partir pour l'au-delà, cherche-t-il à semer le trouble dans leur âme? Ou à affaiblir leur alliance avec l'Étranger en les faisant réfléchir au danger qu'elle représente? La sagesse ne recommande-t-elle pas d'éviter de s'allier à une trop grande puissance, pour n'en pas devenir l'esclave?

Des bulles de sang crèvent aux narines du moribond alors qu'il échappe un râle plein de gargouillis. La vie s'éteint dans les yeux fixés sur Couteau-Magique et sur les guerriers de la coalition. Les yeux de l'assassin, les yeux de l'ennemi qui cherche sans cesse à s'emparer du contrôle de leurs routes et qui, de l'au-delà, semble maintenant les accuser d'avoir trahi les Peuples d'Ici.

L'odeur de souffre se dissipe lentement, mais un sentiment confus d'appréhension gagne Couteau-Magique. Un sentiment qu'il tait pour se rallier aux autres célébrant la joie de leur victoire et clamant leur puissance.

Avec l'arme suprême de l'Étranger, ils ne doutent pas maintenant de réussir à chasser du fleuve à tout jamais les serpents et fils de serpents.

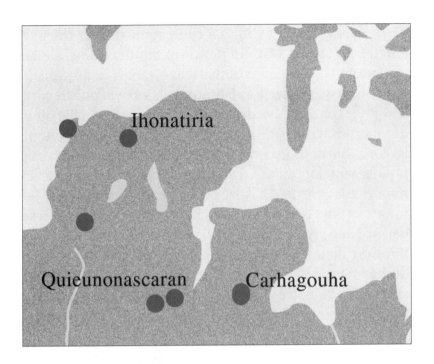

Ihonatiria

Quieunonascaran   Carhagouha

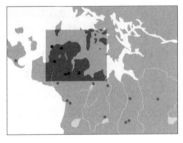

Chapitre 6

Ces yeux-là

1610, village de Carhagouha, au pays de ceux nommés Bons Iroquois et qui se reconnaissent eux-mêmes de la confédération des Ouendats[1] (extrême sud-est de la baie Georgienne du lac Huron).

Désignés comme « chasseurs attitrés des bêtes nuisibles » par grand-mère, Loup-Curieux et Parole-Facile

---

1.   Ouendats, Wendats ou Wyandots : signifie « habitants d'une même péninsule ». Les Français les nommèrent Hurons.

patrouillent l'orée des bois en compagnie de leur chienne Quatre-Pattes. La bête les devance, reniflant de-ci de-là, s'aventurant dans les bosquets. De temps à autre, elle revient vers eux, alerte et battant de la queue, puis repart, les oreilles encore plus droites. Elle n'a pas sa pareille pour détecter les terriers de marmotte et la présence de ratons laveurs. En ce qui concerne les marmottes, elle en fait rapidement son affaire. D'un bond, elle leur saute sur la nuque et les envoie en l'air en leur brisant le cou. Pour les ratons laveurs cependant, la tâche se complique, ceux-ci se défendant âprement. Elle hurle alors et les maintient en position d'attaque jusqu'à ce qu'ils lui décochent leurs flèches dans le corps. Dans ces moments-là, il s'établit entre eux et Quatre-Pattes un lien difficilement explicable qui ne fait que renforcer celui qui existe entre les deux garçons.

Cette chienne fait leur fierté et il n'est pas question qu'elle finisse un jour dans la soupière. Unique en son genre et extrêmement utile, elle leur permet d'éliminer les prédateurs des cultures, formant avec eux un inséparable trio. Qui voit Quatre-Pattes les voit aussi pas très loin. Cette chienne est leur chienne. Sauvée de la mort par Parole-Facile, dressée par Loup-Curieux, elle affectionne davantage le premier, mais obéit parfaitement au second.

À sa naissance, Quatre-Pattes, seule survivante de sa portée, n'en menait pas large. Mieux valait la cuire en même temps que sa mère et les morts-nés, qui promettaient d'être tendres. Parole-Facile s'y opposa, touché par la ressemblance entre le sort de l'animal et le sien. En effet, des trois enfants de sa mère, lui seul avait survécu, ses frères étant décédés de maladie, son aîné à l'âge de quatre ans, son benjamin à deux mois. Persuasif, Parole-Facile sut démontrer à quel point le chiot comblait le vide de ces décès, et ses parents convinrent de ne manger la mère qu'une fois l'animal sevré.

Que de soins Parole-Facile dispensa à Quatre-Pattes ! La joie que cela lui procurait faisait celle de toute la maisonnée. Même grand-mère s'y laissa prendre, cachant mal son jeu quand elle rappelait que le destin d'un chien était la soupière.

Mais ce destin, pour Quatre-Pattes, Parole-Facile et Loup-Curieux le refusaient. Du même âge, les deux cousins germains s'affectionnaient grandement. Ils ne conçurent pas sciemment le projet de dresser la chienne dans le but de lui épargner sa triste fin. Cela se fit tout naturellement, la bête les suivant partout et Loup-Curieux ayant le don de se faire comprendre d'elle. Quand grand-mère les désigna « chasseurs attitrés des bêtes nuisibles », il allait de soi que cette nomination s'étendait aussi à Quatre-Pattes, éloignant ainsi le spectre de la soupière.

Les grillons chantent en cette fin de journée et, à l'ouest, le soleil rougeoie. Une volée de quiscales lève des plants de maïs à l'assaut de la chienne qui, enragée de son incapacité à les poursuivre, gronde en réponse à leurs jacassements arrogants. La gent aviaire lui donne du fil à retordre. Quand ce ne sont pas les quiscales qui se jettent sur les épis, ce sont les outardes qui en mangent les semences au printemps et, en règle générale, les malfaiteurs échappent à ses crocs par la magie de leurs ailes.

Une flèche fait choir un des noirs oiseaux juché sur la tête d'un plant. Aussitôt, Quatre-Pattes se jette dessus et le secoue rageusement jusqu'à l'approche de Loup-Curieux.

— Deux de plus que moi aujourd'hui, reconnaît Parole-Facile.

— Et une de plus pour la soupière, répond Loup-Curieux en frottant le poitrail de la chienne satisfaite d'avoir répondu à ses attentes.

Loup-Curieux récupère sa flèche assommoir et attache les pattes de l'oiseau à la ceinture de son pagne, où en pendent déjà trois autres. Il se garde bien d'exprimer sa fierté d'avoir remporté la palme du meilleur tireur de la journée, car, son cousin étant sensiblement d'égale adresse, ce sera sans doute son tour demain de la mériter.

D'un même pas, les garçons se dirigent vers un monticule où trône une souche. De cet endroit, ils ont une vue d'ensemble sur leur village ceinturé des champs de culture.

Parole-Facile s'assoit sur la souche et gratte d'un geste coutumier le dessus du crâne de Quatre-Pattes, qui lève vers lui ses yeux affectueux, la mâchoire appuyée sur son genou. C'est ainsi que se termine habituellement leur ronde vespérale, Loup-Curieux demeurant debout.

— Les nouveaux champs donnent bien, remarque Parole-Facile, commençant déjà à se tortiller sur l'inconfortable siège plus pointu que plat.

Loup-Curieux sourit, amusé par l'entêtement de son compagnon à s'asseoir sur le vestige du plus gros arbre jamais abattu. L'exploit fut réalisé par son père avec une hache de fer lors du défrichement et, depuis, beaucoup d'hommes de leur communauté rêvent d'en posséder une.

Le garçon contemple la mer végétale étendue devant eux. Une mer verte, agrémentée par endroits de l'ocre des tardives fleurs de citrouille en train de se refermer pour la nuit. Une mer qui noie les buttes où les femmes ont semé les « trois sœurs », filles-plantes de la Mère Terre nommées maïs, fève, citrouille. Une mer luxuriante, lovée autour du village. Une mer étale que les fils soyeux des épis troublent à peine au passage de la brise et d'où émergent, comme de grands squelettes gris, les arbres qu'ils ont fait mourir, faute de pouvoir les abattre.

Ces « morts debout », sans feuilles et sans nids, ne servent maintenant aux oiseaux que de perchoirs et à eux, de points de repère. Pendant quelques années encore, ils rappelleront le travail des hommes qui ont défriché les champs, puis ils s'écrouleront et plus rien ne subsistera du labeur de leurs pères et oncles. À ce moment-là, il y aura déjà de nouveaux champs en perspective et des débuts de travaux auxquels Parole-Facile et lui pourront participer car ils seront devenus des hommes.

Pour l'heure, ils n'ont que dix ans et relèvent encore de l'autorité de grand-mère, qui dirige les travaux des femmes et des filles de leur maison. « Chasseurs attitrés des bêtes nuisibles », ils étendent leur patrouille bien au-delà de la parcelle réservée à leur famille, afin de rencontrer les autres garçons du village voués à de semblables missions. La plupart du temps, ces rencontres donnent lieu à des jeux de toutes sortes, leur préféré étant de taquiner les filles au travail.

— Les fleurs-soleil sont bien plus hautes que dans l'ancien champ, remarque Loup-Curieux, s'attardant au carré de tournesols à proximité du village.

— Bien, bien plus hautes, renchérit Parole-Facile. Grand-mère avait annoncé que les fleurs-soleil viendraient hautes et que le maïs donnerait bien, et les courges et les fèves. T'as vu comme les citrouilles sont grosses ? Hmm ! Nous allons nous régaler. Elle en sait des choses, notre grand-mère, et elle a des secrets pour faire pousser les plantes et pour savoir où il y a beaucoup de petits fruits à cueillir. T'as vu tous les bleuets qu'elles ont fait sécher, les femmes ? Hmm ! Dans un bon petit pain de maïs enveloppé de sa feuille et cuit sous la cendre, encore tout chaud. Hmm ! Nous allons passer un bon hiver, conclut Parole-Facile en grattant maintenant l'arrière des oreilles de la chienne.

Ces dernières paroles rejoignent le sentiment de sécurité et de bien-être qu'éprouve Loup-Curieux face au paysage s'étendant devant lui. Il ne saurait dire pourquoi au juste la vue du village au milieu des champs l'a toujours rassuré et charmé. Peut-être est-ce dû au fait qu'il se sent dépendant de ce paysage tout comme celui-ci est dépendant de lui. Ce qu'il voit est un tout. Les longues maisons groupées à l'intérieur de la palissade en construction, les champs de culture et les familles de ces maisons ne forment qu'un seul organisme auquel il se trouve intimement lié par le ventre et où tout est relié. Sans les bras, les champs deviendraient en friche. Sans les champs nourriciers, les bras s'amaigriraient et plieraient bagage. On ne peut les dissocier, pas plus qu'on ne peut le dissocier de cet ensemble où, bien qu'encore enfant, il a son rôle à jouer.

— Loup-Curieux, regarde! Chien français, lance Parole-Facile en rabattant les oreilles pointues de Quatre-Pattes de chaque côté de la tête.

Devant l'allure ridicule de la bête qui semble amputée de ses appendices d'écoute, les gamins s'esclaffent.

— Quatre-Pattes est un chien français maintenant… Entends-tu bien, Quatre-Pattes? Hein? Entends-tu, chien français? demande Parole-Facile, intensifiant la prise sur sa victime qui tente de se soustraire au traitement[2].

— Ses oreilles ne sont pas assez molles, remarque Loup-Curieux. Celles des chiens français tombent comme des cheveux.

— Comme ça?

Parole-Facile plaque davantage les oreilles, puis incline de force la tête d'un côté et de l'autre.

— Entends-tu, chien français? demande-t-il, lui-même sourd aux glapissements plaintifs.

— Si les chiens français n'entendent pas, c'est mieux pour eux quand le tonnerre éclate au bout des bâtons de guerre.

---

2. De petite taille, généralement noirs avec parfois des taches blanches, le museau allongé et la denture forte, les chiens des Amérindiens (qui hurlaient au lieu d'aboyer) avaient tous les oreilles droites. L'arrivée des chiens aux oreilles tombantes des Français intrigua grandement les autochtones.

— Boum !

Parole-Facile imite le bruit du tonnerre aux oreilles rabattues de la chienne, qui glapit et lance des regards désespérés en direction de Loup-Curieux dans l'espoir d'obtenir son intervention.

— Chien français, chien laid. Remets les oreilles à Quatre-Pattes, demande enfin le dresseur.

— Tu dis vrai. Chien français, chien laid. Ah ! belle Quatre-Pattes, lance vainement Parole-Facile au canin libéré qui se tapit à distance sous les larges feuilles des citrouilles.

— Quand nous voyagerons avec nos pères, nous verrons peut-être les chiens français à Kébec, suppose Loup-Curieux.

— Nos yeux verront les chiens aux oreilles molles, assure Parole-Facile. Nos oreilles entendront le tonnerre des bâtons qui crachent le feu et des morceaux ensorcelés capables de traverser les armures… D'un seul coup, le bâton de feu a tué deux chefs. Boum ! Deux chefs morts… sans même les approcher… Une seule flèche n'a jamais pu tuer deux chefs. C'est comme la hache de fer. Sans elle, mon père n'aurait jamais pu abattre ce gros arbre.

Parole-Facile saisit le prétexte de montrer ce qui reste de l'arbre en question pour se lever.

— Les hommes de la maison disent qu'avec les bâtons de feu ce sera facile de battre nos ennemis, poursuit Loup-Curieux.

— Oh oui ! Avec le bâton de feu dans nos mains, nos ennemis se sauveront partout dans les bois comme des poussins craintifs. Nous les chasserons loin… Très loin… Plus jamais ils ne viendront nous attaquer… Quand nous aurons le bâton de feu, nous n'aurons plus à construire des palissades, affirme Parole-Facile en désignant le village.

— Tu crois ? demande Loup-Curieux, fixant, à l'instar de son cousin, son attention sur les travaux en cour.

— Avec le bâton de feu, nous serons les plus forts.

— Mais tu crois que les Français nous échangeront des bâtons de feu ?

— À nous, oui, car nous sommes de la tribu de l'Ours[3]... Nous remplirons nos canots de fourrures et irons les leur porter... Nous aurons autant de bâtons de feu qu'il y a de mains pour les tenir.

— Tu crois ?

— Oui. Toi et moi tiendrons le tonnerre et le feu dans nos mains. Le seul nom de la tribu de l'Ours fera trembler nos ennemis.

— Et nous verrons les chiens aux oreilles tombantes à Kébec.

Fils des marchands Fumée-d'Échange et Taïhy, Loup-Curieux et Parole-Facile s'imaginent le futur où ils les accompagneront et les remplaceront éventuellement. Un futur qui répond à ce qui s'est raconté autour du feu durant l'hiver à propos de ces longs bâtons capables de faire éclater le tonnerre, et de ces chiens qui ont des oreilles qui leur pendent de chaque côté de la tête, et de ces Français qui ont d'affreux poils plein le visage, ainsi que de l'esprit de la marée qui fait monter et descendre les eaux devant Kébec. Tout cela les fait rêver. Tout cela les fait espérer qu'un jour, la palissade deviendra inutile.

Quatre-Pattes revient donner un coup de langue à la main qui tantôt la martyrisait. Impatiente de quitter les lieux, elle trottine déjà vers le sentier menant au champ de la famille du clan de la Grande Tortue. Ses jeunes maîtres la suivent, souhaitant chacun secrètement y trouver Aonetta, cible préférée de leurs cailloux lancés en cachette pendant qu'elle travaille. À leur grand bonheur, ils aperçoivent la fillette en compagnie de sa jeune sœur et de son

---

3. La tribu de l'Ours représentait la moitié de la population de la confédération des Ouendats, qui comptait trois autres tribus, soit celles de la Corde, de la Roche et du Cerf.

frère aîné, l'Aigle, dont la présence est aussi étonnante qu'exceptionnelle. Âgé de quatorze ans, celui-ci participe aux travaux de l'enceinte et, par conséquent, relève maintenant de la compétence des hommes de sa maison, principalement de celle de son oncle maternel, élu chef de leur clan. Les deux l'admirent et l'envient bien un peu d'évoluer dans le giron masculin, où les preuves d'adresse, d'endurance, de bravoure et d'éloquence sont à faire. Ils comptent bien se distinguer un jour au sein de leur clan, de leur village, de leur tribu et même de leur confédération, mais, pour l'instant, ils se félicitent des oiseaux accrochés à leur pagne, attestant leurs qualités de chasseurs. Ils savent très bien que tout finit par se savoir sous le toit des longues maisons et ils se réjouissent à l'idée que leur réputation parviendra sous celui du clan de la Grande Tortue, le plus ancien et le plus important de tous.

L'Aigle est venu faire son tour, un peu par nostalgie, mais surtout pour exhiber une brûlure à l'avant-bras. Il n'en souffle pas le moindre mot et s'informe du rendement des champs comme s'il était mandaté pour la chose.

Aonetta lui répond, évitant par ses paroles de faire allusion à la boursouflure suintante de son frère, ses yeux y revenant cependant sans cesse. Tous savent d'où provient cette plaie, mais se gardent bien d'en parler, de crainte d'en amoindrir le prestige. Tous savent également que le rendement du maïs, des fèves, des courges et des citrouilles est le sujet de leur conversation, mais non celui de leur intérêt. En réalité, c'est l'épreuve d'endurance à la douleur qu'a subie l'Aigle qui les fascine. Cette épreuve qui fera de lui un homme en mesure de vaincre la souffrance. Un homme à la hauteur de la tribu de l'Ours et de la confédération des Ouendats.

— Le travail de la palissade avance? s'informe Parole-Facile, brûlant du désir de se voir déjà considéré comme faisant partie des hommes.

Bien que flatté, l'Aigle le considère un moment sans hauteur ni arrogance.

— Nous terminons le troisième rang de pieux. Nos ennemis auront du mal à la traverser.

— Quand nous aurons des bâtons qui crachent le feu, ils ne viendront plus jusqu'ici, avance Parole-Facile avec conviction.

— Pourquoi crois-tu que nous aurons des bâtons de feu ?

— Parce que nous sommes les fils de l'Ours. Nos pères et nos oncles peuvent facilement remplir des canots et des canots de fourrures.

L'Aigle pose doucement la main sur la tête de Parole-Facile, qui a soudain l'air d'un poussin avec ses cheveux hirsutes en repousse et son babillage enthousiaste. Intimidé par l'attitude bienveillante de l'adolescent, il se tait.

— Remplir des canots et des canots de fourrures, les fils de l'Ours peuvent le faire. Tu dis vrai en ce sens, Parole-Facile. Mais pour aller mener les canots aux Français, il faut suivre une route, et cette route n'appartient pas à la tribu de l'Ours.

— Je sais ; elle appartient à la tribu de la Roche.

— Apprends à laisser parler l'autre, rappelle l'Aigle en portant la main sur la bouche de son interlocuteur.

Sans prétention ni autorité, ce geste a pour but de faire réaliser au gamin qu'il parle trop et n'écoute pas assez. Bénéficiant de l'enseignement de ses aînés, l'Aigle veut en faire profiter de plus jeunes que lui et s'emploie à expliquer avec calme certaines subtilités de la politique, étrangères à l'imagination enfantine.

— Cette route appartient au chef Ochasteguin de la tribu de la Roche. Elle lui appartient parce qu'il a été le premier à la suivre avec ses guerriers pour aller combattre les ennemis auprès des Français... C'est le sang des fils de la Roche qu'Ochasteguin a risqué, pas celui des fils de l'Ours… Cette route, il la partage avec son ami Iroquet, chef des Oueskarinis, qui, lui aussi, a risqué le sang des siens… Ochasteguin et Iroquet sont les partenaires des Français et, cet été encore, ils ont suivi la route pour aller combattre avec eux… Les fils de l'Ours ne font pas partie de cette expédition… Il se peut qu'un jour Ochasteguin offre cette route à notre tribu, qui est la plus importante de la confédération. Il se peut qu'il l'offre à toute la confédération, qui deviendra alors plus grande et plus puissante avec les bâtons qui crachent le feu et font éclater le tonnerre.

L'Aigle enlève sa main de sur la bouche béate d'admiration de Parole-Facile et poursuit de sa voix uniforme :

— Avoir en nos mains l'arme suprême rendra celles de nos ennemis impuissantes, mais aujourd'hui cette arme n'est pas en nos mains. Il se peut qu'elle ne le soit jamais. La force des Ouendats ne doit pas venir d'une arme, mais de la force, du courage et de la bravoure de chacun d'entre nous.

Subjugué par l'éloquence déjà évidente de l'Aigle, Parole-Facile demeure un long moment sans rien dire, les yeux brillants, la mine extasiée, tandis que, plus réservé, Loup-Curieux contemple à la dérobée la brûlure que porte l'adolescent à l'avant-bras.

— Souvent je parle trop et je n'écoute pas assez, reconnaît Parole-Facile, mais j'apprendrai à maîtriser comme toi la parole.

— On apprend toute la vie, me répète mon oncle… Plus on est vieux, plus on a appris… Personne n'est jamais trop jeune pour commencer à apprendre.

Les yeux de Parole-Facile s'illuminent.

— Je veux apprendre à présent… pour la douleur. Je veux passer l'épreuve.

— Bien. Tu veux la passer avec moi ?

— Non. Avec Loup-Curieux. Il est de mon âge.

L'Aigle se tourne vers le cousin, qui y consent sans difficulté, semblant trouver naturel que l'autre ait parlé à sa place.

— Venez.

L'Aigle en tête, le petit groupe, suivi de Quatre-Pattes, se dirige vers la maison du clan de la Grande Tortue.

La gorge de Loup-Curieux s'étrangle dès qu'il pénètre dans le vestibule où l'on entrepose les grains de maïs dans des contenants d'écorce ainsi que le gros bois pour les feux d'hiver. Habitué à venir chercher en cette maison des compagnons de jeu, jamais il n'a été saisi de la sorte à la vue de ce gros bois. Pourtant familière, la maison lui semble soudain étrangère. Les jambes molles, il effectue d'interminables pas vers le feu central, chaque élément du décor évoquant au passage des images, des cris, des odeurs. Dans son souvenir, aux poteaux pendent les corps mutilés des suppliciés et, sur la plateforme courant le long des murs latéraux, à un mètre du sol, assistent les gens du village, chacun, chacune bourreau à son tour. Des cris, des râles, des mélopées de mort s'échappent des bouches tordues, et l'odeur de chair grillée se mêle à celle du feu. Ce feu qui revêt une nouvelle identité à mesure qu'il s'en approche. Il n'est plus le feu amical qui cuit les aliments et réchauffe en hiver, mais celui, impitoyable, qui inflige la souffrance et, par elle, distingue les braves des lâches.

L'Aigle les fait asseoir côte à côte près de ce feu et leur demande de lui présenter, collés l'un contre l'autre, leurs avant-bras. Avec lenteur et gravité, il les attache ensemble au niveau du coude. Son manège attire l'attention de quelques personnes présentes dans la vaste demeure familiale et certaines s'avancent discrètement. Loup-Curieux remarque trois hommes reconnus comme de valeureux combattants et son trouble n'en devient que plus grand.

Quatre-Pattes s'assoit sur son arrière-train à proximité de Parole-Facile, comme pour l'encourager, tandis qu'Aonetta se tient près de son frère, en face d'eux. Savourera-t-elle par le biais de cette épreuve une douce vengeance pour les nombreux cailloux reçus dans le dos ?

L'Aigle s'empare d'un gros tison et le dépose sur leurs avant-bras réunis. Le premier à bouger désignera l'autre vainqueur d'avoir enduré le plus longtemps la douleur. Et elle se fait immédiate, cette douleur. Immédiate et pénétrante. Les deux garçons demeurent stoïques. Seule leur respiration saccadée trahit le choc qu'ils subissent.

Parole-Facile puise son courage tantôt dans les yeux de l'Aigle, tantôt dans ceux des trois guerriers, alors que Loup-Curieux plonge dans les jolis yeux en amande d'Aonetta.

La douleur s'intensifie. Elle s'incruste en même temps que le regard de la fillette. Autant, pour se faufiler en tapinois entre les plants de maïs, Loup-Curieux a cherché à esquiver ce regard, autant, à l'instant, il s'y accroche. Il n'est plus lié à Parole-Facile mais aux yeux d'Aonetta. La souffrance assaille son corps, mais il n'est plus dans son corps. Il est quelque part en Aonetta. Où ? Mystère profond comme le noir des prunelles qui l'avalent tout rond.

Parole-Facile finit par flancher ; le tison tombe par terre. Aussitôt on les entoure, témoignant de la satisfaction à l'endroit de leur jeune courage. À peine a-t-on plus d'égards pour le vainqueur, cette attitude démontrant que l'essentiel réside dans l'épreuve elle-même. Déjà, Loup-Curieux remarque, dans les yeux des guerriers, qu'on les considère comme une relève de choix et cela suffit amplement à atténuer la douleur qui siège dans son avant-bras.

Le petit attroupement créé autour d'eux s'est défait. Hommes, femmes et enfants s'en sont retournés à leurs occupations. Ne restent que la brûlure dans leur chair et l'euphorie de l'exploit qui commence à s'estomper.

— Le clan de la Grande Tortue sait notre valeur, se console Parole-Facile, cachant mal sa déception.

— Grand-mère aussi le saura, ajoute Loup-Curieux en observant Aonetta qui se dirige vers le vestibule, sa longue natte de cheveux lui battant les reins. De tout cœur, il espère qu'elle se retournera avant de passer la porte. Hélas, elle n'en fait rien et disparaît, le laissant avec cette interrogation sans réponse. « Où donc était-il quand il est tombé dans les yeux d'Aonetta ? »

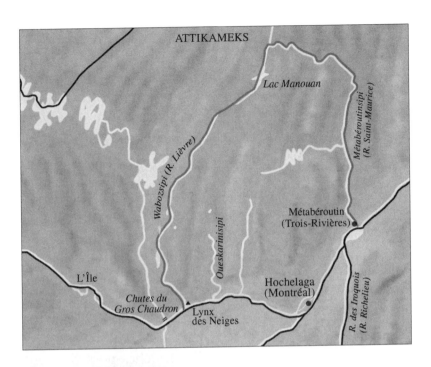

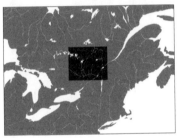

Chapitre 7

Au retour des chasses d'hiver

1611, en la lune algonquienne des fleurs naissantes (mai). Au confluent de la Wabozsipi (rivière du Lièvre) et de la Kichesipi (Grande Rivière ou rivière des Outaouais).

Lynx-des-Neiges observe sa jeune femme tandis qu'elle prépare une infusion pour Plume-de-Perdrix, une de ses belles-sœurs à la veille d'accoucher. Rien ne comble plus son âme que de la contempler. Une telle douceur émane d'elle. Une telle fraîcheur. Sans doute est-ce pour cela qu'elle fut nommée Goutte-de-Rosée.

À l'aide d'une tenaille formée d'une fourche entre les bras de laquelle un bâton sert de mâchoire, Goutte-de-Rosée s'empare d'une pierre incandescente et, avec précaution afin de ne pas faire d'éclaboussement, elle la dépose dans le chaudron. Pshh! fait la pierre au contact de l'eau, provoquant une petit nuage de vapeur qui monte vers son visage. De ses gestes calmes, elle retire alors une pierre refroidie du chaudron, la remet sur le feu et en prend une autre qui est rougie. Pshh! soupire aussi cette autre pierre, tout comme soupire le cœur de Lynx-des-Neiges.

La surface du liquide commence à remuer, indiquant l'approche du point d'ébullition. Goutte-de-Rosée jette quelques feuilles séchées de grand thé [1] au fond d'un petit récipient d'écorce et attend que l'eau bouille pour l'y plonger et le remplir. Des feuilles fraîches posséderaient un plus grand pouvoir, mais le grand thé croît au pays des Attikameks [2], que Goutte-de-Rosée a quitté lors de son mariage avec Lynx-des-Neiges, le suivant au pays des Oueskarinis, situé plus au sud. C'est sa propre mère qui lui a cueilli ces feuilles avant son départ et qui les a fait sécher avec le plus grand soin.

« Pour toi, ma fille », avait-elle prononcé difficilement avant de se séparer d'elle.

Lynx-des-Neiges sait ce que représentent ces feuilles pour Goutte-de-Rosée, et le fait qu'elle les utilise pour sa sœur le touche. En restera-t-il pour elle quand viendra

---

1. Grand thé : thé du Labrador, *ledum groendlandicum*.
2. Attikamek: signifie «poisson blanc» en langue algonquienne. Ce groupe, associé à la Haute-Mauricie, à l'Abitibi et au Témiscamingue, fut désigné sous d'autres noms, soit celui de Nopiming Daje Inini, signifiant «hommes de l'intérieur des terres», et traduit en français par «gens des Terres», soit celui de Têtes de Boules, traduction de Machatantibis, qui signifie «tête volumineuse».

son tour de mettre au monde ? Bien sûr, elle pourra toujours employer des feuilles de tilleul, qui ont des propriétés similaires, mais celles-ci ne symbolisent-elles pas l'assistance de sa mère au-delà des distances ?

La jeune épouse vient s'asseoir près de lui un moment. Tendrement, il lui entoure les épaules de son bras.

— Il reste des feuilles ?

— Un peu, répond-elle en se pressant davantage.

Silencieuse, elle fait tourner le breuvage dans le contenant, son attention retenue par les feuilles en voie de teinter la boisson d'un vert jaunâtre.

Elle n'a pas à parler. Il sait ce qu'elle pense et, à son tour, il s'attarde au mouvement giratoire des feuilles oblongues. Il y voit le pays de Goutte-de-Rosée : celui des Attikameks de la rivière Manouan[3]. Pays de vastes lacs et de forêts d'épinettes sur tapis de mousse où règne l'orignal. Pays de bleuets et de grand thé qui embaume les rivages. Pays qu'elle ne reverra peut-être pas avant longtemps.

Il n'a pas l'intention de voyager autant que son père, Toujours-Plus-Loin, qui n'est revenu au territoire ancestral du lac Piwapiti[4] qu'à la suite de la mort de son frère Couteau-Magique. Quelle chasse fructueuse ils y ont faite ! Jamais il n'a éprouvé une telle excitation devant l'énorme potentiel faunique de cet endroit et il se promet bien de l'exploiter à fond, au grand bonheur de son grand-père Wapitik.

— Je vois ce que tu vois dans ces feuilles, chuchote-t-il simplement à l'oreille de Goutte-de-Rosée.

Elle lève vers lui son regard épris et lui sourit. Le fait qu'il se préoccupe de ses sentiments lui suffit. Âgée de

---

3. Rivière Manouan : de *manawan*, qui signifie « on ramasse des œufs » en langue algonquienne. Deux rivières portent ce nom au Québec. Celle qui est concernée ici est un affluent de la rivière Saint-Maurice. On peut la rejoindre en remontant à la source de la rivière du Lièvre.

4. Lac Piwapiti : lac du Cerf.

quinze ans, quatrième et dernière fille d'un chasseur rendu impotent par une blessure d'ours, elle a connu la faim, le froid et, pire que tout, la malédiction d'être de sexe féminin et de ne pouvoir ainsi assumer la relève du territoire de chasse, que son père avait octroyé à l'un de ses gendres. En retour, ce dernier promettait d'assurer ses vieux jours ainsi que ceux de sa femme, ce qui pressa la pauvre à trouver un mari pour Goutte-de-Rosée.

Un lien très étroit existait entre la mère et sa plus jeune fille. Un lien qui compensait le rejet flagrant du père, pour qui cette quatrième femelle était une calamité. Sans aller jusqu'à proposer de l'éliminer, il s'en désintéressa complètement. En revanche, la mère l'entoura de la plus grande affection et fut au comble de la joie et du soulagement quand Goutte-de-Rosée s'éprit de Lynx-des-Neiges. Des esprits bienveillants les avaient sans doute guidés l'un vers l'autre, car le jeune chasseur se trouvait à passer par la rivière Manouan avec son père au moment précis où Goutte-de-Rosée se trouvait à y être. Un jour plus tôt, un jour plus tard, leurs routes ne se seraient pas croisées. Ni leurs regards, enflammés dès les premiers instants et ne cessant de brûler de désir depuis.

Lynx-des-Neiges s'appuie la joue contre celle de sa femme et y demeure affectueusement collé avant que celle-ci ne regagne l'abri de la parturiente. En lui bouillonne une grande énergie, et il se promet bien de toujours lui rapporter quantité de gibiers à la porte du wigwam [5] et quantité de poissons dans son canot. Pour ce, n'en déplaise à son père, il abandonnera ces voyages qui les ont menés partout en quête du territoire idéal alors que celui

---

5. Wigwam, wig-whom ou mikiwam : signifie « hutte, maison ». De forme arrondie ou ovale en été pour conserver la fraîcheur à l'intérieur, cette habitation devenait conique l'hiver, avec une ouverture au bout du cône pour laisser s'échapper la fumée. Elle était recouverte d'écorces de bouleau ou de peaux.

de Wapitik suffisait amplement aux besoins des familles de ses deux fils. Lui, Lynx-des-Neiges, il ne le délaissera jamais, ce territoire. Puisqu'il est chasseur avant tout, rien ne l'enthousiasme davantage que la perspective de connaître à fond toutes les ressources du lac Piwapiti. Il n'est pas une cabane de castor, pas une ouache d'ours, pas un nid de perdrix, pas un sentier de lièvre ou de wapiti qu'il ne veut ignorer.

Cet hiver, Wapitik lui a beaucoup appris, et il rêve d'en savoir autant que lui un jour. Avec vénération, Lynx-des-Neiges regarde son grand-père, doyen des neuf hommes qui sont réunis autour du feu pendant que femmes et filles sont parties arracher des racines de quenouille pour en tirer de la farine. Yeux mi-clos, le vieillard fume la dernière pincée de tabac du groupe, composé de Toujours-Plus-Loin, des trois gendres de celui-ci ainsi que de leurs pères. Par la Wabozsipi (rivière du Lièvre), ils sont tous revenus de leur territoire respectif et comptent bientôt troquer leurs fourrures avec les Kichesipirinis qui viendront à passer.

Il n'y a pas que le tabac qui manque, car il ne reste plus un seul grain de maïs dans aucun des quatre abris érigés en cercle. Petits fruits séchés et noix n'agrémentent plus leurs repas depuis au moins deux lunes et ils ont perdu deux filets de pêche au cours de l'hiver. Par contre, ils ont de la viande séchée et du poisson fumé en abondance ainsi que des peaux et des fourrures.

Cet hiver, la chasse a été bonne dans tous les territoires grâce à l'épais manteau de neige où les cervidés aux longues pattes se sont empêtrés jusqu'au poitrail, incapables d'échapper à leur poursuite en raquettes, mais c'est à celui du lac Piwapiti qu'elle fut la meilleure.

— Le chaudron coule par la fente, remarque un beau-frère arrivé cet après-midi de la montagne du Windigo [6].

---

6. Montagne du Diable ou mont Laurier.

— Il faudrait en creuser un autre, suggère grand-père.

— Un chaudron de métal ferait mieux l'affaire, avance Toujours-Plus-Loin.

Les regards se concentrent sur le vieux chaudron que Wapitik a creusé à même un tronc d'arbre il y a fort longtemps. Trop lourd pour être transporté, il trône à cet endroit depuis sa laborieuse conception à l'aide d'une hachette de pierre.

Lynx-des-Neiges se souvient de l'avoir toujours vu à cet endroit, déterminant les sites de bivouac des nomades chasseurs. Il a servi à nombre de familles voyageant sur la Wabozsipi ou sur la Kichesipi et, autour de lui, chaque printemps et chaque automne, les siens se sont rassemblés au départ ou au retour de leurs chasses.

Ce chaudron fait partie du paysage et aussi de ses dix-neuf ans d'existence. Jalon et point de ralliement, il a peuplé son enfance d'agréables souvenirs. N'est-il pas également le point d'ancrage qui lui a permis de se rattacher au reste de la famille? N'a-t-il pas réuni frères et sœurs, cousins et cousines, grands-pères et grands-mères, gendres et brus? Que de rires il a entendus, ce chaudron! Que de nouvelles de décès, de naissances et de mariages il a apprises! Plus que tout autre, Lynx-des-Neiges estime être redevable à ce chaudron car, à travers les incessantes pérégrinations de son père, ce lourd récipient a toujours figuré la stabilité. Revenir vers lui signifiait retrouver la famille. Et il en est encore de même en ce moment, réalise le jeune homme en entendant ses neveux et nièces jouer à cache-cache aux alentours. Faudra-t-il creuser un nouveau chaudron ou se munir de ceux qui sont en métal?

Du fait de son inamovibilité, le chaudron de bois les oblige au même lieu de bivouac et les révèle ainsi à d'éventuels ennemis, contrairement à celui qui est fait de métal. Mais adopter le chaudron de l'Étranger n'équivaudrait-il pas à renier Wapitik?

— Les chaudrons des Étrangers se transportent aisément en canot, allègue Toujours-Plus-Loin.

— Les poteries des Ouendats [Bons Iroquois] aussi, réplique Wapitik.

— Les poteries se brisent facilement. Les chaudrons de métal sont plus solides. Ils peuvent se faire lécher par les flammes et on n'a pas besoin de faire rougir des pierres. Il suffit de le mettre directement sur le feu… En peu de temps, l'eau bout.

À court d'arguments, Wapitik tire la dernière bouffée de sa pipe.

— Un tel chaudron doit valoir beaucoup de fourrures, suppose sans cacher son intérêt le mari de Pieds-Solides, sœur aînée de Lynx-des-Neiges.

— Oui… mais il épargne beaucoup de temps et permet de se déplacer. Les femmes de ceux qui en ont ne veulent plus revenir aux poteries… Encore moins au chaudron de bois, conclut Toujours-Plus-Loin.

Lynx-des-Neiges s'indigne de la façon dont son père dénigre le chaudron de Wapitik, mais simultanément le désir d'en obtenir un en métal pour Goutte-de-Rosée naît en lui. N'a-t-il pas tué à lui seul huit wapitis parmi les plus gros ? Et sa femme n'a-t-elle pas fait montre d'une surprenante habileté, compte tenu de son âge, à en préparer toutes les peaux ? Lui procurer un tel chaudron faciliterait sa tâche et écourterait le temps alloué à la préparation des repas, temps qu'elle pourra consacrer à la confection et à la broderie des vêtements, son domaine d'excellence. Et puis surtout… cela lui fera plaisir et elle le regardera comme le grand chasseur qu'il est. Celui qui, avec ses raquettes, court aussi vite qu'un lynx sur la neige.

Depuis que les Étrangers combattent aux côtés de notre chef Iroquet, ils n'ont plus à passer par les Innus de Tadoussac. Cela fait baisser la valeur de leurs chaudrons, remarque Toujours-Plus-Loin, rappelant chez tous le souvenir de Couteau-Magique, qui a perdu la vie au cours d'une deuxième bataille de la coalition[7].

Moment de recueillement. La lèvre inférieure de Wapitik tremble un peu et, tristement, son regard s'attache au chaudron. Sans doute y revoit-il à ses côtés ses descendants rendus au pays des âmes avant lui.

— Il n'y a pas que cette alliance qui fait baisser les prix, soulève l'aîné des beaux-frères, rompant un silence religieux. Il y avait beaucoup d'Étrangers pour trafiquer, l'été dernier. Chacun offrait plus que l'autre pour une même peau[8]... Les échanges nous sont favorables. Profitons-en. Notre chaudron du territoire de chasse du lac Kiamika[9] coule de partout, mais je n'ai pas envie d'en creuser un autre... Mon idée est arrêtée : j'aurai un chaudron de métal.

— J'aurai aussi un chaudron, déclare Toujours-Plus-Loin. Si les temps sont favorables comme tu dis, la mort de mon frère y est pour quelque chose car il a guerroyé contre les Iroquois avec notre chef et celui des Étrangers. En vengeant son fils, il a donné aux Oueskarinis la possibilité de devenir des intermédiaires. Comme nous, les chasseurs qui voyagent sur la Wabozsipi ont besoin de maïs ou de riz. Comme nous, ils désirent se procurer des armes de fer et des chaudrons. Les Étrangers sont nos alliés maintenant et notre chef Iroquet fréquente en ami Ochasteguin au pays du maïs. Voilà les Oueskarinis en

---

7. Près d'un an après la bataille de Ticonderoga, soit le 19 juin 1610, Iroquet et les siens participent, aux côtés des Innus et de Champlain, à un autre engagement contre les Iroquois, à la rivière Richelieu (rivière des Iroquois). Un poste de traite s'installe sur l'île Saint-Ignace, à l'embouchure de cette rivière. En raison de la cuisante défaite des Iroquois, l'île est aussi nommée l'île de la Victoire.

8. Au cours de l'été 1610, la libre concurrence des marchands s'aventurant en amont du fleuve fait augmenter le prix des fourrures.

9. Kiamika : tiré de *kickiamika*, signifiant « abrupt, coupé jusqu'au dessous de l'eau ». Aujourd'hui connu sous le nom de réservoir Kiamika.

position de devenir des intermédiaires aussi prospères que les Kichesipirinis.

— Jamais, laisse tomber Wapitik.

— Pourquoi?

— À cause de l'Île… L'île des Kichesipirinis.

— Les choses changent, mon père. Vois. Avant, les Étrangers s'arrêtaient chez les Innus de Tadoussac pour obtenir des fourrures. Maintenant, ils se sont installés à Kébec et ont établi en amont un poste sur l'île de la Victoire, où mon frère est mort l'arme à la main. Champlain, Iroquet et Ochasteguin nous ont débarrassés des Iroquois et ils feront la traite ensemble. Tessouat, le chef des Kichesipirinis, n'a pas participé à ces combats. Il ne participera pas à la traite.

— Il participera, soutient le vieillard.

Lynx-des-Neiges ne sait qui, de son père ou de son grand-père, a raison. Son tout récent désir d'offrir un chaudron à sa femme perturbe sa pensée et voile son jugement. Si grand-père parle avec la sagesse de l'âge, son père, par contre, parle avec les connaissances qu'apportent les voyages.

— Il y a des choses qui ne changent pas, mon fils… Vois les outardes qui passent au-dessus de nos têtes…

De son bras noueux aux veines apparentes, Wapitik désigne une volée d'oiseaux filant comme une pointe de flèche en direction du nord.

— Toujours, elles annoncent l'arrivée de Nipinoukhe, le manitou de la saison chaude. Quand elles vont pondre au Nord, les chasseurs savent qu'il est temps de quitter le territoire d'hiver et de venir vers la Kichesipi. Vois tes gendres: lui, il est arrivé aujourd'hui de la Montagne du Windigo; lui, il est arrivé hier du lac Kiamika, et lui, il est parti du lac Obanakaw [10] pour descendre avec nous

---

10. Obanakaw: signifie « les îles, chenaux formés par des îles », et désigne le lac des Îles, au sud de Mont-Laurier.

jusqu'ici. Vois, nous sommes tous réunis et allons passer l'été ensemble. Bientôt les chasseurs attikameks du lac Tapani[11], qui vivent bien au sud de ceux de la Manouan, descendront la Wabozsipi pour y rencontrer les Kichesipirinis, qui auront été avertis par les outardes qu'il est temps de voyager sur leur grande rivière avec tous les produits qui viennent à manquer aux chasseurs… Quand les outardes reviendront du Nord avec leurs petits, elles annonceront la venue de Pipounoukhe, le manitou de la saison froide. Les chasseurs sauront alors qu'il est temps pour chacun de gagner son territoire d'hiver… Les Kichesipirinis sauront qu'il est temps de ramener peaux et fourrures à ceux qui cultivent le maïs pour les vêtir et protéger du froid… Pipounoukhe changera la couleur des feuilles, puis, de son haleine froide, il soufflera si fort sur elles qu'elles quitteront les arbres… Il transformera l'eau en glace et fera tomber la neige comme il fait toujours… Depuis toujours… Ces choses-là ne changent pas… L'île des Kichesipirinis est là depuis toujours et, depuis toujours, à cause des rapides qui l'entourent, le voyageur doit y mettre le pied pour poursuivre sa route… Et, depuis toujours, quand le voyageur met le pied sur cette île, les Kichesipirinis exigent un droit de passage. C'est ainsi. Le voyageur n'a jamais refusé de payer ce droit de passage… Tessouat n'a pas guerroyé auprès d'Iroquet, d'Ochasteguin et de Champlain, mais il est le chef des Gens de l'Île. Quand Iroquet va visiter son ami Ochasteguin, il doit mettre le pied sur l'île de Tessouat car elle se trouve entre eux deux. Si Champlain veut un jour visiter Ochasteguin, il devra lui aussi payer le droit de passage sur l'Île. Il en a toujours été ainsi… Il en sera toujours ainsi… Les Kichesipirinis sont membres comme nous de

11. Lac Tapani : situé dans la municipalité de Sainte-Anne-du-Lac, au nord de Mont-Laurier. En langue algonquienne, *tapani* désigne le cresson, une plante antiscorbutique et dépurative qui croît dans les milieux humides.

la grande famille anishnabecke. Soyons fiers de pouvoir les appeler frères. Bientôt, nous les verrons apparaître sur la rivière… Ils nous échangeront du maïs, du tabac et des filets contre nos fourrures, nos peaux et nos viandes séchées. Si nous voulons des perles de wampums que fabriquent les Mohicans, ils en auront. Du cuivre, des pierres à feu, du riz, des dents de morse, ils peuvent facilement nous en procurer. La Kichesipi les mène partout. Pour eux, Nékouba, c'est comme pour nous, nos territoires de chasse. Ils s'y rendent et en reviennent toujours avec des canots remplis de toutes sortes de marchandises. Et tous ceux qui doivent passer par leur île pour se rendre à Nékouba afin d'y faire du troc y laissent de leurs marchandises à l'aller et au retour pour payer le passage. C'est ainsi depuis toujours. Aucune traite ne peut se faire sans la Kichesipi ni sans ses Enfants. Tessouat participera.

— Je t'entends, mon père. Depuis toujours, c'est ainsi, mais maintenant il y a l'Étranger. Dans ses mains, il tient une arme toute-puissante. Voilà ce qui a changé. L'île des Kichesipirinis a toujours été là et toujours les voyageurs ont payé leur tribut pour y portager, mais cette arme, elle n'a jamais été là. Couteau-Magique disait qu'elle traverse nos armures et peut tuer plus d'un homme à la fois… Dans les mains des Étrangers alliés, cette arme nous rend vainqueurs. Dans celles de nos ennemis, elle serait notre perte.

À la façon dont Wapitik branle la tête de gauche à droite d'un air sombre, tous comprennent qu'il se rend à l'évidence des propos de Toujours-Plus-Loin. L'arme suprême change la donne et ils ne peuvent rien pour y remédier.

— Ce sont les Oueskarinis qui ont combattu aux côtés de Champlain. C'est avec nous que la traite se fera.

— Les Oueskarinis ne sont pas assez nombreux pour avoir un pouvoir sur la traite, reconnaît l'aîné des beaux-frères. Vois notre chef Iroquet : il passe ses hivers en la maison d'Ochasteguin et le jeune homme[12] que Champlain lui a confié se trouve aussi en cette maison.

— Champlain a déjà un homme au pays des Ouendats ? s'alarme Wapitik.

— Oui. Il est à peu près de l'âge de Lynx-des-Neiges. Il a d'abord été offert à Iroquet, mais ses chefs guerriers ont refusé de le prendre. Champlain a insisté, disant vouloir renforcer l'amitié entre nous. Iroquet a fini par l'accepter et l'a emmené avec lui chez Ochasteguin. En retour, Champlain a emmené de l'autre côté du Grand Lac Salé un garçon de la tribu d'Ochasteguin[13].

— C'est là une mauvaise chose... Ce garçon pêchera avec deux lignes[14]. Il ramènera aux oreilles de Champlain tout le maïs qui se trouve chez les Ouendats et le chemin pour s'y rendre. C'est là une mauvaise chose. Très mauvaise, car ce chemin, c'est la Kichesipi. Il ne faut pas la montrer à l'Étranger.

Les paroles du vieil homme font réfléchir et plus d'un regard revient au vieux chaudron de bois, tel un adieu.

— Un jour ou l'autre, l'Étranger remontera la Kichesipi, prévoit Toujours-Plus-Loin. C'est ainsi. Il vaut mieux que ce soit dans le canot de nos alliés que dans le canot de nos ennemis.

— Et cette arme, il vaut mieux qu'elle soit en nos mains qu'en celles des « vrais serpents », renchérit le plus jeune des beaux-frères, jusqu'ici silencieux.

---

12. Étienne Brûlé, selon la plupart des historiens.
13. Il s'agit de Savignon, frère d'un chef civil ouendat nommé Tregouaroti.
14. Expression signifiant « espionner ».

— Elle pourrait nous servir en nos chasses, avance Toujours-Plus-Loin. Si elle tue plus d'un homme à la fois, elle doit pouvoir tuer plus d'un wapiti à la fois.

Lynx-des-Neiges s'imagine dans les pruchières où hivernent les grands cervidés. Sournoisement, face au vent, il se faufile sur la neige. Rendu à portée de flèche, il installe le bâton qui enferme le feu et lui fait cracher ses projectiles empoisonnés dans un bruit de tonnerre. Par deux, par trois, les bêtes s'écroulent. Que de viande, que de peaux ils en retireraient ! Que de marchandises ils obtiendraient en retour ! Et partout sur leurs rivières régnerait la paix, leurs ennemis étant terrassés. Quel bel avenir s'offre à lui s'il parvient à mettre au service de ses qualités de chasseur l'arme fabuleuse !

Le vagissement victorieux d'un nouveau-né se fait entendre. Un sourire glisse sur le visage des hommes alors que le jeune père bondit sur ses pieds et se hâte vers l'abri afin de faire connaissance avec ce deuxième enfant.

« Quel bel avenir pour ce bébé ! » songe Lynx-des-Neiges, espérant connaître bientôt les joies de la paternité. D'ici là, il étudiera toutes les possibilités de leur territoire et apprendra tous les secrets de Wapitik afin de devenir un aussi grand chasseur de wapitis que lui. Peut-être même plus grand avec cette arme fabuleuse.

Ses yeux reviennent à la fente du chaudron par où s'égoutte l'eau. S'en procurer un en métal ne lui apparaît plus comme un sacrilège face à son grand-père. En fait, cette merveille des merveilles ne ferait qu'améliorer leur qualité de vie et faciliter leurs déplacements. C'est délaisser leur territoire du lac Piwapiti qui serait un sacrilège, et cela, jamais il ne le fera.

— C'est une fille, annonce son jeune beau-frère en revenant vers eux.

— Voilà qui est bien car tu as déjà un fils, commente grand-père.

— Je l'offre à l'esprit des outardes, informe le père, entendant leurs cris au loin. Elle nous portera chance en la chasse que nous ferons d'ici quelques soleils à l'Oueska-rinisipi [rivière Petite Nation]. Elle s'appellera Nesk[15].

---

15. Nesk : « outarde » en langue algonquienne.

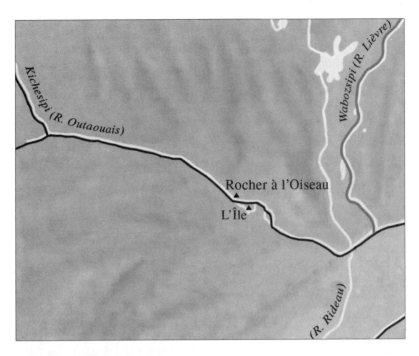

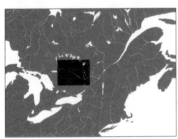

Chapitre 8

La Mahamoucébé

1613, île des Kichesipirinis sur la Grande Rivière.

Tessouat est venu seul au bord de la rivière. Il a ce besoin dans l'âme de s'asseoir près des flots pour écouter l'esprit qui y habite.

Aussi immobile que la pierre sur laquelle il est assis, il regarde se lever le soleil à l'horizon, unique témoin de son tourment et de sa quête. La lumière dorée lui effleure le front et il se lève, s'offrant tout entier à elle afin qu'elle le baigne et l'inspire, puis il jette du tabac à l'eau, le meilleur qui soit, en provenance des Tionnontatés[1], qui le cultivent en leur pays. Puisse l'esprit des rapides et de la Grande Rivière apprécier cette offrande !

Il se rassoit avec la lenteur de l'homme qui se fait vieux et il bourre sa pipe d'un tabac de moindre qualité. Ensuite, les yeux fermés, il fume pour se nettoyer l'esprit. À chaque inhalation, il descend au fond de lui, puis remonte et s'évade quand il expire. De ses mains, il se lave religieusement le visage avec la fumée pour qu'elle le purifie et lui permette de communier avec le royaume invisible.

Peu à peu, le monde extérieur s'efface. Tessouat ne sent plus les insectes le piquer et ne fait plus partie de cette Nature régie par la lumière à l'instant où les animaux de nuit se pelotonnent pour dormir et où ceux du jour s'étirent et s'ébrouent.

Il est Tessouat, Grand Chef des Kichesipirinis, peuple de la Grande Rivière. Il a beaucoup de prestige parce que les membres de sa tribu sont parmi les mieux vêtus et les mieux nourris. Il est riche parce qu'il peut partager beaucoup en cadeaux et tabagies[2]. Il est écouté parce qu'il écoute la voix des Anciens et parce qu'il fut un valeureux guerrier. Mais, sans la rivière, il n'est rien. Sans la rivière, les Kichesipirinis ne sont rien. Depuis toujours, l'esprit qui y habite leur a été favorable.

---

1. Tionnontatés (confédération des) : signifie « Gens de la Montagne ». Peuple iroquoien habitant au sud de la Huronie, où le climat plus chaud favorisait la culture du tabac, qui devint leur spécialité et qui était fort estimé des Amérindiens. Dans le conflit opposant la confédération des Ouendats à celle des Cinq-Nations, les Tionnontatés, voisins de l'une et de l'autre, gardèrent la neutralité.
2. Tabagie : festin.

Bien sûr, il est arrivé à cet esprit de renverser des canots et de prendre des vies, mais sans doute se vengeait-il par là d'affronts qu'on lui avait faits.

Au long de son parcours, la Grande Rivière se met souvent en colère. Elle s'agite, se cabre, tourbillonne, rugit et gronde tant qu'on ne peut demeurer sur son dos. Il faut alors la suivre sur la rive jusqu'à ce qu'elle se calme. Il semble que, au début des temps, l'esprit s'étant déchaîné eut soudain pitié des hommes et jeta dans les rapides une île couverte de chênes, de pins et d'ormes. Une île à partir de laquelle ils établirent leurs relations, recevant des quatre directions du monde les produits du travail des hommes. Une île qui, cernée des flots tumultueux de la Grande Rivière, les a protégés de leurs ennemis et a contraint le voyageur à y poser le pied pour portager, de sorte qu'avec le temps, les guerres et les alliances, les Kichesipirinis ont acquis le privilège d'y prélever un péage.

Pour cette raison, la Grande Rivière fut aussi appelée la Mahamoucébé, la «rivière du commerce». Elle était l'une et l'autre et les deux à la fois. Mais, depuis quelques années, la Mahamoucébé seule veut couler autour de leur île. Elle seule veut se rendre traiter chez les peuples. Sur ses vagues, elle fait miroiter l'éclat des haches de fer qui aveugle les esprits. Ambitieuse, elle souffle aux gardiens de l'île de faire poireauter les voyageurs avant d'accorder le libre accès au sentier de portage. Leur nombre et leur impatience augmentant, la concurrence s'installe et fait hausser le tarif du passage. Et plus les Kichesipirinis obtiennent du maïs des Ouendats, plus ils obtiennent des fourrures des Anishnabecks. Et plus il y a des fourrures qui circulent sur la rivière, plus il y a des rapaces pour les voler. Les Iroquois, qu'ils ont cru avoir mâtés, s'aventurent maintenant jusqu'aux chutes Asticou[3] et

---

3. Chutes Asticou: chutes de la Chaudière, près des villes de Hull et d'Ottawa. Dérivé de *askikok*, signifiant «dans la chaudière».

la Kichesipi boit le sang que la Mahamoucébé fait couler.

Et ce sang scelle des alliances qui les obligent à se taire quand, sans autorisation, les Français remontent la Grande Rivière.

Hier, de cet endroit, il a regardé Champlain s'en retourner, accompagné de quarante canots kichesipirinis chargés de fourrures. Avant de partir, cet homme lui a recommandé de veiller sur la croix aux armoiries françaises érigée sur une éminence près de l'eau ainsi que sur toutes celles jalonnant la Grande Rivière pour soi-disant la baliser. Malheur aux Anishnabecks (Algonquiens) si ces croix viennent à être enlevées car leurs ennemis pourraient les assaillir et les anéantir. Que doit-il conclure de cette menace à peine voilée sinon que l'alliance avec les Français comporte un autre corollaire que celui de commercer ensemble comme il est d'usage entre Peuples d'Ici? Que faut-il voir en ces croix? De quel droit Champlain s'est-il permis de les ficher en territoire anishnabeck, poussant l'effronterie jusqu'à se rendre en l'Île sans y avoir été invité?

Tessouat entend l'esprit de la Kichesipi demander qu'on arrache et qu'on brûle ces croix. Mais la Mahamoucébé s'y oppose. Elle rappelle que Champlain est un allié et qu'il peut faire d'eux une nation encore plus grande en leur réservant le rôle d'intermédiaires que les Innus de Tadoussac sont en voie de perdre et qui ne doit surtout pas revenir aux Ouendats, producteurs du maïs.

Immobile sur sa pierre, Tessouat sent monter dans son âme les eaux troubles de la Mahamoucébé. Cette visite de Champlain augure d'autres invasions et profanations au nom des alliances et il se blâme d'en être à l'origine.

Il n'aurait pas dû, il y a deux ans, prêter l'oreille à la Mahamoucébé, qui s'alarmait de voir les Ouendats développer une amitié trop étroite avec Champlain.

«Ochasteguin te passera par-dessus la tête comme il est passé par-dessus celle de feu Anadabijou, lui répétait-elle vague après vague. Vois, le lieu des échanges s'est déplacé de Tadoussac à l'île de la Victoire et se tient maintenant au pied des rapides situés plus en amont du fleuve [rapides de Lachine]. Ochasteguin s'est empressé de s'y rendre avant toi avec ses hommes pour y conclure une alliance avec Champlain à la faveur de la nuit[4]… Il te passera par-dessus la tête… Par-dessus l'Île», insistait-elle, couvrant la voix de la Kichesipi qui, méfiante, aurait préféré exclure l'Étranger. «Exclure l'Étranger, c'est se priver de l'arme suprême», ripostait avec justesse la Mahamoucébé.

À cette époque, la coalition des Ouendats et des Anishnabecks prévoyait une grande offensive contre les Iroquois pour l'année suivante, offensive à laquelle Champlain avait promis de participer. Ce dernier ayant déjà subtilement tissé avec les Ouendats un lien économique privilégié qui menaçait le statut d'intermédiaires des Kichesipirinis, il se voyait, en tant que leur chef, privé d'un atout d'importance pour les bien positionner. La Mahamoucébé parla alors par sa bouche et offrit à Champlain de lui montrer éventuellement comment atteindre cette route que son Chef Très Grand l'avait envoyé découvrir. L'étincelle dans l'œil de l'Étranger se mua aussitôt en flamme et il leur laissa, selon la coutume, un jeune Français du nom de Nicolas Vignau en guise d'otage et d'espion.

A-t-il bien agi à ce moment-là? s'interroge Tessouat. La Mahamoucébé répond oui, mais la Kichesipi l'accuse de l'avoir livrée. Les quarante canots chargés de fourrures qui descendent présentement au nouveau lieu de traite

---

4. Lors de cette nuit, les Ouendats donnèrent en secret à Champlain quatre colliers de coquillages (wampums) et cinquante peaux de castor, chaque collier représentant une des quatre tribus de la confédération, chaque peau représentant un des cinquante chefs de conseil.

donnent raison à la « rivière du commerce », mais les croix profanatrices corroborent les reproches de la Grande Rivière.

Aurait-il pu agir autrement? Comment pouvait-il prévoir qu'à la place de trouver Champlain au moment et au lieu fixés pour cette grande offensive de la coalition, ils ne trouveraient que des rapaces s'arrachant leurs fourrures? Quelle déception pour Ochasteguin, Iroquet lui-même et leurs deux mille guerriers! Champlain manquait-il à sa parole ou était-il mort comme certaines rumeurs le laissaient entendre[5]? Ils sollicitèrent l'assistance militaire des marchands français attirés par la traite, mais ceux-ci démontrèrent clairement que seules les fourrures les intéressaient. Ce contretemps lui permit cependant de se défaire de Nicolas Vignau, à qui on s'était efforcé d'en montrer le moins possible, et il s'en retourna à l'Île, déterminé, comme les autres membres de la coalition, à n'entretenir aucun partenariat commercial avec les Français sans certitude du concours de l'arme suprême. Si, à l'avenir, leurs rapports se résumaient à un strict échange de marchandises, il s'avérait plus sûr pour eux de continuer à passer par Nékouba pour en obtenir.

Tessouat échappe un soupir, et des regrets l'envahissent. N'a-t-il pas lui-même soufflé sur l'étincelle qui, une fois devenue flamme, a échappé à son contrôle? Quel ne fut pas son mécontentement, il y a quelques jours, d'apprendre que, en la compagnie de Nicolas Vignau, Champlain remontait la Kichesipi, et ce, malgré le fait que, tout au long du parcours, on tenta de l'en dissuader! Quand il le vit mettre pied sur l'Île, la colère lui incendia l'âme, mais il n'en laissa rien paraître. Au contraire, il

---

5. En 1612, Champlain demeura en France, où il fit de nombreuses démarches pour obtenir le renouvellement du monopole de la traite des fourrures.

organisa un festin en l'honneur de ce visiteur aussi inattendu qu'indésiré. À la fin du repas, Champlain expliqua n'avoir pu les assister l'année précédente parce que son Chef Très Grand l'avait envoyé guerroyer ailleurs. Avec un incroyable aplomb, il leur fit part de son intention de se rendre chez les Anishnabecks népissingues[6], en amont de leur île, afin de les inclure dans la coalition, et, pour ce faire, il réclama quatre canots et huit guides. Ce qu'il lui a fallu tergiverser pour faire échouer ce projet qui consistait à outrepasser les Kichesipirinis pour rejoindre en ces Népissingues un de leurs principaux fournisseurs de fourrures et, de là, atteindre le pays des Ouendats! Non content d'avoir forcé les portes du pays, Champlain lui demandait de les lui ouvrir toutes grandes et de l'aider à lui passer par-dessus la tête. D'où détenait-il la légitimité de se mêler de leur coalition? Est-ce que la seule possession de l'arme suprême justifiait son intrusion et son insolence? Habilement, il exposa à Champlain les dangers de la route menant aux Népissingues et le peu d'avantages qu'il y aurait à retirer de la participation de leurs guerriers. Alors, à ce moment, il vit l'Étranger dans toute son arrogance.

Tessouat s'ouvre les yeux et regarde la rivière devant lui, qui coule inlassablement, toujours neuve et si vieille à la fois. Elle est sa vie et sa mère, mais elle lui survivra comme elle a survécu à des milliers d'autres. Son éternelle mouvance la rend immuable. Sans âge ni limite, elle n'est partout que de passage, mais elle est toujours là... Jamais elle ne s'arrêtera. Devant elle, il se sent si petit. Si éphémère. Lui aussi n'est que de passage, mais il ne sera pas

---

6. Népissingues: signifie « peuple de la petite eau ». Ils habitaient les rives du lac Népissingue et agissaient comme intermédiaires avec les Cris du Nord. Par une rivière sortant de ce lac, on atteignait le pays de la confédération des Ouendats.

toujours là… Il s'arrêtera et alors… Alors les Kichesi-pirinis auront à vivre avec les décisions qu'il aura prises au mieux de sa connaissance et pour le bien des siens… La grandeur des siens…

Tessouat baisse la tête, honteux devant cette mère fluide que l'Étranger a violée par sa faute. Il revit la scène, ressent la cruelle blessure, essuie l'affront de Champlain accusant les Kichesipirinis de se comporter comme des enfants sans parole. Tout cela n'était que mensonge, affirmait-il, puisque Nicolas Vignau s'était rendu chez les Népissingues, qui l'avaient conduit jusqu'à l'Eau Salée du Nord (Baie James). Dans ce mouvement d'impatience, le chef des Français avait trahi le motif réel de sa présence inopportune. Plus que le commerce et la guerre, il constituait en la découverte de cette route tant convoitée par les Étrangers. Cette route avec laquelle il a lui-même appâté Champlain et qui aujourd'hui, se retourne contre lui. Contre eux. Contre la Grande Rivière. Il aurait fort bien pu rappeler à Champlain que sa parole aussi n'avait guère de crédibilité, mais il lui accorda le respect dû à un chef et se tourna plutôt vers le jeune homme qui avait bénéficié de son hospitalité l'hiver précédent. Ayant appris les rudiments de leur langue, Nicolas Vignau avait sans doute entendu parler de ce chemin des Népissingues menant à l'Eau Salée du Nord, mais nul n'aurait pu être assez imprudent pour le lui dévoiler car on en montrait le moins possible à ce genre d'invité. À force d'astuces, il parvint à le confondre aux yeux de Champlain, qui, dès lors, le traita en imposteur.

Visiblement embarrassé, le chef des Français s'excusa et, pour gage de sa bonne foi, renonça à son projet, renouvela sa promesse d'un secours militaire et les invita à l'accompagner jusqu'au lieu de traite où moult marchandises les attendaient. C'est ainsi que quarante de leurs canots sont partis avec lui, hier, sur la Mahamoucébé, laissant régner la croix sur son éminence et le tourment dans son âme.

Des voix se font entendre au vieux chef. Elles proviennent de leur cimetière, qu'il a fait visiter à Champlain dans l'espoir que les effigies de bois veillant sur les sépulcres de leurs ancêtres lui fassent réaliser les sacrilèges qu'il commet. Mais les oreilles de l'Étranger sont demeurées fermées au langage des morts. « Ne profanez pas nos os… Ne profanez pas la Grande Rivière », demandaient de leur tombe les « hommes arrêtés ».

Est-ce parce qu'à son tour il sera bientôt arrêté qu'il les entend si bien, ces voix ? « Ne profanez pas nos os… Ne profanez pas la Grande Rivière… Ne faites pas éclater sur nos tombes le tonnerre et le feu des armes de l'Étranger. » Qu'aura-t-il à implorer quand il reposera en la terre de l'Île ? Quelqu'un entendra-t-il sa voix demander pardon pour ces croix qu'impose l'alliance avec l'Étranger ?

Il ne comprend pas les agissements de ce dernier car même aucun ennemi n'a osé violer leur territoire avec tant d'arrogance. Il ne comprend pas non plus pourquoi il participe à leurs combats. Eux se font la guerre pour venger le sang et protéger leur territoire, mais l'Étranger n'a aucun sang à venger Ici et son territoire se trouve de l'autre côté du Grand Lac Salé. Se pourrait-il qu'il les accompagne sur le sentier de la guerre dans le seul but d'acquérir des fourrures et de découvrir cette route menant à des richesses encore plus fabuleuses ? Se pourrait-il que les yeux de l'Étranger ne voient que la Mahamoucébé quand ils se portent sur cette rivière ?

Plus que jamais, celle-ci fait luire l'éclat des haches de fer aux yeux des Kichesipirinis et fait miroiter à ceux de Champlain cette route tant recherchée où Elle pourrait le conduire. Elle montre ses charmes, dévoile ses atouts et demande la protection des bâtons de feu sans se soucier que ces armes autorisent l'implantation des croix. Elle se donne volontiers, la Mahamoucébé, et demande en retour qu'on lui donne. C'est là un jeu dangereux. Qui sait si Elle n'a pas déjà avalé la Kichesipi et qu'elle ne le noiera pas, lui, Tessouat ?

Les yeux tournés vers l'Est, le vieux chef inspire profondément les dernières bouffées de sa pipe et attend que l'esprit de la rivière se manifeste.

L'Étranger reviendra suivre son chemin de croix jusqu'à eux et il cherchera à passer. S'il y réussit, l'île des Kichesipirinis ne sera alors pour lui qu'un simple lieu de portage car elle ne peut avoir de contrôle sur celui qui possède et l'arme suprême et les haches de fer. Cette fois-ci, il a réussi à lui barrer la route et la Mahamoucébé s'en est retournée avec lui. En fera-t-Elle son maître ? Reniera-t-Elle la Kichesipi ? Trahira-t-Elle les Kichesipirinis, qui, sans leur rivière, ne sont rien ?

La rivière doit n'être qu'une et n'avoir qu'un seul maître. Si elle renie une seule de ses vagues, elle renie toute son eau, fait savoir l'esprit à Tessouat.

Assis sur sa pierre, le cœur maintenant plus lourd que celle-ci, Tessouat regarde filer la Grande Rivière vers son destin. Il aimerait tant pouvoir enlever les croix qui la profanent, mais la Mahamoucébé l'interdit. Le viol est commis et il ne peut le venger.

De toutes ses forces, il implore l'aide de l'esprit de la Grande Rivière.

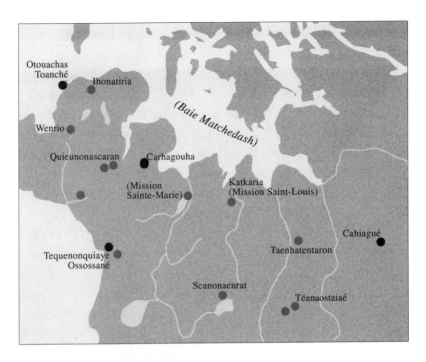

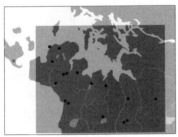

Chapitre 9

L'homme
à la robe

*1615, en la lune iroquoienne où les framboises
mûrissent (fin juillet). Village de Carhagouha.*

Encore affaiblie par un pénible accouchement, la
sœur de Loup-Curieux enserre dans ses bras posses-
sifs la dépouille de son premier bébé, enveloppée
d'une peau de castor. Venu au monde à l'instant où le
soleil s'apprêtait à se coucher, le petit être s'en est allé
avant que ne s'allument les étoiles. Court passage

que celui-ci coïncidant avec l'arrivée de l'homme à la robe[1].

Les seins gonflés d'un lait inutile, la jeune mère pleure. Sans retenue. Sans honte. Aucune des souffrances de cet enfantement ardu ne lui a arraché le moindre cri, la moindre larme. Du lever au coucher du soleil, assistée de sa mère, elle a enduré en silence le travail lent et douloureux de cette délivrance prématurée. Par son courage, elle sait avoir fait honneur à sa famille et à son clan, et maintenant elle se laisse aller à sa peine.

Quelques femmes et filles pleurent avec elle. Tristement. Solidairement. Hommes et garçons se taisent. Stoïques et recueillis.

Parmi parents et amis réunis dans une piste de la forêt, Aonetta assiste à la cérémonie, le cœur serré par l'émotion, l'esprit envahi par la peur. «Les yeux de l'homme à la robe ne nous voient pas», songe-t-elle avec soulagement.

Cet homme apporte le malheur et la malchance, disent les grands-mères, mais les hommes le considèrent comme un mal nécessaire permettant d'obtenir l'assistance militaire des Agnonhas[2]. Pour sa part, elle le craint et l'évite. Une fois, elle a surpris son regard qui lui charcutait les seins. Cet homme n'est pas normal. Il rejette la femme et pourtant il se vêt d'une robe comme elle. Arrivé en leur village avec douze hommes d'escorte, il ne recherche que la compagnie de ceux-ci. Pénètre-t-il dans une maison

---

1. Le père Joseph Le Caron, récollet, fut le premier prêtre à atteindre la Huronie, située à l'extrême sud-est de la baie Georgienne du lac Huron, sur une étroite bande de terre enserrée entre, à l'ouest, les baies de Matchedash et de Nottawasaga, et, à l'est, le lac Simcoe. Accompagné de douze hommes dont cinq connaissant le maniement des armes, il y a précédé Champlain d'une quinzaine de jours.
2. Agnonhas : signifie «les gens ou le peuple du fer». C'est ainsi que les Ouendats (Hurons) désignaient les Européens.

qu'il s'adresse au chef du clan et lui offre des présents plutôt qu'à la grand-mère, comme il est d'usage. Assurément, cet homme est un désaxé, se convainc Aonetta, les yeux fixés à la fosse où l'on déposera le petit cadavre dans l'espoir qu'il puisse renaître dans le ventre d'une femme venant à passer dans le sentier.

La jeune mère étreint une dernière fois le corps inerte de son bébé dans sa belle fourrure avant de le placer elle-même au fond du trou avec des gestes tendres. Lorsque le village célébrera la fête des Morts, elle exhumera ses restes avec la même tendresse afin de les mêler à ceux des autres disparus dans une fosse commune où ils seront honorés.

Si les yeux des Agnonhas voyaient cette fourrure, ils pourraient venir la déterrer, se surprend à penser Aonetta, soudain saisie d'un frisson. Que ces visiteurs l'inquiètent ! Leurs yeux malsains ne cessent de fouiller partout à la recherche de fourrures à rapporter ou de femmes à prendre à l'insu de l'homme à la robe. Leurs mains accaparent et profanent tout ce qu'elles touchent. Et elles sont partout, comme leurs yeux, motivées par la convoitise.

Que font-ils au sein de la communauté ouendate, où la convoitise ne peut avoir de place ? Dans chaque maison, chaque village, le travail de tous et de toutes profite à tous et à toutes. Personne n'a le désir de cultiver plus de maïs que quiconque à la seule fin d'en posséder plus. Au contraire, récolter plus de maïs permet simplement d'en partager plus. Les grands-mères de chacune des maisons veillent à ce que chaque membre de la famille, des plus vieux aux plus jeunes, mange à sa faim, soit vêtu convenablement et ait du bois pour alimenter son feu. Toujours, elles assurent le bien-être général grâce au travail de leurs filles et petites-filles.

D'une grande sagesse, les grands-mères ont permis aux Ouendats de devenir un peuple puissant. Gardiennes des semences, elles transmettent leurs connaissances et éduquent les enfants, chaque sexe selon ce qu'on attend de lui et en parfaite complémentarité avec l'autre. Respectées de tous, elles se sont cependant vues insultées par l'homme à la robe, et, à travers elles, ce sont toutes les femmes et les filles qui ont subi l'affront.

Peut-on imaginer pire offense ? se demande Aonetta. Bien que cet homme soit fort dérangeant et inquiétant, grand-mère lui avait offert de l'adopter. Intégrer ainsi un visiteur à la famille est la plus grande marque d'hospitalité qu'on puisse accorder, mais, contre toute attente, l'homme à la robe s'en montra offusqué et réclama de vivre à l'écart du village. Séparé d'eux. Et surtout d'elles, semble-t-il, d'après le regard chargé de mépris et de dégoût qu'il a jeté sur leurs personnes. Ce regard hautain et dédaigneux dont le simple souvenir la glace. Parviendra-t-elle à l'oublier, ce regard qui la repousse comme un être abject ? Qui bafoue grand-mère, la dépouille de son autorité et crache sur sa générosité ?

Un léger tremblement s'empare de la jeune femme. L'homme à la robe l'effraie car il agit comme un sorcier. Sans doute possède-t-il des pouvoirs maléfiques. N'avait-il pas toisé méchamment le ventre plein de vie de la sœur de Loup-Curieux la veille du jour où elle a perdu ses eaux ? Et, lorsque le bébé s'est enfin présenté, celui-ci ne se protégeait-il pas la tête de son bras replié que sa grand-mère a dû briser pour faciliter sa sortie ? De quoi se protégeait ce nouveau-né ? Est-ce l'homme à la robe qui l'a forcé à venir au monde une lune à l'avance pour démontrer son pouvoir ? Ou sont-ce les esprits de leurs ancêtres qui l'ont dépêché comme messager afin de les mettre en garde ?

Elle n'a que quinze ans et il lui reste encore beaucoup à apprendre, mais ce qu'elle sait déjà lui permet d'entrevoir le danger que représente l'homme à la robe. Un danger mal défini dans sa tête, mais clairement ressenti dans toutes ses fibres. C'est la nature même de la femme que cet homme menace. De leurs seins, de leur ventre, de leurs mains, il ne veut reconnaître l'importance. Pourtant, qu'adviendrait-il de leur société si leurs seins cessaient de nourrir les enfants, leur ventre, de les porter, et leurs mains, de bêcher et d'ensemencer la terre pour en récolter les fruits? Que deviendraient les Ouendats sans la monnaie d'échange qu'elles leur procurent? Quel dur hiver subiraient-ils sans le bois qu'elles ramassent! Ne sont-elles pas la base même de leur peuple? Pourquoi l'homme à la robe cherche-t-il à saper cette base? Pourquoi dénie-t-il par ses agissements le pouvoir des femmes, inhérent à leur nature? Pourquoi les rejette-t-il alors que les hommes qui l'accompagnent les lorgnent avec la même convoitise qu'ils lorgnent les fourrures?

Cette mort est un mauvais présage. Elle annonce que la venue des Agnonhas bouleversera l'ordre des choses car ils ne reconnaissent de pouvoir qu'à l'homme. Quel rôle jouent donc les femmes de l'autre côté du Grand Lac Salé? Ont-elles voix au conseil comme les leurs l'ont par l'entremise de leur orateur? Les consulte-t-on avant d'entreprendre un déplacement ou une guerre?

Le tremblement d'Aonetta redouble alors qu'on enterre ce petit garçon venu avant son temps. Jamais il ne deviendra un guerrier, mais peut-être a-t-il déjà accompli sa mission suicidaire. S'il est un envoyé de l'au-delà, son message sera-t-il entendu dans toutes les longues maisons de leur confédération et parviendra-t-il à contrer la menace sournoise de l'homme à la robe et des Agnonhas? En rabaissant le rôle des femmes, ces derniers changeront-ils celui des hommes? Est-ce qu'un jour leurs guerriers seront récompensés comme le sont en fourrures les hommes d'escorte de leur étrange visiteur? Iront-ils venger ou protéger un autre peuple que le leur? Pousseraient-ils l'absurdité jusqu'à traverser le Grand Lac Salé pour y verser leur sang en échange de marchandises? Si, d'une part, les Agnonhas minent la nature même de la femme, n'affectent-ils pas d'autre part la nature même de l'homme?

Le regard d'Aonetta se porte sur Loup-Curieux, revenu d'un séjour chez le partenaire tionnontaté de son père, qui se spécialise dans le tabac et les articles rares telles les fourrures d'écureuil noir et les pierres guérisseuses. Comme il a grandi et changé depuis le jour où il a subi l'épreuve du tison avec son cousin Parole-Facile, qu'il dépasse d'une bonne main! Ses muscles pectoraux déjà bien découpés et ses jambes fortes promettent une singulière robustesse. Il porte ses cheveux longs jusqu'à l'épaule d'un côté et rasés de l'autre, ainsi que des anneaux et des pendentifs de coquillages à chacun des lobes d'oreille, percés en trois endroits. Sur son torse, il arbore fièrement le loup totémique de son clan, tatoué par les Tionnontatés, passés maîtres en cet art, et, à ses biceps, des entrelacs de motifs géométriques dessinant des bracelets.

Ces tatouages d'une grande finesse attestent son endurance et sa force de caractère. Elle le connaît assez pour savoir qu'il n'a pas sourcillé lors de leur exécution et elle se remémore l'épreuve du tison qu'il avait subie avec Parole-Facile. Il s'était réfugié dans ses yeux à ce moment-là et elle avait vaguement eu conscience de l'emprise qu'elle possédait sur lui. En est-il encore ainsi aujourd'hui? Loup-Curieux n'est plus un jeune garçon et sans doute a-t-il eu des rapports avec des filles tionnontatées tout comme elle en a eu avec des garçons, dont Parole-Facile. Devenu ce solide grand mâle, se soumettrait-il de nouveau à son regard? À sa volonté de s'unir physiquement à lui?

Une douce chaleur l'envahit et chasse ses noires appréhensions. Son ventre s'émeut, son sexe se mouille de désir. Elle s'imagine s'enivrant du plaisir des sens avec lui. Jouir de sa rigide présence en son vagin, de son souffle précipité, de ses mains, de ses lèvres, de ses dents sur son cou. Jouir de lui, avec lui, dans l'intimité de la forêt. Jouir avec les odeurs de la terre, les parfums de l'air et le musc de l'homme chatouillant ses narines.

Elle tente vainement de repousser ses pensées érotiques, qui lui apparaissent incongrues en la circonstance, mais, au même moment, le regard de l'homme à la robe revient la glacer. La menacer dans l'essence même de son être. Alors son ventre réplique. Lui seul sait assurer leur descendance. Comme la terre, il reçoit les semences et les fait croître. Il est la vie et la survie. Tout homme de son peuple sait cela, et, pour cela, en guise de réparation d'un meurtre, exige beaucoup plus pour la vie d'une femme que pour la vie d'un homme. Son ventre s'impose. Il impose le désir de l'union charnelle. Tant qu'elle y répondra, l'homme à la robe ne pourra rien contre elle.

Se sentant observé, Loup-Curieux se tourne vers elle et de nouveau tombe sous l'emprise de son regard. Aonetta frémit. Bientôt, ce guerrier en devenir se soumettra à ses désirs et, avec lui, elle savourera plus que les plaisirs des sens. Elle pressent que leur union ira au-delà de celle de leurs corps. À cause de ce regard tenant à la fois de la dépendance du jeune garçon et du désir de l'homme. Ce regard chaud et amoureux qui éclipse totalement celui de l'homme à la robe.

* * *

Parole-Facile et Loup-Curieux sont retournés à leur ancien poste d'observation. Atteinte de pourriture, la souche du plus gros arbre jamais abattu ne permet plus de s'y asseoir, et les deux cousins s'installent par terre, leurs jambes repliées devant eux. Fidèle, Quatre-Pattes appuie sa mâchoire sur la cuisse de Parole-Facile, qui lui gratte distraitement le dessus du crâne.

— C'est bon, la femme, hein? avance ce dernier, arborant un sourire plein de sous-entendus.

— Oui, c'est bon.

— Surtout Aonetta…

Loup-Curieux hésite à répondre. Ce qu'il ressent auprès de cette fille le trouble et l'enchante. Elle possède sur lui un pouvoir qui l'embarrasse, surtout face à son cousin.

— Tu ne réponds pas… Alors, c'est signe que c'est très bon avec Aonetta pour toi, conclut ce dernier, légèrement moqueur.

Loup-Curieux sourit.

— C'est très bon, finit-il par admettre.

— C'était très bon pour moi aussi avec elle, avoue Parole-Facile.

Court silence. Léger malaise. L'essentiel est dit de ce qui pourrait les diviser, mais qui n'en fera rien, car c'est à elle qu'il revient de choisir.

— Avec les filles tionnontatées, c'était aussi bon?

— Presque.

— Oh! oh! Voilà un autre signe.

— Un signe de quoi?

— Tu sais ce que je veux dire… Tu aimerais qu'elle accepte d'être ton asqua[3]?

— Je ne sais pas… Avec elle, ce n'est pas comme avec les autres.

— Moi, j'aimerais bien qu'une femme comme Aonetta devienne mon asqua. Son oncle est chef du clan de la Grande Tortue.

— Je n'ai pas de rapports avec son oncle, glisse Loup-Curieux, agacé par l'attitude de son cousin sensible au prestige de la famille d'Aonetta.

---

3. Asqua: compagne. Nom réservé aux jeunes femmes qui s'engageaient dans une relation plus longue sans toutefois abandonner leur liberté d'avoir d'autres soupirants.

— Sans avoir de rapports avec son oncle, j'aimerais bien faire partie de cette maison-là, mais nous sommes jeunes… Nous avons le temps de goûter.

— Oui, nous avons le temps et, comme tu dis, c'est bon, la femme, approuve Loup-Curieux, désireux de ne pas s'étendre davantage sur le sujet d'une relation plus suivie avec Aonetta.

— Meilleur que des pains chauds pleins de bleuets, renchérit Parole-Facile.

— On dit que l'homme à la robe n'y a jamais goûté, avance Loup-Curieux, intrigué par cet étranger qu'il a trouvé parmi les siens à son retour.

— Goûter à quoi ? Aux pains chauds pleins de bleuets ?

— Non ; à la femme, rétorque Loup-Curieux, amusé de la méprise volontaire de son cousin. On dit qu'il n'a jamais goûté à la femme.

— Les seuls seins qu'il a tétés sont ceux de sa mère, confirme Parole-Facile.

— Se priver de la femme en tout temps n'est pas normal. À la veille d'un combat, d'une chasse ou d'une compétition, il vaut mieux s'en priver pour conserver sa force… mais cet homme n'est pas un guerrier.

— Un guerrier ne porte pas une robe de femme… Il n'est pas un guerrier.

— Il n'est pas un chasseur non plus.

— Il ne porte pas d'armes. Il n'est pas chasseur et n'est pas guerrier.

— Qu'est-ce qu'il est, d'après toi ?

Parole-Facile hausse les épaules. L'homme à la robe suscite bien des questions. Ce qu'il n'est pas semble évident, mais ce qu'il est demeure une énigme.

— Il prétend pouvoir parler aux esprits du ciel, explique Parole-Facile après un moment.

— C'est un sorcier, alors… Quand ils veulent avoir plus de pouvoir, les sorciers se privent de la femme.

— Tu dis vrai. Les sorciers se privent de la femme pour augmenter leurs pouvoirs surnaturels, mais jamais ils ne refusent ce qu'on leur offre... L'homme à la robe a refusé l'hospitalité de notre grand-mère et de celle d'Aonetta. Tu te rends compte ? Il a refusé d'être adopté par le clan de la Grande Tortue... Jamais un sorcier n'aurait fait cela. Je crois qu'il n'est pas sorcier.

— Qui est-il ? demande Loup-Curieux, cachant son inquiétude.

Sa mère et sa sœur maintiennent qu'il est un sorcier malfaisant envoyé parmi eux pour les détruire. Aonetta aussi adhère à cette conviction. Quand elle lui en a parlé, il l'a sentie trembler dans ses bras et, d'instinct, il s'est offert à la protéger. Cela a semblé la rassurer, et aussitôt elle a demandé d'être prise. Que d'ardeur et de frénésie elle a démontrées lors de cette relation ! Il aurait aimé demeurer éternellement dans l'extase ayant précédé un orgasme fulgurant. Jamais il n'avait atteint un tel degré de volupté et de jouissance ni n'avait observé une telle réponse chez sa partenaire. Puis, comme son sexe débandait, une question a surgi dans son esprit. Contre qui s'était-il engagé à la protéger ? Il ne le sait pas encore. Personne ne le sait vraiment, dans le village. Suppositions et hypothèses vont bon train. Les uns disent que, en le leur refilant, la tribu de la Roche manifeste son intention de partager éventuellement la route de leur chef Ochasteguin. D'autres soutiennent au contraire qu'elle s'est tout simplement débarrassée de l'obscur personnage. Qui est donc cet homme ?

Loup-Curieux aimerait bien le savoir afin de pouvoir protéger adéquatement Aonetta. Depuis qu'il est revenu, les doutes, les incertitudes et les inquiétudes pèsent sur eux. Chaque jour, les chefs des maisons se réunissent pour éclaircir la question et prendre les décisions pour le plus grand bien du village, et les grands-mères font connaître leur point de vue par la bouche de leur orateur. Hélas, toutes ces discussions n'aboutissent à rien de concret car personne ne semble savoir qui est l'homme à la robe. La seule mesure qu'ait adoptée le conseil des chefs jusqu'à maintenant, c'est de gagner du temps en étudiant la demande qu'a faite cet homme qu'on lui construise une maison à l'écart.

Parole-Facile rabaisse les oreilles de Quatre-Pattes et les lui plaque de chaque côté de la tête.

— Chien français! Ouash! s'exclame-t-il dans un éclat de rire en voyant la chienne tenter de se libérer.

Ce geste, ces paroles, cet endroit ramènent Loup-Curieux au temps où ils n'étaient que des gamins patrouillant les cultures. D'agréables souvenirs affluent, inextricablement emmêlés à leurs rêves et à leur impatience d'alors de se libérer de la tutelle de grand-mère. Maintenant qu'ils se retrouvent sous celle des hommes, il lui est agréable de croquer dans son enfance et de renouer avec Parole-Facile. Un lien plus fort que celui du sang existe entre eux et il souhaite qu'il en soit toujours ainsi.

Amusé, il observe Quatre-Pattes, soumise, éprise et mal prise aux mains de son maître. Une affection sans borne, un dévouement total se lit dans ses prunelles, qu'elle garde fixées sur lui. Il pourrait lui faire n'importe quoi qu'elle reviendrait lui lécher la main. La bête accompagne maintenant d'autres garçons désignés comme « chasseurs attitrés des bêtes nuisibles », mais, dès l'ouvrage accompli, elle s'empresse de revenir se coller le museau aux mollets de Parole-Facile et d'attacher ses pas aux siens jusqu'à la prochaine ronde.

— Tu crois que leurs chiens sentent aussi mauvais qu'eux? s'enquiert Parole-Facile en se laissant maintenant lécher le visage par l'animal libéré.

— Ça doit.

— Les filles les trouvent laids avec tous ces poils dans la figure.

— Aonetta dit qu'ils ressemblent à des animaux qui ont le regard mauvais... Les Français étaient comme ça dans ta pensée?

— Non. Ceux-là n'ont pas vraiment l'air de guerriers... Il n'y en a que les doigts d'une seule main avec des bâtons de feu, reconnaît Parole-Facile.

— L'homme à la robe agit comme une sorte de chef.

— Champlain est leur vrai chef. S'il vient nous assister, racontent les langues, il y aura une grande expédition. L'homme à la robe servirait à lui préparer le terrain, explique Parole-Facile.

— Drôle de façon de préparer le terrain.

— Tu dis vrai. Un envoyé enlève les broussailles et les pierres, puis il aplanit le chemin pour que les pieds de celui qui l'envoie ne rencontrent aucun obstacle, mais l'homme à la robe s'emploie plutôt à semer des embûches dans le sentier que Champlain devra suivre. Nos esprits échouent à comprendre un tel comportement, résume Parole-Facile, se montrant digne de l'enseignement et de l'influence de l'Aigle quant à l'importance de cultiver l'éloquence.

Loup-Curieux en éprouve une grande fierté, et rien ne lui plaît davantage que d'entendre son cousin utiliser la métaphore et contrôler le ton et le débit de son discours. Si lui-même est devenu physiquement plus développé et plus adroit dans le maniement des armes, des outils et de la raquette du jeu de crosse, Parole-Facile se distingue par son intérêt et ses aptitudes pour la maîtrise de l'art oratoire.

— Quand je vivais sous le toit du partenaire de mon père, chez les Tionnontatés, les langues parlaient beaucoup des Agnonhas du Sud [les Hollandais], qui sont différents des Français et qui se sont installés dans la région des Iroquois. On raconte qu'aucun d'entre eux ne porte de robe.

Les yeux de Parole-Facile s'illuminent. Avec son crâne entièrement rasé, ses anneaux de cuivre aux oreilles et son collier de coquillages au ras du cou, la vivacité et l'intensité de son regard sont saisissantes.

— Ce qu'on raconte est vrai. Aucun de ces Agnonhas ne s'habille en femme, et cela fait réfléchir. Quand les Peuples d'Ici veulent humilier les guerriers vaincus, ils les obligent à porter la jupe à la face de tous. Si les Agnonhas humilient les vaincus de pareille manière, ceux qui habitent dans la région des Iroquois seraient des vainqueurs et les Français, des vaincus.

Voilà une réflexion à laquelle Loup-Curieux n'avait pas songé et qui remet en question l'identité de l'homme à la robe. Serait-il l'illustration de l'humiliation infligée par un peuple supérieur aux Français Là-Bas, de l'autre côté du Grand Lac Salé, et qui les obligerait à s'identifier comme des vaincus Ici?

— Dans la bouche des Français, poursuit Parole-Facile, il n'y a que du mal à propos de ces Agnonhas du Sud qui échangent les mêmes produits qu'eux contre des fourrures... Nous les écoutons sans rien dire, mais, entre nous, les langues se délient... Le feu de ces Agnonhas du Sud brûle auprès du feu de nos ennemis... Leurs mains se rencontrent sur les mêmes fourrures et les mêmes marchandises. Un jour, leurs mains se rencontreront-elles sur le bâton de feu?

Loup-Curieux s'alarme. Avec quelle clarté Parole-Facile vient d'illustrer la situation! La suprématie que leur accorde l'arme suprême par l'alliance avec les Français se verrait donc compromise par ces autres Agnonhas qui, étant peut-être supérieurs aux Français de l'autre côté du Grand Lac Salé, le deviendraient sûrement de ce côté-ci s'ils s'alliaient aux Iroquois. Cette possibilité ne fait qu'épaissir le mystère de l'homme à la robe. Qui est-il donc? Quel message livre-t-il? Les hommes qui l'accompagnent agissent en marchands, mais, malgré de nombreuses offres généreuses pour obtenir leurs bâtons de feu, aucun n'y a consenti.

Pourtant, il ne serait guère difficile pour leurs guerriers d'apprendre à s'en servir. Il suffit simplement de maîtriser l'effet de terreur que produit la détonation. Ah! quel sentiment de puissance lui donnerait le maniement de cette arme! songe Loup-Curieux. D'un seul coup, il pourrait abattre deux chefs et saisir d'effroi tous ses guerriers. Par contre, quel sentiment de panique il ressentirait face à cette gueule de métal qui crache des morceaux ensorcelés capables de transpercer les armures pour se loger dans la chair et faire mourir!

— L'homme à la robe ne prépare peut-être pas le chemin de Champlain, avance-t-il.

— Peut-être… Certains ont compris qu'il préparait le chemin pour un esprit du ciel. Si Champlain vient, nous saurons de qui il prépare le chemin.

— Si Champlain ne vient pas?

— Le conseil débattra la question.

— Le souhait des femmes est de le reconduire à Kébec… Elles le croient sorcier malfaisant.

— Les femmes le redoutent avec raison. Si Champlain ne vient pas, le reconduire à Kébec est une solution… En attendant, le conseil retarde la construction de sa maison.

Des bruits de déplacement les surprennent et bientôt l'Aigle apparaît. Assurance et dignité se dégagent du frère d'Aonetta, que les deux cousins tiennent pour modèle. Prestement, ceux-ci bondissent sur leurs pieds pour l'accueillir.

De quatre ans leur aîné, l'Aigle se passionne pour tout ce qui touche la politique. Trop jeune cependant pour assister aux séances du conseil, où siège son oncle, il se contente d'attendre patiemment à la porte de la longue maison, les oreilles à l'affût de la moindre parole ou du moindre silence susceptible de lui transmettre la vision des Anciens. À la fin de l'assemblée, lorsque s'en retournent les hommes d'âge mûr autorisés à y assister, il glane des informations qu'il s'empresse de communiquer aux jeunes intéressés, ce qui lui confère de l'importance à leurs yeux.

— Champlain est arrivé au port d'Otouachas, annonce-t-il avec une certaine fébrilité. Les éclaireurs nous ont informés qu'il se rendra d'abord à Tequenonquiaye, notre capitale, pour y rencontrer notre Grand Chef. Ensuite, il visitera les principaux villages de la confédération pour conclure une alliance avec chaque chef. Dans trois ou quatre jours, il franchira nos palissades, et nous donnerons un grand festin en son honneur et en l'honneur des guerriers qui l'accompagneront.

— En seras-tu ? s'informe Parole-Facile.

— J'en serai, répond l'Aigle, s'efforçant à la pondération. Iroquet et les siens aussi en seront. Les Kichesipirinis ont autorisé le passage de l'Île et fourniront des hommes. Avec l'arme suprême dans les mains de nos alliés, nous écraserons nos ennemis aussi facilement qu'on écrase des mouches, s'enflamme l'Aigle, cédant à son enthousiasme.

— Nous aimerions en être aussi ! s'exclame Parole-Facile, selon son habitude de s'exprimer au nom de Loup-Curieux.

L'Aigle reprend un air grave et les considère chacun leur tour.

— Le conseil ne doute pas de votre valeur et les grands-mères vous connaissent, mais des guerriers doivent rester au village pour veiller sur les femmes et les enfants.

Devant leur déception, il ajoute, en faisant une œillade :

— Quatre-Pattes vous accompagnera... Elle sait flairer les intrus.

À la mention de son nom, la chienne dresse les oreilles et bat de la queue, semblant manifester son accord et les assurer de son zèle. Son attitude contraste avec celle des deux adolescents, que la proposition désenchante. Une telle énergie les habite qu'il leur répugne de rester derrière alors que les combattants marcheront au-devant de l'ennemi, forts de l'arme toute-puissante. Si grand est leur désir de mettre à l'épreuve leur courage qu'ils ne voient pas comment cette mission pourrait le favoriser.

— Vous demeurez maîtres de votre pensée… Si vous joignez les rangs des guerriers, ce sera ainsi. Mais le conseil sait l'importance de ceux qui servent de protection et de défense… Que vaudrait la victoire de nos guerriers si, au retour, ils trouvaient le village incendié, les femmes et les enfants massacrés?

Parole-Facile et Loup-Curieux se consultent du regard, gagnés par cet argument.

— Notre pensée répond à cette pensée du conseil. Nos mains et nos bras décocheront les flèches et lèveront le bouclier pour défendre les femmes et les enfants, assure Parole-Facile.

— Ce sera ainsi, conclut l'Aigle en tournant les talons.

Après s'être éloigné de quelques pas, il ajoute, sans même se retourner:

— Demain, le chef fera la criée pour qui voudra aider à construire la maison de l'homme à la robe.

* * *

Constituée de pieux recourbés et solidement attachés par des cordes d'écorce de tilleul, la charpente d'une maison, en forme de tonnelle renversée, se dresse à l'écart du village. Ainsi isolée, elle sera exposée aux éventuelles attaques d'ennemis et à la force du vent d'hiver. Mais l'homme à la robe a fait ériger une croix à proximité et il prétend qu'elle le protégera. Cet homme est un sorcier, croit maintenant Loup-Curieux. Le rituel bizarre auquel il se livre en présence de Champlain et de ses hommes l'atteste. Revêtu d'habits somptueux, il lève souvent les yeux vers l'esprit du ciel, le plus puissant de tous. Quelle promesse lui fait-il? De quoi prend-il le soleil à témoin? À quoi rime cette cérémonie au pied de la croix? À quoi rime cette croix?

Quand l'homme à la robe s'agenouille, les autres Agnonhas font de même et prêtent grandement attention aux paroles qu'il récite en une langue étrangère au français. Il psalmodie, chante, lève les bras, fait des incantations, se signe, embrasse des objets et interprète des signes sur des feuilles réunies. L'attitude de Champlain et de ses quatorze compagnons confirme, sans l'ombre d'un doute, que cet homme possède des pouvoirs surnaturels qu'il pourrait retourner contre quiconque. Il y a, dans leurs yeux et dans les réponses qu'ils lui font parfois en chœur, un témoignage évident d'une révérence craintive. Si la présence du chef des Français indique que l'homme à la robe lui a préparé le chemin, cette cérémonie tend à démontrer qu'il l'a préparé également pour l'esprit du ciel.

Les femmes de la maison ainsi qu'Aonetta aimeraient qu'on trouve un prétexte pour le renvoyer à Kébec, mais, maintenant que Champlain a entrepris sa tournée diplomatique dans les principaux villages de la tribu de l'Ours, les membres des conseils jugent qu'il vaut mieux, au nom de l'alliance, supporter sa présence et ses caprices. Ils doivent à tout prix profiter de la conjoncture pour attaquer leurs ennemis avant que ceux-ci ne s'allient à leurs voisins agnonhas (hollandais) ou n'obtiennent d'eux des bâtons de feu.

Que de rêves d'action Loup-Curieux a élaborés depuis le grand festin donné en l'honneur de Champlain! Plus d'une fois, il s'est imaginé qu'il emboîtait le pas à la troupe dont son père fera partie et qu'il se rendait à Cahiagué en compagnie de leurs puissants alliés. Capitale de la tribu de la Roche, à qui revient la propriété de la route menant aux Français, ce village a été désigné comme point de rassemblement de tous les combattants de la coalition. Ah! prendre le sentier de la guerre! Montrer de quoi il est capable! Se battre! Se distinguer! S'illustrer! Ah! festoyer avant le départ. Danser toute la nuit au son du tambour. Préparer ses armes, ses vivres et son âme. Chanter dans sa tête sa mélopée funèbre en espérant entendre celle des prisonniers ennemis au poteau de torture. Comme tout cela l'exalte et amoindrit la mission dont Parole-Facile demeure tellement imprégné qu'il n'a pas osé lui dévoiler ses fantasmes.

Il ressent un tel besoin d'agir que la mission de rester derrière ne retrouve plus pour lui l'éclat qu'elle avait dans la bouche de l'Aigle. Pour ceux qui resteront en cas de raid, il n'y aura ni chant ni festin, et leurs chances de fixer des têtes coupées aux piquets de l'enceinte sont bien minces. Parfois, comme un éclair, l'espoir de ces raids à l'orée des champs surgit. Il se voit fendre les crânes et décocher ses flèches avec précision contre quiconque attenterait à la vie des femmes et des enfants. À la vie d'Aonetta. Parfois aussi, il s'imagine qu'il s'empare de l'homme à la robe pour le ramener à Kébec, où il pourra exercer comme bon lui semble ses pouvoirs maléfiques.

Debout, silencieux et graves, les volontaires qui ont répondu à la criée du chef pour construire la maison de l'homme à la robe ont le privilège d'assister au culte qu'il rend à la croix. À l'instar de quelques-uns, Parole-Facile imite ses gestes pour lui signifier qu'il respecte ses croyances, bien qu'elles soient différentes des leurs. Loup-Curieux s'en abstient bien. Il ne voit pas pourquoi il respecterait cet homme alors que celui-ci a craché sur leur hospitalité. On suppose qu'il a un lien avec le commerce des fourrures, mais, tout comme celui qu'il y a entre le chemin de Champlain et celui de l'esprit du ciel, ce lien lui échappe. Cet homme lui échappe. Jamais il n'a manifesté l'intention d'essuyer l'affront fait aux matriarches et, pour cette raison, peu d'hommes du village sont disposés à lui construire une maison. Pour sa part, il a longtemps hésité. Son être entier s'y opposait. Pourquoi aurait-il fait quelque chose pour cet homme qui ne fait rien pour eux ? Si ce dernier avait accepté l'hospitalité d'une de leurs maisons, il aurait été logé et nourri de bon cœur, mais, étant donné qu'il désirait vivre sans les autres, Loup-Curieux ne voyait pas pourquoi les autres devraient l'aider.

C'est Parole-Facile qui est venu à bout de sa réticence. D'après lui, il valait mieux ne pas contrarier l'intrus, mais plutôt l'amadouer pour venir à bout de percer son mystère. Tant qu'à demeurer au village, pourquoi n'en profiteraient-ils pas tous deux pour l'approcher et déceler le danger qu'il représente ? Combinés à son insatiable curiosité, ces arguments ont porté leurs fruits.

Il veut tout savoir sur ces étrangers et sur l'homme à la robe. Il veut comprendre les choses qui se préparent au sujet de son clan, de sa tribu et de toute la confédération des Ouendats. Depuis qu'Ochasteguin a ouvert la route, on ne cesse de parler de cette arme toute-puissante, de cette alliance et de Champlain. Depuis cinq ans, cet homme hante son imaginaire, et voilà qu'il se trouve à quelques pas de lui, dont l'oreille mutilée rappelle le triomphe de l'île de la Victoire. Lorsque la flèche lui en avait fendu le lobe pour se ficher dans son cou, Champlain l'avait aussitôt extraite, puis, avec fougue, il avait intensifié l'attaque, pratiquant une brèche dans les défenses de l'adversaire par où les leurs se sont engouffrés. Cette blessure de Champlain n'est-elle pas la preuve irréfutable de son courage et de son ardeur au combat ? À elle seule, n'est-elle pas le plus bel ornement qu'il puisse porter à l'oreille et la marque la plus tangible de son amitié ? Comment un tel combattant peut-il s'agenouiller, la tête baissée, devant l'homme à la robe? Parviendra-t-il un jour à comprendre ces Français qui ont des coutumes bien barbares? Ils ne rapportent ni les têtes ni les scalps de leurs ennemis en guise de trophées et, dans leur pays, les prisonniers sont enfermés dans des lieux où ils pourrissent, attachés à des chaînes, plutôt que de montrer une dernière fois leur bravoure au poteau de torture. Aussi, dans l'entourage de leur Chef Très Grand, ils agissent comme des femmes, s'injuriant par la parole sans jamais en venir aux actes. De plus, les enfants y sont battus et humiliés s'ils ne font pas telle ou telle chose qu'on leur a demandé de faire. Ici, les enfants ont droit au respect autant que les adultes, et personne ne peut demander à personne de faire telle ou telle chose.

Bien qu'il se méfie d'eux, Loup-Curieux est fasciné par les Agnonhas car ils ont un pouvoir magique pour fabriquer des objets tels que des haches, des couteaux et des chaudrons. Des objets que les fourrures leur permettent d'obtenir et dont ils deviendront les principaux distributeurs.

Champlain n'est-il pas également ici pour consolider l'alliance qu'Ochasteguin a amorcée, il y a quatre ans, en lui offrant, à l'insu des Kichesipirinis et des Innus, cinquante peaux de castor, au nom des cinquante principaux chefs, et quatre wampums, symbolisant les quatre tribus de la confédération?

Lui, il fait partie de la plus importante: celle de l'Ours[4]. À lui seul, Anenkhiondic, leur Grand Chef, occupe la moitié des sièges au conseil de la confédération.

De grandes choses se préparent pour les Ouendats et particulièrement pour sa tribu. Confusément, il sent que, d'ores et déjà, il participe à ces choses, quoique de manière peu glorieuse pour l'instant. Plus tard cependant,

---

4. Nation de l'Ours: nation des Attignaouantans. Lac de l'Ours: lac Attignaouantan, aujourd'hui nommé lac Huron.

il voyagera beaucoup, car, lorsqu'il s'est retiré seul dans la forêt pour recevoir la révélation de son avenir, il a eu la vision d'un canot franchissant des rapides. Il voyagera donc beaucoup et se rendra sûrement jusqu'à Kébec pour traiter avec les Français. C'est pourquoi il doit en savoir le plus possible sur eux et sur l'homme à la robe.

Somme toute, rester au village pour mieux étudier cet intrus constitue une sage décision. Il suffira de gagner sa confiance et de tenter d'apprendre sa langue. Il revient aux Étrangers d'apprendre la sienne, mais il veut savoir ce qu'ils se disent entre eux à leur sujet. C'est primordial.

Loup-Curieux observe Parole-Facile s'appliquant à singer leurs visiteurs et cette attitude l'irrite de nouveau. Une divergence s'ébauche entre lui et son cousin. Oh! très légère et momentanée, il l'espère. Est-ce son séjour chez les Tionnontatés qui en est la cause? Est-ce lui ou Parole-Facile qui a changé? Avant, ils partageaient les mêmes opinions et les mêmes rêves. Aujourd'hui, bien qu'ils aient décidé tous deux de participer à la construction de la maison de l'homme à la robe, les raisons qui motivent leur participation diffèrent. Lui, il y voit l'occasion de mieux connaître les Agnonhas en approchant le plus obscur d'entre eux, afin de mieux agir pour le bien et la protection de sa communauté. Pour Parole-Facile, à cette raison s'ajoute le désir d'être remarqué par l'Aigle, par les membres du conseil ainsi que par les Étrangers.

Le tremblement d'Aonetta dans ses bras et l'indignation des grands-mères offensées se rappellent à Loup-Curieux à chaque mouvement d'imitation de son cousin, et leurs routes s'écartent alors légèrement davantage.

La cérémonie s'achève. L'homme à la robe dessine avec force gestes des croix dans l'air et maintes fois Champlain se signe avec recueillement. Loup-Curieux jette un regard sur cette croix qui restera plantée en terre quand les guerriers quitteront le village pour celui de Cahiagué. Y attirera-t-elle le malheur? Une fois les hommes partis, s'employera-t-elle à détruire les femmes et les enfants sans que ni lui ni Parole-Facile puissent rien pour les défendre? Forcera-t-elle d'autres bébés à sortir du ventre de leur mère avant terme? Que lui a promis l'homme à la robe?

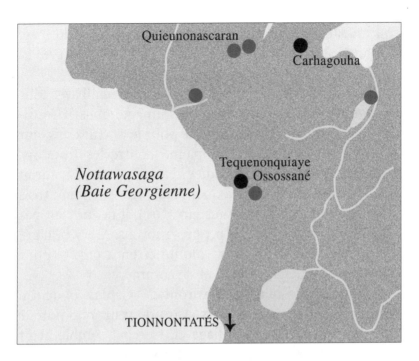

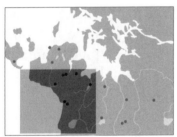

Chapitre 10

Les Agnonhas

1616, en la lune iroquoienne où les jours sont plus grands (janvier), village de Carhagouha.

Un vent régulier souffle sur la maison d'écorces du père Le Caron, produisant de-ci de-là frottements et bruissements. Construite à la hâte et manifestement à contrecœur, elle ne présente pas autant de confort que celles des habitants du village. Par contre, Champlain aime s'y retrouver entre Français. Vivre continuellement parmi les Sauvages lui pèse à la longue, d'autant plus que cet hivernement n'était ni prévu ni souhaité.

Bien sûr, partout où il est allé, on l'a accueilli avec tous les honneurs dus à un haut personnage, mais il soupçonne ses hôtes d'avoir comploté pour le retenir dans leur pays à la suite de leur campagne contre les Iroquois. Comment pouvait-il y remédier ? De lui-même, il n'aurait su retourner à Kébec. Déjà qu'il s'était égaré pendant trois jours en voulant chasser sans eux. Non, il ne lui était pas possible de revenir par ses propres moyens. Alors, bon gré mal gré, il s'est plié à leur volonté et en a profité pour consolider les liens d'amitié et de commerce.

C'est dans la maison d'Atironta, à Cahiagué, qu'il a séjourné une dizaine de jours avant de venir rejoindre le père Le Caron dans ce village-ci. Ce chef semble avoir remplacé Ochasteguin, qui, tout comme lui-même, fut blessé au cours de l'assaut du village fortifié des ennemis. Que de bons soins on lui a prodigués en cette maison ! Que d'égards on a eus pour sa personne ! Il piquait autant la curiosité qu'il imposait le respect parmi les familles qui y cohabitaient. Cependant, bien que leurs marques d'hospitalité aient abondé, il demeure sceptique quant aux motifs réels de celles-ci. De plus, le fait qu'il ignore leur langue et doive communiquer par l'entremise d'un interprète rend encore plus hermétiques leurs faciès inexpressifs. Ah ! quel bonheur il a ressenti à la vue du père Le Caron ! Enfin quelqu'un avec qui s'entretenir ! Peu lui importe la modestie de cette demeure, de cette natte de jonc sur laquelle il prend place. Sous cet humble toit, il est parmi les siens. Là-bas, il s'assoyait sur une épaisse et chaude peau de bœuf musqué, mais il se trouvait parmi des étrangers.

D'un geste machinal, Samuel de Champlain se frotte la barbiche. Il réfléchit à tout ce qu'il a vu et vécu et à tout ce qu'il désire vivre et voir. Il lui reste tant de choses à découvrir encore. Tant de choses à mettre sur pied, à consolider, à prévoir. Aura-t-il assez de toute sa vie pour trouver le chemin de la Chine et établir la Nouvelle-France ? Chaque découverte lui ouvre une porte sur de nombreuses choses à découvrir encore. Il n'en finit pas d'être étonné, ébloui, attiré. Ce pays est beaucoup plus vaste qu'on ne peut l'imaginer. Pour se rendre de leur habitation de Kébec jusqu'ici, il aurait traversé la France là-bas. Ici, c'est le pays de la démesure. Les rivières sont des fleuves, les lacs, des mers d'eau douce. C'est un autre monde. Un nouveau monde qui a la taille d'un empire et qu'il suffit de modeler sur l'ancien pour faire de la France la plus grande des puissances.

Plus que jamais, il croit en ce pays et en la route de la Chine, quelque part vers l'occident. Il lui tarde d'aller à sa découverte et il rage de voir ses alliés se défiler constamment au moment opportun. À peine lui ont-ils fait entrevoir des possibilités d'atteindre cette route qu'ils dressent aussitôt des barrières quand vient le temps d'y accéder. Ils utilisent alors force mensonges, prétextant tantôt la mauvaise saison, tantôt les dangers du voyage, tantôt encore l'absence de canots ou de guides, comme ce fut le cas pour son retour à Kébec. Le voici donc piégé en leur pays. Quel fâcheux contretemps ! Par leur faute, rien ne s'est déroulé tel que prévu. De surcroît, ils ont connu la défaite. À ses yeux, du moins. Aux leurs, il ne saurait le dire. Ces gens semblent se contenter de l'issue de la bataille. Lui, pas du tout.

Ils ont d'abord perdu un temps fou dans leurs préparatifs, à lui faire visiter des villages où, chaque fois, il devait pétuner[1] avec les chefs et assister à leurs

---

1. Pétuner : fumer, priser du tabac. Tiré de *pétun*, un mot portugais d'origine brésilienne désignant le tabac.

sempiternels festins. Comme il avait hâte de les mener à l'attaque et de leur démontrer, une fois de plus, la supériorité de leur force militaire ! Cependant, il dut se montrer poli et répondre à leur désir de l'honorer. Prenant son mal en patience, il en a profité pour explorer ce terroir, qui est un beau pays où il fait bon cheminer. Il comprend maintenant pourquoi Tessouat et les Kichesipirinis cherchaient à lui en interdire l'accès. C'est ici que toutes les routes commerciales convergent et d'ici que partent toutes les pistes menant aux peuples du Nord, de l'Ouest et du Sud. Pour ce qui est de la route qui mène à l'Est et au Saint-Laurent, elle n'est nulle autre que la rivière Kichesipi, qui passe par l'île de Tessouat, deuxième du nom, dit le Borgne, qui vient de succéder à l'autre, décédé l'an dernier. Plus jeune et arrogant, ce nouveau chef rappelle avec insistance que son peuple est celui de la Grande Rivière et qu'il peut à volonté leur barrer la route. Mais le voilà dans l'impossibilité de le faire puisqu'ils ont à nouveau guerroyé côte à côte. Tessouat ne peut se mettre à dos ni les Français, officiellement alliés aux peuples chasseurs depuis la baztaille de Ticonderoga, ni les Hurons[2], leurs alliés de longue date. De plus, en ayant attaqué les Iroquois qui contrôlent l'accès au poste des Hollandais, Tessouat vient d'éliminer toute velléité de paix avec ces derniers et, par conséquent, toute possibilité d'un éventuel partenariat commercial.

Ah oui ! Le pays des Hurons est beau et bon. Quand il a vu les champs de culture autour des villages, il a senti qu'il se rapprochait de la Chine. Fut un temps où il croyait pouvoir l'atteindre par la mer du Nord, mais l'explorateur anglais Hudson l'y a devancé, il y a quatre ans, et y a péri

---

2. Hurons : nom que les Français ont donné aux Ouendats, tiré soit du mot *hure*, signifiant « tête de sanglier », en raison de leur coiffure, ou d'un mot d'argot signifiant « rustre, chenapan ».

sans trouver le passage recherché. C'est en se dirigeant vers l'occident qu'il atteindra la Chine. Il ne peut en être autrement. Plus il progresse dans cette direction, plus les conditions de vie des Sauvages s'améliorent. À l'Est, ne suffit-il pas d'une mauvaise saison de chasse pour que les Montagnais (Innus) viennent frapper à leur porte en quête de nourriture? Sans cesse à la merci du gibier, il leur arrive de mourir de faim, faute de n'avoir pu se faire des provisions. Par contre, ici, la terre et le climat font croître à merveille le maïs, les fèves, les courges, le tabac, le chanvre et les fleurs-soleil. Des vignes et des fruits sauvages de toutes sortes poussent en abondance et des ruisseaux courent partout qui se jettent dans les lacs et rivières qui, à leur tour, aboutissent au fleuve Saint-Laurent.

Ici, c'est le grenier du Canada et sans doute les confins de la Chine. C'est ici qu'ils doivent s'implanter, coloniser et développer l'agriculture. C'est d'ici que doivent partir ses explorations. Sans doute devra-t-il traverser des steppes avant d'arriver aux contrées fabuleuses des épices, de la soie et des pierres précieuses. Tout au long du chemin, il prendra possession du sol en y plantant des croix au nom de son Dieu et de son roi. Ce sont les frontières de la France et de la religion catholique qu'il étendra dans ce pays de la démesure. C'est son nom qu'il immortalisera, sa fortune qu'il assurera. Une fois la route bien balisée, ils construiront des villes et des forts aux endroits stratégiques et prélèveront un péage à toute nation voulant l'emprunter. Ainsi, la France régnera sur le monde.

Mais, pour réaliser tout cela, il a besoin d'une oreille attentive à la cour. Il a besoin de bienfaiteurs qui croient en lui, comme lui croit en ce pays.

À l'image du réseau hydrographique, tout est relié et aboutit au Saint-Laurent, terminus des fourrures. Pour découvrir, il lui faut coloniser. Et pour coloniser, il lui faut des fonds, donc commercer. Mais comme on ne peut tirer profit du commerce des fourrures sans en avoir le monopole, il faut sans cesse œuvrer pour l'obtenir et le conserver. Alors, en cette époque de grande instabilité depuis l'assassinat du roi Henri IV, son protecteur et ami, on s'arrache l'oreille du jeune roi Louis XIII. Tout se trame dans les coulisses et les confessionnaux. Des marchands font des pressions, d'autres des scissions. Les uns sont conduits à la faillite parce que protestants, les autres flattent le très catholique couple Concinni, favori de la reine mère. Les guerres de religion recommenceront-elles ? Le sang coulera-t-il à nouveau au nom de Dieu ? Élèvera-t-on de nouveaux bûchers pour les hérétiques ? Le fouet, l'écorchage, l'éviscération, l'écartèlement, le pilori et autres tortures redeviendront-ils d'usage ? L'œuvre unificatrice d'Henri IV, le prince protestant devenu roi catholique, se verra-t-elle démolie ? L'intolérance règnera-t-elle à nouveau ? Ne chuchote-t-on pas, dans certains salons, que les jésuites seraient les auteurs de l'assassinat du roi ? À travers toutes ces incertitudes et menaces, il lui faut cheminer sans jamais perdre de vue la destination finale de la Chine.

Alors, il multiplie les démarches en France, demande des audiences et organise des rencontres. De Saint-Malo à Rouen, La Rochelle et Paris, il voyage. Il cherche un bienfaiteur capable de saisir les immenses possibilités de ce pays. Il cherche un second protecteur comme feu le roi Henri IV, qui l'avait nommé géographe royal à la suite de la lecture du récit de ses voyages dans les colonies espagnoles [3]. Il cherche un esprit ouvert pour lire ce qu'il écrit présentement.

Champlain s'approche du feu pour y relire ses dernières notes à la lueur des flammes. « *Ils font provision de*

---

3. Récit intitulé *Bref discours des choses les plus remarquables aux Indes occidentales.*

bois sec et en emplissent leurs cabannes y a un espace où ils conservent leur bled d'Indes [blé d'Inde] qu'ils mettent en de grandes tonnes, faites d'escorce [écorce] d'arbres, au milieu de leur logement : il y a des bois qui sont suspendus où ils mettent leurs habits, vivres et autres choses, de peur des souris qui y sont en grande quantité.

« En telle cabanne [il] y aura douze feux qui font vingt-quatre mesnages [ménages], et où il fume à bon escient qui fait que plusieurs en reçoivent de grandes incommoditez[és] aux yeux, à quoy ils sont sujets jusques à en perdre la veue [vue] sur la fin de leur aage [âge], n'y ayant fenestre [fenêtre] aucune. »

En effet, la fumée omniprésente qui commence à lui brûler les yeux et qui a chassé momentanément le père Le Caron à l'extérieur pour un bref répit lui fait déposer le manuscrit près de lui. Il espère que la Cour montrera un intérêt grandissant pour l'établissement d'une colonie en Canada. En mettant en lumière l'évangélisation de ces peuplades barbares, il a touché une corde sensible. Mais l'évangélisation ne peut réussir que par l'implantation de colons français parmi ces brutes qui n'ont ni religion, ni foi, ni loi politique ou civile. La charrue remplacera les bêches des femmes huronnes, et la hache de fer, celle de silex des hommes. Ils bâtiront des églises, des écoles, des moulins, des forges, et exporteront la fourrure, le poisson, le bois, le chanvre et les richesses que le sol contient et qui sont encore à découvrir. Aux Sauvages, ils feront l'insigne honneur de les considérer comme sujets français et leur apprendront à parler leur langue et à prier leur Dieu. Ils les feront bénéficier de leurs lois et les mettront sous la protection de leur roi. Plus il y aura de Français parmi eux, plus vite ils seront francisés et convertis. Ce pays deviendra alors vraiment la nouvelle France. La lointaine France aux dimensions d'un empire, elle-même aux portes de l'empire d'Orient.

L'intrusion d'une personne dans la maison du père Le Caron distrait Champlain de ses pensées. Il aperçoit un grand adolescent et le reconnaît comme un des membres désignés pour les accompagner chez les Pétuns[4] (Tionnontatés) demain, lui et le père Le Caron. Pourquoi le choix s'est-il porté sur ce garçon si pauvrement vêtu qu'il semble presque nu ? Portant les cheveux rasés d'un côté et des anneaux aux oreilles, il le regarde de cet air imperturbable qui leur est familier. Que peut-il bien penser, si jamais il pense ? Ces gens le déroutent. Ils voient des réussites où lui voit des échecs. Complètement indisciplinés, ils n'ont aucune notion de l'obéissance et il serait utopique d'espérer en faire des militaires. Il l'a bien constaté à ses dépens lors du dernier assaut. S'ils lui avaient obéi jusqu'au bout, ils auraient sûrement triomphé. Mais ils n'ont réalisé que la moitié de son plan d'attaque, et à cause de cela, ils ont échoué à brûler les palissades et à envahir le village iroquois.

Ce combat dont la victoire était à sa portée et lui a échappé par leur faute ne cesse de le mortifier. D'ailleurs, il ne s'est pas gêné pour les semoncer et leur faire clairement sentir sa déception lorsqu'ils ont décidé de battre en retraite. Bien qu'il fût alors immobilisé par deux blessures à la jambe, il lui paraissait tout à fait inacceptable de se retirer alors qu'ils étaient si près du but. Le cavalier, qu'ils avaient mis deux semaines à construire sous ses ordres, avait fait ses preuves. Traîné par deux cents hommes à proximité de l'enceinte, le lourd échafaud permettait à ses meilleurs arquebusiers, nichés à son faîte, de tirer de là-haut à l'intérieur des palissades. Les salves meurtrières fauchaient les assiégés au fur et à mesure qu'ils atteignaient leur passerelle intérieure, construite dans le but de

---

4. Pétuns : nom qu'ont donné les Français aux Tionnontatés, le mot *pétun* signifiant « tabac » à cette époque.

jeter des pierres sur les assaillants ou de l'eau sur un feu allumé au pied de leur forteresse de pieux. Terrorisés par ces armes, les Iroquois suppliaient les arquebusiers de ne pas se mêler de cette guerre quand ils les voyaient monter à leur poste de tir protégé par un parapet. Pourquoi ne les laissaient-ils pas se battre entre eux à armes égales ? protestaient-ils. N'était-ce pas là une injustice ? Une lâcheté de la part des Hurons ? Que de courage, que de combativité ces ennemis ont tout de même démontrés ! Mais quel impact une victoire aurait eu, établissant *de facto* la suprématie française sur le continent !

Ces pensées le mettent hors de lui et, pour ne plus s'y attarder, Champlain considère le garçon qui, immobile et les bras croisés, se tient devant lui. Comment réagirait-il s'il apprenait que sa destinée et celle de son peuple reposent entre les mains d'un garçon du même âge, vêtu de velours et de satin, de l'autre côté de l'Atlantique ? À cet instant précis, il aimerait bien maîtriser la langue huronne, pour lui faire savoir tout ce qu'il projette pour son avenir. Bien sûr, pour le moment, ces gens sont heureux entre eux, mais il peut leur apporter la gloire et l'honneur de devenir des sujets français ainsi que l'ultime privilège d'embrasser la religion catholique. Il leur suffit de montrer un peu de bonne volonté. Sans doute faudra-t-il œuvrer auprès des jeunes, plus malléables que leurs parents, lesquels sont endurcis dans leur façon de vivre.

Une bouffée d'air froid rampe soudain au sol et le père Le Caron apparaît, se frottant les doigts vigoureusement. Il s'accroupit sur la natte et tend les mains vers le feu, faisant le geste de se les laver avec la chaleur.

Loup-Curieux observe les deux hommes, à l'affût du moindre indice pouvant éclairer leur comportement. Rien ne doit lui échapper de leurs intonations, de leurs gestes ou de leurs expressions faciales.

Tantôt, il a surpris l'homme à la robe qui marchait devant la porte en regardant le ciel étoilé. De quoi s'entretenait-il avec l'esprit, maître des flots et des vents, qui y habite ? De quoi lui rendait-il compte ? Est-ce que le voyage que lui et Champlain ont demandé de faire avec insistance au pays des Tionnontatés y est pour quelque chose ? Vient-il de consulter l'esprit du ciel pour en rapporter la volonté à Champlain ? Voilà qu'il s'assoit à ses côtés et s'empare de la feuille où l'autre a fait des marques avec une plume trempée dans de la teinture noire. À son tour, il interprète les marques. Cela le fascine. C'est comme si Champlain avait réussi à mettre sa parole sur la feuille et que l'autre pouvait l'entendre en y jetant les yeux.

L'homme à la robe a beaucoup de ces feuilles marquées où il y a des illustrations d'esprits. Il l'a laissé les regarder, mais lui, il n'entendait pas la parole. À chacun son savoir. Le sorcier ne sait pas interpréter les traces des animaux et Champlain s'est perdu en forêt, de sorte qu'il faut sans cesse veiller sur lui.

Maintenant, les deux hommes s'entretiennent. Que peuvent-ils bien se dire ? De nouvelles rumeurs circulent depuis que les guerriers ont rapporté que Champlain a haussé le ton contre eux après l'attaque. Cet acte antisocial, tout comme celui de vivre à l'écart de la communauté, est habituellement le propre d'un sorcier. Champlain en serait-il un ? Cette aptitude à communiquer par des marques silencieuses sur des feuilles serait-elle l'apanage de leur magie ?

Hier, son père lui a parlé seul à seul. Une certaine gêne existait entre eux car ils n'avaient jamais eu d'entretien de cette nature. Cela est généralement réservé à l'oncle ou, dans son cas, au grand-oncle maternel.

Depuis son retour de l'expédition avec Champlain, Fumée-d'Échange paraît soucieux. Il se tait quand on fait l'éloge de l'arme suprême et qu'on raconte la terreur qu'elle inspire. Chez lui, rien ne trahit le comportement d'un vainqueur et pourtant… Pourtant, on assure que les Iroquois ont eu si peur de cette arme qu'ils ne reviendront plus rôder autour de leurs villages et qu'ils cesseront d'attaquer leurs canots de fourrures désormais escortés par des Français armés. « Quand je suis parti avec les guerriers, tu es resté au village, mais ton esprit nous accompagnait », a dit son père qui se tenait debout sur la passerelle de la palissade, l'œil perdu au loin. « Depuis mon retour, mon corps est ici, mais ma pensée est demeurée devant la palissade de nos ennemis… La nuit, je les entends nous traiter de lâches et demander aux Agnonhas de ne pas se mêler de nos guerres… Un rêve m'a visité et tourmente mon âme. »

Fumée-d'Échange s'est tourné vers lui, le gardant captif de ses prunelles anxieuses.

« Dans ce rêve, nous étions endormis au bord de l'eau. Chacun de nous avait de grandes quantités de fourrures à échanger et un bâton de feu à portée de la main. Comme par magie, ces armes se sont mises à bouger d'elles-mêmes et se sont tournées contre nous… Contre toi. Là où bat ton cœur. Puis elles ont fait éclater le tonnerre et ont craché leurs morceaux de métal… À part toi, nous sommes tous morts, mais ton cœur était rempli de ces morceaux ensorcelés… Tu allais comme un vieillard, sans force et sans souffle… Voilà… Ce rêve me tourmente… Ce rêve et ce combat qui n'a pas permis de montrer notre bravoure à nos ennemis ni à nos alliés agnonhas. Il ne s'est pas déroulé entièrement selon nos usages ni entièrement selon leurs usages… Tu es mon fils, ma descendance, mon peuple », a déclaré son géniteur en lui posant la main à plat sur la poitrine. « Un jour, tu iras sur le sentier de la guerre, mais la guerre que tu connaîtras ne sera plus la guerre que j'ai connue… Ne mets pas toute ta confiance dans l'arme de l'Agnonha. Je l'ai entendu nous crier des ordres et nous traiter de guerriers incapables. D'un ennemi, il est normal de recevoir des injures, mais pas d'un allié... Je te parle au nom de celui dont tu as hérité le sang... D'autres te parleront au nom de notre clan, de notre tribu, de notre confédération... Ceux-là se réjouissent à l'idée que le commerce avec les Agnonhas fera de nous un peuple encore plus grand et puissant... Ceux-là n'ont pas été visités par mon rêve et n'entendent plus les injures de nos ennemis... Moi, je les entends encore. »

Aussi peu vêtu que lui, son père l'a toisé avec fierté. « Ta peau se moque du froid et elle porte la marque des braves. Tu es mon fils, ma descendance, mon peuple », répéta-t-il en s'emparant de son avant-bras marqué de la cicatrice laissée par la brûlure du tison. « Demain, a-t-il poursuivi, Champlain et l'homme à la robe veulent se rendre chez nos voisins tionnontatés. Le Conseil a pensé joindre Parole-Facile au groupe qui les accompagnera. J'ai fait remarquer au Conseil que tu as séjourné dans la maison de mon partenaire là-bas. Tu connais les gens et sais à qui faire confiance... Pour cette raison, il sera plus facile pour toi de voir si les Agnonhas cherchent à créer des liens d'affaires avec les Tionnontatés. Le Conseil a compris cela et te demande d'être ses yeux et ses oreilles au cours de ce voyage. Cette mission pour toi remplit mon cœur de joie car je sais que tu en seras digne », conclut son père que jamais encore il n'avait autant entendu parler.

Ils se sont regardés sans rien laisser paraître de leurs émotions, puis il est parti, laissant Fumée-d'Échange songeur sur la passerelle.

Il aurait aimé le rassurer. Lui faire part de sa volonté de mieux connaître les Agnonhas et de son intention de maîtriser un jour le bâton de feu, mais son père ne montrait pas qu'il voulait être rassuré.

Il avait pensé aussi lui faire connaître sa grande satisfaction d'avoir été retenu pour cette mission, mais son père ne semblait pas tenir à le savoir. De son poste de guet, tourné vers l'horizon, Fumée-d'Échange semblait réentendre les ennemis les traiter de lâches et Champlain les qualifier de mauvais guerriers.

Les idées se bousculaient pêle-mêle dans sa gorge étranglée par l'émoi, l'enthousiasme et le trouble. D'avoir été préféré à Parole-Facile calmait son appréhension d'être relégué loin derrière lui dans l'esprit des membres du Conseil. Et dans le cœur d'Aonetta. En l'absence des guerriers, son cousin avait œuvré avec beaucoup d'habileté pour gagner la confiance de l'homme à la robe. C'est grâce à lui qu'ils ont pu voir les illustrations d'esprits sur les feuilles de magie et apprendre quelques mots français. Chaque jour, Parole-Facile allait renseigner grand-mère, qui renseignait les autres grands-mères, qui toutes transmettaient ensuite les informations aux femmes de leur maison. Ainsi, le nom de Parole-Facile et le récit de ses performances parvenaient quotidiennement à Aonetta. Et aux Anciens. Par contre, le sien demeurait dans le silence. À force de laisser s'exprimer Parole-Facile à sa place depuis leur plus tendre enfance, il s'est rendu compte qu'il éprouvait des difficultés à communiquer ses idées. Les mots et les images appropriés lui viennent à l'esprit longtemps après que son interlocuteur est parti, et, en présence d'Aonetta, il ne pense qu'à lui offrir son corps pour la protéger ou la prendre.

Comme il aimerait qu'elle devienne son asqua! Avec elle, il se sent invincible. Quand elle pose ses yeux sur lui, il se sent capable d'affronter le plus gros des ours ou le plus redoutable des guerriers. Hélas, il y a d'autres garçons qui la courtisent, dont Parole-Facile, et elle a l'embarras du choix car elle est d'un lignage de chef. Plusieurs estiment qu'il sera très prestigieux de l'épouser et d'aller vivre chez elle, mais cela ne compte pas pour lui. Si elle était de la plus modeste des maisons, il éprouverait le même trouble à son endroit. La nuit, quand il tarde à s'endormir, ce ne sont pas tous les festins que sa famille peut donner qui le font rêver, mais ses yeux à elle, qui sont entrés dans les siens et l'habitent depuis. Il connaît son odeur, la marque de son mocassin sur le sol, le son de sa voix et la douceur de sa peau. Il pourrait la retrouver dans la plus épaisse des forêts et par la plus noire des nuits. Ah oui! Il aimerait qu'elle devienne son asqua et, afin d'en être digne, il se prépare en conséquence.

Ainsi, il est parvenu à s'endurcir au froid en s'habillant à peine. Il peut facilement dormir où d'autres claquent des dents et cette pièce où les deux Français s'agglutinent devant le feu lui paraît surchauffée.

Bien qu'importante, sa maison n'est pas d'un lignage de chef, mais il se doit de montrer sa valeur à Aonetta. Quoi de mieux que cette mission! Officiellement, il est chargé de voir à ce que Champlain ne s'égare pas, mais, officieusement, de veiller sur les liens commerciaux établis il y a quelques années par leurs marchands, dont son père. Des liens encore ténus, en grande partie à cause de la neutralité qu'impose la situation géographique des Tionnontatés, coincés entre eux et les Iroquois. Ce n'est pas à sa maîtrise de la parole que l'on fait appel, mais à son sens de l'observation et à son excellente mémoire. À lui d'écouter. De voir. De surprendre.

Champlain et l'homme à la robe s'entretiennent toujours, mais Loup-Curieux renonce à saisir les quelques mots qu'il a appris, les deux hommes parlant trop vite. Il devra se contenter d'étudier les réactions qu'ils ont la faiblesse d'exprimer sur leur visage.

— Vos écrits aideront sûrement notre cause.

— Je l'espère de tout cœur, mon père. Il nous faut des fonds pour continuer l'œuvre entreprise.

— Vous avez déjà obtenu l'assentiment des évêques et des cardinaux lors des derniers États généraux, et le sieur de Petit Pré, notre bienfaiteur, s'est engagé avec toute la ferveur et l'ardeur de son âme à faire connaître notre Divin Sauveur à ces pauvres païens. Quand je pense à toutes ces âmes que le démon s'approprie. La débauche règne en ce pays. Ils s'accouplent comme des bêtes et n'ont aucune morale. Je sais de quoi l'enfer a l'air. Oh oui ! Je sais maintenant. Il suffit d'entrer dans leur maison, où les femmes se pavanent, les seins dénudés.

— L'une d'elles m'a déjà offert de partager sa couche, vous imaginez ? Je lui ai fait des remontrances pour l'exhorter à se mieux conduire à l'avenir. Il nous faut donner l'exemple pour les convaincre des bienfaits de notre foi.

— J'abonde en votre sens. C'est pourquoi je me permets de vous rappeler le comportement immoral du truchement[5] Étienne Brûlé. Que la honte retombe sur lui ! Au lieu d'amener les Hurons à se conduire comme des Français, il se conduit comme un Huron et vit dans le péché, prenant femme à sa guise. Il faudrait le retourner en France.

— C'est impossible présentement. Nous avons trop besoin de lui.

— Mais enfin, sa conduite est scandaleuse.

— Pour nous, mon père, mais pas pour les Hurons. Brûlé est considéré comme l'un des leurs. À Cahiagué, on le nomme « frère » et lui peut nommer « frère » Ochasteguin

---

5. Truchement : jeune homme envoyé vivre chez les peuplades amérindiennes afin d'apprendre leur langue, d'explorer le pays et d'établir des liens commerciaux. Dès son premier hivernement parmi les Ouendats, Étienne Brûlé apparut peinturluré, coiffé et vêtu à la manière de ses hôtes, au grand déplaisir de Champlain. Ce dernier déplora le fait que « son garçon » appelait « frères » des païens sauvages et couchait avec leurs femmes.

ou Atironta… Non, en vérité, maintenant que nous avons le monopole des fourrures, nous ne pouvons nous passer de Brûlé… ni des autres truchements, d'ailleurs.

— Mais ce mauvais exemple qu'il donne… C'est abominable.

— Je sais, mais les Hurons lui font confiance… On ne peut pas en dire autant de vous.

— C'est Satan, en eux, qui se méfie de moi et de la croix de Notre-Seigneur. Satan est prêt à tout pour empêcher notre œuvre d'évangélisation.

— Patience, mon père. La Compagnie des Marchands[6] a obtenu le monopole pour les quinze prochaines années, à condition d'installer six familles de colons par année. Imaginez six familles de fervents catholiques vivant ici, parmi les Hurons. N'est-ce pas là le meilleur moyen de leur donner l'exemple et de leur faire réaliser la suprématie de notre culture et la véracité de notre foi? N'est-ce pas aussi le meilleur moyen de leur apprendre notre langue, nos coutumes et nos lois? Il faut en faire des Français avant de songer à pouvoir en faire des catholiques. Avec les Hurons, ce sera facile car ils pratiquent déjà l'agriculture. Il sera très aisé de les convertir à nos méthodes et de leur montrer à domestiquer des animaux. Imaginez toutes les provisions de bouche qu'ils auront à échanger aux peuples chasseurs. Vous avez vu comme leur blé d'Inde croît en abondance? Nous avons tellement à découvrir encore. Tenez, dans la maison d'Atironta, je m'assoyais sur une peau de bœuf musqué. D'où croyez-vous qu'elle provenait?

— Des Népissingues, m'a-t-on dit.

— Oui, mais les Népissingues, de qui l'ont-ils obtenue? D'autres Sauvages qui vivent beaucoup plus au

---

6. Compagnie des Marchands : fondée en 1615 par des négociants de Rouen et de Saint-Malo.

nord. J'ai vu aussi un bouclier fait d'une peau très épaisse provenant d'un animal vivant à l'Occident[7], ainsi que de grands morceaux de cuivre naturel. Des richesses incroyables sont encore à découvrir, mon père. La Chine est à portée de nous. Quand nous aurons découvert le chemin qui y mène, nous étendrons le royaume de Dieu et du roi. Mais, pour y arriver, il nous faut des fourrures. Beaucoup de fourrures. Surtout de celles que les Hurons fournissent.

— À cause de leur épais duvet, il va de soi.

— En effet. Plus le duvet est dense, plus les chapeliers en donnent un fort prix… Les fourrures que les Iroquois apportent aux Hollandais ont beaucoup moins de valeur… Leur pays étant plus chaud, le duvet des animaux y est moins dense. C'est pourquoi il nous faut assister les Hurons dans leurs guerres même s'il est très difficile de les commander. Je n'ai jamais vu de si mauvais soldats. Ils n'ont aucune notion de l'autorité ni de l'obéissance.

— J'ai remarqué en effet que leurs enfants sont assez libertins. Ils ne sont jamais punis.

— Ils deviennent des adultes sur lesquels on n'a aucun contrôle. Vous auriez dû les voir lors de l'attaque ; aucun d'eux n'a obéi à mes ordres. S'ils m'avaient écouté, nous aurions massacré tous ces Iroquois et nous aurions ainsi porté un grand coup à la traite des fourrures des Hollandais. Le pire, c'est qu'ils semblent se contenter de l'issue de ce combat.

— Peut-être les Hurons songent-ils à faire la paix avec les Iroquois.

— J'en douterais, mon père. Ils sont ennemis depuis fort longtemps. Je ne sais quelle est la cause de ces conflits, mais, à l'arrivée de Jacques Cartier, ils existaient déjà, puisque leurs villages étaient ceinturés de palissades. De

---

7. Cet animal est le bison avec la peau duquel on faisait des boucliers.

toute façon, la paix entre Hurons et Iroquois n'est pas souhaitable.

— Pourquoi donc ?

— Elle signifierait la fin de la Nouvelle-France... La fin de l'évangélisation. Les Iroquois étant en paix avec les Hurons, ils en deviendraient forcément les partenaires et feraient valoir les avantages du poste de traite des Hollandais, qui est à plus courte distance de leur pays. Toutes les fourrures se retrouveraient alors chez les protestants. Il ne nous resterait à nous, Français, que des miettes.

— Sombres perspectives.

— Très sombres, mon père. Voyez-vous, en les assistant militairement, nous avons fait en sorte que Tessouat et les siens ne puissent nous empêcher de rejoindre les Hurons, qui ont maintenant besoin de la terreur que nos arquebuses inspirent.

— Je vois. Comme tout cela semble reporter l'évangélisation !

— Au contraire, c'est l'édifier sur une base solide. La Nouvelle-France se doit de rapporter des profits pour que le roi et la cour s'y intéressent au point d'engager des sommes pour son développement. N'est-ce pas là un des buts du voyage que nous entreprendrons chez ces Pétuns [Tionnontatés] ?

— Pour autant que ce but favorise l'évangélisation.

— Il le favorisera... Pour tous les Sauvages, pétuner est un geste sacré... Pour eux, le tabac est plus qu'une marchandise de luxe... En nous alliant aux Hurons, nous avons accès au blé d'Inde. Si nous parvenons à établir des liens avec les Pétuns, nous aurons accès au tabac. Ainsi, nous aurons comme moyens d'échange les deux articles les plus prisés.

— Les Hurons se doutent peut-être de nos intentions, pour avoir montré tant de réticences à nous y mener.

— Peut-être, mais ils sont dans une mauvaise position pour nous refuser quoi que ce soit.

Loup-Curieux remarque que Champlain lui jette un regard suspicieux.

— Je suis étonné que ce garçon fasse partie du voyage.

— Moi aussi. J'aurais préféré que ce soit l'autre, qui est beaucoup plus avenant.

— Il est dans un grand état de pauvreté, pour être si peu vêtu. Vous lui faites confiance ?

— Je l'ai toujours vu pieds nus dans la neige et vêtu de cette manière… Quant à savoir si on peut lui faire confiance… Lui ou un autre.

— Ils sont effectivement peu expressifs, et menteurs de nature.

— Celui-là m'a toujours donné l'impression qu'il m'épiait… Pourtant, il se montre poli et désireux d'apprendre notre langue.

— Ah oui ?

— Oui. Je lui ai enseigné quelques mots.

— Il me plairait d'entendre cela.

D'après les gestes de l'homme à la robe, Loup-Curieux devine qu'il aimerait l'entendre parler en français. Alors, il s'exécute, prenant soin de terminer avec l'expression pour laquelle ce sorcier a toujours manifesté du contentement : « Jésus, aie pitié de moi. » Il ne sait pas ce que cela veut dire, mais l'effet est notoire et le ravissement clairement visible dans la figure des étrangers.

— Comprend-il ce qu'il dit, mon père ?

— Oui… Je crois qu'il a conscience qu'il met son âme entre les mains du Tout-Puissant. Allez, mon enfant, dites-le encore une fois.

« Jésus, aie pitié de moi », répète Loup-Curieux, au grand bonheur de ces hommes qui s'en remettront aux guides ouendats pour se rendre chez les Tionnontatés par la piste qui longe la baie Nottawasaga. Si tout se déroule tel que planifié, demain soir, ils coucheront à Tequenon-quiaye, capitale de la tribu de l'Ours, où les yeux du Grand Chef pourront voir ce qu'il y a à voir. Le surlendemain, ils coucheront à la belle étoile, et ils atteindront leur destination finale le jour suivant. Tout a été prévu pour le voyage : provisions, raquettes et vêtements. Une fois sur place, il accomplira sa mission d'espionnage et n'hésitera pas à commencer une campagne de dénigrement contre les Français si ceux-ci s'avisent de s'immiscer dans leurs affaires sous prétexte qu'ils se sont mêlés de leur guerre.

Rien ne sera plus facile, songe le garçon en apercevant la croix au sortir de la maison. Il suffira seulement de répandre la rumeur des nombreux actes de sorcellerie dont on les soupçonne.

Loup-Curieux inspire profondément, appréciant l'air glacial qui lui fouette la peau et la neige qui lui monte entre les orteils. Un sentiment de supériorité l'envahit face aux frileux Agnonhas. Si ceux-ci possèdent le fer, lui possède la force mentale de s'endurcir le corps au froid. Il se sent en pleine possession de ses moyens. Enfin de l'action ! Bien qu'elle ne soit pas aussi glorieuse que celle des armes, elle lui permettra de prouver à Aonetta qu'il est digne qu'elle devienne son asqua.

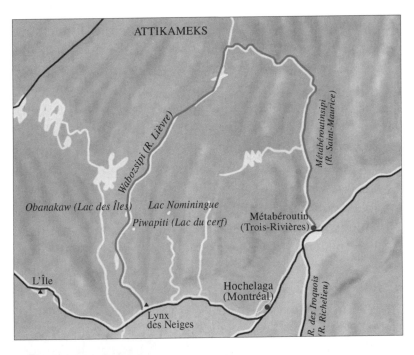

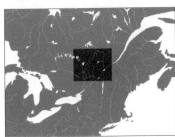

Mort
et naissance
dans la neige

1618, en la grande lune algonquienne (février),
territoire de chasse du lac Piwapiti (lac du Cerf).

Goutte-de-Rosée entend les chiens au loin qui poursuivent les wapitis dans la neige afin de les épuiser.
Soudain saisie d'inquiétude, elle ressent une cris-
pation au niveau de l'estomac. «Pourvu que Lynx-
des-Neiges ne se fasse pas blesser», pense-t-elle. Déjà
légendaire, la témérité de son mari la rend aussi fière

que soucieuse. Elle sait trop ce que représente la blessure d'un chasseur pour la famille de celui-ci. Ne suffit-il pas d'une distraction de l'homme, d'un affolement de la bête pour qu'un accident arrive? Combien de chasseurs ont été encornés, renversés, piétinés par des cervidés? Toujours premier derrière les chiens, Lynx-des-Neiges n'hésite jamais à prendre des risques pour s'approcher de l'animal traqué afin de l'abattre. Y a-t-il une âme qui veille sur lui de l'au-delà?

Légèrement essoufflée et gênée par son ventre énorme, la jeune femme s'arrête de marcher. Le bruit de son déplacement fait alors place au babillage des mésanges dans les sapins et elle repère les charmants oiseaux d'hiver sautillant entre les rameaux. Un soleil radieux lui réchauffe le dos et fait scintiller des myriades d'étoiles sur la légère couche de neige fraîchement tombée durant la nuit. On dirait des poussières de lumière saupoudrées sur le manteau blanc contrastant avec le bleu intense du ciel. La beauté du monde la rassure et la convainc que rien de malheureux ne peut lui arriver par une telle journée.

Les hurlements des chiens s'intensifient, indiquant que les wapitis commencent à ralentir l'allure, les pattes écorchées par l'épaisse croûte de verglas qui s'est formée antérieurement, à la suite d'une pluie abondante. Elle imagine son mari les talonnant de près, aussi léger et rapide sur ses raquettes qu'elle se sent lourde et lente sur les siennes. L'enfant naîtra bientôt. Très bientôt. Puisse-t-il être de sexe masculin!

Ses deux grossesses antérieures lui ont donné trois filles, les deux premières étant jumelles. Lynx-des-Neiges s'attendait tellement à la naissance d'un gros garçon qu'il n'a pas su cacher sa déception lorsqu'elles sont venues au monde, l'une plus robuste que l'autre. Goutte-de-Rosée se retourne vers cette dernière qui la suit à distance, halant avec difficulté mais détermination la tabagane[1] chargée de bois. Âgée de six ans, la fillette s'est mis en tête de rapporter toute seule cette provision au wigwam. La pauvre n'a pas réalisé que, bien qu'au début la chose lui parût faisable car la pente descendait doucement, cette pente remontait ensuite sournoisement, et maintenant elle peine de plus en plus, le corps entier penché en avant.

Goutte-de-Rosée ne peut s'empêcher de sourire en voyant N'Tsuk prendre des élans pour faire avancer quelque peu sa charge. Elle pourrait certes lui prêter main-forte, mais sa fille doit apprendre à évaluer les embûches d'un trajet et les limites de sa force. On attend beaucoup d'elle. Son père surtout, qui la traite en garçon, à défaut d'en avoir un. Il l'emmène à la visite de ses trappes et à ses chasses, sauf la chasse au wapiti, jugée trop dangereuse pour son âge.

N'Tsuk s'en accommode très bien. Trop jeune encore pour réaliser les spécificités de son sexe, elle rêve, comme tout gamin, au jour où elle participera aux grandes chasses. Déjà, elle sait tirer habilement au petit arc que son père lui a confectionné et elle possède son propre couteau de silex.

Une soudaine contraction arrache Goutte-de-Rosée à ses pensées. Le bébé se déplace en elle, exerce une pression dans son bas-ventre. Il veut naître. Il va naître. Ici, dans la neige. Loin du campement. Puisse-t-il être un mâle !

Une quatrième fille serait une telle malédiction. Sa belle-famille prédit que, à l'instar de sa mère, elle n'accouchera que de femelles. Pour sa part, elle croit que feu Wapitik, grand-père de son mari, en est responsable. L'aïeul n'a jamais accepté que Lynx-des-Neiges se soit

---

1. Tabagane : mot algonquien francisé et anglicisé sous la forme de *toboggan* et désignant un traîneau fait de planches minces recourbées en avant, appelé aussi « traîne sauvage ».

procuré un chaudron de métal. Comme il est décédé avant sa toute première grossesse, elle le soupçonne d'avoir inséré non pas une, mais deux filles dans son ventre, pour punir son petit-fils, ainsi qu'une troisième à la grossesse suivante, pour rappeler son désaccord. Qu'en est-il de celle-ci ? La promesse de Lynx-des-Neiges de nommer son premier fils Wapitik en l'honneur du vieillard a-t-elle calmé son esprit ? Wapitik ne va-t-il pas ainsi revivre à travers son descendant ? Ne va-t-il pas se perpétuer et perpétuer son nom sur le territoire du lac Piwapiti, de nouveau exploité grâce à Lynx-des-Neiges ?

Les hurlements enragés de la meute de chiens lui indiquent que la proie, hors d'haleine, vient de s'arrêter. Goutte-de-Rosée imagine la bête trépignant nerveusement, les prunelles horrifiées, le poil hérissé sur l'échine, des nuages de vapeur à ses naseaux. Du royaume des morts, Wapitik l'aïeul assiste-t-il à la scène, satisfait que son fils Toujours-Plus-Loin soit revenu au territoire ancestral ? N'est-il pas redevable pour cela à Lynx-des-Neiges qui, de surcroît, a réussi à convaincre les maris de deux de ses sœurs de délaisser momentanément leurs territoires respectifs, situés au lac Kiamika et au lac Obanakaw (lac des Îles), pour chasser en groupe sur celui de lac Piwapiti ? De l'au-delà, l'ancêtre reconnaît-il les héritiers de son sang en train d'encercler le cervidé épuisé ? Ne revit-il pas dans leurs gestes et dans leurs voix qui se lancent des indications ? Ces bras qui bandent les arcs et lèvent le couteau ne sont-ils pas un peu les siens ? Va-t-il éternellement bouder son petit-fils pour un chaudron de métal ?

Une deuxième contraction se manifeste. Goutte-de-Rosée pense crier à N'Tsuk d'abandonner sa tâche pour la rejoindre, mais elle se ravise aussitôt. Il ne lui appartient pas d'influer sur l'ordre des choses. Si cet enfant doit naître sur l'heure et sur place, il en sera ainsi pour lui. Et si N'Tsuk doit aller au bout de ses forces, il en sera ainsi pour elle.

Goutte-de-Rosée piétine le sol en rond afin de s'aménager un trou. Parfois ses raquettes s'empêtrent sous la couche de verglas, qui se brise en éclats quand elle les soulève. Cela l'essouffle et risque de lui faire perdre l'équilibre, mais elle continue à façonner son nid dans la neige. Une troisième contraction, très forte celle-là, l'immobilise… et les eaux s'écoulent le long de ses cuisses, mouillant ses jambières. Elle relève sa jupe, s'accroupit : l'heure est venue.

Rendue au trois quarts de la pente, N'Tsuk s'affaire vaillamment à mettre à nu la croûte verglacée devant la tabagane pour en faciliter le glissement, puis, s'ancrant solidement derrière, elle la pousse avec ardeur. De temps à autre, elle capte le regard de sa mère qui l'attend, accroupie comme pour pisser. Elle sait qu'elle ne viendra pas l'aider et cela lui convient. Fière de son ingénieuse technique, la fillette a bien l'intention de rapporter toute seule le bois au campement. Quelle tête fera sa cousine Nesk, d'un an son aînée ! Et quelle fierté elle lira sur le visage de son père ! Qui sait ? Cet exploit le convaincra peut-être de l'emmener à la chasse au wapiti la prochaine fois.

Tout en travaillant, N'Tsuk prête attention aux hurlements des chiens. Ce qu'elle donnerait pour assister à la mise à mort ! Pour être témoin du courage des hommes qui enfoncent leur couteau dans la gorge de la bête ! Un jour, elle participera à cette chasse. D'ici là, il lui faut démontrer de quoi elle est capable. Alors, elle pousse. Et pousse de toutes ses forces, de tout son poids, faisant avancer la tabagane d'un pas et bloquant aussitôt son mouvement de recul avec une grosse motte bien pelotonnée. Puis elle retourne vers l'avant, dégage un autre bout de chemin et revient s'arc-bouter derrière, progressant ainsi vers sa mère qui n'en finit plus de pisser.

Au rythme du petit être qui s'achemine hors d'elle à chaque contraction, Goutte-de-Rosée voit sa fille N'Tsuk se rapprocher d'elle à chacun de ses efforts. Une grande fierté déferle dans son cœur de mère. Son cœur de femme. N'Tsuk se démarquera, il ne peut en être autrement. Sa ténacité et son ingéniosité la distinguent déjà. Elle se démarquera non pas parce qu'elle sait faire tout ce qu'un garçon de son âge sait faire, mais parce qu'elle possède une volonté hors du commun. Une force intérieure indéniable. Un courage évident. Elle se démarquera à cause de ces qualités qui n'appartiennent pas à un sexe plus qu'à l'autre.

La jeune femme halète et pousse l'enfant hors d'elle en même temps que sa fille pousse sur la tabagane. Elles ne font qu'une dans cette neige, contractant leurs muscles, maîtrisant leur souffle, déployant leurs efforts. L'une et l'autre accomplissant ce que la vie exige qu'elles accomplissent. Jamais Goutte-de-Rosée ne s'est sentie si liée à sa fille qu'en cet instant. Cela la comble. Cela compense pour tous les soirs où elle a rêvé de lui enseigner à broder alors que son père lui montrait plutôt à fixer des pointes de flèche avec de la colle de poisson.

Oui, cet instant unique rachète tous ces moments privilégiés que Lynx-des-Neiges lui a volés en transmettant ses connaissances d'homme à N'Tsuk. Ces moments qu'elle compte bien rattraper en enseignant les secrets du travail d'aiguille à N'Tsuk si la tête gluante qu'elle accueille dans sa paume est celle d'un fils.

Les chiens ne hurlent plus, signe que les wapitis gisent dans leur trou de neige piétinée et ensanglantée. Les mésanges se taisent, le silence s'installe. N'Tsuk rassemble ses forces et imprime une dernière poussée à la tabagane, qui atteint le sommet de la pente. Un vagissement la surprend. Elle lève la tête et aperçoit à quelques pas sa mère qui présente un bébé au ciel en criant à pleins poumons : « Wapitik est né ! »

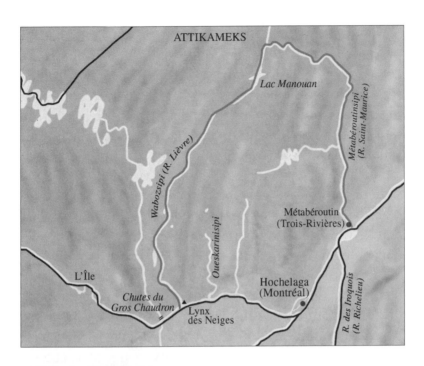

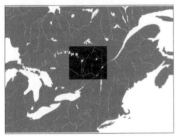

Chapitre 12

Le marchand

1620, en la lune algonquienne où les oiseaux perdent leur duvet et gagnent leurs plumes (juillet). Lieu de campement de la famille de Lynx-des-Neiges, au confluent de la Wabozsipi (rivière du Lièvre) et de la Grande Rivière (rivière des Outaouais).

« Là, a indiqué Fumée-d'Échange, je connais un homme du nom de Toujours-Plus-Loin. » Par ces simples paroles, Loup-Curieux a compris que son père allait lui présenter le chef de quelques familles de chasseurs descendues de leur territoire d'hiver. Aussitôt, leur canotée[1] a manifesté leur volonté de se détacher du convoi de marchands ouendats, assurant de le rejoindre en fin de journée au lieu convenu du bivouac. Sans plus, ils se sont acheminés vers la rive nord, en direction d'une pointe recourbée en forme de crochet s'avançant dans la Grande Rivière. Sur la berge, une vingtaine de personnes les regardaient venir, les hommes levant la main droite, paume ouverte. De la part de ces Oueskarinis, ce geste de paix en était un d'invitation.

À peine avaient-ils approché le littoral que deux d'entre eux se sont avancés dans l'eau pour saisir la pince de l'embarcation. Le plus âgé, Toujours-Plus-Loin, grand voyageur connu de son père, et son fils, Lynx-des-Neiges, aux gestes aussi vifs que l'œil. Avec un fort accent, Toujours-Plus-Loin les a invités, dans la langue des Ouendats, à boire de leur thé et à manger de leurs esturgeons qu'ils étaient à fumer.

Fumée-d'Échange a accepté. Ils ont alors déchargé le canot avant de le monter sur la grève, prenant soin d'entasser les produits à échanger de manière à en exposer la quantité et la qualité. Ensuite, autour d'un feu, se sont retrouvés les deux pères, invoquant leur amitié, et les deux fils, faisant connaissance. Leurs deux compagnons de canotée se sont assis près des alléchantes marchandises, qui devinrent vite le centre d'intérêt.

Loup-Curieux ne sait que penser de ce fils, de quelques années son aîné. Depuis qu'ils sont assis face à face, Lynx-des-Neiges le perce de son regard intense. Peut-être ignore-t-il la langue des Ouendats. Lui, celle des

---

1. Canotée : membres d'équipage d'un canot faisant le troc de marchandises.

Oueskarinis, il ne la parle ni ne l'entend. C'est compréhensible. À quoi pourrait-elle bien lui servir ? C'est en ouendat que les échanges se font. Qui veut y participer le moindrement se doit de la connaître. Et la connaître, c'est reconnaître la supériorité de leur peuple et l'universalité de leur monnaie d'échange. Les orgueilleux Kichesipirinis ne la parlent-ils pas et même les Français par l'intermédiaire de leurs interprètes ? Si cet excellent chasseur l'ignore, comme cela semble être le cas, c'est là un grave handicap pour lui, en conclut Loup-Curieux, bien déterminé à ne pas s'abaisser au langage gestuel.

Malgré lui, il ressent un certain malaise d'être l'invité de ces nomades. Un malaise dû en grande partie au dédain que lui inspire leur mode de vie. Quelle existence précaire que la leur, dépendante de celle des bêtes ! Régis par les saisons et les migrations, ils s'entassent dans des wigwams enfumés en hiver, logent sous des abris rudimentaires lors de leurs déplacements, et ont un semblant de vie communautaire en été lorsqu'ils s'assemblent près des rivières. Ce qu'il serait malheureux d'avoir à vivre cette vie-là !

Une jeune femme leur présente un plateau débordant de fraises fraîchement cueillies, tandis qu'une autre, plus âgée, dispose devant eux de gros morceaux d'esturgeon fumé. Loup-Curieux en déduit que ce sont là les épouses de leurs hôtes et il s'attarde à celle de Lynx-des-Neiges. Plutôt jolie, elle considère son mari avec une admiration évidente, et Loup-Curieux capte dans son regard cette flamme qu'il aimerait bien voir encore dans celui d'Aonetta. Cette flamme qui, hélas, ne brille plus pour lui, mais pour Parole-Facile.

La frustration lui pique l'âme, ressuscitant la jalousie qu'il s'évertue à refouler. Non, il ne doit pas en vouloir à son cousin, ou, à tout le moins, il ne doit pas le montrer. Mais comment peut-il oublier qu'Aonetta a été son asqua pendant deux ans ? Comment peut-il ne rien ressentir quand il les voit se retirer dans une quelconque intimité afin de faire l'amour? Au regard de tous, il y parvient aisément, mais en lui, c'est tout autre chose. Dans sa tête, il imagine qu'il se bagarre avec Parole-Facile et qu'il le terrasse sous les yeux d'Aonetta, qui le reconnaîtrait alors comme le plus fort. Comme le plus apte à lui servir de mari. Dans sa tête, c'est plein de violence et de rancœur envers Parole-Facile. Mais ce qui se passe dans sa tête, personne n'en sait rien. Personne n'en saura jamais rien. Ce qui se passe dans sa tête n'appartient qu'à lui. Sa jalousie doit demeurer scellée dans son âme. La loi des Ouendats l'exige et il s'y soumet. Le choix appartient à la femme. Chez les chasseurs, il appartient à l'homme. Qu'a-t-il à se comporter mentalement comme l'un de ces rustres? À se rabaisser au rang d'un cerf se battant pour gagner la faveur d'une biche? N'est-ce pas dans sa tête autant que dans ses actes qu'il doit se comporter en Ouendat? Son père aurait-il deviné son tourment, pour lui avoir conseillé de ne faire qu'un avec lui-même? Sans doute. Sur le coup, il n'a pas vraiment compris, mais parmi ces nomades, il réalise la portée de ces paroles.

Son père est bien plus intelligent qu'il ne le paraît, mais, tout comme lui, il échoue à s'exprimer brillamment, surtout en public. Par contre, en affaires, il excelle à conclure de bons arrangements et, au cours du voyage, il l'initiera à sa façon d'opérer. À l'Île, cependant, Fumée-d'Échange n'a pas eu à négocier le tarif de passage, que les Kichesipirinis n'ont pas haussé pour les Ouendats, par crainte sans doute de paraître trop revendicateurs aux yeux des quelques Français qui, ayant hiverné sous le toit de leurs longues maisons[2], les escortent en ce voyage. La terreur de l'arme suprême a largement contribué à

----

2. Cinq à dix hommes par année hivernaient chez les Hurons et descendaient avec eux au printemps dans des canots chargés de fourrures.

évincer bon nombre de maraudeurs iroquois le long de la Grande Rivière et, bien que le rôle d'intermédiaires des Kichesipirinis ait été amoindri, ils y trouvent tout de même leur profit, du fait d'une plus grande sécurité le long de la principale artère commerciale.

Loup-Curieux observe Fumée-d'Échange qui va quérir sa pipe en catlinite dans ses bagages. De son meilleur tabac, il bourre le fourneau orné d'une tête d'aigle et la présente à son hôte afin qu'il en tire la première bouffée. Par ce geste, son père lui indique l'importance qu'il accorde au troc avec Toujours-Plus-Loin, car il n'utilise cette pipe qu'en de rares circonstances ou avec des partenaires privilégiés.

— Puissent nos souffles ne faire qu'un.

— Et monter vers l'Esprit de nos esprits, ajoute l'Oueskarini d'un ton solennel.

Un temps se passe dans le silence et le recueillement, les deux pères baignant dans la fumée sacrée, les deux fils s'observant mutuellement.

— J'étais à Nékouba avec mon oncle maternel quand le Kichesipirini lui a donné cette pipe en signe d'amitié… Aujourd'hui, mon propre fils m'accompagne et cette pipe nous rappelle l'amitié des Kichesipirinis, commence son père.

Loup-Curieux admire la subtilité de l'entrée en matière, car jusqu'à maintenant ces chasseurs ont traité avec leurs frères kichesipirinis, et amorcer des affaires avec les Ouendats ne doit pas leur paraître une trahison.

— Ton tabac est bon.

— C'est le tabac des Tionnontatés, le meilleur de tous les tabacs. Pour toi, j'ai de ce tabac à échanger. Chez les Tionnontatés, je suis comme chez moi… et mon fils est traité en fils.

Fumée-d'Échange tient à faire connaître les liens étroits qu'il entretient avec son partenaire. De semblables liens, Champlain et l'homme à la robe ont bien essayé d'en contracter lors de leur voyage. Loup-Curieux se remémore à quel point l'effronterie des deux hommes l'avait inquiété. Non seulement avaient-ils tenté de mettre la main sur le tabac des Tionnontatés, mais, de surcroît, ils avaient eu l'audace de se rendre chez les Népissingues pour leur demander d'être conduits sur la route des fourrures du Nord. Pour quelle raison les Népissingues, aussi partenaires des Ouendats, auraient-ils partagé leur route avec les Français ? Et les Tionnontatés, partagé leur précieux tabac ? Ces deux peuples n'avaient pas guerroyé à leurs côtés.

Ainsi donc, l'homme à la robe était également un marchand. Du moins, il agissait comme tel, et cela entrait en contradiction avec le fait qu'il soit sorcier, car un marchand redistribue ses richesses à sa famille, à son clan et à sa tribu, alors qu'un sorcier les garde pour lui-même. Or, quelle famille avait l'homme à la robe ? À qui profiteraient les richesses de ses échanges ? Il ne pouvait être marchand et sorcier à la fois. Du moins, pas selon leur conception. Si cela s'avérait possible chez les Agnonhas, le danger que le sorcier s'accapare des biens sous la menace de mauvais sorts s'avérait plus que probable, et il pourrait devenir très riche, et les autres, très pauvres. Basée sur ce constat, la campagne de dénigrement à laquelle il avait collaboré avait porté ses fruits. Bien sûr, à cause de son jeune âge, il n'en avait pas été le principal artisan, mais ses justes observations y avaient contribué. Lorsqu'il fut de retour au village, Aonetta accepta de devenir son asqua, et les grands-mères ainsi que les membres du conseil lui accordèrent une certaine attention. Quant à l'homme à la robe, il les quitta pour de bon au printemps, ce qui les a grandement soulagés. De son passage, seule la croix subsiste, mais personne n'a osé la jeter par terre.

— Il y a quatre soleils est passé le Français qu'Ochasteguin a adopté comme son propre fils, note Toujours-

Plus-Loin, rapportant le passage d'Étienne Brûlé, parti quelques jours avant eux avec un convoi de six canots où prenait place Parole-Facile.

— Il s'est arrêté pour échanger ?

— Mes yeux l'ont ignoré, répond Toujours-Plus-Loin. Cet homme avait l'habitude de passer l'hiver chez les gens de la tribu de la Roche… dans la maison d'Ochasteguin… comme le fait aussi notre chef Iroquet. Pourquoi, aujourd'hui, délaisse-t-il cette maison et cette tribu pour se tenir avec les gens de la tribu de l'Ours ?

Cette question ressuscite la jalousie de Loup-Curieux et évoque la controverse entourant l'invitation lancée à Étienne Brûlé de se joindre à leur tribu, soit celle de l'Ours, délaissant ainsi celle de la Roche, qui l'avait adopté dès son arrivée au pays des Ouendats. Controverse qui fut à l'origine de la flamboyante montée de Parole-Facile. Adepte du mouvement pro-Brûlé, qui conciliait les impératifs du commerce et l'adhésion des femmes, son cousin se distingua par la pertinence de ses propos. Surtout auprès des grands-mères, qui apprécièrent sa façon d'exprimer leur point de vue au sujet du séjour de ce Français au sein de leur communauté. L'homme à la robe ayant été jugé incompatible avec leur nature, Étienne Brûlé apparaissait aux femmes comme l'ambassadeur par excellence, s'adaptant à leurs us et coutumes. Aux hommes, il faisait figure d'allié et de partenaire incontournable dans la traite des fourrures. Le persuader de joindre la tribu de l'Ours devint l'objectif de la majorité et les quelques voix dissidentes, dont la sienne et celle de son père, furent vite reléguées à l'ombre.

— La tribu de l'Ours est la plus importante des quatre tribus de la confédération, répond son père.

Cette explication ne satisfait pas l'Oueskarini, qui demande :

— À qui appartient la route ? À la tribu de l'Ours ou à celle de la Roche ?

— Elle appartient à la confédération des Ouendats.

— La tribu de la Roche a adopté ce Français comme son propre fils, il y a longtemps.

— Il en est encore comme le propre fils.

— Un fils qui délaisse sa tribu pour une autre plus importante est un drôle de fils, insinue Toujours-Plus-Loin.

Cette remarque de la part d'un homme qu'il croyait tout juste bon à traquer les bêtes frappe Loup-Curieux. L'Oueskarini a saisi et résumé la situation en peu de temps et peu de mots, tout en formulant l'argument que lui-même a tant tardé à cerner. « Si Étienne Brûlé accepte de quitter sa famille et sa tribu pour des avantages, un jour, il acceptera peut-être de quitter les Ouendats pour d'autres avantages », aurait-il pu dire à Aonetta et à tous les invités réunis lors du festin donné en l'honneur de l'Aigle. Hélas, il ne l'a pas dit. Il ne l'a pas dit parce que les mots pour habiller sa pensée ne se trouvaient pas dans sa bouche. D'ailleurs, il n'y avait plus de place pour des mots dans sa bouche, la chair de Quatre-Pattes l'occupant tout entière. Ce soir-là, pour montrer sa générosité aux yeux du frère aîné d'Aonetta, Parole-Facile avait sacrifié l'incomparable chienne.

S'il en avait éprouvé un pincement au cœur, rien n'y parut. En bon hôte, s'abstenant de manger, il déposa dans l'écuelle de chacun, de chacune, un morceau du fidèle animal, lui réservant les oreilles. Ces fameuses oreilles qu'il rabattait sur les côtés pour déguiser Quatre-Pattes en chien français. Il fit mine de les manger avec appétit, mais les sentit descendre de travers dans sa gorge. Le message était clair : c'était son amitié que Parole-Facile avait sacrifiée en même temps que Quatre-Pattes. Rien ne devait entraver son ascension. Des douceurs de l'enfance, il se détachait complètement, pour se vouer à la puissance de leur confédération. Ce soir-là, son cousin gagna plusieurs indécis à la cause d'Étienne Brûlé, et, le lendemain,

Aonetta lui apprit qu'elle se considérait désormais comme l'asqua de Parole-Facile.

— Un fils qui délaisse sa tribu pour celle qui est le plus en mesure de protéger la route de la confédération est un fils avisé, explique Fumée-d'Échange après un très long moment de réflexion.

— Le bâton de feu protège la route, objecte soudain Lynx-des-Neiges en massacrant littéralement la langue ouendate.

D'un hochement de tête, Toujours-Plus-Loin appuie son fils, et poursuit :

— Le bâton de feu a terrassé nos ennemis. Mon frère a combattu aux côtés d'Iroquet et de Champlain. Avant de mourir à l'île de la Victoire, Couteau-Magique s'est réjoui de l'épouvante de nos ennemis dans une autre bataille… Un peu de sang oueskarini a coulé pour définir la route qui allait appartenir à la tribu de la Roche… Sans les bâtons de feu, beaucoup de sang aurait coulé.

— Ta parole est sensée comme celle d'un grand voyageur… Par le sang de ton frère, cette route appartient aussi aux Oueskarinis… Qu'ils poussent leurs canots à l'eau pour se rendre au poste des Français à l'île de la Victoire, où nous allons… Qu'ils les chargent de leurs plus belles peaux et de leurs plus belles fourrures… Ils en obtiendront des objets de fer. Mais les Français n'ont pas de maïs, de riz, de tabac, de filets, de cordes, d'huile…

— Combien de peaux les Français demandent pour un bâton de feu ? intervient Lynx-des-Neiges, l'œil brillant d'intérêt.

— Ils n'échangent pas le bâton de feu.

— Ils n'échangent pas le bâton de feu ?

— Non.

— Pourquoi ?

Loup-Curieux devine son père bien embêté par cette question, puisque chez les Ouendats on s'explique mal le refus des Français de les munir de l'arme suprême. Sans doute leur petit nombre les incite-t-il à en conserver l'exclusivité.

— Un bon chasseur n'a pas besoin d'un bâton de feu, déclare-t-il en s'adressant à Lynx-des-Neiges.

— Je suis un bon chasseur. Avec mon couteau, j'ai tué beaucoup de wapitis.

— Les bons chasseurs sont les plus braves car ils s'approchent très près de l'animal pour le tuer… Quelquefois, ils lui sautent au cou… Quand ils se servent d'une lame d'épée emmanchée au bout d'un bâton, ils tuent plus facilement, mais avec moins de risques… Je pourrais te rapporter une lame d'épée… Elle te sera plus utile que le bâton de feu dans tes chasses.

— Le bâton de feu peut tuer plus d'un à la fois.

— Plus d'un homme… quand ces hommes se tiennent rapprochés… Les wapitis se tiennent-ils rapprochés les uns des autres quand tu lances les chiens à leur poursuite? Je te parle en ami: une lame d'épée sera très utile à un bon chasseur comme toi.

Amorcé par les pères, le troc se poursuit maintenant par les fils, qui, chacun de leur côté, s'étudient. Se jaugent. Se mesurent. Loup-Curieux a facilement décelé la corde sensible de Lynx-des-Neiges en mettant en jeu ses qualités de chasseur. Il ne lui reste plus qu'à exploiter ce filon tout en évitant de laisser paraître son désir de réaliser des profits. Comme son père le lui a enseigné, il tente d'inventorier les marchandises européennes que possèdent déjà ces gens, histoire de connaître leurs besoins. Ainsi, la présence de trois chaudrons de métal, servant les trois groupes familiaux, lui indique qu'il serait vain d'en offrir un quatrième car les nomades ne s'encombrent jamais d'objets superflus. Advenant le cas où ils en voudraient un, cela signifierait qu'ils font office d'intermédiaires avec d'autres chasseurs vivant à l'intérieur des terres.

Deux fillettes identiques retiennent son attention. Assises l'une en face de l'autre, elles recueillent la suie du chaudron renversé entre elles et s'en peignent le visage. La plus délicate s'applique à tracer de son doigt noirci des bandes horizontales d'égale largeur et séparées par un même espace sur la moitié du visage de sa sœur, qui, plus brouillonne, tente de reproduire des bandes semblables sur la même moitié du visage opposé au sien. Il semble qu'elles aient décidé de se faire belles en leur honneur, car à tout bout de champ elles lancent dans leur direction des regards qui les font glousser.

— Mes filles, indique Lynx-des-Neiges.

Instruit que, pour un chasseur, les filles sont de moindre importance, Loup-Curieux se garde bien de montrer le ravissement que ces jumelles provoquent chez lui.

— Mon fils Wapitik, se presse d'annoncer le père avec fierté en désignant un solide bambin d'environ deux ans qui vient de mettre la main dans le plat de fraises.

— Il sera comme toi un bon chasseur.

— Et comme son grand-père Wapitik, et le père de Wapitik, et le père du père de Wapitik.

Inconscient de l'attention qu'il suscite, le gamin s'empiffre de fraises, s'en barbouillant allègrement les joues.

— J'ai de belles fourrures d'écureuil noir pour lui faire un vêtement, fait savoir Loup-Curieux, amusé par la décision du jeune gourmand de s'asseoir près du plat afin d'être mieux à même d'y piger.

Lynx-des-Neiges traduit pour sa femme, dont le visage trahit l'irrésistible envie de se procurer ces fourrures de luxe.

— Combien de peaux pour l'épée ? demande cependant Lynx-des-Neiges, affichant son désintéressement envers ces fourrures.

— Tout dépend des peaux… Je dois les voir… Les toucher.

— Tu verras. Tu toucheras… As-tu du maïs?

— Pour toi, j'ai du maïs… et du bon tabac.

— Des pointes de flèche en fer?

— J'ai des pierres pour en fabriquer… Des pointes en fer, je pourrai en rapporter.

— Hmm.

Lynx-des-Neiges réfléchit. Un temps se passe. Il n'a pas l'habitude de mener le troc. Pas plus que Loup-Curieux, qui se découvre un goût et des aptitudes pour la chose. Les tient-il de Fumée-d'Échange, qui lui passe la pipe de l'Amitié, lui transférant ainsi la responsabilité des échanges avec ce groupe d'Oueskarinis? À son tour, Loup-Curieux offre à fumer à Lynx-des-Neiges, le reconnaissant ainsi comme négociateur.

— Puissent nos souffles ne faire qu'un.

— Et monter vers l'Esprit de nos esprits.

Plus que la satisfaction des besoins à réaliser de part et d'autre, il importe d'établir la confiance et de créer des liens d'amitié. Est-ce parce qu'une ère nouvelle s'annonce que leurs pères leur délèguent respectivement les responsabilités du commerce entre eux? Craignent-ils que leur expérience ne puisse plus convenir aux lois du nouveau marché? De leur temps, il n'y avait pas ce troisième partenaire qui met fin au cycle des échanges en concentrant de grandes quantités d'un même produit qu'il expédie de l'autre côté du Grand Lac Salé. De leur temps, toutes ces peaux et ces fourrures chargées dans les cales des bateaux de bois servaient aux Peuples d'Ici. De leur temps, il n'y avait pas l'Allié qui possède l'Arme et le pouvoir d'emprunter la Mahamoucébé, rivière du commerce jalonnée de croix. L'Allié capable de mettre au pas les fiers Kichesipirinis de l'Île et de s'insérer dans leur réseau établi depuis des générations.

Yeux dans les yeux, enveloppés de l'encens de la pipe, Loup-Curieux et Lynx-des-Neiges demeurent immobiles. Au cours de voyages, leurs pères se sont croisés, mais eux se rencontrent pour la première fois et ce, dans un contexte officiel de troc qui se tenait auparavant avec les Kichesipirinis. Lynx-des-Neiges peut-il faire confiance à cet homme plus jeune que lui et à qui il trouve un air hautain ? Fils de la tribu de l'Ours, son vis-à-vis cherchera-t-il, de concert avec les Français, à paralyser les Oueskarinis comme ils l'ont fait avec les Kichesipirinis ? Pourquoi lui échangerait-il des peaux de wapiti parmi les plus grandes et les mieux préparées qui soient, ainsi que des fourrures de loutre, de castor, de martre, de lynx et de loup, toutes bien graissées et souples à souhait ? Ce jeune homme qui arbore des pendentifs de wampums à ses oreilles sait-il que les Oueskarinis peuvent lui procurer les plus réputés wampums travaillés par leurs cousins mohicans ? Sait-il que ces membres de leur grande famille anishnabecke échangent avec les Étrangers du Sud (Hollandais) et que, par eux, il pourrait obtenir une lame d'épée… et, peut-être, un bâton de feu ? Pourquoi croirait-il tout ce que raconte ce Ouendat ?

Rassasié, le jeune Wapitik plonge une dernière fois la main dans les savoureux petits fruits, se lève et, d'un pas sûr, se dirige tout droit vers Loup-Curieux, à qui il offre sa poignée écrabouillée. Celui-ci l'accepte, l'avale, puis se passe la langue sur les lèvres en signe de délectation.

Wapitik éclate alors de rire, jetant de brefs cris pointus, et, après une courte hésitation, grimpe sur Loup-Curieux pour jouer dans ses longs cheveux d'un côté de la tête.

Lynx-des-Neiges fait alors signe aux femmes d'apporter les peaux et les fourrures. Wapitik vient de lui démontrer qu'il peut faire confiance à Loup-Curieux.

Une à une, les peaux sont déroulées, les fourrures étalées. S'y ajoutent des ergots de wapiti pouvant servir de décorations cliquetantes, de grands rouleaux d'écorce de bouleau, des glandes de castor et des herbes médicinales. Pour couronner le tout, la femme de Lynx-des-Neiges dispose une robe magnifiquement brodée de poils de porc-épic et dont le bas est agrémenté d'une frange de queues d'hermine et d'écureuil roux.

Superbe, originale, la pièce séduit Loup-Curieux. À elle seule, elle justifie amplement la renommée d'excellentes couturières des femmes de chasseurs. L'agencement de bandes et de motifs géométriques aux teintes de jaune, noir, blanc et bleu dénote une finesse d'exécution à laquelle la rareté de la couleur bleue ajoute une grande valeur.

Déterminé à l'obtenir, Loup-Curieux s'intéresse en premier lieu aux glandes et aux fourrures de castor, que les Français prisent plus particulièrement. La vue de cette robe lui a inspiré un plan pour reconquérir Aonetta. Il la lui offrira lorsqu'il la demandera en mariage à ses parents. Nul doute que ceux-ci en seront impressionnés et verront en lui un gendre digne de leur fille, quoique jeune, un homme se mariant rarement avant la trentaine. Ainsi, il devancera Parole-Facile, qui ne prévoit pas faire sa demande officielle avant cinq ou six ans.

Clairement, sa voie se dessine et se met au service de ses désirs les plus profonds. Ne faire qu'un avec lui-même acquiert tout son sens par l'accomplissement de la révélation de son avenir qu'il a eue à sa puberté par la vision d'un canot. Il sera marchand. Un habile marchand. Sa langue ne possède pas les aptitudes nécessaires pour persuader, convaincre, rallier ses congénères, mais elle sait gagner la confiance. Il sera marchand, et il l'est déjà. Les forces qui sommeillaient en lui s'éveillent. Trop long-temps, il les a laissées dormir, ébloui par les talents de Parole-Facile. Il est marchand et ce premier voyage chez les Français, ces premiers fournisseurs présentés par son père, doit illustrer ses capacités.

En bon marchand, il contribuera au trésor public. Ainsi, les richesses qu'il rapportera bénéficieront à tous et à toutes, que ce soit pour le futur déménagement du village ou pour la prochaine célébration de la fête des Morts. Plus il rapportera de biens au chef du village, plus celui-ci acquerra de prestige en les redistribuant. Son nom sera alors aussi remarqué que celui de Parole-Facile et le clan de la Grande Tortue se glorifiera de l'accueillir sous son toit.

Oui, c'est ainsi qu'il procédera pour regagner le cœur d'Aonetta. Être lui-même et rien d'autre. Être marchand. Un habile marchand. Que ne ferait-il pas pour elle ? Comment peut-elle tant l'habiter depuis qu'elle n'est plus son asqua ? Quand il s'unit à d'autres femmes, c'est à elle qu'il pense. À ses jolis yeux en amande qui ont pris possession de son âme. Contrairement à Parole-Facile, ce n'est pas au clan de la Grande Tortue qu'il rêve de s'unir, mais à cette femme unique aux yeux magiques. Cette belle Aonetta. Que ne ferait-il pas pour elle ?

— Il n'y a pas autant de glandes qu'il y a de castors, souligne-t-il, s'enfouissant les doigts dans l'épais duvet d'une fourrure.

— Nous en gardons pour la médecine…

— Les Français aussi s'en servent pour la médecine[3].

— Touche les peaux de wapiti, l'invite Lynx-des-Neiges en lui mettant dans la main un bout de l'une d'elles.

Loup-Curieux la tâte avec soin.

— Elles sont bien tannées et graissées, le complimente-t-il.

---

3. Vendues dès le début en France, ces glandes d'odeur (souvent confondues avec les testicules) produisent le castoréum, une huile rougeâtre utilisée en médecine et en parfumerie. Entre 1848 et 1884, la Compagnie de la baie d'Hudson vendit 25 000 livres de cette huile de castoréum, au prix de 6 à 7 dollars la livre.

— Grandes aussi, très grandes, pour faire des vêtements.

— Très grandes… mais les Français n'en font pas des vêtements.

Loup-Curieux marque une pause, note le désappointement de Lynx-des-Neiges. À juste titre, ces peaux font sa fierté et celle des siens, mais il se doit de l'informer qu'elles présentent moins d'intérêt aux yeux des Français que les fourrures, surtout celle du castor. Par contre, il doit éviter à tout prix de les dénigrer, et il ajoute :

— De si belles et grandes peaux trouveront preneurs chez les Ouendats pour en faire des vêtements.

Une expression de contentement se lit sur les traits de Lynx-des-Neiges, qui en profite pour offrir la robe confectionnée par Goutte-de-Rosée en échange de trente fourrures d'écureuil noir.

— Ta femme est très habile, commente Loup-Curieux en prenant la pièce et en l'étendant au bout de ses bras, intimidé par la jeune artisane qui s'est approchée de lui et surveille ses réactions. Mais, les Français ne portent pas de ces robes, précise-t-il à regret.

— Les Ouendats en portent.

— De si belles, ils en portent rarement. Trois fois les doigts des mains de fourrures d'écureuil, elles les valent, mais nous nous rendons chez les Français et de ces robes, ils n'en portent pas… C'est du castor qu'ils veulent… même s'il a été porté… As-tu de vieilles couvertures[4] ?

— Des neuves, nous avons.

— Et des vieilles ?

— Des vieilles, nous avons.

4. Couverture : appelée « robe » par les Français, elle consiste en un certain nombre de fourrures cousues ensemble (sept à huit dans le cas du castor) et formant un genre de mante. Les Amérindiens la portaient de diverses manières, mais toujours le poil contre le corps. Parfois, ils s'en servaient comme couverture.

— Montre-moi les plus vieilles.

— Les Français portent nos vieux vêtements ?

— Je ne les ai pas vus les porter, mais ils les prennent.

— Pourquoi ?

— Je ne sais pas. Ils sont bizarres.

— Bizarres, bizarres, rigole Lynx-des-Neiges en traduisant pour les autres que cette information amuse.

Goutte-de-Rosée s'éclipse et, un sourire espiègle aux lèvres, revient avec une couverture toute usée, qu'elle remet dans les mains de Loup-Curieux à la place de sa belle robe. Cette vieille couverture étant dénuée de ses longs poils soyeux, il n'en reste que le duvet jauni et cotonneux, sur lequel Loup-Curieux promène un doigt dédaigneux.

— Bizarre, bizarre, reprend-il.

— Bizarre, bizarre, traduit de nouveau Lynx-des-Neiges dans le but de faire rire les siens.

Loup-Curieux entre dans le jeu. Il ridiculise par ses gestes et sa mimique l'excentricité des Français qui ramassent de tels haillons. Quelle chance inouïe s'offre à lui ! Ces gens ignorent que, pour les Français, ces peaux valent plus que toute autre, en raison de l'absence des longs poils, semble-t-il d'après les explications de l'un des leurs qui s'est rendu de l'autre côté du Grand Lac Salé[5]. À lui d'exploiter ce formidable atout.

— Je peux vous débarrasser de vos vieilles couvertures, offre-t-il.

— J'en ai une bien plus vieille, plaisante Toujours-Plus-Loin, voyant sa femme revenir avec l'article en question, les rieuses jumelles aux talons.

Le voyant accepter la pièce, deux autres femmes se glissent dans leur abri pour y dénicher des couvertures défraîchies.

---

5. La fourrure de castor étant destinée à la chapellerie, seul le duvet était transformé en feutre. L'absence de longs poils permettait d'éviter une étape.

— Bizarre, bizarre, répète encore Loup-Curieux, les faisant rire de plus belle alors qu'il les reçoit.

— Est-ce que nos vieilles couvertures traverseront le Grand Lac Salé? demande Toujours-Plus-Loin.

— Elles traverseront le Grand Lac Salé, assure Fumée-d'Échange, affichant un sourire de satisfaction qui pourrait en être un de participation à l'hilarité générale des Oueskarinis qui s'échangent leurs commentaires à l'endroit de ces étranges et miséreux individus qui porteront leurs guenilles de l'autre côté du Grand Lac Salé.

— Trois fois les doigts des deux mains de fourrures d'écureuil pour la robe de ta femme et ces vieilles couvertures, propose Loup-Curieux.

Lynx-des-Neiges accepte, persuadé de conclure un bon marché. En s'emparant de la robe artistiquement décorée, Loup-Curieux a l'impression de prendre sa destinée en main.

Cette première négociation qu'il vient de mener est de bon augure car, en plus d'obtenir l'objet convoité à des fins personnelles, il a su manœuvrer pour hériter de ces articles qui leur assureront des profits. Ainsi, il s'est conformé à l'exigence des marchands, qui travaillent au bien commun, à l'exemple des femmes, qui font de même dans les champs.

Cette exigence est un idéal. Jamais il ne doit la perdre de vue. S'il est seul à s'entretenir avec Lynx-des-Neiges, ceux qui l'accompagnent comptent sur son habileté, sa patience et sa ruse pour rapporter aux leurs tout ce qui leur permettra de mieux vivre.

Il n'est pas seul, mais simplement l'une des mailles d'un grand filet appelé confédération. Et cette maille qu'il est se noue solidement aux autres par ses mains de marchand qui tâtent les peaux et évaluent les fourrures. Ses mains qui, à travers la robe, tremblent déjà sur le corps d'Aonetta.

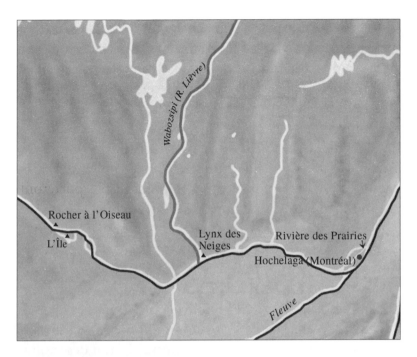

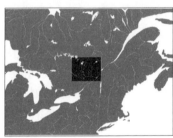

Chapitre 13

Grains
d'un même épi

1623, en la lune iroquoienne du maïs qui mûrit
(août), rivière des Prairies.

Le petit bois pour allumer le feu se fait rare en cet endroit
au pied des rapides où plusieurs s'arrêtent pour dresser
leur campement, observe Loup-Curieux en dépouillant
le bas d'un tronc d'épinette de ses branches mortes. Le
craquement sec qu'elles produisent lorsqu'il les casse le
satisfait. Le feu prendra vite. Et bien. C'est là sa tâche.

Chacun a la sienne dans chacune des canotées. C'est ainsi quand ils voyagent. Celle de faire le feu revenait à son père, tombé sous la massue d'un Iroquois l'an dernier. Maintenant, elle lui revient et chaque geste, si humble soit-il, le relie à cet homme de qui il se reconnaît et qu'il s'emploiera à venger en temps voulu.

Le vide que Fumée-d'Échange a laissé fut comblé par Parole-Facile et par son père, Taïhy, ce qui porte maintenant à cinq le nombre des membres de leur équipe. Depuis l'arrivée d'Étienne Brûlé au sein de leur tribu, plusieurs canotées ont dû s'organiser ou se réorganiser en prévision de l'expansion du commerce et, dans cette optique, ils se sont munis d'une plus grande embarcation.

Ce printemps, plus de soixante canots ouendats se sont acheminés vers l'île de la Victoire pour y trafiquer avec les Français, et voilà qu'ils s'en retournent au pays. Satisfaits des échanges, en petits groupes, comme ils sont descendus, quelques-uns escortés par des Français armés. D'autres, encombrés d'hommes à la robe. Chemin faisant, ils distribueront les marchandises promises à leurs pourvoyeurs de peaux et de fourrures, en train de se préparer à gagner leur territoire de chasse d'hiver. S'ils sont satisfaits des produits rapportés, ces derniers leur donneront rendez-vous au printemps prochain. S'ils ne le sont pas, ils feront valoir que les Agnonhas du Sud aiment aussi leurs fourrures, laissant planer l'incertitude quant à d'éventuels trocs.

Pour sa part, il ne craint guère de mécontentement, sauf peut-être celui de Lynx-des-Neiges, qui, via les Kichesipirinis, a appris la valeur réelle de leurs couvertures usées. Histoire de l'amadouer, il rapporte un couteau de fer pour son gamin Wapitik. De plus, il l'instruira sur la préférence de plus en plus marquée des Français pour la fourrure de castor, ce qui l'incitera peut-être à en ramasser davantage. Cela suffira-t-il à réparer le léger accroc à leur relation ? Il le souhaite vivement car Lynx-des-Neiges représente plus qu'un simple fournisseur à ses yeux. Ne lui doit-il pas d'être aujourd'hui le mari d'Aonetta et le père d'un garçon de deux ans nommé Doigt-du-Soleil? Sans lui, sans la robe magnifiquement brodée par sa femme et sans leurs vieilles nippes qui lui ont permis de se faire remarquer en tant que marchand novice, il n'aurait pas acquis autant de prestige, ni gagné l'estime du clan de la Grande Tortue, ni calmé les préoccupations de l'Aigle au sujet de son jeune âge et de son manque d'éloquence.

Oui, Lynx-des-Neiges est plus qu'un fournisseur, mais autre chose qu'un ami. Quelque esprit bienveillant l'a placé sur sa route pour l'éclairer sur lui-même. Lui faire découvrir ses propres forces et le moyen de les employer à bon escient. Ainsi, il a largement contribué à la fête des Morts[1]. Que de satisfaction et d'émotion il a éprouvées à la vue de tous les os de leurs défunts réunis en une grande fosse commune tapissée de couvertures de castor toutes neuves et de nombreux présents tels que colliers, bracelets, pendentifs de wampums, chaudrons, haches, couteaux! Aonetta y a sacrifié sa belle robe pour honorer et pleurer les disparus. «Voilà pour les os de ton père, a-t-elle dit. Voilà pour les os du bébé de ta sœur.»

Sans se presser, Loup-Curieux revient avec son bois d'allumage, sa pensée s'envolant vers sa femme. N'accomplit-il pas là une des nombreuses tâches qui lui sont routinières? Ces gestes qui le relient à son père ne l'unissent-ils pas également à Aonetta? Comme il a hâte de la retrouver! De lui montrer tout ce qu'il rapporte! De

---

1. Fête des Morts: fête qui se célébrait tous les dix ans ou selon les déplacements de village et au cours de laquelle on retirait les morts des cimetières pour en nettoyer et laver religieusement les os afin de les inhumer tous ensemble dans une fosse commune avec moult présents. Au cours de cette fête avaient lieu des festins pour pleurer et honorer les disparus.

lui raconter ce qu'il a vu à Kébec! Hâte de l'entendre parler de leur fils et du rendement des nouveaux champs au centre desquels ils ont déplacé le village. Hâte de la serrer contre lui et de la prendre, si jamais elle y consent malgré le fait qu'elle allaite. S'abstenir de relations sexuelles en son absence n'a rien de bien difficile, mais quand ils s'allongent sur la même couche, il y parvient à grand-peine… Elle aussi d'ailleurs. Songe-t-elle à lui à l'instant comme lui songe à elle?

La vue de Parole-Facile en train d'ériger l'abri le ramène à la réalité. Fut un temps où il s'est senti fautif d'être jaloux de lui… puis fautif de lui avoir ravi Aonetta. Par contre, son cousin n'a jamais manifesté de frustration ou d'envie, quoiqu'un malaise ait subsisté entre eux jusqu'au jour où Petite-Pluie, la jeune sœur d'Aonetta, est devenue son asqua, lui entrouvrant ainsi de nouveau la porte du clan de la Grande Tortue.

— Les gens du village de Tequenonquiaye viennent d'arriver, lui apprend son cousin tout en continuant d'enfoncer ses piquets dans le sol.

Loup-Curieux dépose ses branchettes et s'empare de sa planche à feu. Tequenonquiaye lui rappelle la mort de son père car c'est sur une route menant à ce lieu, situé à proximité de leurs ennemis, qu'il fut tué en même temps que quatre habitants du village. Un jour, ces hommes seront vengés dans le sang puisque aucun proche des coupables n'a offert de présents pour retirer la hache de la plaie et la faire tomber des mains de ceux qui voudraient venger l'injure.

— Les trois hommes à la robe sont heureux de se retrouver, ajoute encore Parole-Facile.

Loup-Curieux s'abstient de tout commentaire. Il a son feu à faire, ses opinions et ses idées à mettre en ordre. D'un genou, il immobilise sa planchette au sol. En bois de saule bien sec, longue d'une coudée et de l'épaisseur d'un doigt, elle est creusée sur un bord d'une légère dépression munie d'un cran où il dépose une pincée de poudre de bois de cèdre. Puis il place le bout d'un petit bâton rond dans cette dépression et le tourne vivement entre ses mains, l'esprit maintenant préoccupé par le retour de l'homme à la robe et de deux de ses acolytes[2]. Pourquoi ces intrus imposent-ils à nouveau leur présence? Sans eux, les Ouendats, tout comme l'échange des fourrures avec les Français, se portent très bien. De quel droit s'invitent-ils dans leurs villages? Se croient-ils réellement les bienvenus? Ils n'y viennent que pour y vivre à l'écart dans leur maison, tout en voulant s'associer à leurs affaires.

Il y a sept ans, quand l'homme à la robe les a quittés, leurs familles habitaient l'ancien village de Carhagouha, où la croix est restée. Cet homme viendra-t-il en planter une seconde à leur nouveau village, rebaptisé Quieuno-nascaran? Comme Aonetta sera déçue de le revoir! Comme elle sera inquiète à l'idée de le savoir dans les parages! Et les grands-mères, donc! Pense-t-il en femme, pour s'attarder aux inconvénients que présente la venue des hommes à la robe? En bon marchand, ne devrait-il pas en faire abstraction et se réjouir des avantages qu'elle apporte? L'importance de leur lien avec le commerce n'est plus à faire. N'est-ce pas le chef français de la traite[3] qui a grassement payé en couteaux, en haches et en verroterie chacune des trois canotées qui ont finalement accepté de prendre un de ces sorciers à leur bord? Et, pour pallier le fait qu'ils ne portaient ni épée ni bâton de feu, ces derniers n'ont-ils pas admis eux-mêmes qu'ils possédaient des

2. Les récollets Louis Le Caron, Nicolas Viel et Gabriel Sagard, avec deux de leurs domestiques, dont le jeune Auhaitsic (Ahuntsic), dont on ne connaît que le surnom huron.
3. Emery de Caën, grand-maître de la Compagnie de Caën, qui a obtenu en 1620 le monopole de la traite pour la région supérieure de la vallée du Saint-Laurent, soit à partir de Matane.

pouvoirs d'un ordre surnaturel capables de les protéger de leurs ennemis et des mauvais esprits[4]? Dans ces conditions, pouvait-on vraiment refuser de les prendre? Il peut se compter chanceux que Parole-Facile ait laissé à l'Aigle la responsabilité d'un de ces hommes qui ne manient pas la pagaie ni ne transportent leurs bagages dans les portages, et, qui plus est, sont chaussés de ces sabots de bois qui endommagent les canots. De vrais fardeaux, en somme, sur qui il faut sans cesse veiller afin qu'ils ne s'égarent ou ne tombent à l'eau.

Le bois s'échauffe, la bonne odeur de brûlé lui chatouille les narines, et bientôt un rien de fumée s'échappe. Tout doucement, il souffle sur la poudre de bois, qui s'enflamme, puis il y dépose un mince feuillet de bouleau, qui prend vite feu et incendie les branchettes qu'il croise dessus. Voilà. Le feu est né. Moment sublime. À part l'esprit de la foudre, seul l'être humain peut faire naître le feu. Puis le nourrir patiemment, grossissant les branches au fur et à mesure que grossissent les flammes. Loin de l'enorgueillir, cette supériorité qu'il possède sur le monde animal le remplit de respect envers l'Esprit à l'origine du feu. Par sa capacité à le faire naître, il communie avec lui d'infime manière. Du fait que les Agnonhas peuvent enfermer la foudre et le tonnerre dans leurs armes, communient-ils davantage avec cet esprit?

Ayant fini d'ajuster les écorces sur les quatre piquets, dont les deux plus grands se situent sur le devant afin de ménager une pente au toit de leur abri, Parole-Facile s'emploie maintenant à tailler une perche à chaudron tandis que son père achève de broyer le maïs entre deux pierres plates.

---

4. « Nous leur fîmes dire par le truchement [interprète] que nos armes étaient spirituelles, avec lesquelles nous les conserverions à l'encontre de leurs ennemis… et que s'ils voulaient croire nos conseils, les Diables mêmes ne leur pourraient plus nuire. » Gabriel Sagard.

Alentour, divers groupes s'activent à préparer le repas et à s'installer pour la nuit. Demain, un pénible portage les attend tous. Sur une grande distance, l'impétuosité des flots ne permet pas de traîner le canot le long de la berge, ce qui les obligera à effectuer plusieurs va-et-vient afin de transporter sur leurs épaules le canot et toute la cargaison. Revenir au pays s'avère plus difficile que de se rendre chez les Français, en raison du courant des rivières qu'il faut remonter et des nombreux sauts et rapides qui les obligent à mettre pied à terre pour portager ou parfois pour traîner avec eux le canot, de l'eau jusque sous les aisselles. Il doit compter au moins une lune avant de rentrer à son village et ce, à condition qu'ils pagaient du lever au coucher du soleil, ne s'accordant que deux repas par jour et parfois seulement celui du soir. Tant d'espace, tant d'obstacles le séparent d'Aonetta! S'y attarder ne fait que rendre le voyage encore plus long. Voilà pourquoi un homme se marie rarement avant la trentaine. Sans attache, il peut se consacrer plus librement et plus entièrement aux voyages, à l'exemple de l'Aigle, qui n'a cure d'être embarrassé par un passager aussi encombrant que l'homme à la robe.

Cet après-midi, les membres d'une canotée qui les précédait ont surpris un ours à la nage et l'ont tué à coups de flèche et de massue. Ils sont maintenant à le cuire et, ce soir, ils leur en offriront, comme il est d'usage. Cette perspective devrait le faire saliver, mais l'appétit lui manque. Ces trois sorciers qui conversent joyeusement en sont la cause. De quoi s'entretiennent-ils au juste? Comment savoir si les interprètes les traduisent fidèlement? Ce qu'il a vu à Kébec l'a séduit autant que déconcerté. En est-il de même pour ses compagnons? Pour Parole-Facile surtout, qui, enfant, a imaginé plus d'une fois avec lui cette visite qui leur permettrait de voir des chiens aux oreilles molles et la marée. Et la maison de Champlain. Et les bateaux de bois. Tout ça, ils l'ont vu, et beaucoup d'autres choses, tels ces animaux étranges qu'il lui tarde de décrire à Aonetta.

Il y a d'abord Sans-Fourrure, le plus trapu d'entre eux. Dépourvu de souplesse et d'élégance, massif sur ses courtes pattes, tout en viande, il fouille le sol de son museau tronqué et se roule dans la boue comme s'il voulait changer la couleur rosée de sa peau que laissent voir ses poils raides et espacés. Il y a ensuite Grandes-Oreilles, tout en os, avec une grosse tête et un pelage gris. De la grosseur d'un veau d'orignal, il transporte de lourds fardeaux sur son dos, alors que Donne-ses-Œufs passe son temps à picorer, peu intéressé à se servir de ses ailes sans envergure. Le plus joli, le plus fabuleux de ces animaux, ressemble au lynx. Il possède une douce fourrure tigrée, des yeux brillants, jaunes comme ceux du hibou, avec une pupille capable de s'adapter au changement de lumière. Amical, il vient quand on l'appelle, et il n'est donc pas nécessaire de l'enfermer en enclos. Sa démarche leste et silencieuse, ses bonds prodigieux, ses gestes vifs en font un redoutable prédateur pour les souris. Mais ce qui fascine le plus chez lui, c'est sa faculté de vivre en compagnie des hommes, d'égal à égal, sans rien sacrifier, ni abdiquer, ni perdre au change. Il va où il veut, chasse comme il l'entend et se frôle aux mollets quand il en a envie. Peut-être possède-t-il un peu de l'intelligence humaine, pour agir de la sorte. Pas assez pour être en mesure de reproduire le feu, mais juste ce qu'il faut pour cohabiter sans faire de concessions avec un être capable de le détruire. Il l'a baptisé Petit-Esprit. Un jour, il aimerait en ramener un à leur maison, ce qui ne manquera pas de faire le bonheur de tous, à l'exception des souris, qui se goinfrent de leurs provisions de maïs. Aonetta n'en sera que plus fière d'être sa femme. Ah ! la belle Aonetta ! Il ne lui cachera rien des merveilles qui se trouvent à Kébec. De cet esprit de la marée qui commande aux flots matin et soir. C'était impressionnant de voir les eaux lui obéir, se gonfler, remonter l'embouchure de l'Oriaouenrak (rivière Saint-Charles)[5], inonder les terres basses, assaillir les berges escarpées, pour ensuite se retirer sous ses ordres, laissant la plage boueuse, les rives érodées.

Oh non! il ne lui cachera rien de ce qui l'a séduit à Kébec. De tous ces objets de fer, de ces meubles de bois pour manger et dormir, de ces vêtements d'étoffe, de ces plantes cultivées venant de l'autre côté du Grand Lac Salé[6]. De la très jeune femme de Champlain, qui, contrairement à ce que l'on raconte, n'est pas affublée de vilains poils au visage[7]. De cela, il l'entretiendra tout au long de l'hiver. Mais, de ce qui l'a déconcerté, il ne lui soufflera mot. De ce qui l'a déconcerté, il n'a pas encore osé en aborder le sujet avec Parole-Facile, de peur de troubler le climat fraternel qui se rétablit entre eux. Mais cela ne devrait pas tarder. Les circonstances mêmes de cette visite à Kébec, qui n'était pas prévue au point de départ, ont de quoi les faire réfléchir. Ainsi que l'attitude insolente de leurs alliés anishnabecks. À l'île des Kichesi-pirinis, ils ont dû payer en maïs un tarif exorbitant pour le droit de passage, et, n'eût été l'intervention des Français, ils auraient payé un semblable tribut aux Innus, qui réclament maintenant le privilège de le prélever sur le fleuve. Cette volonté de contrôle des voies commerciales, jointe à une certaine arrogance de la part de ces Anish-nabecks, confirmait les rumeurs de leur désir de paix avec

---

5. Oriaouenrak : signifie « rivière à la truite ».
6. Choux, raves, laitue pourprée, oseille, persil, pois, herbes, blé. Louis Hébert avait aussi importé un pommier de Normandie, des vignes et des pruniers.
7. À l'âge de vingt ans, Hélène Boullé arrive à Québec au printemps de 1620 et repart définitivement pour la France au mois d'août 1624. Champlain était son aîné de trente ans.

les Iroquois. À l'île de la Victoire, certains d'entre eux laissèrent même entendre que les Français entretenaient de semblables désirs. Faire la paix avec les Iroquois n'obligerait-il pas alors les Français à rompre l'alliance avec les Ouendats ? En ce cas, leur pressante invitation à rejoindre Kébec dans le but d'y trafiquer aurait pu s'avérer un piège. Par mesure de prudence, seul un contingent de seize canots y répondit, dont le sien. C'est ainsi que, moitié pour s'acquitter de leur mission d'éclaireurs, moitié pour satisfaire leur curiosité, ces seize canotées se rendirent au village des Français. Un village presque sans femmes et sans enfants, avec trois maisons au pied d'une falaise, dont celle de Champlain qui tombait en ruine et celle toute neuve où ils échangèrent leurs peaux et fourrures[8]. Sur le sommet de la falaise s'élevait une maison de pierres près d'un fort de bois[9] et, à l'écart, sur la rive sud de la rivière Oriaouenrak, se dressaient les solides bâtiments où logeaient les hommes à la robe[10]. L'idée qu'il s'était faite de ce village contrastait énormément avec ce qu'il était en réalité. Il l'avait cru autarcique, ayant sa propre vie nourrie par ses familles, alors qu'il était dépendant, les yeux tournés vers l'autre côté du Grand Lac Salé, ses quelques habitations disparates n'ayant aucun lien véritable entre elles.

Yocoisse, un de leurs compagnons de canotée, revient avec l'eau qu'il a puisée à la rivière au moyen du chaudron. Le père de Parole-Facile y verse le maïs broyé que leurs femmes ont rôti sous la cendre chaude en prévision des expéditions, puis il pend le chaudron par la perche au-dessus du feu. De sa cuillère de bois, il brasse le contenu,

---

8. L'habitation de Champlain, construite en 1608, et la maison de la Compagnie de Caën.
9. Le sommet de cette falaise est devenu la haute ville de Québec. S'y élevaient la maison de Louis Hébert et le fort Saint-Louis.
10. Le couvent de pierres des récollets, sa chapelle et ses dépendances.

et enfin les rejoint, assis par terre, s'étirant les jambes, se délassant la nuque. Quand la soupe sera prête, ils iront manger tous ensemble avec les hommes à la robe et les interprètes. En attendant, ils se reposent, hypnotisés par le bruit incessant des rapides et le crépitement du feu.

Quelques instants se passent ainsi dans un état de bien-être, chacun s'attardant à ses réflexions ou méditations. Soudain, les invocations des sorciers les surprennent. Ils se regardent tous les cinq sans mot dire. Ils sont allés ensemble à Kébec, mais, jusqu'à présent, chacun a gardé pour soi ses impressions. Sentant que le moment est propice pour les livrer, Loup-Curieux rompt le silence.

— À Kébec, la cloche parle trois fois le jour, dit-il en faisant allusion à l'angélus que sonnait la voix d'airain au clocher de la chapelle des récollets.

Taïhy se lève pour brasser la soupe. Parler des sorciers français en présence de son fils Parole-Facile l'embarrasse car celui-ci ne partage pas ses vues sur le retour de l'homme à la robe. En effet, disciple de l'Aigle, Parole-Facile y voit des effets plus bénéfiques que désastreux. Pourtant, comment peut-il faire abstraction de cette cloche qui régit les Français avec autant de ponctualité que l'esprit de la marée commande aux eaux? Y aura-t-il un jour une cloche pour régir les Ouendats?

— La voix de cette cloche porte loin, poursuit Loup-Curieux. Quand un homme l'entend, il s'arrête de faire ce qui l'occupait, pour répéter des invocations à l'esprit du ciel… La voix de Champlain ne porte pas aussi loin.

— La maison de Champlain n'est pas aussi importante que la maison de la cloche, laisse tomber Taïhy d'un ton lucide, risquant une œillade vers son fils qui acquiesce d'un hochement de tête.

— Champlain est le chef guerrier, la cloche est le chef du village de Kébec, explique celui-ci.

— Selon toi, est-ce que la voix de la cloche et la voix de l'homme à la robe ne font qu'une seule et même voix ? s'enquiert Loup-Curieux.

— Oui, elles ne font qu'une seule et même voix.

— La voix de la cloche commande aussi au chef de la traite. C'est donc la plus puissante des voix.

— La plus puissante des voix, confirme Parole-Facile. Elle se trouvera parmi nous. C'est là une bonne chose.

— Le village de Kébec, qui était dans nos têtes depuis que nous sommes enfants, ne ressemble pas à celui que j'ai vu... Dans celui que j'ai vu, les hommes à la robe ne vivent pas parmi les leurs, mais à l'écart, comme ils ont vécu en notre village... À l'intérieur de leur palissade, d'autres hommes travaillent, portent les armes, cultivent des plantes, nourrissent des animaux et font des provisions de bois pour eux [11]. Les hommes à la robe n'ont ni femme ni enfant à protéger, mais, si des ennemis les attaquent, ils seront plus à l'abri que ceux qui se réfugieront derrière la palissade en haut de la falaise (fort Saint-Louis). Si des ennemis les attaquent, ils auront de la nourriture en quantité en cas de siège... Ce comportement est inquiétant... Ils sont les mieux protégés, les mieux nourris, mais jamais ils n'offrent de festin ou de cadeaux... Les autres travaillent pour eux, mais eux ne travaillent pas pour les autres... Je ne comprends pas pourquoi leur voix, qui est la voix de la cloche, est écoutée par tous. Je ne comprends pas qu'un homme qui est à faire une chose s'arrête de la faire quand la cloche parle. Un homme n'est-il pas libre dans sa pensée et dans ses actes ?

— Pas chez les Agnonhas... Je te regarde comme mon frère et l'inquiétude de ton âme m'attriste. Comme toi, j'ai

---

11. Une douzaine de personnes habitaient le couvent des récollets, dont beaucoup étaient des domestiques.

vu ce village. Dans ma tête aussi, il était beaucoup plus gros et mieux organisé. Au début, cela m'a déçu de le voir si petit, puis cela m'a rassuré. Les Français ne désirent pas s'installer comme les Agnonhas du Sud, qui sont plus nombreux. Les Ouendats n'ont pas à craindre d'être envahis par les Français... Tous les habitants de Kébec[12] logeraient facilement dans une seule de nos maisons et il y resterait encore de la place... Combien de ces maisons avons-nous en chacun de nos villages et combien de villages en chacune de nos quatre tribus? Les Ouendats n'ont pas à craindre cette poignée d'étrangers incapables de se suffire à eux-mêmes. À ton avis, l'homme qui cultive[13] au sommet de la falaise pourrait-il nourrir tous les gens de Kébec pendant un an?

— Non.

— Pourquoi t'inquiéter? Chez les Ouendats, les femmes prévoient des provisions pour deux ou trois ans d'avance en cas de mauvaises récoltes... Et elles n'ont qu'à augmenter les cultures pour avoir plus de maïs à échanger.

— L'homme au sommet de la falaise cultive du maïs qu'il échange aux Innus contre des fourrures, souligne Loup-Curieux.

— Vois-tu en cet homme le concurrent de toutes nos femmes? La voix du peuple ouendat est puissante, mon frère. Plus puissante que la voix de la cloche. Elle contient toutes nos voix et elle s'entend dans toutes les maisons et dans tous les villages... La voix du peuple ouendat s'entend au-delà de notre terre... Jamais elle ne se taira, assure Parole-Facile, conscient de l'effet que produit son discours.

Voyant cependant Loup-Curieux songeur, il lui demande:

---

12. La population de Kébec était estimée à environ cinquante âmes, celle de la Nouvelle-Hollande à deux mille âmes et celle des Hurons entre trente et quarante mille âmes.
13. Louis Hébert.

— Mon frère a-t-il confiance en la puissance de la voix des Ouendats?

— Je crois en la puissance de notre peuple, mais mon esprit ne comprend pas les Français. Ils possèdent le pouvoir d'enfermer le feu dans leur bâton, mais leurs agissements vont parfois à l'encontre de la raison... À Kébec, la maison de celui qui cultive se trouve à l'extérieur de la palissade et non à l'intérieur comme les nôtres... De cette falaise, on peut voir loin sur l'eau et aucun ennemi en bateau n'échapperait à la vue... Mais l'Iroquois se faufilerait aisément en canot durant la nuit et pourrait tuer tous les gens de Kébec dans leur sommeil. Cela m'a amené à penser que les Français ne craignent pas les mêmes ennemis que nous... Les Français craignent d'autres Agnonhas... Ils ont des guerres de l'autre côté du Grand Lac Salé et les Agnonhas du Sud sont plus nombreux.

— Les Agnonhas du Sud ne sont pas en guerre contre les Français.

— Alors, par qui les Français craignent-ils d'être attaqués?

— Les guerres des Agnonhas ne sont pas nos guerres, mais nos guerres sont les guerres des Français qui demeureront nos alliés si les Anishnabecks font la paix avec les Iroquois... Les Français nous assistent de leurs bâtons de feu et, en cette expédition, il s'en trouve beaucoup pour venir hiverner avec nous... Leur présence fera réfléchir les Anishnabecks. Ils verront les bâtons de feu dans leurs mains qui, comme nos mains, sont dirigées contre l'Iroquois.

— Les Anishnabecks savent que la vie d'un Français ne vaut rien depuis qu'ils ont assisté comme nous à la cérémonie de l'épée, rappelle Loup-Curieux.

Présidée par le chef de la traite et Champlain pour le meurtre de deux Français, cette cérémonie du pardon les a tous amenés à conclure que la vie d'un Français ne valait pas grand-chose. Du moins, celle de ces deux-là, assassinés et jetés dans le fleuve par des Innus à l'automne, puis retrouvés sur la berge, le crâne défoncé, au printemps. Plutôt que d'exiger des présents en dédommagement pour sécher les pleurs des parents et amis, le chef de la traite (Émery de Caën) s'est emparé d'une épée et l'a lancée dans le fleuve, disant que, comme l'épée, la faute du meurtrier et de son complice était ensevelie au fond de l'eau. Que jamais les Français ne la retireraient du fleuve pour exercer leur vengeance contre les Innus. Quelle faiblesse! Quelle honte! Pourquoi les Français se sont-ils dépréciés eux-mêmes, se contentant des regrets du coupable?

Chez les Ouendats, pour un tel crime, la famille d'une seule victime aurait exigé au moins trente colliers de wampums en guise de compensation pour faire tomber de leurs mains la hache vengeresse. Pourquoi les Français ont-ils pardonné aux Innus? Les redoutent-ils depuis ces rumeurs de paix avec les Iroquois? L'acheminement des fourrures vers Kébec est-il en cause?

— Entre eux, les Français n'agissent pas comme nous agissons entre nous, explique Parole-Facile. Ils ne se reconnaissent pas comme tous égaux, mais c'est là leur affaire. Ils sont nos partenaires. Nous n'avons pas à leur dire comment se comporter entre eux, pas plus que nous ne disons à nos partenaires chasseurs comment se comporter entre eux. C'est là leur affaire. Pas la nôtre... Vois avec les yeux d'un marchand le retour de l'homme à la robe, mon frère. Vois avec les yeux d'un fils de la tribu de l'Ours tous les avantages de la présence de ces Français dans nos villages. Surtout celle des sorciers, qui sont capables de commander aux esprits de nous aider dans nos guerres... Il nous faut les respecter et les craindre à cause de leurs pouvoirs surnaturels... Plus nous les traiterons bien, plus ils nous aimeront et favoriseront nos échanges, car leur voix est la voix de la cloche.

— La voix de la cloche parle-t-elle plus fort que la voix de nos représentants, qui ne se sont pas prononcés sur la présence des sorciers ? Les membres du Conseil et les grands-mères nous reprocheront peut-être de les avoir emmenés sans leur autorisation, intervient d'une voix inquiète Taïhy que les paroles de son fils sont sur le point de gagner.

— Il était impossible de demander l'autorisation du Conseil, mais l'Aigle assure qu'il se ralliera à notre décision car il en va du bien de notre peuple... Les Français doivent demeurer nos alliés... Ils nous assistent de l'arme suprême et du pouvoir des sorciers.

— Si, pour le meurtre de deux des leurs, ils ne se vengent ni ne demandent de dédommagement, comment agiront-ils en tant qu'alliés pour le meurtre de l'un des nôtres ? demande Loup-Curieux.

— Ils sont nos alliés, mais ils n'ont pas à se comporter comme nous, qui sommes les fils de l'Ours de la confédération des Ouendats. Nos femmes travaillent ensemble dans les champs, nos hommes voyagent, pêchent, chassent, défrichent, bâtissent ensemble... Nos enfants sont tous frères et sœurs sous le toit de leur clan... Quand l'un de nous est tué, chacun s'en ressent et la famille exige compensation pour sécher ses pleurs, sinon, appuyée par son clan, son village et sa tribu, elle se vengera... Parce que nos mains travaillent ensemble, parce que nos bouches mangent du même maïs, parce que nos corps dorment dans la même maison, parce que nos os s'entremêlent dans la mort, nous sommes forts... Nous n'avons pas à craindre la voix de la cloche... Celle des Ouendats est la voix de toutes nos voix... Elle s'adresse à des hommes, à des femmes et à des enfants qui sont comme les grains d'un même épi de maïs. Tous égaux, nourris de la même sève qu'est notre sang, enveloppés des mêmes feuilles que sont nos maisons et nos villages, portés par le même plant qu'est la tribu, toutes nos racines enfoncées dans la terre du Ouentake[14]... Les Français ne sont qu'une poignée de grains échappés par terre. Ils dépendent de l'autre côté du Grand Lac Salé et ne se reconnaissent pas comme égaux entre eux... C'est leur affaire... Tu es comme mon frère et ton père était comme mon père. Quand tu vengeras Fumée-d'Échange, je serai à tes côtés.

Touché par les paroles de son cousin, Loup-Curieux ne cache pas l'admiration qu'il lui voue. Cette comparaison des Ouendats avec les grains d'un même épi a balayé ses inquiétudes. En effet, pourquoi craindrait-il des grains éparpillés par terre? Pourquoi redouterait-il la voix de la cloche qui s'adresse à ces grains? Il s'est alarmé en vain, jugeant la situation à partir de lui seul, alors que Parole-Facile l'a jugée à partir de la confédération entière.

— La soupe est prête, annonce Taïhy en décrochant le chaudron.

Loup-Curieux sent l'eau lui venir à la bouche. Jamais cette soupe ne lui a paru si appétissante. Ne recèle-t-elle pas l'âme de son peuple? Le goût infiniment délectable de leur solidarité?

Cette soupe qui leur communique la force de l'aliment sacré représente chacun des grains de l'épi et tous les épis réunis. Elle porte le nom de leurs mères et de leurs sœurs. De leurs pères et de leurs frères. De leurs fils et de leurs filles. Il pourrait la nommer Aonetta, l'Aigle, Taïhy,

---

14. Ouentake ou Wentake : signifie « terre à part » et désigne la Huronie. Elle était presque entièrement entourée d'eau. On pouvait parcourir sa plus grande étendue en trois ou quatre jours. Le récollet Gabriel Sagard, premier Français à s'y rendre, mentionne près de vingt-cinq villages, une population totale de trente à quarante mille âmes et de deux mille à trois mille guerriers.

Yocoisse. Il pourrait la nommer Parole-Facile, qui vient d'apporter la paix dans son cœur et qui a définitivement solidifié le lien qui les unit.

* * *

À la fin de la lune des changements de couleur (septembre), au pied des Grandes Chutes de la Wabozsipi (chute High Falls [15] *sur la rivière du Lièvre).*

Les jambes flageolantes, ils se sont traînés au pied des Grandes Chutes pour implorer l'aide des esprits. Un mal inconnu s'est abattu sur eux. Déjà, il a fauché des vies dans chacune des familles, et nul n'est épargné.

Seule enfant du groupe, N'Tsuk claque des dents, en proie au vertige. Étourdie par le grondement des masses d'eau qui plongent dans le vide, se fracassent et éclaboussent les rochers. Elle n'habite plus tout à fait son corps et elle s'accroche à son père, de peur d'être avalée par la cataracte. Lynx-des-Neiges la presse contre son flanc et elle le sent trembler. Comment cela se peut-il? Son père est l'un des meilleurs chasseurs qui soit. Pourquoi, tout à coup, ses jambes musclées et agiles parviennent-elles à peine à le supporter? Que leur arrive-t-il? Qu'ont-ils fait pour mériter la colère des esprits? Ou que n'ont-ils pas fait? Leur démarche calmera-t-elle cette colère?

Les adultes prétendent que les offrandes contribueront à les guérir et à protéger de la mort les malades

---

15. Chute High Falls: située à environ quarante kilomètres de l'embouchure de la rivière du Lièvre et considérée comme l'une des plus belles chutes du Canada. Sur une largeur de deux acres, elle tombait de quarante mètres du haut des rochers. En 1913, la compagnie Maclaren y érigea un barrage et un glissoir en béton, et, en 1929, une centrale hydroélectrique.

qui délirent dans les abris. Leur confiance a vite stimulé la sienne et, malgré son état de faiblesse, elle a tenu à les accompagner. Elle ne veut plus pleurer d'autre mort que celle de sa jeune sœur. Sa mère, sa jumelle et Wapitik survivront. Il le faut. Ainsi que sa cousine Nesk, qu'elle a vue tantôt allongée près de son petit frère haletant et qui l'a regardée sans la reconnaître.

« Voilà pour toi, esprit des Grandes Chutes. Voilà pour toi, esprit de Rocher-Montagne », dit Plume-de-Perdrix, la mère de Nesk, en jetant du tabac, deux haches et des perles de verre dans les bouillons. Puis elle lance un regard suppliant vers Rocher-Montagne, gardien de la porte d'entrée du pays des wapitis. À son tour, la fillette de onze ans se tourne vers Rocher-Montagne. Malgré sa vision embrouillée, elle distingue l'éminence rocheuse qui surplombe la forêt multicolore et veille sur la rivière. À sa connaissance, les siens ont toujours rendu hommage à l'esprit de Rocher-Montagne, et elle ne voit pas pourquoi il se désintéresserait d'eux aujourd'hui. Il lui paraît si imposant dans son temple de roc et ils ont tant besoin de lui qu'elle se met à lui parler dans son for intérieur, échappant parfois des bribes qui se mêlent aux suppliques des autres venus faire leurs offrandes.

« De là-haut, tu me vois. Tu m'entends… J'ai froid… J'ai chaud… J'ai mal dans ma tête… J'ai mal dans mes os… Ma petite sœur s'est arrêtée de respirer… Ma mère a dit qu'elle était partie rejoindre grand-papa Toujours-Plus-Loin au Royaume des Morts et que là-bas ils pourront s'empiffrer de framboises en nous attendant… Avec grand-papa et toutes ces framboises, elle ne devrait pas être si mal en ce Royaume, mais ma mère pleurait en disant cela… Ma mère, je ne l'ai jamais vue pleurer… Je ne l'ai jamais vue malade… Elle a le front tout chaud comme celui de ma jumelle et de Wapitik… Je ne veux pas que ma mère parte avec ma jumelle et Wapitik au

Royaume des Morts. De ce Royaume, on ne revient pas… Vois, je t'offre ce que j'ai de plus précieux. »

N'Tsuk entrouvre le poing et contemple l'aiguille que sa mère lui a donnée. Elle provient d'un homme à la robe qui voyageait avec les Ouendats et qui s'est arrêté pour passer la nuit et prendre du poisson séché. Sa jumelle en a reçu une identique. Ces aiguilles de métal viennent de l'autre côté d'un très, très grand lac et se prêtent mieux à la broderie que les leurs, en os. Impatiente de l'étrenner, sa jumelle a déjà commencé un ouvrage, laissé en plan à cause de la maladie. L'aiguille est demeurée piquée dans le cuir. Elle ne l'a pas rangée, afin que sa sœur puisse la reprendre et poursuivre son travail. C'est la sienne qu'elle offre.

N'Tsuk referme sa main sur l'objet merveilleusement pointu avec lequel elles ont joué à se tatouer. Jusqu'à ce qu'elle reçoive cette aiguille, elle n'avait pas vraiment le goût de s'adonner à la broderie. Sa sœur excellant dans le domaine, cela la dispensait de s'y consacrer, car sa sœur était une partie d'elle-même. Duplicata l'une de l'autre, elles ne formaient qu'une seule entité qui savait autant installer un piège que broder. Le jour où sa mère lui a remis l'aiguille en disant espérer que ses deux grandes filles sauraient broder, elle a réalisé qu'elle devait développer sa propre entité et non l'entité d'un être en deux corps différents. À partir de ce moment, le désir lui est venu d'apprendre cet art et de s'y appliquer. Mais maintenant elle craint d'être amputée de la moitié d'elle-même. Maintenant tout est confus dans sa tête douloureuse et son corps tremblotant. Tout s'embrouille comme sa vision. Tout se mêle comme le froid et le chaud, le faux et le vrai, le vivant et le mort. Sentant ses forces l'abandonner, elle s'agrippe au bras de son père. « Offre mon aiguille », balbutie-t-elle avant de tourner de l'œil.

En s'évanouissant, N'Tsuk a fait perdre pied à Lynx-des-Neiges. Agenouillé près d'elle, il lui caresse les cheveux pendant que Plume-de-Perdrix, de sa main en écuelle, ramasse de l'eau qu'elle verse sur son visage. De voir la plus solide des jumelles en cet état brise le cœur du père et l'épouvante. Qu'adviendra-t-il de l'autre et de Wapitik? Qu'adviendra-t-il de Goutte-de-Rosée, qui s'est lovée une nuit durant sur le cadavre de leur petite de sept ans?

Doucement, il ouvre le poing, s'empare de l'aiguille et, titubant, prenant garde de ne pas glisser sur les roches mouillées, il s'avance près des remous. Ce qu'il vit lui semble un mauvais rêve. Quand donc va-t-il se réveiller en sursaut et tâter près de lui les corps paisiblement endormis de sa femme et de ses enfants? Quel est ce mal? Pourquoi ce mal?

Une vision le hante. Le glace. Celle de ce crâne de bébé que portait l'homme à la robe[16]. S'agissait-il de l'enfant d'un ennemi? Si oui, de quelle bravoure a fait preuve le guerrier qui l'a tué? Et quel message livre celui qui le porte comme un trophée?

Il n'aurait jamais dû permettre à cet homme de les approcher. Peu de temps auparavant, Loup-Curieux s'était arrêté afin de lui donner de son tabac, accompagné d'un couteau de fer pour Wapitik. Cela pour entretenir leurs bonnes relations, lui a-t-il fait comprendre. Futé, ce jeune marchand savait qu'il avait appris la valeur de leurs vieilles robes pour les Français et, par ces cadeaux, il tentait de se racheter. Les refuser aurait signifié qu'il refusait l'amitié, mais il les a acceptés en dépit du fait que Loup-Curieux avait profité de son ignorance. Ce Ouendat, qui était plein de prévenances à son endroit, lui plaisait. Avant de s'embarquer, il lui avait rappelé que les Français

---

16. Le chapelet que portait à la ceinture le récollet Gabriel Sagard avait un crâne de bois sculpté et les Amérindiens croyaient qu'il s'agissait là d'un crâne d'enfant.

préféraient de loin la fourrure du castor et, du même souffle, lui avait annoncé que plusieurs Agnonhas les accompagnaient pour aller hiverner en leurs longues maisons. Il ajouta que les trois étrangers qui portaient une robe possédaient des armes invisibles, plus puissantes que les bâtons de feu. Cela lui donna à réfléchir. Ses frères kichesipirinis avaient cherché à négocier avec les Iroquois une paix que les Français auraient approuvée. Mais la présence de ces derniers dans les canots ouendats, particulièrement celle de ces trois hommes, confirmait la reconduction de l'alliance et du commerce entre les Ouendats et les Français. Les mécontenter s'avérait imprudent. Aussi, lorsque la flottille où prenait place un de ces hommes s'arrêta pour passer la nuit à leur emplacement, il les reçut selon le principe sacré de l'hospitalité et accepta d'échanger une part de ses provisions de poisson séché contre des aiguilles, des alènes, des perles de verre et un vêtement d'étoffe. Peu de temps après, ils levèrent le camp pour remonter la Wabozsipi vers leur territoire de chasse et le mal commença à les toucher. Assis par terre, les coudes aux genoux et la tête entre les mains, ils passaient du frisson à la sudation, en proie à des douleurs par tout le corps [17]. De peine et de misère, ils parvinrent à se rendre aux Grandes Chutes, où les voilà tous atteints, les moins faibles prenant soin des malades, les vivants pleurant les morts et implorant les esprits. L'homme à la robe a-t-il utilisé son arme mystérieuse contre eux ? Contre leurs enfants, tombés en premier ? Accrochera-t-il un jour le crâne de Wapitik à son long collier ?

Lynx-des-Neiges glisse l'aiguille dans son sac contenant le tabac donné par Loup-Curieux et le lance dans les remous. « Sois clément, esprit des Grandes Chutes...

---

17. En 1623, une épidémie de fièvre frappe les Algonquiens de la vallée de l'Outaouais.

Transporte-nous par ta puissance au pays des wapitis. » Il lui semble qu'ils seront à l'abri une fois rendus à leur territoire. Que le mal ne pourra les poursuivre en ces forêts où ses ancêtres ont chassé. Puis il lance le couteau de Wapitik. « Guéris mon fils, esprit du Rocher-Montagne. Guéris ma femme, mes filles... Souviens-toi de moi. Je n'ai jamais profané les os des wapitis... Guide-moi. »

Chancelant, il contemple l'eau qui n'en finit pas de tomber. Qui n'en finira jamais de tomber. Elle se précipite dans l'abîme et toujours elle s'y précipitera. Ainsi le veut l'esprit des Grandes Chutes. Comme il se sent petit face à tant de grandeur et de puissance! Comme il se sent perdu devant tant de mystère! Que lui conseillerait son père, lui qui a tant voyagé? Que lui conseillerait le vieux Wapitik, lui qui voyageait dans le temps par la parole transmise? Il n'a aucune souvenance d'un fléau de cette ampleur dans leurs récits. D'une maladie de ce genre que leurs herbes et plantes médicinales ne peuvent soigner. L'homme au crâne de bébé aurait-il essayé l'efficacité de son arme invisible contre eux?

Sans réponse, il demeure anéanti au pied des Grandes Chutes.

* * *

Village ouendat de Quieunonascaran,
en la lune iroquoienne de la pêche
du grand poisson (octobre).

Jour de triomphe. L'Aigle en tête, les jeunes et valeureux guerriers franchissent les portes de la palissade, acclamés par les gens du village. Parmi eux, Loup-Curieux et Parole-Facile. Côte à côte. Euphoriques. Flamboyants. Leurs yeux lumineux encadrés d'un cercle blanc, le reste du visage peint en noir, coiffant autour de leur tête le panache de guerre décoré de longs poils d'orignal de couleur écarlate. Seules leurs coiffures diffèrent, Loup-Curieux ayant ramassé en queue ses cheveux soigneusement huilés sur la moitié de son crâne, Parole-Facile ayant peint le sien rasé de rayures rouges et noires. Ce qu'ils vivent en ce moment n'a rien de comparable avec ce qu'ils ont vécu auparavant. C'est comme s'ils étaient nés pour ce jour de gloire dont ils ont tant de fois rêvé. C'est comme si, à travers eux, le peuple des Ouendats incarnait sa puissance.

Portant en guise de collier deux têtes coupées, Loup-Curieux pousse rudement son prisonnier garrotté serré, le front ceint d'un collier de wampums l'identifiant comme prisonnier destiné à la torture. « Chante ! Réjouis-toi de cet accueil », lui recommande-t-il d'une voix doucement ironique en administrant un violent coup de poing sur la blessure qui lui traverse le dos d'une épaule à l'autre, dans l'intention de la rouvrir.

L'Iroquois se met à chanter sa triste mélopée de mort. Et le sang se met à couler, bariolant de filets rouges son corps nu et poussiéreux. Loup-Curieux s'en imprègne la main et la lui plaque sur l'épaule comme il l'a fait quand il l'a rattrapé à la course. « Sakien [18] », a-t-il dit. L'homme, dans la quarantaine, s'est arrêté. Il avait le choix entre tenter de fuir et être tué sur-le-champ ou se rendre et espérer avoir la chance de s'évader. Il s'est rendu. Malheureusement pour lui, les chances d'évasion ne se sont pas présentées.

Avec satisfaction, Loup-Curieux contemple l'empreinte de sa main sur l'ennemi. La marque rouge de son pouvoir sur lui. La vie de cet homme rachètera celle de son père. Mais, avant qu'il ne meure, il le fera souffrir. Il le

18. Sakien : signifie « assieds-toi », dans le sens de « rends-toi ».

fera gémir et pleurer comme une femme. Il lui fera regretter que l'un des siens s'en soit pris à Fumée-d'Échange.

« Loup-Curieux en a tué deux », lancent de jeunes garçons admiratifs en le voyant passer. Il se reconnaît en eux, enflammés par les prouesses et l'exploit. Aujourd'hui, la fierté qu'il ressent d'arborer ces têtes va au-delà du trophée. Elles ne font pas qu'illustrer sa vitesse et sa précision de tir, mais elles attestent aussi d'un gage de protection pour sa communauté. Ces têtes-là, plus jamais elles ne surprendront les femmes et les enfants à l'orée des cultures. Les exhiber revient à dire : « Voyez ! Ces têtes étaient des menaces. Maintenant, elles ne sont rien… On peut les exposer au bout d'une pique… Nous sommes les plus forts. Et cela par nos propres armes. »

Nul Français n'a participé à cette expédition. Elle relève entièrement d'eux. Inspirée par l'Aigle [19], elle fut discutée et approuvée par le Conseil de guerre qui s'est tenu en la « maison des têtes coupées [20] », et un grand festin, aux frais de l'Aigle, avait suivi. Avant le lever du jour, celui-ci avait allumé les feux sous six gros chaudrons pour y cuire des chiens et des cerfs et il avait fait apporter d'énormes quantités de poisson fumé. Les femmes avaient rangé la maison pour recevoir les invités et offert les rations de farine de maïs et d'huile de fleur-soleil pour leur graisser le corps et les cheveux. Quel festin ! Ils y ont bien mangé, bien fumé, bien chanté, bien dansé au son du tambour, exécutant des simulations de combat qui les enhardissaient. Galvanisés par les paroles de l'Aigle, ils sont partis rejoindre les guerriers de Tequenonquiaye et de Toanché, chantant toujours, la confiance au cœur, les

---

19. À l'automne 1623, une troupe d'Ouendats, sous la conduite d'un jeune chef originaire de Quieunonascaran, inflige une défaite sanglante aux Iroquois. Soixante prisonniers sont massacrés sur place et les autres sont emmenés à Quieunonascaran, Tequenonquiaye et Toanché.
20. Ainsi nommait-on la maison où se tenait le Conseil de guerre.

armes à la main. Leurs armes. Aucun bâton de feu ne les assistait.

La veille, il avait empenné ses flèches avec les plumes de l'aile du majestueux aigle, ces plumes volant mieux que toute autre en raison de leur dureté, puis il avait vérifié la solidité des pointes, la plupart en pierre, quelques-unes en os. Volontairement, il avait omis d'utiliser des pointes en fer, pour ne rien devoir aux Français. Il glissa ses flèches dans son carquois fabriqué avec la peau de Quatre-Pattes, qu'il avait demandée lors de son sacrifice. Ainsi, l'intelligente bête l'accompagnait encore et l'aiderait sûrement à détecter les ennemis. Aonetta l'approcha ce soir-là pour faire l'amour, cachant mal sa tristesse et son inquiétude. Il en avait grande envie car, à peine revenu de la traite, il repartait pour la guerre sans avoir satisfait ses désirs. «Quand je reviendrai», avait-il répondu, persuadé que l'abstinence lui ferait acquérir une énergie surhumaine. Il savait qu'elle craignait de ne plus jamais le revoir. Lui, il était persuadé du contraire. Une telle confiance l'habitait. Rien ne l'effrayait. Rien ne pouvait lui arriver. Ni à lui, ni à elle, ni aux autres. Enfin, il allait influer sur le cours des choses par ses actions! Mettre au service de son peuple ce pour quoi on l'avait éduqué et entraîné. Pour la rassurer, il avait tenté de lui rapporter les paroles de son cousin relativement aux Ouendats, qui sont comme les grains d'un seul épi, mais la verve lui fit défaut. Ce qui était si clair et si inspirant dans sa tête devenait embrouillé et de nul effet dans sa bouche. Pourtant, comme il vibrait à cette image! Comme il y adhérait de toutes ses fibres! Et comme il y adhère en ce moment! Ce moment de gloire qu'il vit avec Parole-Facile et tous les siens. Ce ne sont pas ses flèches qui ont tué, mais *leurs* flèches. Ces têtes à son cou ne sont pas *les siennes* mais *les leurs*, et le supplice de son prisonnier ne relève pas uniquement de lui, mais de tous et de toutes. Ils sont les grains d'un seul épi et les épis d'un seul champ. Tant qu'il en sera ainsi, aucun ennemi ne pourra les vaincre.

Il aperçoit Aonetta dans la foule, tenant leur fils sur sa hanche. Son attitude démontre sans équivoque à quel point elle est heureuse de le revoir et fière de l'avoir choisi pour époux. « Regarde papa », dit-elle à Doigt-du-Soleil en le désignant.

Le prisonnier trébuche, se retrouve à genoux. Loup-Curieux lui assène un coup de pied au postérieur qui le fait tomber à plat-ventre. « Tu n'es qu'un chien puant », l'insulte-t-il, jouissant jusqu'au tréfonds de ses tripes de voir l'ennemi à sa merci sous les yeux de sa femme. Le regard qu'il échange avec elle lui descend dans le ventre, y éveillant une forte pulsion sexuelle qu'il réprime. Ce soir, il ne la prendra pas. Ce soir est soir de torture et l'abstinence s'impose pour tous les habitants du village car la cérémonie qui se déroulera en la maison du grand chef guerrier en est une des plus sacrées.

Brusquement, il tire sur la courroie attachée au cou du prisonnier.

— Relève-toi. Chante. Vois, ils sont venus t'entendre.

Stoïque, l'Iroquois entonne son refrain funèbre. Cette nuit, il connaîtra la souffrance. Son sang coulera. Sa chair grillera. Il le sait. Cette nuit, pour la dernière fois, il aura à prouver son courage.

Loup-Curieux le pousse de nouveau avec rudesse vers son macabre destin.

— Tu payeras la vie de mon père, chien puant ! Tu verras ce qu'il en coûte de tuer un fils de l'Ours.

* * *

Le lendemain.

Le soleil se couche. À son lever, l'astre a assisté à la mort du prisonnier torturé au cours de la nuit. Puisse-t-il emmener l'esprit de cet ennemi avec lui !

De toutes les maisons du village montent des bruits et des cris. Plus grand sera le vacarme, meilleures seront les chances de chasser cet esprit qui doit leur en vouloir de l'avoir si atrocement détaché de son corps. Cet esprit qu'ils n'ont pas réussi à assujettir par la douleur et qui, de ce fait, les a vaincus.

À coups redoublés, Loup-Curieux frappe sur un chaudron de cuivre avec un bout de bois. Cet esprit, il le sent rôder à la recherche d'un corps à réintégrer pour satisfaire sa vengeance. Est-ce le sien qu'il veut pénétrer ? S'est-il déjà insinué en lui en même temps que cette larve de crainte qui s'est logée en son âme ? Il frappe et frappe sur le chaudron, revivant tous les supplices qu'ils ont infligés au prisonnier. Toutes ces entailles, brûlures, mutilations, amputations qui ne lui ont pas arraché une seule plainte, une seule larme. Plus ils s'acharnaient dans sa chair, plus son esprit leur résistait, chantant tant qu'il en avait la force. Cet esprit, seul dans son corps massacré, tenait tête à tous les esprits se trouvant dans les corps indemnes de ses bourreaux. Il les raillait, les insultait, les traitait de poltrons de s'allier aux Français. Cette injure que son père avait entendue avant lui l'ébranla. Les Français n'avaient pas pris part à leur expédition, mais ils demeuraient bel et bien leurs alliés. Il y eut un bref regard, un si bref regard, entre lui et son ennemi à qui il avait amputé les trois doigts d'archer de la main droite. Et par ce bref, si bref regard, l'ennemi sut que ses paroles l'avaient atteint plus qu'aucune flèche n'aurait pu le faire.

Peu avant l'aube, le condamné montra des signes de défaillance. On le fit s'étendre et boire afin qu'il reprenne des forces. Un guerrier d'un tel courage avait mérité que le soleil fût témoin de sa mort.

Quand l'astre du jour apparut, l'homme fut traîné sur l'échafaud où il allait être offert en sacrifice. Il s'était remis à chanter. Ils lui enfoncèrent alors un pieu rougi dans le rectum et, plutôt que de gémir, il les traita à nouveau de poltrons. Cela augmenta leur fureur. Ils le scalpèrent et versèrent de la résine bouillante sur son crâne. Il flancha un moment, puis leur prédit que les sorciers français allaient les anéantir. Pour le faire taire, Loup-Curieux s'empressa de lui déposer un tison dans la bouche, mais il était trop tard. Les paroles décochées par l'agonisant avaient atteint leur cible.

On l'acheva à coups de gourdin et on lui ouvrit la poitrine pour arracher son cœur encore palpitant. Ensuite, on le démembra et on le mit à cuire, les meilleurs morceaux ayant été réservés pour les chefs, la veille.

Avec l'Aigle, Parole-Facile et deux autres guerriers, Loup-Curieux mangea le cœur. Cela se fit avec grand respect. Tous ensemble, ils communièrent avec le courage de celui qui les avait vaincus dans la souffrance et par la souffrance, espérant hériter ainsi de sa force pour mieux le combattre. Mystérieux moment de partage, étrange sensation de s'unir et de se prémunir par l'ingestion de la même chair sacrée. Inexplicable conviction de rejoindre l'ennemi au-delà de la mort pour s'alimenter à l'être humain dans ce qu'il a de plus grand.

Maintenant, le soleil s'est couché et le silence tombe sur Quieunonascaran. Loup-Curieux regarde Aonetta, qui lui fait remarquer qu'il a cabossé le chaudron au point de le rendre inutilisable. «Il le fallait», souffle-t-il. Elle acquiesce. Aujourd'hui est jour de mauvais présage car le supplicié est mort sans pleurer ni demander grâce.

Dans la maison du clan de la Grande Tortue, on ne perçoit que de faibles chuchotements provenant des cases familiales et le doux crépitement du feu qui éclaire l'allée centrale. Repu de l'ennemi, il grignote le bois de ses petites flammes, veillant sur eux. L'odeur de la chair grillée flotte pesamment dans l'air. Insistante. Persistante. Elle visite leur pensée, frappe leur imagination, s'inscrit dans leur mémoire. Cette nuit, elle habitera les songes. Cette nuit, le cœur battant, le souffle retenu, ils épieront le silence comme ils le font maintenant. L'esprit du supplicié est-il parti?

Aonetta n'a pas voulu manger de l'homme. Loup-Curieux comprend. C'est chacun comme il pense.

Elle sait qu'il a mangé le cœur. Elle comprend. C'est chacun comme il pense.

Elle s'approche et lui passe la main sur le thorax, puis elle se couche l'oreille à la hauteur de son cœur. Longtemps elle reste ainsi à écouter sa vie. Y perçoit-elle son trouble? Hier, il soumettait à ses pieds l'ennemi vaincu, mais, avant d'expirer, cet ennemi lui a fiché une flèche empoisonnée dans le cœur. Une flèche qu'il ne peut arracher.

Aonetta lèche l'endroit où elle a posé l'oreille. Qui sait si demain l'Iroquois n'extirpera pas son cœur de la poitrine? Loup-Curieux l'entoure de ses bras et la sent trembler. Tout homme risque de se retrouver sur la plateforme de torture, et cette peau qu'elle lèche et embrasse sera peut-être demain tailladée et brûlée. Ces bras qui l'enserrent seront peut-être détachés du corps. Ces organes génitaux, arrachés. C'est ainsi. Il n'y a pas d'autre loi que celle d'être impitoyable avec l'impitoyable ennemi. D'être le plus féroce, le plus sanguinaire, afin de lui imposer le respect et de le faire réfléchir avant de s'en prendre à eux. C'est ainsi.

Il l'étreint, la sent encore tremblante. C'est normal: elle est une femme. Tout ce qu'elle est et tout ce qu'elle fait se rapporte à la vie. Déposer la semence en terre, porter l'enfant, l'allaiter, moudre le maïs, coudre les vêtements, soigner, nourrir. Lui, il est un homme et il fraie avec la mort. Il abat les arbres, tue le gibier et les ennemis. Il est là pour la défendre et pour protéger les enfants. Jamais il ne doit montrer de faiblesse. Ni de doute. Jamais elle ne doit connaître l'existence de cette flèche empoisonnée, de cette peur logée dans son âme comme une larve qui ne demande qu'à se développer.

Interprétée comme une lâcheté par l'ennemi, leur alliance avec les Français les conduira-t-elle à leur perte? Le bâton de feu se retournera-t-il contre eux comme dans le songe de son père? Pourquoi le supplicié a-t-il donc prédit que les hommes à la robe allaient les anéantir? Était-ce là du délire, du mensonge ou de la prémonition? Ne suffit-il pas d'un seul ver sous les feuilles de l'épi pour le ronger en entier, grain par grain? De ces vers, il s'en trouve maintenant trois au village, réunis dans leur maison à l'écart. Et si l'Iroquois avait raison? Cette question l'angoisse. Est-ce lui-même qui se la pose ou l'esprit de cet ennemi qui rôde pour poursuivre sa vengeance?

Aonetta se détend, se fait chaude et câline. Sa peau exhale un parfum excitant. Un parfum de vie. Il lui embrasse l'oreille, la joue, la bouche. Lui mordille le cou. Lui caresse les hanches, grisé par son parfum. Le désir monte en lui, durcit sa verge, accélère son souffle. Il ressent un besoin viscéral de la prendre tout entière. De se donner tout entier à la femme. À la vie.

Aonetta l'attire sur la couche, près de leur fils endormi. Il s'étend sur elle. La pénètre. Puisse l'union de leur chair chasser l'esprit du supplicié!

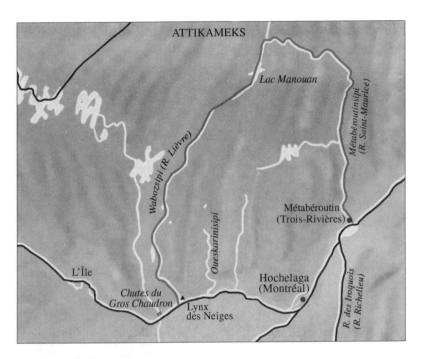

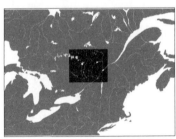

Chapitre 14

L'oki

1624, en la lune iroquoienne où les fraises mûrissent (juin). Rive nord de la Grande Rivière, en aval des chutes du Gros Chaudron (chutes de la Chaudière).

Les membres de trois canotées de marchands ouendats mangent tous ensemble, exténués, mais contents de laisser derrière eux l'ardu portage des chutes du Gros Chaudron. Originaires de villages différents, ils se sont regroupés sur la Grande Rivière et ont pris l'habitude de bivouaquer au même endroit en fin de journée, érigeant leurs abris côte à côte.

Même à cette distance, le grondement puissant de la chute règne. Il s'impose, incite au respect. Les traits marqués par la fatigue, Taïhy, le père de Parole-Facile, se masse la nuque par moments. Il a trop forcé du haut du cap rocheux et, depuis, une douleur l'incommode. Ce fameux cap dresse une paroi presque verticale qui oblige les voyageurs, selon qu'ils remontent ou descendent le courant, à hisser ou à descendre le canot par la force des bras au moyen de cordes. Reconnu comme l'un des passages les plus difficiles du parcours, il est à l'origine de nombreux maux de reins, de dos, de cou, d'épaules, et le malaise de Taïhy ne présente donc rien de surprenant ni d'inquiétant. « Ça passera, assure-t-il, les esprits veillent sur nous. »

Loup-Curieux aimerait n'en pas douter, mais voilà : il y a eu ce rêve la nuit dernière. Ce rêve qui l'a poursuivi tout au long du jour et dont il croyait se débarrasser une fois le portage accompli. Il aurait dû en discuter avec ses compagnons dès son réveil pour s'en libérer, mais, pour une raison qu'il ignore, il n'en a rien fait. Maintenant, le tumulte lointain de la chute fait ressurgir ce rêve dans son âme. Ce rêve à l'image des bouillons au centre de l'immense chaudron des chutes que le temps a creusé dans la pierre. Avec quel recueillement il a imploré l'esprit de ces remous de leur assurer sa protection, lui offrant des quantités de son meilleur tabac ! Veillera-t-il sur eux jusqu'aux prochains rapides, ceux de Kichedjiwan[1], où un autre esprit le relaiera, ou prendra-t-il plutôt ombrage des croix qui jalonnent la rivière en aval de l'île des Kichesipirinis ? Que pensent leurs esprits de cette invasion des esprits des

---

1. Rapides Kichedjiwan : signifie « le grand courant » et désigne les rapides du Long-Sault à la hauteur de Carillon.

Français ? Est-ce par l'intermédiaire de son rêve qu'ils se sont adressés à lui ? Mais pourquoi donc se seraient-ils adressés à lui plutôt qu'à Parole-Facile, qui sait si bien s'exprimer ? Qu'attendent-ils de lui qui espère tant d'eux ? Pas un esprit n'a été négligé jusqu'à maintenant au cours du voyage. À chaque obstacle, chaque saut et rapide, les membres de sa canotée se sont arrêtés pour faire leur offrande, comme l'ont toujours fait leurs pères, et leurs pères avant eux. À l'esprit de l'homme transformé en pierre, ils se sont montrés généreux et compatissants, jetant le tabac contre ses pieds de roc. « Prends courage, lui ont-ils dit, et veille sur nous au cours du voyage. » Avant de repartir, longtemps il a regardé les deux bras pétrifiés levés vers le ciel dans un geste suppliant. Quel crime avait commis cet homme pour se faire métamorphoser de la sorte ? Depuis quand lance-t-il désespérément ses bras en l'air ? Nul ne le sait, mais tous s'entendent sur son pouvoir de les protéger, y compris Étienne Brûlé, qui l'a déjà honoré au passage, en digne fils adoptif des Ouendats [2].

Loup-Curieux lance un regard en direction du soleil couchant, où se trouve la terre du Ouentake, et il s'attarde à la silhouette des nombreuses îles rocailleuses qui jonchent la rivière en aval des chutes. Des îles hostiles, couvertes de broussailles et de cèdres tordus, jetées sur leur parcours comme les gardiennes du Gros Chaudron. Elles sont là pour éprouver le courage d'aller plus loin et préparer l'âme à rencontrer l'esprit de ce chaudron. Guerrières, elles utilisent des pièges cachés sous des dentelles d'écume blanche et se forgent des armes avec les remous. Ne passe pas qui veut. Ne passe pas qui ignore. Il faut les connaître, savoir les contourner. Que de respect elles lui inspirent !

---

2. Les récollets condamnèrent Étienne Brûlé pour avoir commis le geste païen de présenter des offrandes à un rocher ayant la forme d'un homme aux bras levés vers le ciel le long de la rivière des Outaouais.

Sur la berge, il remarque les trois canots renversés, qui ont l'air de se reposer à côté de leur cargaison soigneusement empilée. Quelques éraflures ont été pansées d'écorce de bouleau et de résine, mais rien de vraiment sérieux ne les a endommagés. Taïhy parle avec justesse. Jusqu'à maintenant, les bons esprits les ont accompagnés. Aucun canot n'a chaviré et personne ne déplore d'accident. Cela est de bon augure, mais voilà : il y a ce rêve.

— L'Iroquois n'imprime plus la trace de son mocassin dans les parages du Gros Chaudron, signale Parole-Facile.

— Nous lui avons donné une bonne leçon. Nos yeux n'auront plus à repérer sa trace le long de la rivière, ajoute avec assurance Pieds-Dansants, originaire d'Ossossané, leur capitale, nommée Tequenonquiaye avant son récent déménagement.

Loup-Curieux aimerait partager la conviction de Pieds-Dansants, mais voilà : il y a ce rêve, doublé du fait que leur supplicié n'a pas laissé échapper la moindre plainte, contrairement aux deux prisonniers qui ont succombé sur l'échafaud d'Ossossané.

— Ils ont gémi si fort que les oreilles des leurs les ont entendus de leur village, se plaît à rappeler Pieds-Dansants. L'Iroquois tremble sur sa couche quand les fils de la tribu de l'Ours marchent à la guerre. Avant, il venait par la rivière du Mur d'Eau (rivière Rideau [3]) pour nous surprendre, mais maintenant l'ennemi reste chez lui.

Pour combien de temps encore l'Iroquois restera-t-il chez lui ? s'interroge Loup-Curieux. Il lui paraît évident que, par suite de leur cinglante défaite, leurs ennemis

---

3. Rivière Rideau : détournée et creusée pour former le canal Rideau, cette rivière, à son embouchure dans l'Outaouais, tombait perpendiculairement, sur une largeur de 350 mètres, d'un rocher de 12 mètres de hauteur. L'aspect de cette chute lui valut le nom de chute Rideau, qui fut appliqué à la rivière.

n'oseront s'aventurer de sitôt dans les parages, mais il sait qu'ils reviendront un jour ou l'autre.

— L'Iroquois craint les fils de l'Ours, mais il craint aussi le bâton de feu, rappelle-t-il.

Et cela change l'évolution de leurs conflits. Bien que seules les armes traditionnelles aient été utilisées pour remporter leur éclatante victoire de l'automne, ils ne doivent cependant pas perdre de vue l'existence de l'arme suprême.

— Cela est vrai ; l'Iroquois craint le bâton de feu, reconnaît Pieds-Dansants, qui a participé avec eux au raid de l'automne.

— Le bâton de feu nous sera utile si Tessouat conclut une alliance avec les Iroquois, certifie Parole-Facile.

— Le bâton de feu fait coucher l'ennemi par terre, mais il est incapable de faire baisser le prix à payer pour passer l'île de Tessouat, note Pieds-Dansants, mi-figue, mi-raisin.

Tous l'approuvent, certains préférant en rire, d'autres exprimant leur mécontentement. Il y a quelques jours, ils se sont vu interdire l'accès à l'île des Kichesipirinis, jusqu'à ce que bon nombre de canots se soient amassés en amont. Impatients de se rendre chez les Français avant que les barques ne repartent vers Tadoussac pour remplir les cales des bateaux qui traversent le Grand Lac Salé, les marchands ont dû acquitter un tarif exorbitant pour obtenir l'autorisation de portager sur l'Île, à défaut de quoi il leur aurait fallu renoncer au voyage.

— Les Kichesipirinis aimeraient bien être à la place des Ouendats pour échanger avec les Français. Pour cela, il leur faudrait du maïs et leur île n'en donne que très peu. Alors, ils essaient de nous empêcher de rejoindre les Français en exigeant de grandes quantités de maïs pour passer, explique Parole-Facile.

— Cette année, ils ont exigé beaucoup trop de maïs, intervient Loup-Curieux. Je parle en marchand et mes yeux de marchand ont vu les chasseurs affamés une fois passés l'Île… J'ai dans ma cargaison de belles gourdes qui me sont parvenues des lointaines régions du Sud[4]… Dites-moi, que choisit l'homme qui a faim? Une gourde vide ou du maïs pour lui remplir le ventre?

— Du maïs, répondent en chœur les hommes réunis autour du feu.

— Il me reste moins de maïs à échanger parce que j'ai dû en donner plus pour portager sur cette île… Pour une fourrure, je devrai offrir moins de maïs que l'an passé aux chasseurs. Si le Kichesipirini offre un peu plus de maïs pour cette même fourrure, il l'obtiendra… Ainsi se comporte un ventre vide.

— Un ventre vide chasse moins bien, enchaîne Parole-Facile. Les mains des Kichesipirinis s'empressent d'amasser le maïs que les filles de l'Ours ont semé et récolté… Ce maïs servira à remplir le ventre vide des membres de leur grande famille anishnabecke en échange de fourrures. Si les Kichesipirinis concluent la paix avec les Iroquois, ils iront mener ces fourrures sans risque chez les Agnonhas du Sud… Ainsi, les Gens de l'Île seront entre ces Agnonhas et les chasseurs comme les Ouendats sont entre les Français et les chasseurs… Le bâton de feu ne peut faire baisser le tarif de passage, mais les Kichesipirinis le craignent et le respectent.

— Est-ce que les hommes à la robe ont payé ce tarif, s'enquiert Pieds-Dansants.

— Pour le savoir, il faudrait rattraper le convoi d'Angoiraste[5], qui ramène l'un d'eux à Kébec, répond Parole-Facile.

---

4. Gourde: il s'agit ici d'une bouteille faite avec l'écorce d'un fruit provenant d'un pays lointain. L'endroit le plus proche où les archéologues ont trouvé la trace de gourdes semblables se situe dans la vallée de l'Ohio.
5. Angoiraste: chef guerrier qui a ramené Gabriel Sagard à Kébec en 1624 et qui, pour sa peine, a reçu un chat en cadeau.

— Ils pourraient payer avec leurs vêtements de sorcier. L'an dernier, Tessouat a offert quatre fois les doigts des pieds et des mains de fourrures de castor pour la robe rouge[6], échappe Taïhy.

— Quatre fois les doigts des pieds et des mains pour une seule robe !

— Une robe qui possède des pouvoirs surnaturels.

— C'est beaucoup, constate Pieds-Dansants. Cette robe aurait pu payer notre passage à tous et ainsi nous laisser plus de maïs.

La remarque s'avère juste. Normalement, entre marchands ouendats, on aurait agi dans l'intérêt commun. Un certain malaise flotte. Aborder le sujet des hommes à la robe suscite toujours de l'embarras. Tout comme le bâton de feu, ceux-ci imposent crainte et respect.

— Des Kichesipirinis m'ont raconté que les hommes à la robe apportent des maladies que nos chamans ne peuvent pas guérir, se risque de dévoiler Yocoisse.

Échanges de regards furtifs. Des maladies étranges commencent effectivement à se manifester.

— Les hommes à la robe sont aussi des chamans : ils font couler de l'eau sur le front en récitant des incantations pour guérir ces maladies[7], affirme Parole-Facile.

— La femme qui a eu droit à ce rituel a guéri, mais elle est morte quelques soleils plus tard, précise Loup-Curieux.

— Mais elle a guéri quand elle a reçu l'eau.

— Oui, mais elle est morte par après.

— Ce n'est pas de cette maladie qu'elle est morte, soutient Parole-Facile.

---

6. Robe rouge : chasuble en soie damassée écarlate pour laquelle Tessouat avait offert quatre-vingts peaux de castor.

7. Parce que les récollets s'empressaient de baptiser les mourants, les Hurons y ont vu un rituel de guérison.

Conscient de ses faiblesses et des forces de son cousin à faire valoir son point de vue, Loup-Curieux s'abstient de s'engager dans la discussion. Pieds-Dansants, par contre, semble vouloir en connaître davantage sur ces trois chamans français qui ont hiverné dans un village voisin du sien.

— S'ils pratiquent des rituels de guérison, ils avouent être des chamans, conclut-il.

— De très puissants chamans, confirme Parole-Facile. Ils ont aussi des pouvoirs de sorcier... Notre conseil les a nommés nos pères spirituels car ils s'adressent à l'Esprit du ciel, qui est le plus puissant de tous. Par deux fois, ils lui ont demandé de faire cesser la pluie... La première fois pour nous permettre de leur construire une maison, la deuxième pour permettre à nos femmes de semer le maïs.

— Mon fils dit vrai, corrobore Taïhy. Ce printemps, il a plu pendant presque une lune entière et nos femmes désespéraient de pouvoir ensemencer les champs... Un membre du conseil est allé leur demander de faire arrêter la pluie comme ils l'avaient fait à l'automne. Un de ces sorciers lui a dit : « Cet automne, notre Père qui habite le ciel a chassé les nuages parce qu'Il nous aime. Un père ne veut pas que ses enfants soient privés d'une maison quand vient l'hiver... Si les Ouendats étaient les enfants de l'Esprit du ciel, Il écarterait tous les nuages de devant le soleil et les femmes pourraient semer le maïs, mais les Ouendats ne sont pas ses enfants... Nous, nous le sommes et nous allons lui demander cette faveur. » Voilà comme il a dit et la pluie a cessé.

— Ils disent être les enfants de l'Esprit du ciel, s'étonne Pieds-Dansants avec incrédulité.

— Ils appellent cet esprit leur père et communiquent avec lui dans leur maison. Le membre du conseil qui leur avait demandé de faire cesser la pluie a accepté de recevoir de l'eau sur le front pour devenir un enfant de l'Esprit du ciel, mais il fallait plus que cela pour le devenir... Cet esprit s'offense de nos manières… Ainsi, un homme ne doit aller avec une femme qu'une fois marié à elle et ne plus jamais aller avec d'autres femmes que la sienne.

— Ne plus jamais aller avec d'autres femmes que la sienne même quand elle allaite?

— Même quand elle allaite.

— Et si elle le quitte?

— Même si elle le quitte.

— Ne jamais aller avec une femme avant de la marier?

— Non, jamais.

— Comment la connaître sans aller avec elle?

— L'homme à la robe ne l'a pas dit.

— Comment un homme peut-il satisfaire ses besoins quand sa femme allaite?

— Il a seulement dit que l'Esprit du ciel s'en offensait, résume Taïhy.

— Un père fait tout pour que ses enfants soient heureux… Quand il les entend rire et s'amuser, cela est doux à son cœur… L'Esprit du ciel n'agit pas comme un vrai père s'il s'offense de ce qu'un homme et une femme se donnent du plaisir… Les paroles de l'homme à la robe ont sûrement été mal traduites. Est-ce que, dans votre village, les hommes ont cessé d'aller avec d'autres femmes que la leur et est-ce que les jeunes ont cessé de découvrir les plaisirs qu'un sexe apporte à l'autre?

— Non.

— L'Esprit du ciel ne s'en est pas offensé puisqu'il a chassé les nuages quand même. Les autres Français qui hivernent sous le toit des longues maisons sont-ils aussi les enfants de l'Esprit du ciel?

— Ils le sont, assure Taïhy.

— On raconte que ces hommes s'étendent sur la même natte que nos femmes sans être mariés avec elles.

— Étienne Brûlé est marié avec une Ouendate et il a eu des enfants avec elle, rectifie Parole-Facile.

— Cet homme est comme l'un des nôtres. Il partage notre feu, notre nourriture, nos voyages, nos festins et nos guerres... Peut-être que l'Esprit du ciel ne le regarde plus comme son enfant car il vit parmi nous depuis de nombreux hivers, explique Pieds-Dansants en prenant soin de s'adresser à chacun comme pour le convaincre de ses arguments. Je parle des autres Français et de l'Esprit du ciel qui ne s'offense pas de les voir coucher avec nos femmes... Pourquoi cet esprit s'offenserait-il de nous voir coucher avec nos femmes?

Des sourires s'ébauchent sur les visages attentifs.

— L'homme à la robe parlait pour lui-même et ses compagnons car on assure qu'ils ne vont jamais avec une femme, termine Pieds-Dansants.

— Jamais... À la femme qui les approche, ils profèrent des menaces, disant qu'elle aura à pleurer, à mourir et à subir la torture dans l'au-delà... Ils vivent entre hommes... Cet automne, ils ont amené un jeune garçon que nous nommons Auhaitsic[8] car il vient chercher le poisson quand nos canots reviennent de la pêche. Parfois aussi, il vient tirer les filets avec nous, raconte Taïhy.

— S'ils ne vont jamais avec une femme, ce garçon n'est pas leur fils, en déduit Pieds-Dansants.

— Ce garçon n'est pas leur fils.

— De qui est-il le fils?

— On ne lui connaît ni père, ni mère... Peut-être sont-ils morts.

— Si ses parents sont morts, pourquoi sa famille ne l'a pas adopté?

— Il semble ne pas avoir de famille.

---

8. Auhaitsic (ou Ahuntsic): petit poisson que les Hurons pêchaient à la seine et qu'ils distribuaient équitablement aux villageois. En dépit du fait que les récollets ne participaient pas à la vie sociale du village, ils ont eu droit à leur part.

— Ni tante, ni oncle, ni grand-mère, ni grand-père ? Personne pour prendre soin de lui ? C'est étrange.

— Ils n'ont pas les mêmes coutumes.

— Je préfère leurs chaudrons à leurs coutumes… Moi, je serais bien incapable de me passer d'une femme, conclut Pieds-Dansants d'un ton badin.

Loup-Curieux partage les vues et la gaieté de Pieds-Dansants, natif comme lui du clan du Loup et chez qui il loge quand il se rend à Ossossané, situé à une journée de marche de leur village. Toutefois, il se surprend de n'être pas allé avec d'autres femmes qu'Aonetta. Pourtant, les occasions n'ont pas manqué, et elle ne s'en serait pas offensée. Il n'en ressentait pas le besoin, voilà tout. Elle le comble totalement. Elle l'habite jusqu'au bout des ongles.

— Est-ce que le chef Auoindaon n'est allé qu'avec sa femme ? demande Pieds-Dansants, poursuivant la plaisanterie.

— À son âge, c'est à se demander s'il va encore avec une femme, rétorque Taïhy.

— S'il devient un enfant de l'Esprit du ciel comme il a déjà dit vouloir le devenir, ce ne sera pas difficile pour lui de se passer de la femme, renchérit Loup-Curieux.

— S'il devient un enfant de l'Esprit du ciel, Auoindaon garantira son amitié avec les Français et la tribu de l'Ours en profitera, fait valoir Parole-Facile, adoptant un ton plus sérieux et respectueux.

Loup-Curieux sent peser sur lui le regard de son cousin. Parole-Facile parle au groupe, mais c'est à lui qu'il s'adresse. Auoindaon est le chef civil à qui il faut demander l'autorisation pour emprunter les routes commerciales, celle menant aux Français gagnant en popularité aux dépens de celle de Nékouba. Autorisation qu'il accorde en échange d'une redevance à verser au retour dans le trésor public, qu'il administre. Tenant compte du butin de guerre qu'ils ont rapporté, Auoindaon a consenti, à la suite de la demande de Parole-Facile par l'intermédiaire de l'homme à la robe, de baisser cette redevance pour leur canotée.

Loup-Curieux éprouve certains scrupules à profiter de cette faveur, qu'il a intérêt à ne pas ébruiter. Ne se dissocie-t-il pas des autres canotées de la tribu en agissant de la sorte? Et, plus inquiétant encore, ne s'associe-t-il pas à tous ceux qui ont gravité autour des sorciers au cours de l'hiver? Parole-Facile estime qu'Auoindaon fait preuve de sagesse en œuvrant pour le prestige du village et de la tribu. Personnellement, il croit y déceler une certaine faiblesse, mais sa pensée n'est pas assez précise à ce sujet pour qu'il la livre.

— On raconte à Ossossané qu'Auoindaon passe la nuit dans la maison des sorciers quand l'un d'eux est seul, afin de le protéger. Auoindaon est vieux... Contre qui peut-il les protéger?

— Il est chef: sa seule présence éloigne les malfaiteurs et les jeunes plaisantins qui aiment jouer des tours aux sorciers.

— On raconte aussi qu'Auoindaon fume le tabac que les sorciers lui ont donné. Sont-ils marchands? D'où leur vient ce tabac qu'on dit meilleur que celui des Tionnon-tatés? Qui les a autorisés à agir de la sorte? s'informe Pieds-Dansants.

Les regards convergent vers Loup-Curieux, qui interprète le geste des sorciers comme une concurrence déloyale à son égard et un affront à leur hospitalité. Avec quel soulagement il savoure la remarque venant d'un habitant d'Ossossané qui, analysant la situation de l'extérieur, en est venu aux mêmes conclusions que lui.

— Le tabac des sorciers vient de l'autre côté du Grand Lac Salé[9]. Les sorciers n'échangent pas leur tabac, affirme

---

9. Tabac d'importation: *nicotiana tabacum*, que les Français commencèrent à importer du Brésil vers 1620, plutôt que la variété plus puissante,

Parole-Facile, ils le donnent pour montrer leur amitié et reconnaître qu'Auoindaon est un grand chef... Auoindaon agit ainsi pour augmenter le prestige des fils et des filles de l'Ours... Il assiste aux cérémonies des sorciers, mime leurs gestes et leur enseigne notre langue. Souvent, je l'ai accompagné quand il allait visiter les sorciers et j'ai été témoin de leur magie... Par des marques sur des feuilles, ils transmettent et entendent la parole... Plusieurs fois, je les ai vus et entendus opérer cette magie... À l'un d'eux, à un bout du village, je répétais un mot qu'il marquait sur sa feuille. Un mot que ni lui ni ses compagnons n'avaient entendu... Je courais remettre la feuille à celui qui se tenait à l'autre bout du village. Il regardait les marques et me disait le mot... Ainsi, les hommes à la robe pourraient parler à Champlain sur une feuille, faire porter la feuille par l'un de nous à Kébec et, en la regardant, Champlain entendrait tout ce qu'ils lui ont dit... Les Français possèdent des pouvoirs que nous n'avons pas... Nous, nous possédons des connaissances que les Français n'ont pas... Nous entretenons des relations dont ils ont besoin... Auoindaon est sage de garantir notre amitié avec les sorciers car la voix des sorciers est la voix de la cloche et, à Kébec, la voix de la cloche se rend plus loin que la voix de Champlain... À Kébec, le chef de la traite obéit à la voix de la cloche... Auoindaon se fait vieux, mais il est un grand chef... Auoindaon et le Chef Très Grand des Français [le roi Louis XIII], ils sont comme ça, termine Parole-Facile en pressant ses index l'un contre l'autre.

— Auoindaon est un grand chef et je le respecte, déclare Loup-Curieux.

---

nicotiana rustica, que cultivaient les Hurons, les Tionnontatés et certains peuples d'Amérique du Nord. Ce tabac valait plus cher en raison des coûts d'importation.

— Nous tous le respectons, renchérit Pieds-Dansants, traduisant l'accord unanime des villageois d'Ossossané.

— Mais je crains les sorciers, poursuit Loup-Curieux. S'ils possèdent le pouvoir de faire cesser la pluie, ils possèdent celui de la provoquer... Ce printemps, cela leur convenait de chasser les nuages pour permettre à nos femmes de semer le maïs, car c'est par le maïs qu'on obtient les fourrures que les Français recherchent... À Kébec, il y a un homme qui sème du maïs qu'il échange à des chasseurs contre des fourrures. À lui seul, cet homme ne pourra jamais produire autant de maïs que toutes nos femmes... Mais s'il en vient d'autres comme lui pour cultiver le maïs et que, pour les favoriser, les sorciers invitent les nuages à pleuvoir sur la terre du Ouentake au temps des semences, le maïs ne poussera alors que chez les Français.

— Un sorcier qui nous veut du mal est dangereux. Voilà une raison de plus pour s'assurer de leur amitié, conclut Parole-Facile.

S'assurer de leur amitié, que de fois Loup-Curieux s'est répété cet argument ! L'expansion de leur commerce les y pousse irrémédiablement, mais une partie de son être y résiste. Dans leur village, la présence des hommes à la robe suscite nombre de réactions préoccupantes. Par exemple, on donne aux enfants la même coupe de cheveux qu'eux et plusieurs aimeraient acquérir leurs souliers de bois.. Si minimes qu'ils soient, ces petits changements l'alarment. Constituent-ils les prémices d'un autre mode de vie ou un simple engouement passager pour la nouveauté ? Il aimerait tant partager l'assurance de son cousin. Faire entièrement confiance à Auoindaon, qui est l'égal du Chef Très Grand des Français. Croire en la voix de l'Ours qui parle plus fort que la voix de la cloche. Mais voilà : il y a ce rêve.

Ce rêve et des propos dénigrant les Français, propos recueillis au passage de l'île de Tessouat. Ce rêve et la famine des chasseurs vivant en aval de cette île, où les croix jalonnent la Grande Rivière. Lui aussi, il a entendu parler d'étranges maladies qui s'y sont répandues… Faut-il y voir la colère de leurs esprits contre ces croix profanatrices ou un mauvais sort jeté par les hommes à la robe ?

Le tumulte des chutes lui chavire l'âme. Il revoit l'immense chaudron creusé dans la pierre où le bouillonnement de l'eau forme un nuage de vapeur qui se voit de loin. L'esprit qui y habite avale tout homme qui y tombe. Grande est sa puissance. Si grande. Il réalise à l'instant pourquoi il n'a pas encore fait part de son rêve à ses compagnons. Inconsciemment, il espérait que ce puissant esprit le lui arrache de l'âme. Mais il n'en a rien fait, signe que ce rêve doit être livré à ceux qui partagent ce moment avec lui, à cet endroit précis en aval du Gros Chaudron.

— Un rêve m'a visité, annonce-t-il.

— Nous t'écoutons, indique Parole-Facile.

— J'étais seul dans un canot. Il était tellement chargé de fourrures de castor qu'il aurait dû caler, mais il flottait bien. Cela me surprenait. Je pagayais sans difficulté et le canot allait vite comme si cinq hommes se trouvaient à pagayer. Tout à coup, une chute apparaît devant moi. Cela m'étonne. Jamais il n'y a eu de chute à cet endroit. Elle gronde très fort. La sauter en canot est impossible. Je décide de mettre pied à terre pour portager, mais le canot n'obéit plus… Je pagaie de toutes mes forces pour rejoindre la rive, mais il ne bouge pas et le courant l'emporte vers la chute. Je décide alors d'abandonner le canot chargé de fourrures et de rejoindre la rive à la nage, mais je ne suis plus capable de faire bouger mon corps… Le courant entraîne le canot et moi dedans qui ne peux plus bouger. Je crie à l'aide, mais aucun son ne sort de ma bouche… Le courant est de plus en plus rapide, le grondement de plus en plus fort, et moi, je suis prisonnier de mon corps et mon corps est prisonnier du canot... Arrivé au saut, je vois la pince avant s'élever haut en l'air, puis piquer dans une eau toute noire. Et là je vois quelque chose qui brille dans cette eau toute noire pleine de remous. C'est le chaudron qui sert aux cérémonies de l'homme à la robe[10]. À l'instant où mon canot vient pour y toucher, je m'éveille.

Stupéfaction générale. Les regards convergent vers les canots renversés sur la grève. Chacun d'eux transporte en moyenne cinquante fourrures de castor récoltées au pays des Ouendats et peut en prendre en surplus jusqu'à cent cinquante des chasseurs parsemés le long de la Grande Rivière. Si l'on considère que plus de soixante canots acheminent les fourrures vers les Français[11], cela fait beaucoup de fourrures. Beaucoup de castors éliminés et beaucoup de travail pour les femmes. Un danger siégerait-il dans leurs canots chargés de fourrures ?

Pendant un long, très long moment, tous se taisent. Un rêve est un message du monde des esprits. Rien n'est plus sacré. Qui tentera de l'analyser ?

Le regard de Loup-Curieux se porte sur Parole-Facile, mais celui-ci semble encore plus interdit que les autres. Au cours de l'hiver, dans le sillage d'Auoindaon, il a frayé avec les sorciers et a vu briller à maintes reprises leur petit chaudron de cérémonie. Est-ce particulièrement à lui que s'adresse le monde des esprits ou est-ce à tous les marchands ?

Pieds-Dansants rompt le silence.

— J'ai déjà tant chargé mon canot que l'eau y venait à deux doigts et toujours il m'a obéi, débute-t-il, s'accordant une pause au cours de laquelle on opine de la tête.

---

10. Le calice, que les Hurons désignaient sous le nom de « chaudron d'or ».
11. De dix mille à douze mille peaux par année.

Loup-Curieux apprécie que son rêve soit interprété par quelqu'un de l'extérieur. Quelqu'un qui possède un certain recul et qui, par conséquent, voit avec d'autres yeux et entend avec d'autres oreilles.

— Dans ton rêve, même s'il est très chargé, ton canot obéit quand tu pagaies. À toi seul, tu vas aussi vite que cinq hommes. Mais, lorsque la chute apparaît, il n'obéit plus. Cette chute, c'est la première fois que tu la voyais?

— Oui. Elle est apparue tout d'un coup, en même temps que l'eau s'est mise à gronder.

— À ce moment-là, ton canot n'obéit plus… Puis ton corps n'obéit plus pour quitter le canot… Tu restes dedans et plonges dans l'eau noire… Tu vois briller le chaudron de cérémonie et, comme tu viens pour le toucher, tu t'éveilles… Tu n'y as pas touché du tout?

— Du tout.

— Voilà comme je pense… Tout allait bien jusqu'à ce que tu atteignes cette chute que tu n'avais jamais vue sur ta route avant. Qu'y avait-il au pied de la chute? Le chaudron de cérémonie… C'est lui qui a mis la chute sur ton chemin. Il t'a rendu prisonnier de ton canot, puis prisonnier de ton corps pour que tu tombes vers lui… Il faut se méfier de ce chaudron. Il est plein de maléfices et se nourrit de fourrures… Il a commandé à ton canot de lui donner à manger, quitte à te tuer… Tu ne t'es pas tué dans ton rêve car tu t'es éveillé à l'instant où tu allais toucher le chaudron… Il ne faudrait jamais toucher à ce chaudron. Jamais le regarder. L'esprit qui y habite se nourrit de fourrures… et pour se nourrir, il peut nous faire mourir. Voilà comme je pense.

— Je vois avec tes yeux, déclare Taïhy en s'étirant le cou. Le danger n'est pas dans nos canots.

— Il serait dans le chaudron de cérémonie? s'assure Loup-Curieux.

— Oui, dans le chaudron de cérémonie, approuve-t-on à l'unisson, à l'exception de Parole-Facile.

Au silence de son fils, une ombre passe sur le visage fatigué de Taïhy.

— As-tu touché à ce chaudron?

— Non... mais je l'ai regardé. Il brille comme le soleil... Les hommes à la robe y boivent du sang.

— Du sang de leurs ennemis?

— Du sang d'un esprit.

— Un esprit n'a pas de sang.

— C'est le sang de ceux qui tombent dans l'eau et touchent au chaudron, suppose Pieds-Dansants. Ne touche jamais ce chaudron... Ne le regarde plus... Voilà comme je pense.

— Mes yeux ont vu le chaudron... Mes yeux ont vu ce que vos yeux n'ont pas vu, rétorque Parole-Facile. Voilà comme je pense. Ton rêve nous apprend la grande puissance de ce chaudron qui est capable de faire naître une chute là où il n'y en avait pas... Mais il ne te veut pas de mal car il a fait en sorte que tu t'éveilles... Par le chaudron d'or, les hommes à la robe font cesser la pluie... Tant que nous leur témoignerons notre amitié, le chaudron de cérémonie nous protégera... Il se nourrit de fourrures? Donnons-lui à manger! Quand il mange, nous mangeons aussi... Nos femmes, nos enfants, nos vieillards mangent... Donnons-lui à manger et jamais nous ne connaîtrons la famine comme ces chasseurs qui doivent manger l'écorce des arbres quand le gibier se fait rare... Les Ouendats ignorent la faim, et tant que le chaudron d'or ignorera la faim, les Ouendats n'auront pas à craindre la famine. Voilà comment je vois ce rêve... Donner des fourrures à manger au chaudron de cérémonie, c'est donner à manger à nos enfants, à nos femmes, à nos vieillards, à nos guerriers... Nourrir ce chaudron, c'est nourrir l'Ours.

Au loin, l'eau rugit, happée par le maelström du gros chaudron de pierre. Dans les esprits, les propos de Pieds-

Dansants et de Parole-Facile se heurtent et tournent en rond dans le petit chaudron d'or.

* * *

Le lendemain.
Lieu de campement de la famille de Lynx-
des-Neiges, au confluent de la Wabozsipi
et de la Kichesipi.

Le jour se lève. Dans les arbres et les roseaux, les oiseaux couvent leurs œufs. Dans les plantes monte la sève de la vie. Comme tous les matins depuis qu'ils se sont installés en ce lieu d'échange ancestral, Lynx-des-Neiges vient s'asseoir en face du chaudron que son grand-père a creusé dans le bois. Entre ses jambes repliées, il renverse un chaudron de métal, sur lequel il recueille de la suie pour s'en peindre religieusement le visage.

« Je pleure mes morts, Wapitik », se lamente-t-il. Fendillé de partout, le vieux chaudron ne saurait contenir toutes les larmes que les femmes ont versées depuis la lune des changements de couleur, songe l'homme. Il a vu les arbres perdre leurs feuilles et demeurer nus, s'entrechoquant avec des bruits d'os dans les grands vents d'hiver. Il a vu la neige tomber si peu. S'accumuler trop peu, et le froid mordre si fort et tant épaissir la glace. Il a vu couler la sève dans la blessure de l'érable et se gonfler les ruisseaux. Il a vu les outardes revenir et les arbres regagner leurs feuilles, mais, en dedans de lui, il voit toujours huit cadavres. Il a beau avoir passé la lune où il gèle, celle de la plus longue nuit, l'autre qui est longue et froide, celle où les glaces éclatent de froid, celle du vent, du verglas, de la neige qui fond, suivie de celle, merveilleuse, des fleurs naissantes, son âme revit sans cesse la lune des herbes séchées, où il a fallu enterrer leurs morts.

Affaiblis par la maladie, ils ont consacré beaucoup de temps et d'efforts à creuser des fosses dans le sol de la forêt fourmillant de racines. Habituellement, on ne pleure qu'un mort à la fois. Rarement deux. Et on enterre le corps à l'endroit où l'esprit l'a quitté. Ainsi, chaque défunt a sa propre sépulture en un lieu discret le long de leurs sentiers. Jamais, à sa connaissance, il ne s'en est trouvé huit à reposer au même endroit. « Les choses changent, disait son père. — Elles ne changent pas, affirmait son grand-père. Dans ses bagages, Pipounoukhe amène toujours le vent, le froid, la neige, la glace et Nipinoukhe ; la chaleur, la pluie, les fleurs, les oiseaux. »

— Les choses ne changent pas ; ce sont les hommes qui changent, marmonne Lynx-des-Neiges devant le chaudron de bois. Vois, Wapitik, je prends la couleur de la mort sur le chaudron des Étrangers. Sur ton chaudron de bois, la couleur de la mort ne se dépose pas ainsi. J'applique la couleur de la mort sur mon front, pour pleurer ma mère... Je l'applique sur mes joues pour pleurer mes deux filles : celle de sept ans et la jumelle qui brodait si bien. Je l'applique autour de mes yeux pour pleurer les deux meilleurs chasseurs à repérer le gibier : le mari de Plume-de-Perdrix et le fils de ma sœur aînée. Je l'applique sur mon nez en souvenir de mon jeune neveu qui se le pointait partout. Et sur mon menton pour pleurer le beau-père d'une sœur et la belle-mère de l'autre sœur car ils étaient à l'âge où le menton descend... Chacun de nous s'applique la couleur de la mort sur le visage... Chacun de nous a le corps en la lune de la ponte des oiseaux aquatiques, mais l'esprit en celle des herbes séchées.

Lynx-des-Neiges revit le douloureux moment. Encore chancelante, Goutte-de-Rosée pleurait à ses côtés, triturant dans ses mains amaigries la poupée qu'elle avait confectionnée avec des retailles de peaux et de fourrures pour la petite, alors qu'abasourdie N'Tsuk considérait d'un œil hagard cette réplique d'elle-même étendue près de sa grand-mère. Puisqu'elle était arrivée en même temps que l'autre, elle semblait ne pas concevoir que l'autre puisse partir sans elle. Lui fausser si cruellement compagnie. La laisser derrière pour aller s'empiffrer de framboises dans l'au-delà… Parfois, une expression de colère lui durcissait le visage et lui faisait serrer le poing sur l'ouvrage de broderie commencée par sa sœur. Sa cousine Nesk la serrait alors contre elle d'un geste consolateur et N'Tsuk entourait les frêles épaules de Wapitik du même geste.

Pendant longtemps, on avait craint pour la vie du garçon et, lors de ces funérailles, il tenait à peine sur ses jambes. Du haut de ses six ans, il ne saisissait pas toute la portée de leur cérémonie. Que pouvait-il bien se passer dans sa petite tête à la vue des cadavres raidis, vêtus de leurs plus beaux habits, ornés de leurs bracelets et colliers, leurs cheveux bien coiffés et huilés, leur visage agrémenté de peinture ? Comment réagissait-il d'y apercevoir le frère de Nesk, son aîné de deux ans ? Réalisait-il que plus jamais ce cousin ne s'amuserait avec lui ? À tour de rôle, les survivants ont déposé près des défunts les objets qui leur étaient familiers et dont ils auraient besoin dans l'au-delà. Tout comme l'âme s'envolait du corps, ainsi s'envolait l'âme des objets qu'on ensevelissait avec le corps. Chacun, chacune emporta dans le paradis de chasse son écuelle, sa couverture et ses effets personnels, qui son arc et ses flèches, qui son couteau, qui son panier, qui son chaudron, qui son grattoir et ses aiguilles. Goutte-de-Rosée déposa la poupée dans les bras de la petite et N'Tsuk, la broderie inachevée de sa jumelle avec l'aiguille encore piquée dans le cuir. « Ne passe pas tout ton temps à manger des framboises… Tu as ton ouvrage à finir… Tu me le montreras quand j'irai te rejoindre », lui a-t-elle dit avant de caresser une dernière fois les longues nattes qu'elle avait tressées et décorées de plumes. Puis, avec respect, ils avaient déposé des écorces sur les corps et des roches par-dessus les écorces et de la terre par-dessus les roches afin qu'aucun animal ne vienne les déranger. Cela leur a demandé toute la journée et, durant toute la journée, il y avait quelqu'un pour battre le tambour et chanter. Quelqu'un pour pleurer à haute voix et s'adresser aux esprits.

Comme site, ils avaient choisi une légère élévation surmontée d'un pin immense qui regardait Rocher-Montagne. Le tapis d'aiguilles rousses mollissait sous le mocassin et exhalait un parfum sucré. Nul endroit ne se prêtait mieux au sommeil éternel et la paix glissa dans leur cœur plein de chagrin.

— Vois tous les morts sur mon visage, Wapitik... Tous les morts... Le mal qui nous a frappés ne se guérit pas par nos médecines... Le Grand Esprit a mis dans la forêt les plantes pour nous soigner et guérir. Pour cette maladie-là, il ne s'en trouve aucune... C'est signe que la maladie vient d'ailleurs... De l'autre côté du Grand Lac Salé. C'est le sorcier à la robe qui l'a apportée... Il y a quelques soleils, je l'ai aperçu sur la Grande Rivière qui retournait chez les Français dans le canot d'un Ouendat et je lui ai tourné dos... Mes yeux souffrent de voir un crâne d'enfant accroché à sa ceinture... Mes poings se ferment de colère... Le tuer est impossible car, pour se venger, il pourrait tuer tous les Oueskarinis. Les hommes changent, Wapitik. L'île des Kichesipirinis est toujours là, mais les Ouendats ont passé par-dessus la tête de Tessouat et se rendent jusqu'aux Français plutôt qu'à Nékouba... Est-ce que je dois changer aussi, Wapitik?

Un jeune chien appuie son museau humide contre la main de Lynx-des-Neiges, qui le gratifie automatiquement d'une caresse. Tout-Blanc et sa mère sont les seuls chiens rescapés de l'hiver. Faute de vivres et de succès à la chasse, tous les autres ont été mangés.

Que de misères ils ont connues depuis la lune des herbes séchées! Quand la lune où il gèle s'est présentée, leur groupe, réduit à treize personnes ébranlées physiquement et moralement, venait d'arriver au territoire de chasse du lac Piwapiti. L'eau était à la veille de tourner en glace et l'on s'enfonçait dans la neige jusqu'aux mollets. Ménageant les provisions que la maladie avait grugées, le ventre presque vide, ils ont érigé un wigwam à la hâte, puis ils se sont mis à la recherche de bois à brûler. Trouver de bonnes branches sèches s'avérait difficile en raison de la neige qui les recouvrait et les trempait, mais ils se consolaient à l'idée d'une prometteuse abondance de cette dernière qui favoriserait la chasse aux wapitis. Hélas, tout au long de la lune de la plus longue nuit (décembre), pas le moindre flocon de neige n'est tombé du ciel, de sorte que les grands cervidés s'esquivaient à leur approche. Arrivés trop tard pour utiliser leurs attrapes à castor, ils résolurent de les capturer sous la glace, et cela au prix de grandes peines, car, privée de la couche protectrice de la neige, la glace s'était épaissie davantage et il ne leur restait guère de force pour la creuser. Souvent, ils arrivaient au wigwam sans une seule capture, trempés et glacés jusqu'aux os. Toute la nuit, ils grelottaient, le feu dégageant plus de fumée que de chaleur et ne parvenant même pas à sécher les vêtements. Anémiés par la maladie, la faim et le froid, ils se traînaient en forêt et s'épuisaient tout aussi rapidement que leurs provisions. Quand il n'en resta plus, ils se nourrirent de l'écorce des pins, des bouleaux et des trembles. Dans ces conditions, conserver les chiens devenait aussi problématique qu'inutile et ils furent contraints de les manger. Tout-Blanc fut épargné à cause de la couleur de son pelage, qui en faisait un animal digne d'être offert en sacrifice aux esprits. On le gardait au cas où le terrible fléau de la maladie s'abattrait de nouveau sur eux. Pour ce qui est de sa mère, on s'entendit pour ne la manger qu'en cas d'extrême nécessité, misant sur la probabilité qu'elle puisse éventuellement donner naissance à un autre rejeton d'exception. Heureusement pour elle, la neige se mit à s'accumuler à la fin de la lune où les glaces éclatent de froid (février), ce qui leur permit de tuer un wapiti qui les alimenta jusqu'à la lune de la neige qui fond (avril). Et les voici en ce lieu d'échange près de la Grande Rivière, les joues creuses et les mains presque vides de fourrures. Qu'offriront-ils pour obtenir du maïs? Car il leur faut du maïs, non pas pour subvenir à leurs besoins immédiats, la pêche et la chasse à l'outarde y suppléant, mais pour garantir leur prochaine saison de chasse quand l'eau devient de la glace et que la glace redevient de l'eau. Loup-Curieux se montrera-t-il accommodant? Acceptera-t-il de considérer comme valeur d'échange l'étrange petite pierre en forme de tortue qu'il a trouvée dans le gésier d'une outarde? Cette trouvaille étant réputée détenir des pouvoirs surnaturels, l'Ouendat désirera-t-il l'acquérir afin qu'elle lui serve d'amulette? C'est à souhaiter car, avec quatre fourrures de castor, dix de rat musqué et une seule peau de wapiti, leur pouvoir de troc se résume à bien peu.

Tout-Blanc s'excite, jappe et branle la queue en apercevant Wapitik qui sort de l'abri en bâillant. Enjoué, il court vers lui. Le gamin s'accroupit, lui frotte les oreilles et le prend tout plein dans ses bras. Il sourit à son père assis devant le chaudron de bois et se dirige vers lui. Lynx-des-Neiges l'accueille affectueusement, puis, avec recueillement, se met à lui noircir le visage.

* * *

Depuis l'enterrement en face de Rocher-Montagne, Nesk et Wapitik s'unissent à N'Tsuk chaque fois qu'ils en ont l'occasion. Enfants survivants, ils éprouvent le besoin d'être ensemble. Le décès de leur frère et de leurs sœurs les a conscientisés à l'implacabilité de la mort et à la fragilité de la vie, ainsi qu'au choix aveugle de la première. Choix qui soulève des questions auxquelles nul adulte n'a pu répondre. Pourquoi lui? Pourquoi elle? Pourquoi pas moi?

« Pourquoi pas moi » revient sans cesse hanter N'Tsuk. Sa jumelle lui ressemblait tellement. Pourquoi se trouve-t-elle ici, sur le bord de la Grande Rivière, à se laisser peigner les cheveux par Nesk alors que le corps de sa jumelle est enterré et son esprit, envolé dans l'au-delà? Si une partie d'elle-même est morte en même temps que sa sœur, une partie de celle-ci continue-t-elle à vivre en même temps qu'elle?

Vaguement, elle se sent coupable d'être encore de ce monde. De jouir du soleil qui la réchauffe, d'apprécier les gestes de Nesk qui lui démêle les cheveux et de sourire à l'inlassable activité de Tout-Blanc cherchant la petite branche que Wapitik lance à l'eau.

Un nœud collé de résine de sapin résiste au passage des griffes de patte de lièvre servant de peigne.

— Il y a trop de résine, constate Nesk. Je dois couper le nœud.

— Seulement le nœud, précise N'Tsuk, qui accorde beaucoup d'importance et de soins à sa longue chevelure.

— Seulement le nœud, promet Nesk en s'emparant du couteau de silex que sa cousine lui tend.

Wapitik s'approche et réclame la mèche de cheveux coupés, sous prétexte de s'en fabriquer il ne sait quoi au juste ni il ne sait quand. Pour l'instant, il se contente de s'en chatouiller le visage, ce qui semble le plonger dans une béate rêverie.

— Les peignes des Étrangers ont beaucoup de dents, dit Nesk en poursuivant sa tâche.

— Papa dit que ce sont des peignes pour les cheveux des Étrangers… Les griffes du lièvre sont pour nos cheveux, rappelle N'Tsuk.

— Mon père aussi disait cela…

Léger fléchissement dans la voix de Nesk au souvenir de ce père décédé en même temps que le jeune frère et la grand-mère. Elle échappe un soupir pour se ressaisir.

— Avec un peigne qui a beaucoup de dents, ça démêlerait plus vite, suppose-t-elle.

— Le peigne des Étrangers fait tomber les cheveux, intervient soudain Wapitik.

— C'est papa qui t'a dit ça ? s'informe N'Tsuk.

Pour toute réponse, le gamin hausse les épaules, continuant d'effleurer de la mèche de cheveux son visage noirci.

— C'est papa ou c'est toi qui dis ça ?

— …

Wapitik s'obstine au silence et attire l'attention de Tout-Blanc en agitant la mèche au-dessus de son museau. Devinant qu'elle n'en saura pas davantage, N'Tsuk hausse les épaules à son tour.

— De toute façon, je ne veux pas du peigne des Étrangers… C'est trop risqué. T'imagines de quoi j'aurais l'air, Nesk, sans mes cheveux ?

— Ils sont si beaux, tes cheveux. Je n'en connais pas de plus longs, la complimente Nesk.

— Elle les avait aussi longs, rappelle tristement N'Tsuk.

Moment de silence. L'esprit des enfants s'envole vers le cimetière en face de Rocher-Montagne, où leur groupe s'est arrêté en redescendant la Wabozsipi. Là, tous ensemble, ils se sont recueillis, visités par la dernière image des leurs étendus dans la fosse, vêtus, coiffés et parés comme pour un festin.

— C'est grand-mère qui lui peigne maintenant les cheveux dans l'au-delà. Avant, c'était moi qui la peignais et elle qui me peignait.

— Maintenant, c'est moi qui te peigne et toi qui me peignes. Maintenant, je suis comme ta sœur, indique Nesk.

— Mon père est comme ton père et tu es comme ma sœur… Pas comme ma jumelle… Personne ne peut être comme ma jumelle.

— Tu dis vrai : personne ne peut être comme ta jumelle… Mais je suis comme ta sœur et je ne veux pas que tu perdes tous tes cheveux à cause du peigne des Étrangers… Quel garçon, quel homme voudrait d'une femme sans cheveux ? Imagine-moi sans un seul cheveu sur la tête, suggère Nesk d'un ton espiègle, tentant ainsi d'empêcher sa cousine de sombrer dans la mélancolie.

N'Tsuk échappe un petit rire.

— Imagine ma mère, lance-t-elle.

— Et la mienne, poursuit Nesk.

— Et notre tante Pieds-Solides, ajoute Wapitik, communiant avec l'hilarité des deux filles.

— Pas un garçon ne voudrait de nous.

— Pas un, confirme Wapitik, aux prises avec l'excitation débordante du chien qui cherche à happer la mèche de cheveux.

— Tu crois que même lui ne voudrait plus de toi ? glisse N'Tsuk, l'air cachotier.

Nesk rougit. Parler de ce garçon qu'elle trouve de son goût l'intimide et la ravit.

— Qui est lui ? s'informe Wapitik de ce prétendu prétendant de sa cousine, piqué par la curiosité et vexé d'avoir été tenu dans l'ignorance.

— Lui, c'est lui, répond évasivement N'Tsuk.

Wapitik comprend qu'il n'en saura jamais le nom. Les filles ont droit à leur secret comme lui au sien à propos du peigne des Étrangers qui fait tomber les cheveux… C'est à peu près ce que son père lui a dit ce matin quand il lui barbouillait le visage de suie… Son père lui a dit bien des choses, ce matin. Des choses pour le mettre en garde contre les Étrangers qui portent des crânes d'enfant à leur ceinture. Des choses aussi qu'il n'a pas vraiment saisies, sur ce qui change et sur ce qui ne change pas, mais qu'il saisira plus tard, paraît-il.

— Est-ce qu'il est oueskarini ? cherche-t-il à savoir.

— Non, il n'est pas oueskarini, consent à dévoiler Nesk.

— Attikamek ?

— Oui, attikamek.

— Du groupe qui vient camper ici ?

— Je n'en dis pas plus.

— Il est bon chasseur ?

— Très bon chasseur.

— Alors, il est plus vieux que toi, déduit Wapitik.

Nesk chuchote à l'oreille de sa cousine, qui approuve d'un hochement de tête et finalement laisse échapper :

— Tu dis vrai : il est beau.

Les filles sourient, rêveuses, alors que, assombri par tous les mystères qu'elles font, Wapitik retourne à la rivière, abandonnant au chien la mèche de cheveux entortillée dans sa gueule. À peine arrivé près de l'eau, il s'écrie :

— Des Ouendats !

Ni l'une ni l'autre ne bronchent, convaincues d'être l'objet d'une blague.

— Un canot d'Ouendats, annonce Wapitik en courant vers le fumoir que les hommes sont à ériger.

— C'est peut-être le canot de celui qui est grand et qui porte les cheveux sur un seul côté de la tête, avance N'Tsuk en se tournant vers sa cousine.

— Si c'est lui, nous aurons peut-être du maïs.

Elles se pressent vers la rivière et aperçoivent l'embarcation venant dans leur direction. Les yeux pleins d'espoir, elles cherchent à en identifier les occupants.

— Il paraît que, dans le pays des Ouendats, le maïs ne vient jamais à manquer, rêve à voix haute N'Tsuk.

— Et qu'ils n'ont jamais faim.

— Tu as déjà pensé à devenir la femme d'un Ouendat?

— Non. Seulement à devenir celle d'un Attikamek… Et toi, tu y as pensé?

— Oui… quand j'avais très faim, confesse N'Tsuk. Ce serait bien de n'avoir jamais faim.

— Il te faudrait travailler la terre comme leurs femmes et vivre dans une maison arrêtée.

— C'est vrai que leurs femmes voyagent rarement avec eux.

— Très, très rarement.

— Rester toujours au même endroit m'ennuyerait, mais… avoir faim… m'ennuie encore plus.

— Oh! regarde l'homme à l'arrière. C'est lui. C'est le grand à la tête à moitié rasée. Il va s'arrêter.

Un léger sourire glisse sur la figure noircie de N'Tsuk en même temps qu'un sentiment d'admiration grandit en elle. Fortement impressionnée, elle examine l'apparence de ces hommes dont la stature est plus haute que la leur et la peau un peu plus pâle. Leur coiffure excentrique, leurs oreilles ornées en maints endroits d'anneaux, de plumes et de pendentifs, leurs peintures corporelles et leurs tatouages la séduisent. Est-ce parce qu'elle a eu tant faim et qu'ils transportent du maïs qu'elle se sent si petite? Et qu'elle sent leur groupe si démuni? Les adultes ne partagent-ils pas les mêmes sentiments qu'elle? Remplis d'attentes, assemblés en silence sur la grève, ils regardent venir vers eux ceux qui peuvent garantir leur prochaine saison de chasse.

Lynx-des-Neiges lève la main droite, paume ouverte, en direction de Loup-Curieux qui, à la gouverne, lui renvoie son salut, puis il s'avance dans l'eau et saisit la pince. Avant même que l'embarcation ne touche la grève, tous et toutes se précipitent pour voir les contenants de farine de maïs. Seule N'Tsuk demeure figée sur place, frappée par la vue de ce grand Ouendat qui porte les cheveux longs d'un seul côté de la tête et arbore un tatouage de loup sur son torse musclé. L'homme jette sur elle un regard qui la fait fondre, puis il s'adresse à son père en cette langue qu'elle ne connaît pas.

Loup-Curieux a vu de loin la peinture noire sur les visages des membres du groupe amoindri de Lynx-des-Neiges. Dès lors, il a su que la maladie les avait frappés et que, par conséquent, leur chasse n'avait probablement pas été fructueuse. Il aurait pu passer outre comme a suggéré de le faire Parole-Facile afin de ménager leur maïs, mais il s'est arrêté, parce que Lynx-des-Neiges est plus qu'un simple fournisseur à ses yeux, mais autre chose qu'un ami. Il a aimé la réaction de la fillette, demeurée immobile alors que les siens se ruaient vers sa cargaison. En elle, il a reconnu la plus robuste des jumelles, qu'il a revues dans son souvenir, s'appliquant des bandes noires sur la moitié du visage. Ce qui n'était alors qu'un jeu pour elles préfigurait-il qu'un jour une des deux aurait à s'appliquer du noir partout sur le visage ? Amaigrie, la survivante se tenait droite, enveloppée de ses très longs cheveux, et elle lui est apparue digne d'être une fille de l'Ours. Dans son for intérieur, il a souhaité qu'Aonetta, enceinte de trois lunes, donne naissance à une fille de cette nature.

Lynx-des-Neiges les invite à manger de leur viande d'outarde. Loup-Curieux y consent malgré la réticence de Parole-Facile, qui a toujours fait preuve d'un refus manifeste de tenter de comprendre le fort accent de ce Oueskarini. D'un seul souffle, son cousin débite qu'il serait plus sage de ne pas s'attarder à ce groupe et de garder le maïs dans l'espoir de rencontrer des clients plus profitables en aval. Taïhy abonde dans son sens, insistant sur le fait que le tarif élevé du droit de passage à l'Île a diminué leur pouvoir d'échange.

Une oreille de Loup-Curieux entend ce langage raisonnable, mais l'autre entend les plaintes de Lynx-des-Neiges qui accuse l'homme à la robe d'avoir semé la mort sur son passage. Lui-même ne l'avait-il pas averti que ces hommes à la robe possédaient des armes invisibles plus puissantes qu'un bâton de feu? Le sorcier qui ornait sa ceinture d'un crâne d'enfant ne prenait-il pas place dans un canot ouendat? N'est-ce pas de nouveau à bord d'un canot ouendat que ce même sorcier a redescendu la Grande Rivière vers Kébec? De ce fait, les Ouendats ne sont-ils pas responsables du malheur des Oueskarinis? Avec eux, la mort est passée. Et avec la mort, la famine. Et avec la famine, la mauvaise chasse.

Lynx-des-Neiges étale sur la peau d'un wapiti quatre fourrures de castor et dix de rat musqué. Qu'espère-t-il obtenir en échange de si peu? se demande Loup-Curieux. Si l'une de ses oreilles a été sensible à l'énoncé des malheurs du Oueskarini, l'autre n'en demeure pas moins attentive au désaccord de Parole-Facile qui conseille aux membres de la canotée de ne rien décharger pour l'instant. Il est encore temps de repartir et pourtant il ne se résout pas à rembarquer avec son équipe. Lynx-des-Neiges mérite plus que la piètre évaluation des produits de sa chasse car il est plus qu'un fournisseur. Soudain, inspiré à la vue du chiot blanc qui avait échappé à son attention, Loup-Curieux va chercher une de ses gourdes et l'offre au chasseur.

— Ceci pour pleurer tes morts, lui dit-il.

Touché, Lynx-des-Neiges l'accepte, conscient que, par ce geste d'amitié, l'Ouendat accepte d'entamer des négociations. Les deux hommes s'assoient face à face, de chaque côté de la peau de wapiti. Loup-Curieux sort sa pipe et offre à Lynx-des-Neiges le tabac de moindre qualité cultivé par les hommes du village pour leur usage personnel. Goutte-de-Rosée dispose des morceaux d'outarde séchée sur un plateau d'écorce qu'elle présente d'abord à Loup-Curieux, ensuite à ses compagnons. Avec gravité, les deux hommes fument pour se nettoyer l'esprit, puis Loup-Curieux s'empare des fourrures de castor.

— Tu as perdu des chasseurs, et un ventre vide chasse moins bien, déclare-t-il.

— J'ai perdu deux chasseurs... Nous avons mangé nos chiens... Un seul wapiti est tombé sous nos coups.

— La chasse au wapiti est dangereuse et incertaine. Elle dépend de la neige... La chasse au castor est plus facile.

— Je suis un chasseur de wapitis.

— Tu es un bon chasseur... Quand un bon chasseur chasse les castors, il en tue beaucoup.

— Le castor est pour manger et se faire des couvertures avec sa fourrure... Nos pères et les pères de nos pères échangeaient la peau du wapiti contre du maïs...

— Nos pères sont morts... Aujourd'hui, la fourrure de castor donne plus de maïs que la peau du wapiti.

— La mort de nos pères n'a pas changé la valeur de nos fourrures... C'est l'Étranger qui a changé la valeur de nos fourrures, réplique Lynx-des-Neiges.

— ...

— Les fourrures que nos pères et les pères de nos pères échangeaient restaient Ici... Maintenant, elles traversent le Grand Lac Salé.

Les paroles du chasseur cristallisent les inquiétudes de Loup-Curieux. La fuite de leurs fourrures à l'extérieur du pays risque de briser le cercle des échanges. Du temps de leurs ancêtres, les gens trafiquaient entre eux pour combler leurs besoins. Maintenant, petit à petit, ils trafiquent pour satisfaire la demande de l'Étranger. Le jour où le cercle des échanges sera brisé, il n'y aura qu'un seul point pour drainer les fourrures et toutes les routes convergeront vers ce point.

Fugitive et saisissante, l'image de son canot plongeant dans l'eau noire où brille le chaudron d'or lui traverse l'esprit en même temps que les paroles de son cousin. «Donnons à manger au chaudron et jamais nous ne connaîtrons la famine comme ces chasseurs.» Ces misérables chasseurs qui l'encerclent avec la peinture de la mort sur leur visage émacié. Malgré lui, il renoue avec un sentiment de supériorité à l'endroit de l'existence précaire de ces nomades. Qu'a-t-il à se laisser ébranler par les propos d'un homme qui bave d'envie pour son maïs? Les Ouendats ne connaissent pas la faim et, tant qu'ils nourriront le chaudron d'or, ils ne la connaîtront pas. À lui d'agir en conséquence pour l'alimenter.

— Ce qui se trouve sur la peau du wapiti donne-t-il assez de maïs pour remplir nos ventres quand l'eau devient de la glace et que la glace redevient de l'eau? s'informe Lynx-des-Neiges, soustrayant verbalement du troc la peau du wapiti, conscient que, si les Étrangers la boudent, les Peuples d'Ici en reconnaissent toujours la valeur pour confectionner des vêtements.

— Personne n'a porté ces fourrures le poil contre le corps, remarque Loup-Curieux.

Lynx-des-Neiges fait un signe à sa femme, qui disparaît et revient avec une couverture usée.

— Quand les nôtres sont partis pour l'au-delà, ils ont emporté leur couverture et leurs objets. Cette couverture est la mienne, précise le chasseur en indiquant à sa femme de l'ajouter au butin. Ce qui se trouve sur la peau du wapiti suffit-il pour remplir nos ventres quand l'eau devient de la glace et que la glace redevient de l'eau? redemande-t-il.

— Il y a plus de ventres à nourrir autour de la peau du wapiti que de couvertures, note Loup-Curieux.

Lynx-des-Neiges fait encore un signe à sa femme, qui s'empresse d'aller chercher une autre couverture et de la déposer sur la peau du wapiti.

— Cette couverture appartient au mari d'une de mes sœurs, qui a perdu un filet de pêche, indique Lynx-des-Neiges. Avec un filet de plus, nos ventres auront besoin de moins de maïs.

D'un œil averti, Loup-Curieux juge que le marché avantagerait quelque peu Lynx-des-Neiges. Cependant, il ne doit pas perdre de vue que ce « quelque peu » pourrait très bien être offert par les Kichesipirinis et ainsi lui ravir ce précieux fournisseur.

Sans un mot, il se lève, s'empare de Tout-Blanc au museau entortillé de longs cheveux et dépose l'animal sur la peau.

— Un filet de pêche et du maïs pour remplir vos ventres quand l'eau devient de la glace et que la glace redevient de l'eau, propose-t-il.

Parole-Facile, qui jusqu'alors a fait mine de ne rien comprendre au baragouin de l'Oueskarini, échange avec lui un regard d'approbation. Acquérir ce chien l'intéresse. Non pas pour sa valeur marchande, devine Loup-Curieux, mais pour les pouvoirs que lui octroie sa robe blanche. Pouvoirs qui, à l'instar du dévouement de leur fidèle Quatre-Pattes, pourraient servir leur canotée, leur famille et leur village.

— Le chien suit mon fils et le protège. Ce sont les esprits qui nous ont envoyé Tout-Blanc. Avec nous il doit rester, explique Lynx-des-Neiges en reprenant le chiot.

Avant même que Loup-Curieux ne réplique, il ajoute :
— Pour toi, les esprits ont envoyé un oki [12].

Ce disant, le chasseur sort de son sac à tabac la petite pierre en forme de tortue qu'il a attachée à un lacet de cuir et, cérémonieusement, la dépose dans la main de Loup-Curieux.

---

12. Oki : âme qui avait le pouvoir d'influencer la vie des hommes (chance ou malchance) ou amulette à laquelle on associait une telle âme capable de venir en aide à son détenteur.

— Les esprits ont livré cet oki dans le gésier d'une outarde.

Sidéré, Loup-Curieux considère la pièce. Pour arriver au creux de sa paume, cette pierre s'est laissé avaler par une outarde et l'outarde s'est laissé tuer par Lynx-des-Neiges qui, en ouvrant le gésier, l'a aperçue et a reconnu qu'elle lui était destinée. « Pour toi, les esprits ont envoyé un oki », a-t-il spécifié.

« Pour toi. » Elle est bien pour lui, cette tortue formée dans la pierre par le désir d'un esprit. Elle nage comme nageait la tortue dans les premières eaux du monde et vers laquelle Aataentsic[13], leur mère à tous, tombait du ciel. La tortue demanda alors aux animaux de draguer de la terre au fond de l'eau et de l'amasser sur sa carapace pour amortir la chute de l'esprit femelle. Ainsi, la terre fut formée sur le dos de la Grande Tortue… Oui, elle lui est bien destinée, cette amulette, lui qui, par son mariage avec Aonetta, a intégré le clan de la Grande Tortue. Vers elle, il a été guidé tout aussi sûrement que Lynx-des-Neiges l'a été vers l'outarde. Il aurait pu poursuivre sa route sans s'arrêter ou s'arrêter sans échanger, comme le conseillait Parole-Facile. Lynx-des-Neiges aurait pu ne pas tuer l'outarde ou ne pas ouvrir le gésier. Mais l'un et l'autre ont obéi aux voix intérieures et posé les gestes qui les ont mis en contact avec cette âme cachée dans l'objet. Cette âme, pour le protéger et amortir ses chutes. Pour le défendre contre l'âme du chaudron d'or capable de faire naître des torrents. Ne pas se munir de cette amulette serait un sacrilège. Un affront à faire au monde des esprits qu'il a invoqués tout au long de la route. Ces insondables et

---

13. Aataentsic : dans la mythologie huronne, mère (ou grand-mère) de l'humanité, ayant deux fils (ou petits-fils) jumeaux dont l'un, Iouskéha, était bon et l'autre, Tawiscaron, était mauvais. Aataentsic signifie « la vieille femme » ou « de corps ancien ». Chez les Iroquois, elle est connue sous le nom d'AWEnHAi, c'est-à-dire Terre-Féconde ou Fleurs-Fécondes.

inaccessibles esprits vers qui l'homme métarmorphosé en pierre tend désespérement les bras. Ne pas s'en munir, ce serait se priver du pouvoir de l'oki susceptible de contre-balancer celui de l'esprit du chaudron d'or. Ce serait refuser d'opposer aux croix la Grande Tortue.

— Un filet de pêche et du maïs pour remplir vos ventres quand l'eau devient de la glace et que la glace redevient de l'eau, accepte-t-il en nouant l'amulette à son cou.

Alors qu'il se dirige vers le canot, Loup-Curieux évite de croiser le regard de Parole-Facile. Il sait que son cousin aurait tout mis en œuvre afin d'obtenir le chien blanc pour leur communauté et sans doute considère-t-il qu'il a agi de façon égoïste en se procurant cet oki. Effective-ment, son geste peut donner l'impression qu'il puise dans le trésor collectif à des fins individuelles, mais il n'en est rien. En mettant sa vie sous la protection de l'oki, c'est la vie des enfants de l'Ours qu'il protège également car il est un valeureux guerrier et sa vie, il la donnerait au combat.

Il s'empare des contenants de farine de maïs et, en pensée, unit ses mains à celles d'Aonetta et des femmes qui ont travaillé à le produire. Ne faut-il pas les mains des unes et des autres pour nourrir les enfants de l'Ours en alimentant de fourrures l'esprit du chaudron d'or ? Cet esprit gourmand et puissant vers lequel son canot plon-geait dans son rêve. Que le message de ce rêve lui apparaît clair tout à coup, les interprétations de Pieds-Dansants et de Parole-Facile se complétant ! Pour dévorer des four-rures, l'esprit du chaudron d'or n'hésite pas à faire périr le marchand dans son canot chargé. Toutefois, le marchand ne peut faire autrement que charger son canot pour nourrir l'Ours. Alors, il lui faut un esprit bienveillant pour tenir tête à celui, maléfique, qui est caché au fond de l'eau toute noire. Muni de cette protection, le marchand pourra sans danger sillonner les rivières afin de nourrir l'Ours.

Loup-Curieux troque le maïs et le filet de pêche contre les fourrures, puis, sans hésitation, il roule la peau du wapiti. Lynx-des-Neiges ébauche un geste d'objection, mais se ravise devant sa détermination à considérer cette peau comme incluse dans le marché. Bien que l'Oueskarini ait toujours fait mention des fourrures qui se trouvaient « sur » la peau du wapiti, Loup-Curieux fait comme si, à cause du fort accent, il y avait eu méprise.

C'est ainsi : il est un excellent marchand et cette peau servira à vêtir les enfants de l'Ours tout en compensant ce « quelque peu » de perte due à la gourmandise des Kichesipirinis.

— Tu es un bon chasseur… Il serait sage de me présenter plus de fourrures de castor la prochaine fois, conseille-t-il à Lynx-des-Neiges avant de repartir.

C'est ainsi. L'esprit du chaudron d'or préfère les castors.

* * *

Le soir tombe. Oiseaux et grenouilles s'étourdissent à célébrer la pérennité de leur espèce s'accomplissant dans l'œuf et la larve. Retiré en face du chaudron de bois que la mousse commence à envahir, Lynx-des-Neiges jongle avec les dernières paroles de Loup-Curieux. Il sait où trouver du castor en quantité sur leur territoire ancestral, mais hésite à favoriser cette chasse au détriment de celle du wapiti. Qui sait si, en négligeant cette dernière, l'esprit du wapiti ne se sentira pas négligé ? En dénigrant sa peau, l'Étranger n'a-t-il pas aussi dénigré cet esprit ?

D'aussi loin que le père de son père se souvenait, le wapiti a nourri, chaussé et vêtu les Oueskarinis. Ses sabots et ses bois ont servi à faire des armes et des outils, ses tendons et ses intestins, des liens et des cordes d'arc, et sa vessie, des sacs. D'aussi loin que l'enseigne la parole transmise, les pères ont offert les fils comme progéniture à l'esprit de cette bête en leur accordant le nom de Wapitik, et les fils ont appris des pères à chasser la bête et à honorer son esprit. Qu'enseignera-t-il, lui, à son fils ? Le guidera-t-il vers les cabanes des castors ou vers les ravages [14] des wapitis ? S'il néglige l'esprit du wapiti, celui-ci négligera-t-il son fils ?

« Guide-moi, Wapitik… Je suis comme au cœur d'un brouillard… Sans vent ni soleil pour m'orienter… Les hommes changent… La valeur des animaux change selon les besoins de l'Étranger… Moi, est-ce que je dois changer ? »

Cette question l'angoisse car le monde qui l'entoure ne change pas. La nature entière, avec ses plantes, ses poissons et ses animaux, demeure fidèle à ses rendez-vous saisonniers. Aussi loin que son grand-père se souvenait, elle a toujours accompli ses cycles, ses fraies et ses migrations en temps voulu. Mais Wapitik n'est plus et il a beau tendre son âme vers le Royaume des Morts, il ne rencontre que l'absolu silence. Un lien vient de se rompre entre lui et ce qui assurait la pérennité des choses et des hommes. Et ce lien rompu le laisse au cœur d'un vide vertigineux.

« Personne n'a creusé un autre chaudron, Wapitik… Les choses s'annonçaient plus faciles avec le chaudron de métal, qui ne craint pas d'être léché par les flammes… Alors, le chaudron de métal a pris place dans nos canots… Sous lui, le feu amène l'eau à bouillir en peu de temps… Sous lui, le feu dépose la suie… Et la suie dépose la couleur de la mort sur nos visages… Avons-nous commis un sacrilège en changeant de chaudron ? »

Lynx-des-Neiges entend la voix de Nesk chanter tristement près de la Grande Rivière. Il y a treize ans, en

---

14. Ravage : au Québec, aire où les cervidés passent l'hiver.

cet endroit, il entendait le vagissement victorieux de sa naissance et la vie promettait d'être belle pour elle. Et pour eux tous. Le chaudron des Étrangers, merveille d'entre les merveilles, les faisait rêver et il espérait obtenir un bâton de feu pour abattre deux wapitis d'un seul coup. Son père, Toujours-Plus-Loin, prévoyait même qu'un jour les Oueskarinis deviendraient des acteurs aussi importants que les Kichesipirinis sur le plan des échanges, du fait de leur participation aux guerres de Champlain. Seul le sage, le vieux Wapitik émettait des réserves et incitait à la prudence. À cette époque, Lynx-des-Neiges ne savait qui, de son père ou de son grand-père, avait raison. Maintenant, il sait.

Le chant de Nesk le proclame. Ce chant qui pleure son père, qui pleure son jeune frère, qui pleure sa grand-mère… Qui pleure ses cousins, sa cousine. Qui pleure et pleure depuis la lune des herbes séchées… Maintenant, il sait.

Quand Nesk est née, au passage des outardes, il ne voyait de sacrilège que dans l'abandon de leur territoire de chasse du lac Piwapiti… Maintenant, des sacrilèges, il s'en trouve partout sur les traces de l'Étranger.

«Un jour, prédisait son père, l'Étranger remontera la Grande Rivière. Il vaut mieux que ce soit dans le canot de nos alliés que dans celui de nos ennemis.» Vraiment? En la lune des changements de couleur, la mort n'aurait pas voyagé plus efficacement à bord d'un canot iroquois qu'elle l'a fait dans le canot ouendat transportant l'homme qui exhibe un crâne d'enfant à sa ceinture. Jusqu'où peut-il accorder sa confiance à ces alliés ouendats? Et à Loup-Curieux? Que vaut son conseil? Que vaut sa parole? L'homme lui a déjà menti. En lui suggérant de rapporter beaucoup plus de castors, ne le contraint-il pas à changer la valeur des animaux pour satisfaire les Étrangers? Quelles sont les intentions réelles de ces alliés? S'entendent-ils entre eux pour accorder différentes valeurs aux autres peuples de la coalition? Quelle est celle des Oueskarinis, dépourvus d'une population nombreuse et d'une île stratégique? Répandre la mort parmi eux répondrait-il à leur dessein de parer un éventuel pacte de non-agression entre les Anishnabecks et les Iroquois?

Chassés par la fumée du feu près duquel le groupe s'est réuni, les moustiques s'en donnent à cœur joie sur la peau de Lynx-des-Neiges. Il lui aurait fallu s'enduire de graisse d'ours ou d'huile pour minimiser les morsures des mouches noires et la piqûre des maringouins, mais il n'a plus de graisse d'ours, pour l'avoir mangée, et la gourde d'huile que lui a donnée Loup-Curieux était vide.

Le chant de Nesk s'est tu. Celui des batraciens s'amplifie. De temps à autre, une voix familière laisse échapper quelques paroles. L'homme pense aller rejoindre les siens et se soustraire ainsi à l'appétit vorace des insectes, mais il attend…

Il attend une réponse… Une indication… Il attend que le chaudron lui parle… Que le chaudron lui dise ce qu'il doit faire.

Il attend. Avec la patience du chasseur à l'affût et l'angoisse de la proie cachée. Il attend d'entendre la voix venue de loin… Venue de l'au-delà.

Alors que la pénombre enrobe le chaudron de bois, Lynx-des-Neiges entend enfin… puis, tranquillement, s'en va retrouver les siens.

Wapitik s'est assoupi avec Tout-Blanc sur les genoux de N'Tsuk. La présence de ce chien favorable aux esprits conforte sa décision. Il n'y aura pas de prochaine fois avec Loup-Curieux. Désormais, à l'instar du père de son père et du père de son grand-père, il aura recours aux membres de la grande famille anishnabecke pour pratiquer le troc, même s'il doit pour cela se rendre à Nékouba.

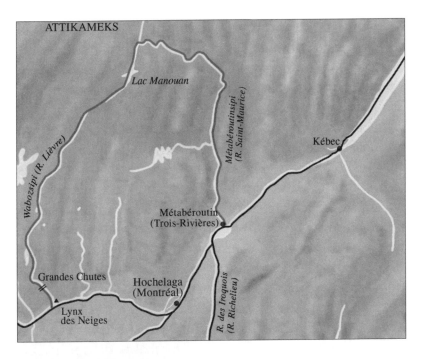

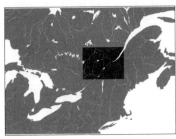

Chapitre 15

Chez les Gens du Castor (Amikwa-nini[1])

1625, en la lune algonquienne des fruits sauvages (août), lieu de traite de Métabéroutin[2] (Trois-Rivières).

1. Amikwa-nini : signifie « gens du castor ». Ainsi s'appelaient eux-mêmes les Algonquins proprement dits. La tribu des Algonquins fait partie de la grande famille des Algonquiens au même titre que les Innus (Montagnais), les Attikameks, les Oueskarinis, les Mohicans, etc. Ils étaient répartis sur les bords du Saint-Laurent entre Québec et Montréal.

2. Métabéroutin, matabinotin : de métabéroutinsipi, signifiant « rivière exposée à tous les vents » et désignant la rivière Saint-Maurice. L'emplacement actuel de Trois-Rivières constituait, avant l'arrivée des Français, un point de rencontre et de passage des populations amérindiennes.

Si sa jumelle avait survécu, sans doute aurait-elle été menstruée en même temps qu'elle, et à deux ce temps d'isolement aurait paru moins long, songe N'Tsuk en rapaillant ses effets dans l'abri érigé à l'intention des femmes au moment de leur lune. Sa mère et ses tantes n'ont pas l'habitude de ce genre d'isolement flagrant car, au moment de leurs règles, elles se limitent à une certaine mise à l'écart et à une non-participation aux repas des autres, tout en continuant de cohabiter avec le groupe. Mais, ici, c'est autre chose. Des centaines d'Anishnabeks s'y rencontrent, y mettant à l'honneur l'observance de leurs coutumes. Ici, ils ne sont plus quelques membres d'une famille de la tribu des Oueskarinis, mais les enfants du Grand Esprit qui s'est accouplé à la Grande Ourse pour créer la race mi-animale, mi-dieu nommée anishna-becke [3]. Ici, elle n'est plus une fille sachant tirer à l'arc aussi bien qu'un garçon, mais une fille capable de donner un jour la vie. Ici, depuis trois jours, elle est une femme.

Ce changement prévisible en préfigure d'autres, imprévisibles. Personnellement, elle aurait préféré qu'il survienne ailleurs qu'en cet endroit où, en plus d'accéder au monde des mères potentielles, il lui faut de surcroît entrer dans cette grande famille anishnabecke dont elle doit être à la hauteur.

Qu'attend-on d'elle au juste ? Qu'attend-on d'une femme ? Pourquoi son père, qui jamais n'a caché sa satisfaction de la voir capturer des castors à l'attrape, se montre-t-il, ici et maintenant, avare de commentaires à ce sujet ? En fait, depuis qu'ils se sont installés à l'orée des quelques cultures de maïs ceinturant la palissade des Gens du Castor (Algonquins), son père n'a soufflé mot de l'aide qu'elle lui apporte en forêt. Il n'a d'éloges que pour Wapitik, qu'il traîne avec lui d'un groupe de chasseurs à

---

3. Mythologie algonquienne sur la création de l'homme.

l'autre. Parfois, elle prête l'oreille à leurs conversations, s'enrichissant de leurs expériences. Cela lui servira-t-il un jour? Jusqu'à quel point le sang qui s'est écoulé pour la première fois le long de ses cuisses transformera-t-il le cours de son existence?

Songeuse, N'Tsuk examine l'ouvrage de broderie de poils de porc-épic auquel elle s'est consacrée pendant son isolement. À son grand étonnement, il lui paraît assez bien exécuté, et sa pensée s'envole vers cette partie d'elle-même que la mort lui a ravie. De l'au-delà, sa jumelle lui a-t-elle insufflé patience et dextérité?

«On dirait que c'est toi qui l'as fait... C'est si joli», souffle-t-elle. Un vide lui cerne le cœur. Un vide que, depuis longtemps, elle n'a pas ressenti avec autant d'acuité. C'est cet isolement virant à la solitude qui en est la cause, Nesk la négligeant au profit de Sent-le-Vent, son bel Attikamek arrivé depuis peu par la Métabéroutinsipi (rivière Saint-Maurice). Que de choses lui sont passées par la tête en ces trois jours! Des choses qu'il lui faut assimiler et mémoriser de ce voyage. Des choses que sa jumelle aurait sûrement aimé voir, entendre et vivre.

D'un mouvement brusque, N'Tsuk secoue la tête, à l'instar de son père qui avait dit en quittant le petit cimetière en face de Rocher-Montagne: «Laissons derrière nous les mauvais jours.» Il y avait de l'espoir dans sa voix. Dans ses yeux. Dans ses gestes qui préparaient le grand voyage. Un Kichesipirini lui avait annoncé que, l'été précédent, les Iroquois avaient conclu la paix avec les Anishnabecks ainsi qu'avec les Français et que, par conséquent, ces ennemis de longue date ne risquaient plus de les attaquer par surprise le long des rivières[4]. Reprendre les

---

4. À Trois-Rivières, la conclusion d'un traité de paix eut lieu au cours de l'été 1624 entre les Iroquois et la coalition franco-algonquine. Comme gage de leur bonne foi, les Iroquois apportèrent vingt-cinq canots chargés de fourrures à échanger aux Français.

chemins d'eau jadis fréquentés par les pères de leurs pères devint alors chez lui une obsession qui finit par gagner tout le monde. À la fonte des glaces, avec un enthousiasme communicatif, ils chargèrent dans leurs canots les fourrures et les peaux récoltées au cours de leur saison de chasse, en vue de les troquer sans passer par l'intermédiaire ouendat, qui semblait plus ou moins tenu à l'écart de cette paix. Reprendre le cours des rivières signifiait reprendre une part active au commerce et recréer les liens de confiance, d'amitié et de parenté avec les membres de la grande famille des Anishnabecks.

De tous les affluents de la Grande Rivière libérée descendaient les familles de chasseurs et, pour certaines, telle la leur, ce voyage revêtait des allures de pèlerinage. Si plusieurs s'installèrent sur les rives afin d'y passer l'été, d'autres poussèrent plus en aval, de sorte qu'il s'en trouva beaucoup à l'embouchure de l'Oueskarinisipi (rivière de la Petite Nation) pour y chasser les outardes, y échanger des nouvelles et y célébrer des mariages. Celui de la mère de Nesk avec le frère aîné de son défunt mari donna lieu à de très belles réjouissances malgré le fait qu'elle devenait la deuxième épouse. La première, toujours vivante, avait eu le dos blessé lors d'une chute et, depuis, elle ne pouvait guère porter de bagages dans les portages et s'épuisait rapidement à l'aviron. Plume-de-Perdrix était vaillante et encore relativement jeune et, en s'unissant ainsi à son beau-frère, dont les deux filles avaient suivi leur mari, elle lui garantissait un fils en la personne de Pattes-d'Ours, maintenant âgé de dix-sept ans, et l'aide d'une fille en la personne de Nesk.

Comme elles ont dansé lors de ce mariage, sa cousine et elle! Comme elles ont ri et chanté, excitées par les garçons qui leur tournaient autour! Loin du regard de Sent-le-Vent, Nesk apprivoisait le pouvoir de la séduction, en apprenait les secrets et les limites dans l'intention de l'exercer, le temps venu, sur l'élu de son cœur. Pour sa part, elle y goûtait à pleine bouche et à pleines mains, n'arrêtant son choix sur aucun, heureuse d'être bien coiffée, bien habillée, d'avoir le visage peint et de porter des ornements. Heureuse de danser et de chanter, d'avoir mangé à satiété et ri tout son saoul.

Après quelques festins, ils levèrent le camp et entreprirent de descendre le courant de la Kichesipi (Grande Rivière). Jamais encore N'Tsuk n'était allée au-delà de l'embouchure de l'Oueskarinisipi et, en voyant s'ouvrir toute large devant eux la majestueuse Grande Rivière, elle ressentit une étrange fierté liée à un sentiment d'appartenance. Tout comme se désignaient eux-mêmes les Kichesipirinis, les Oueskarinis n'étaient-ils pas aussi les enfants de cette rivière, l'une étant l'affluent de l'autre? De plus, son grand-père Toujours-Plus-Loin ne l'avait-il pas moult fois sillonnée? Ainsi que son arrière-grand-père Wapitik, tout comme le père de son arrière-grand-père, et ainsi de suite en remontant jusqu'à la nuit des temps?

Leur présence en ces eaux revêtait un caractère légitime et troublant. Sur sa gauche, N'Tsuk distinguait au loin le profil montagneux qui, insensiblement, se rapprochait de la Kichesipi au fur et à mesure qu'ils progressaient, alors que, sur sa droite, veillaient les pins immenses d'une plaine qui s'étendait vers le sud. Le canot de son père, où elle prenait place avec sa mère et Wapitik, venait en tête. Suivait le plus long canot, occupé par Plume-de-Perdrix, son mari et sa première épouse, ainsi que par Nesk et Pattes-d'Ours. Puis celui de Pieds-Solides, l'aînée des tantes, avec son mari, et finalement le canot de leur fils Ashini, avec sa femme et leur bébé d'un an. Tout ce monde ressentait-il ce qu'elle ressentait à se trouver là? Sans doute car nul ne parlait, avalant du regard le paysage.

Longtemps avant d'arriver aux rapides Kichedjiwan (Long Sault), ils les entendirent gronder, puis une ligne blanche d'écume barra la rivière à l'horizon. Son père dirigea la flottille vers un endroit en amont des sauts où ils purent laisser leurs canots à contre-courant pour aller vérifier la hauteur de l'eau sur les berges en aval. Celle-ci ne permettait pas de sauter sans risque les rapides et ils convinrent de portager. Les hommes offrirent du tabac au manitou des flots impétueux afin qu'il les protège, puis ils se mirent tous à la tâche. C'était là un très long, très laborieux portage, mais N'Tsuk ne ressentait pas sa fatigue, impressionnée par la masse d'eau déferlant à leurs côtés, rugissant et crachant tant d'écume qu'elle paraissait toute blanche. Le portage terminé, ils bivouaquèrent sur une île au pied des rapides et, le lendemain, poursuivirent leur route.

Sur une pointe s'avançant dans le lac Canassadaga[5], ils aperçurent le lieu de campement estival de plusieurs bandes anishnabeckes. Avec quelle joie ils y furent accueillis ! Le mari de Plume-de-Perdrix y retrouva ses deux filles, ses gendres, ses trois petits-fils et ses deux petites-filles. À nouveau, ce ne fut que réjouissances, festins, pêche fabuleuse, retrouvailles et jeux. Jamais elle n'avait vu tant de gens rassemblés. Avec ravissement, elle déambulait en compagnie de Nesk entre les abris d'écorce, saluant et saluée au passage, découvrant des liens de parenté ou de connaissance. Tout-Blanc les suivait, se faisant reconnaître comme dominant auprès de ses semblables et comme animal sacré auprès des humains. Il suscitait l'admiration, voire même la vénération, leur attirant par la même occasion des regards bienveillants. Wapitik, pour sa part, un peu à l'image de son chien, s'était constitué une petite meute de garçonnets qui s'employaient, entre autres jeux, à taquiner les filles. À cœur de jour, on les voyait tirer des nattes, courir, sauter et lutter

---

5. Pointe d'Oka, dans le lac des Deux Montagnes.

ensemble. Quel bon temps ils se sont tous donné sur cette pointe ! La quitter lui fit un pincement au cœur, à cause des amitiés qu'elle y avait contractées et qu'elle espérait pouvoir entretenir.

Le voyage jusqu'au fleuve se passa sans encombre, en dépit de furieux rapides où, apprirent-ils, un homme à la robe s'était noyé en revenant du pays des Ouendats [6]. Cela ne surprit personne, ces sorciers ne faisant jamais d'offrande à l'esprit des rapides pour obtenir sa protection. Le souvenir du grand marchand ouendat au crâne à moitié rasé, qui l'avait tant impressionnée l'année précédente, la visita. N'Tsuk éprouva une légère honte d'avoir pensé prendre mari chez ce peuple pour n'avoir plus faim. N'était-ce pas troquer l'essence même de son peuple nomade contre un peu de maïs ? L'horizon d'une jeune Ouendate de son âge ne se limitait-il pas au champ des cultures où, tous les jours, elle se rendait travailler par les mêmes sentiers ? Que pouvait-elle espérer de nouveau, d'inattendu, d'inconnu, cette jeune Ouendate dont les jours et les gestes étaient réglés sur la croissance du maïs, des fèves et des citrouilles ? Cette réflexion lui fit réaliser à quel point elle était privilégiée de se promener au gré des saisons et, surtout, d'accomplir ce voyage. En une seule journée, elle enregistrait quantité de paysages, d'odeurs, de sons. En une seule journée, elle en vivait plusieurs, repoussant sans cesse l'horizon. Elle rejeta loin d'elle l'idée saugrenue d'épouser un Ouendat pour manger à sa guise. Jamais elle ne pourrait se faire à cette vie sédentaire. Cette vie de routine. Seule la vie des Anishnabecks lui convenait. Voir du pays, suivre à contresens la migration de l'outarde, déplacer sa maison, emprunter le réseau des rivières, rencontrer les autres, échanger avec eux connaissances et produits, festoyer au temps de la saison chaude,

---

6. Le père Nicolas Viel et Auhaitsic au Sault-au-Récollet.

voilà ce qui lui convenait. Aussi, quelle ne fut pas sa stupéfaction d'apercevoir des cultures de maïs en arrivant à Métabéroutin. Que se passait-il? Les Gens du Castor s'étaient-ils convertis à l'agriculture? De tout temps, certains Anishnabecks, tels les Kichesipirinis, cultivaient du tabac, un peu de fèves et de maïs, mais jamais à cette échelle. Ni de cette manière.

— Il n'y a pas que les Ouendats qui peuvent produire le maïs à échanger, lui glissa son père.

Bien vite, elle comprit que, parallèlement à un lieu de rencontre, l'endroit constituait un lieu de traite. S'y acheminaient des familles de différentes tribus venant de leur territoire de chasse pour échanger leurs produits contre, outre le maïs d'appoint, des chaudrons et des articles de fer. Des Kichesipirinis, riches du maïs qu'ils prélevaient aux Ouendats, offraient également des cordes, des rets, du quartz et du silex. De concert avec les Gens du Castor et quelques Oueskarinis, ils se rendaient chez les Étrangers du Sud (Hollandais), d'où ils rapportaient des marchandises venant de l'autre côté du Grand Lac Salé.

Une effervescence régnait en ce lieu et chacun faisait preuve d'optimisme et de confiance en l'avenir. Chez tous les Anishnabecks présents, la paix conclue avec les Iroquois permettait d'espérer reprendre le commerce en mains, celles-ci dussent-elles pour cela semer du maïs.

Les femmes de sa famille érigèrent un abri pour un séjour plus prolongé et, tout naturellement, de nouveaux liens se tissèrent et d'anciens se renouèrent. Quel ne fut pas le bonheur de sa mère de voir arriver des Attikameks par la Métabéroutinsipi! Y figuraient deux de ses sœurs, avec mari et enfants. Que de caresses elles se firent! Que d'entretiens elles ont eus depuis! Elles se retrouvent toujours ensemble à cueillir des petits fruits ou à préparer des repas, parlant des enfants, des maris et encore des enfants. Le nom de Sent-le-Vent revient souvent dans leurs conversations en tant qu'excellent chasseur, dont bien des filles rêvent de devenir l'épouse. De cinq ans sa benjamine, Nesk sera-t-elle choisie par lui ?

N'Tsuk échappe un soupir et range sa broderie. En toute honnêteté, elle ne souhaite pas que Sent-le-Vent s'éprenne de Nesk. Du moins, pas tout de suite.

Nesk est comme sa sœur. Sans combler le vide laissé par sa jumelle, elle l'amoindrit grandement. Se séparer d'elle, ne serait-ce pas vivre un second deuil ? Qui d'autre peignerait ses longs cheveux touchant ses mollets ? À qui d'autre pourrait-elle raconter ses impressions sur ses premières menstruations et l'isolement qu'elles lui ont fait subir ? Non, vraiment, elle ne souhaite pas que Sent-le-Vent s'éprenne de Nesk. Du moins, pas tout de suite. Elle lui manquerait beaucoup trop.

La perspective de retrouver Nesk lui fait quitter l'abri à la hâte. Tout en pressant le pas, N'Tsuk refoule une colère naissante. Oh ! une toute petite colère, à l'endroit de sa cousine qui lui a faussé compagnie au moment inopportun. Pas une seule visite en ces trois jours. Sent-le-Vent l'a-t-il donc totalement éclipsée ? Il semble que sa cousine ne voie que lui, n'entende que lui, ne pense qu'à lui. Partager son âme-sœur, sa confidente, son amie la dérange. Pourvu que Sent-le-Vent ne s'éprenne pas de Nesk. Du moins, pas tout de suite. Qui sait si, en ces trois jours, les sentiments de l'une n'ont pas épousé ceux de l'autre ?

Alors qu'elle se hâte, N'Tsuk rencontre son père, qui lui pose la main sur l'épaule et l'invite à le suivre jusqu'au bord de l'eau, loin de tous les regards. Là, ils s'assoient côte à côte et demeurent ainsi en silence. Elle, attendant qu'il parle. Lui, attendant les mots pour lui parler.

Ce qu'il a à lui dire, il ne le lui dira qu'une seule fois. Ce qu'il a à lui dire se dit habituellement à un fils, non à une fille. Mais N'Tsuk n'est pas une fille comme les autres et, de cela, il est responsable. Il l'a élevée comme un garçon, la préparant à un rôle d'homme, et voilà que son corps peut maintenant assumer son rôle de femme. Goutte-de-Rosée l'a souvent mis en garde contre cet état de choses, mais toujours il a passé outre… À défaut d'avoir un fils, il a emmené N'Tsuk dans ses chasses. Robuste, intelligente, adroite, elle a appris à construire des pièges et à traquer les bêtes. Au manque de force physique, elle a pallié par une formidable intuition et par sa précision de tir. Il n'y a que lui, son père, pour rivaliser d'adresse et de vitesse avec elle, capable d'abattre la perdrix en plein vol. Si elle était son fils, il en serait fier. Mais voilà : elle est sa fille, et, dans la grande famille anishnabecke, les filles ne chassent pas.

Lynx-des-Neiges attend les mots, étrangement mal à l'aise près de la jeune fille pubère. Maintenant que la voilà femme, il ressent une certaine culpabilité à son endroit. Il n'aurait pas dû l'élever comme un garçon, mais pouvait-il faire autrement ? N'était-ce pas là le prix à payer pour conserver l'autre jumelle ? Avouera-t-il un jour à sa femme qu'il a pensé à éliminer la plus chétive, parce que deux filles du même coup, cela constituait une double malédiction et un double fardeau ? Non, jamais il n'avouera cela à Goutte-de-Rosée et, bien qu'il y ait pensé, il ne croit pas qu'il serait passé à l'acte, car il aurait alors brisé le lien qui les unissait. Bien sûr, elle serait demeurée sa femme et lui, son mari, chacun accomplissant ses tâches respectives, mais, entre eux, il y aurait eu le cadavre de cette nouvelle-née. Il y aurait eu des larmes et des accusations dans les yeux de Goutte-de-Rosée et cela l'aurait affecté, lui, l'homme. La force de son attachement à sa femme tourne-t-il à la faiblesse ? Probablement, puisqu'il n'ose trop l'afficher en ce lieu et en ce moment où la grandeur de la famille anishnabecke s'affirme et où, par son éducation, N'Tsuk ne cadre pas.

Lynx-des-Neiges observe sa fille, manifestement intimidée de se trouver avec lui dans ce contexte inhabituel.

Accoudée sur ses jambes repliées, elle tourne le bout d'une de ses nattes entre ses doigts. Quelle femme hors du commun elle promet d'être, avec ses épaules costaudes, ses bras solides, ses longues mains et ses longues jambes! Une femme qu'aujourd'hui il se doit enfin de reconnaître et d'accepter. Et surtout de réhabiliter, car c'est lui qui a transgressé leurs coutumes en lui enseignant ce qu'on enseigne aux garçons. Elle n'y est pour rien, sinon d'avoir aussi bien et même mieux appris qu'un garçon. Comme elle a dû souffrir de se voir ignorée de lui depuis qu'ils se sont installés ici! Il n'y a que Wapitik pour le suivre, alors qu'au lac Piwapiti il n'y a pas un sentier où elle n'ait posé le pied derrière le sien. Que de désemparement il a perçu chez elle quand il la voyait talonner les groupes de chasseurs, brûlant d'envie de s'y intégrer, mais consciente de n'y être pas à sa place. Où était-elle, sa place? demandait son regard. C'est à lui de le lui dire, maintenant. Pour une dernière fois, il va transgresser ce que les pères de leurs pères ont établi, en s'entretenant avec elle comme l'homme s'entretient avec son fils et la femme avec sa fille. Après, il ne lui parlera plus jamais ainsi.

Lynx-des-Neiges sort de son sac porté en bandoulière un magnifique wampum constitué de onze rangs de grains de coquillages marins, façonnés en petits cylindres cannelés et polis. Enfilées sur un tendon et assemblées, les centaines de perles de nacre, en majorité blanches, sauf quelques-unes qui sont de couleur violet, reproduisent le motif d'un arbre avec ses racines. D'une grande valeur d'échange, ce wampum a été fabriqué par les Mohicans[7], qui, étant voisins des Étrangers du Sud, leur servent d'intermédiaires. Depuis les promesses de paix avec les Iroquois, les Kichesipirinis ont entrepris de consolider leurs vieilles relations avec les Mohicans afin de jouir à leur

7. Mohican: de *maïgam* ou *mingam*, signifiant « loup ». Puissante tribu établie à l'est de la nation des Agniers (Mohawks), sur une île voisine de l'actuelle Albany (État de New York).

tour d'un rôle d'intermédiaires entre ces derniers et les membres de la grande famille anishnabecke qui récoltent les fourrures tant prisées du Nord. Peu importe aux Kichesipirinis que ce réseau parallèle s'établisse au détriment de celui des Français. Comme le soutient avec raison l'homme qui lui a procuré ce superbe collier dans le but avoué d'en faire un de ses fournisseurs : « Un chaudron est un chaudron. Si les Étrangers du Sud m'en donnent deux pour une fourrure et si les Français m'en donnent un pour la même fourrure, je choisis d'avoir deux chaudrons. Pourquoi perdre un chaudron parce qu'il vient des mains d'un Français ? » Pourquoi, en effet ? Les Peuples d'Ici ne doivent rien aux Étrangers venus d'Ailleurs.

— Un Kichesipirini est allé chercher ce collier au pays des Mohicans, qui sont nos frères en la grande famille des Anishnabecks. Quand mes yeux l'ont vu, j'ai compris l'histoire qu'il raconte, commence-t-il en l'exposant sous les yeux de sa fille.

L'homme pose l'index sur l'arbre stylisé se détachant en violet sur fond blanc, avec ses branches et ses racines, symétriques et renversées à partir d'une ligne médiane symbolisant la surface du sol. Quatre feuilles s'attachent aux branches de part et d'autre, dont une, dénudée, est moitié noire, moitié rouge.

— Vois l'arbre... Les racines et les branches s'étendent loin, mais l'homme ne voit que les branches... Ainsi, en ce voyage, nos yeux rencontrent ceux des Gens du Castor, des Innus, des Kichesipirinis, des Attikameks, nos mains touchent leur corps, nos oreilles entendent leur voix, et nous les traitons comme des frères... Nos yeux ne rencontrent pas ceux des Mohicans, nos mains ne touchent pas leur corps, nos oreilles n'entendent pas leur voix, et pourtant nous les considérons comme des frères, parce qu'ils sont du même arbre... Ils sont du même arbre, mais, comme les racines, ils échappent à notre vue.

Cet arbre est l'arbre des Anishnabecks… Ses branches et ses racines s'étendent plus loin que le regard et une même sève le parcourt. Cette sève est notre sang… Ce qui entoure l'arbre est blanc, couleur de la paix, de la santé, de la prospérité. C'est ce que nous vivons en ce voyage et espérons toujours vivre… Vois la branche sans feuilles. Elle est noire comme la maladie et la mort. Elle est aussi rouge comme la guerre… La sève ne court plus en elle. Un jour, cette branche deviendra toute sèche et tombera, mais l'arbre survivra… Les Gens du Castor voient des jours heureux à l'horizon… Pour l'arbre des Anishnabecks, ils croient en de nouvelles branches pour remplacer celles que la maladie et la guerre ont fait tomber. M'entretenir avec les Gens du Castor m'a fait comprendre pourquoi mon père a tant voyagé… Le chasseur apprend beaucoup sur les bêtes en vivant parmi elles. Ainsi, l'homme apprend sur les hommes en vivant parmi eux et l'Anishnabeck apprend sur les Anishnabecks… Les Innus ont été les premiers à échanger avec les Étrangers à Tadoussac. Leur expérience leur fait dire que les Français veulent répandre la maladie parmi nous pour s'emparer de nos fourrures et de nos terres. Bien des Gens du Castor croient aussi cela et se montrent prudents avec les Français, qui possèdent le bâton de feu et dont la parole s'entend mal… Avant, cette arme toute-puissante protégeait les canots ouendats contre les attaques de l'Iroquois, mais les Français ont rangé cette arme quand cet ennemi est venu proposer la paix avec des canots chargés de fourrures. Que pensent les Ouendats de cette attitude? Si, à l'est de leur pays, ils peuvent voyager sans problème sur la Grande Rivière, à l'ouest, ils combattent toujours les Iroquois[8]… Cette paix est une

---

8. À cette époque, les Ouendats étaient en guerre contre une des Cinq Nations, soit celle des Tsonnontouans, gardienne de la porte de l'Ouest de la Grande Maison (de la confédération).

drôle de paix... Sans la fourrure, elle n'aurait pas lieu. Le jour où l'Iroquois l'a conclue avec nous et les Français, il a déclaré la guerre à nos frères mohicans, qui agissent comme intermédiaires entre eux et les Étrangers du Sud... Sans la fourrure, cette guerre n'aurait pas lieu.

Lynx-des-Neiges marque une pause pendant que sa fille effleure tristement du doigt la branche noir et rouge.

— Il n'y a pas de jours heureux à l'horizon de nos frères mohicans, déplore-t-elle.

— Les Mohicans sont de grands guerriers et, par eux, les Étrangers du Sud obtiennent nos fourrures, qui sont plus recherchées que les fourrures de l'Iroquois, à cause du froid qui épaissit le duvet. Ces Étrangers du Sud, qui possèdent aussi le bâton de feu, ont avantage à assister les Mohicans.

— Leur branche ne mourra pas?

— Nous ne la laisserons pas mourir, mais les Mohicans forment un grand peuple. Ils écraseront les «vrais serpents». Des jours heureux se voient à l'horizon, et l'arbre des Anishnabecks s'étendra dans la terre et dans le ciel... Par ses branches et ses racines, il créera un réseau entre les Étrangers du Sud et nous, les Anishnabecks du Nord... Ces Étrangers ne veulent que des fourrures et n'imposent pas la présence de sorciers malfaisants ni des croix le long des rivières... Leur parole s'entend bien: ils veulent des fourrures au duvet épais... Des fourrures de castor.

— Veulent-ils des peaux de wapiti?

Lynx-des-Neiges baisse la tête. La prédilection de N'Tsuk pour la chasse au wapiti n'illustre que trop clairement les irrégularités de son éducation. C'est là une grande chasse. Une chasse d'hommes à laquelle il lui a permis de participer, étant donné leur nombre restreint de chasseurs. Elle y a excellé en tant que rabatteuse et nul doute qu'un jour, avec l'expérience, elle serait en mesure de tuer la bête de ses flèches, mais ce jour ne risque pas d'arriver… Désormais, ils ne chasseront le wapiti que pour leurs besoins. Désormais, c'est à la chasse au castor qu'ils s'adonneront plus particulièrement.

Loup-Curieux le lui avait bien conseillé, mais il devait connaître l'opinion des Gens du Castor à ce sujet, et ceux-ci non seulement approuvent cette chasse, mais l'encouragent. C'est grâce au castor, prévoient-ils, que l'arbre des Anishnabecks se fortifiera.

— Les Étrangers du Sud n'utilisent pas la peau du wapiti pour se vêtir.

Au tour de N'Tsuk de baisser la tête, déçue. Ce qu'elle a vécu à la chasse au wapiti l'a tellement exaltée que, depuis, elle ne rêve que de renouveler l'expérience. Comme elle a admiré et envié son père de pouvoir mettre à mort l'animal d'un coup de lame d'épée! Ce père qui dépose dans ses mains le superbe collier.

— Pour toi, dit-il d'un ton solennel. Voilà ton histoire. Tu es une branche de l'arbre des Anishnabecks… Une branche vivante avec une feuille… La branche à moitié noire et sans feuilles est ta jumelle. Elle tombera et l'arbre survivra car la sève le parcourt… La sève, c'est le sang… L'homme fait couler le sang de l'homme pour protéger l'arbre… L'homme perd même son propre sang pour protéger l'arbre… Le sang, c'est la sève de l'homme. La sève, c'est le sang de l'arbre… Quand l'homme perd son sang, l'arbre perd sa sève. Quand l'homme perd son sang, il meurt. Quand l'arbre perd sa sève, il meurt. L'homme ne peut que faire perdre le sang de l'ennemi ou perdre le sien pour protéger l'arbre. La femme, elle, peut produire le sang en faisant naître de nouvelles branches de l'arbre. Elle peut perpétuer le sang qui est la sève de l'arbre… Je t'ai enseigné à chasser comme l'homme, mais tu es une femme… Ce collier est pour te rappeler que, par ton ventre, l'arbre des Anishnabecks sera toujours parcouru de sève et ainsi vivra toujours… J'ai parlé.

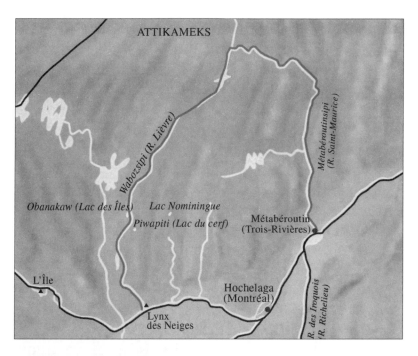

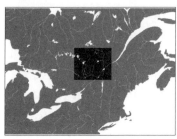

Chapitre 16

Malédiction

*1626, en la lune algonquienne où il gèle
(novembre), territoire de chasse
du lac Piwapiti (lac du Cerf).*

À bord de leur canot, Lynx-des-Neiges et N'Tsuk
forcent la cadence, désireux d'arriver au wigwam
avant que la lumière ne s'éclipse totalement. Pipounoukhe, le manitou de l'hiver, les pousse dans le dos,
de son vent du Nord. « Vite, souffle-t-il, hâtez-vous de
rapporter vos castors pour les dépiauter... Cette nuit

même, je leur gèlerai la peau sur le dos... Cette nuit même, je paralyserai les eaux. Vite. »

Pipounoukhe leur joue de mauvais tours, songe Lynx-des-Neiges. Il y a quelques jours à peine, il se faisait discret, les laissant dans l'illusion d'un automne long et doux. Puis, tout d'un coup, hier, il a étendu sa couverture de neige, et voilà qu'aujourd'hui il s'impose. Et menace.

L'homme remarque des signes de fléchissement du vent, qui a fait chuter la température au cours de la journée. Quand la nuit viendra, ce vent retournera dormir dans la maison de Pipounoukhe, qui enverra le froid compléter l'œuvre et pétrifier l'eau. Alors, il leur sera impossible d'utiliser le canot pour leurs déplacements et ils devront attendre que la glace s'épaississe suffisamment pour leur permettre de marcher dessus.

L'homme jette un coup d'œil satisfait sur les castors couvrant le fond du canot. Cette belle récolte au nombre des doigts des deux mains plus un alourdit cependant l'embarcation et il s'étonne de la résistance de sa fille. Elle a dépensé tant d'énergie depuis son réveil qu'il se demande où elle peut bien en puiser d'autres pour pagayer à ce rythme. Il a beaucoup exigé de cette adolescente de quatorze ans, qui n'a montré aucun signe de découragement, et il doit bien reconnaître que, sans son concours, visiter et démonter ses pièges aurait été une tâche impossible. Le lui dira-t-il ? Non. Ce qu'il avait à lui dire, il l'a dit. A-t-elle conscience de l'aide précieuse qu'elle lui a apportée ? Probablement.

Normalement, le fils seconde le père, mais, avec ses huit ans, Wapitik n'aurait pu accomplir ce que sa sœur a accompli. Quand ils ont quitté le wigwam, avant l'aube, le gamin dormait encore à poings fermés, Tout-Blanc roupillant à ses côtés. Goutte-de-Rosée leur a donné du poisson séché et un peu de farine de maïs, que N'Tsuk allait préparer en arrivant à destination, au sud du grand lac Piwapiti, après plus de deux heures de canotage.

Ce voyage, il l'avait fait quelques jours auparavant avec Wapitik, à qui il avait enseigné à remettre en usage les attrapes. Longs à installer à l'origine, ces pièges, constitués d'un tronc d'arbre en guise d'assommoir, ont l'avantage de pouvoir être utilisés pendant des années. Avant et après la prise des glaces, ils servent à capturer les castors hors de l'eau et sont dressés à des endroits stratégiques qui varient rarement d'une génération à l'autre. N'Tsuk avait participé à la fabrication de ces attrapes l'année précédente et elle ne put cacher sa déception quand elle se vit remplacée par son frère. En un sens, c'était là la priver des fruits de son labeur, mais il se devait d'être conséquent avec sa parole. Alors, elle est restée avec sa mère pour le regarder partir avec Wapitik et, au lieu des deux jours habituels, la tâche en requéra trois, en raison de l'âge du garçon. Que lui importait? Le temps doux persistait, son fils avait appris, et sans doute goûterait-il à l'excitation de découvrir plusieurs castors sous l'assommoir lors de la visite des pièges. Mais Pipounoukhe en a décidé autrement en précipitant sa venue, le pressant par la même occasion de retourner au sud du grand lac avant que l'eau ne devienne de la glace. Y ramasser les captures et y neutraliser les pièges pouvait se faire au forçail en une seule journée avec l'aide de N'Tsuk, mais sûrement pas avec celle de Wapitik. Alors, c'est elle qui est venue. Est-ce Pipounoukhe qui a désiré cela? Ne l'oblige-t-il pas ainsi à s'adapter aux nouvelles conditions de leur chasse d'hiver? Quoi qu'il fasse ou qu'il veuille faire, il lui sera difficile de demeurer conséquent avec sa parole.

Lynx-des-Neiges fixe son attention sur la natte de sa fille, qu'elle a coupée de plus de la moitié quand Nesk s'est mariée cet été avec Sent-le-Vent, qu'elle a suivi au pays des Attikameks. Désormais, il n'y aurait plus personne pour lui peigner les cheveux avec autant de patience, a-t-elle prétexté. La rancœur et la douleur avaient motivé son geste, mais, sans le savoir, en réduisant ainsi sa chevelure, N'Tsuk avait préfiguré le démantèlement de leur groupe de chasse. Démantèlement dont l'unique cause consistait en l'intensification de la chasse au castor au détriment de la chasse au wapiti. La première ne nécessitant pas de chasser en groupe, les maris de ses sœurs Plume-de-Perdrix et Pieds-Solides résolurent de retourner à leur territoire familial, l'un situé au lac Obanakaw (lac des Îles), l'autre au lac Kiamika. Ainsi dispersés, ils comptaient pouvoir exploiter plus de territoire et s'assurer d'une plus grande quantité de castors.

Bien qu'il fût convenu de se regrouper au cours de l'hiver pour une chasse au wapiti comblant leurs besoins, Lynx-des-Neiges n'a pu se débarrasser d'un sentiment de culpabilité envers lui-même, son fils et son grand-père. Sentiment qui lui retourne l'âme chaque fois qu'il entend bramer les grands cervidés dans la forêt. Chaque fois qu'il croise leurs traces, aperçoit leur crottin ou remarque les écorces pelées par les ramures que les mâles frottent aux arbres. Cette chasse, il l'a dans le sang. L'abandonner, c'est abandonner une partie de son être, car courir aussi vite que le lynx sur la neige ne lui sert à rien pour chasser le castor. Abandonner cette chasse, c'est aussi abandonner une partie de son fils et de son grand-père en ne transmettant pas l'héritage des connaissances de l'un à l'autre. Mais il n'y peut rien. La bande a décidé de se scinder pour s'ajuster aux préférences du marché et, à l'image de la natte de N'Tsuk, leur wigwam a diminué de plus de la moitié.

Le vent faiblit, marquant des pauses de plus en plus longues. Lynx-des-Neiges espère arriver à destination avant que ce vent ne s'assoupisse tout à fait, les privant ainsi de sa poussée. Dans l'obscurité grandissante, l'homme s'oriente maintenant par la blancheur du sol du littoral se découpant sur l'eau noire. « Je vois l'entrée du ruisseau mystérieux », indique N'Tsuk sans se retourner. « Je vois aussi », répond-il, repérant l'échancrure accentuée de l'embouchure du ruisseau décharge. Un regain d'énergie s'empare d'eux, leur faisant oublier leurs pieds engourdis de froid, leurs mains glacées et ces milliers de coups de pagaie qui les ont menés du mystérieux ruisseau du petit lac au chenal le joignant à l'extrémité nord du grand lac et, de là, jusqu'à l'extrémité sud du grand lac, pour revenir ensuite, par vent contraire, rejoindre le petit lac par le chenal, et enfin retourner au mystérieux ruisseau.

L'écho répète soudain le hurlement de Tout-Blanc, et la silhouette de Wapitik apparaît sur la rive. Il agite les bras et leur crie des indications pour les guider. Lynx-des-Neiges sourit à cette initiative de son fils, qui craint de les voir s'égarer.

— Où es-tu mon fils ? lance-t-il pour jouer le jeu.

— Ici, mon père.

— Où es-tu, mon frère ? lance à son tour N'Tsuk, amusée par le geste du gamin.

— Ici, ma sœur.

— Où ? Où ? s'informe encore Lynx-des-Neiges.

— Ici ! Ici ! s'égosille Wapitik en gesticulant.

N'Tsuk égrène un rire affectueux à la vue de son jeune frère s'employant à les diriger. Un rire qui efface la rigueur des derniers coups de pagaie. Doucement, le canot se faufile entre les plaques de glace qui ont commencé à se former en dépit du vent, et la pince glisse enfin sur la grève, où des glaçons aux allures tourmentées s'échafaudent.

Wapitik les accueille, les joues toutes chaudes, l'esprit joyeux. Il est venu au-devant d'eux avec la tabagane, dans laquelle on s'empresse d'entasser les castors. Lynx-des-Neiges sort son canot de l'eau, l'appuie fermement debout contre un pin, puis s'attelle à la tabagane, dispensant N'Tsuk de cette tâche habituellement réservée au sexe féminin.

Wapitik trottine devant, dans le sentier tapé dans la neige qui capte les dernières lueurs. N'Tsuk ferme la marche. Bien qu'ils connaissent ce sentier par cœur, ils prennent garde aux branches, qui pourraient leur blesser les yeux. Lynx-des-Neiges éprouve une grande satisfaction à haler sa récolte vers son wigwam. Il aime la sentir pesante dans la tabagane et anticipe ce qu'elle pourra lui permettre d'obtenir lors de l'échange.

Trappés hors de l'eau aux confins de son territoire, ces castors leur assurent une excellente nourriture pour tenir amplement le coup lors de la période de transition du gel de l'eau. Que Pipounoukhe menace tant qu'il veut : il rapporte ce qu'il faut pour nourrir et vêtir sa famille. L'idée d'exploiter les limites de son territoire en premier lieu s'avère judicieuse. Maintenant que ses attrapes au sud du grand lac sont démontées jusqu'à l'automne prochain, il peut se consacrer à la chasse au castor sur la glace sans se déplacer sur de si longues distances.

Cette chasse sur la glace, il la fera avec Wapitik, à qui il enseignera comment vit et réagit le castor dans sa cabane durant la froide saison, comment il s'alimente à ses réserves de jeunes branches ancrées sous l'eau, comment il vient respirer dans les concavités de la glace, comment il va vérifier tout changement apporté à son barrage. Chasser un animal, c'est avant tout le connaître. Chasser un animal, c'est penser comme lui, agir comme lui, en un mot, devenir comme lui. Voilà le secret de toute chasse. De son fils, il fera un excellent chasseur et, quand le temps viendra pour lui d'abattre le wapiti empêtré dans la neige, ce sera la consécration de son apprentissage.

Lynx-des-Neiges s'attarde à observer la démarche sautillante et légère de Wapitik, qui a tenu à lui porter son arc et son carquois. Que d'espoirs il fonde sur ce gamin, qui prendra soin de lui et de Goutte-de-Rosée lorsqu'ils seront vieux! Quand Wapitik se mariera, sa femme viendra vivre avec eux et donnera des enfants à la famille. Étant donné qu'il sera bon chasseur, il pourrait même envisager d'avoir deux femmes et de remplacer ainsi les membres que la maladie a fauchés. Peu à peu, le wigwam s'agrandira, et lui, Lynx-des-Neiges, il guidera ses descendants sur ce fabuleux territoire. Il leur en enseignera toutes les richesses et tous les secrets. Il leur en racontera les mystères, tel celui du ruisseau au-dessus duquel… peut-être… ils cheminent. Peut-être… Comment connaître le trajet exact de ce ruisseau entre le lieu où il disparaît sous terre et celui où il ressurgit? Court-il en ligne droite? Saute-t-il d'un côté et de l'autre? Dessine-t-il de longs méandres? Mystère. Il disparaît et réapparaît. S'écoulant paresseusement du lac, il a l'air de mourir, mais il ressuscite, vif et impétueux, en aval. Quelle magie s'opère dans le secret de la terre pour donner lieu à une telle métamorphose? Mystère.

Par curiosité, Lynx-des-Neiges s'est déjà introduit dans l'étroite ouverture d'une cavité semblant donner accès à l'antre magique. À peine venait-il de se retrouver dans le noir absolu qu'il eut l'étrange sentiment de violer le domaine des esprits. Des bruits d'eau, s'échappant de toute évidence d'une caverne[1], lui donnèrent la chair de poule. Que faisait-il là, privé de toute lumière, comme un mort? Saisi de crainte et de respect, il a rebroussé chemin, se promettant de n'y plus retourner.

Il ne lui appartient pas de sonder l'insondable. De percer le mystère. Le ruisseau meurt sous une forme et ressuscite sous une autre. Comment, pourquoi les esprits

---

1. La description de cette grotte se trouve dans le bulletin officiel de la Société québécoise de spéléologie, vol. 3-4, 1976-77, pages 53 et 54.

viennent-ils le ravir, tout tranquille, à la surface du sol, pour le libérer, un peu plus loin et plus bas, tout agité, s'enfuyant, déboulant roches et rochers ? Il ne lui sert à rien de sonder l'insondable, pas plus que de connaître le parcours du ruisseau quelque part sous leurs pas. L'important, c'est qu'il y soit toujours. Et que toujours il ressurgisse en eaux vives. Ces eaux que Pipounoukhe ne parvient pas à paralyser et dans lesquelles sa femme et sa fille vont remplir les récipients d'écorce, s'épargnant la tâche de creuser la glace.

Lynx-des-Neiges entend bruire l'eau et perçoit l'odeur de la fumée du wigwam. Il salive déjà à l'idée de savourer les queues de castor grillées sur la braise. Son fils va devant. Sa fille, derrière. Et, sous ses pas, les esprits opèrent leur magie pour doter son territoire d'une eau précieuse qui échappe à la main glaciale de Pipounoukhe. Une eau où sa femme, sa fille, sa bru et toutes ses descendantes puiseront sans jamais se soucier du gel.

* * *

« Fais-nous toujours trouver à manger, Grand Esprit », répète Lynx-des-Neiges en faisant couler dans le feu la graisse fondante d'une queue de castor. La matière grésille, dégageant une odeur appétissante qui les fait se recueillir.

« Esprit du castor, tu es bon pour nous, poursuit Lynx-des-Neiges. Tu nous a laissés prendre la vie des castors. Cette vie deviendra notre vie comme la vie du jeune tremble devient la vie du castor… Esprit du castor, avec toi je suis dans l'Esprit de mon esprit, dans l'Esprit de tous les esprits. »

L'homme retire du chaudron les os d'une pièce mise à mijoter pendant que Goutte-de-Rosée et N'Tsuk s'affairaient à l'écorchage. D'un geste respectueux, il les laisse tomber dans le feu. Ainsi doivent être honorées les bêtes qui entretiennent la vie au sein du Grand Ensemble aux dépens de la leur. Jamais leurs os ne doivent être piétinés ni jetés aux chiens. Seul l'esprit purificateur du feu peut les dévorer.

« Ainsi tu feras car l'esprit d'un animal tué peut revenir se venger si on ne lui rend pas l'hommage qu'il mérite », termine Lynx-des-Neiges à l'intention de Wapitik avant de distribuer de généreux morceaux de queue. Gras à souhait et cartilagineux, le mets dégouline sur les mentons avant d'être goulûment avalé. Quel délice ! Quel bonheur pour Lynx-des-Neiges de voir les siens se régaler de la sorte !

À la dérobée, il observe N'Tsuk qui, à cette heure, se montre très fatiguée. On le serait à moins. À peine avait-elle eu le temps de retirer ses mocassins mouillés pour les suspendre à sécher qu'elle s'est astreinte à l'écorchage de leurs captures avec sa mère. À plusieurs reprises, il l'a vue se cambrer et se masser les reins avant de poursuivre, comme allant de soi, ce travail qui requiert minutie et patience. Ce travail de femme qu'elle exécutait sans se plaindre ni rechigner, après s'être livrée à une épuisante activité d'homme.

Il aurait bien aimé pouvoir lui dire de se reposer un peu, mais la tâche pressait et il n'était nullement question qu'il leur prête main-forte. Il revenait à la femme d'écorcher les bêtes, comme à l'homme de les chasser. Le fait que N'Tsuk l'avait secondé dans sa tâche d'homme constituait une entorse à leurs coutumes. Entorse qui ne devait pas en entraîner une autre, soit celle pour l'homme d'accomplir un ouvrage de femme.

Il ressentait et ressent encore un curieux mélange d'agacement et d'admiration face à sa fille. Des velléités de reconnaissance pour son aide avoisinent des mouvements de frustration à son endroit. D'une certaine manière, il se sent surpassé par elle, non pas par ses qualités de chasseur, mais par son endurance, sa constance au travail et sa faculté de cumuler les tâches de l'un et de l'autre sexe. Ne forme-t-elle pas ainsi un être plus complet que lui ? Plus complet que sa mère ? Plus complet que Wapitik, par qui il se doit de perpétuer croyances, traditions et coutumes ?

L'attention de l'homme se concentre sur son fils, dont l'appétit fait honneur aux morceaux de viande qu'il distribue maintenant dans les écuelles d'écorce. À l'instar de sa sœur, le garçon présente la vivacité de l'intelligence alliée à la robustesse du corps, et le cœur de Lynx-des-Neiges s'attendrit. Cet enfant, il s'autorise à l'aimer, car, devenu adulte, il ne les quittera pas le jour de son mariage. Cet enfant, il se permet de le préférer en l'invitant à boire en premier, à même le chaudron, le bouillon où flottent de délicieux ronds de graisse. « En réalité, je mange », s'exclame Wapitik en éructant bruyamment, au grand plaisir de son père.

Dehors, Pipounoukhe fait éclater un arbre de froid. Déjà, il a commencé à saisir le lac, paralysant d'abord le pourtour des rives. Dedans, il fait bon. En leur absence, Goutte-de-Rosée a entièrement refait le tapis de conifère. Beaucoup plus épais et moelleux que le précédent, il consiste en des centaines de branchettes de sapin ou d'épinette piquées dans le sol selon la même inclinaison. Son aménagement a nécessité beaucoup de temps et d'application, mais le confort qu'il apporte en coupant la froide humidité du sol en constitue la récompense. Que sa vie est bonne auprès de Goutte-de-Rosée ! Sans elle, le wigwam serait bien triste et bien froid. Non seulement elle y entretient le feu avec du bon bois sec qui ne fume pas, mais elle le réchauffe de sa présence. De sa douceur. Bénis soient les esprits qui l'ont guidé vers une telle femme !

Le repas terminé, N'Tsuk et sa mère poursuivent leur travail en équipe. Possédant une plus grande expérience, Goutte-de-Rosée se charge de l'écorchage. À l'aide d'un couteau de fer, elle dégage la peau de la région du crâne et sectionne les articulations des pattes, puis elle déshabille l'animal en tirant sur la peau. Aux endroits où celle-ci adhère, elle procède par petits coups de lame très précis entre la chair et le cuir. Une fois la peau enlevée, elle la passe à N'Tsuk, qui la fixe sur un tenseur constitué de deux tiges d'aulne pliées légèrement en ovale. Puis, à l'aide d'une babiche[2], N'Tsuk lace la peau à l'intérieur du cerceau, se servant d'une alène de métal pour perforer.

À n'en pas douter, ces outils qui proviennent des Étrangers facilitent plusieurs de leurs tâches, et s'en priver serait bien insensé. Par contre, délaisser le couteau croche[3] serait une grave erreur. Cet outil n'a pas son pareil pour doler et travailler le bois, et, sans lui, un homme peine grandement en fabriquant un canot. Demain, il montrera à Wapitik comment extraire les incisives du castor après que sa tête a longtemps mijoté, et, avec lui, tout au long de l'hiver, il taillera patiemment une logette dans l'andouiller d'un wapiti pour y insérer et fixer cette dent très coupante. Il fabriquera ainsi un couteau croche pour Wapitik. Mais que fera-t-il des autres incisives de castor, outre quelques grattoirs? Que feront les Anishnabecks de toutes ces dents de l'animal convoité, les Étrangers n'en étant pas preneurs? Cette réflexion l'embête. Le dérange. N'outrageraient-ils pas, par leur comportement, l'esprit du castor? Accumuleront-ils un jour des montagnes d'incisives de castor à n'en plus savoir que faire, parce que sa fourrure procure des couteaux de fer?

---

2. Babiche: lanière de peau crue de cervidé servant à de multiples usages, entre autres tresser les raquettes.
3. Couteau croche: couteau typique aux Algonquiens, dont la poignée a une forme spéciale permettant au pouce de s'appuyer complètement en longueur. Cette forme a l'avantage de favoriser une poigne solide et de permettre ainsi un bon contrôle du travail. Il était utilisé encore au-delà des années 1950, alors que sa lame était fabriquée à partir d'une lime.

N'Tsuk se masse la nuque, étire les bras, visiblement enchantée de voir sa mère entreprendre le dernier écorchage. Quelle longue besogne elles ont accomplie ! Les carcasses dépouillées, déposées au pied des perches près de la paroi, l'attestent. Avec soin, l'adolescente s'assure que la peau est également tendue sur le cerceau avant d'aller le porter dehors.

Lynx-des-Neiges la suit du regard, toujours partagé entre l'admiration et la frustration, s'interdisant de s'attacher à elle, parce qu'elle partira. Volontairement, il l'ignore lorsqu'elle revient, se plaisant à expliquer à Wapitik les vertus des glandes qu'il lui enseignera à prélever sous peu.

Sitôt son ouvrage terminé, Goutte-de-Rosée lui cède sa place près du feu et passe à Wapitik une chandelle de suif de porc-épic afin qu'il puisse mieux voir.

Le prélèvement des glandes relève de l'homme. Effectué après l'écorchage, il exige un tranchant acéré et de la précision. Tout yeux, tout oreilles, Wapitik s'agenouille près de son père. Il sait déjà que, pour bien exécuter cette opération, il est préférable que la paroi abdominale ne soit pas perforée. Il sait aussi que ces glandes, au nombre de quatre, viennent par paires et qu'elles sont situées de chaque côté de l'anus. Son père lui a également appris que les Étrangers recherchent celles qui contiennent une huile rougeâtre possédant le pouvoir de lubrifier les luxations et de réduire les enflures.

— Vois, explique Lynx-des-Neiges. Je coupe ici… Je cherche avec mes doigts dans la coupure… Je trouve les glandes… Vas-y… Mets tes doigts dans la coupure.

À l'imitation de son père, le garçon glisse le pouce et l'index dans l'incision, tâte avec précaution, puis sourit.

— Mes doigts touchent les glandes, dit-il.

— Enlève tes doigts… Vois comme je fais… Je pince, je tire dehors… Tu vois, elles viennent ensemble, indique

Lynx-des-Neiges en exhibant les deux paires enveloppées dans une membrane.

— Je vois.

— Tu joues du couteau ici pour les détacher… Et là pour les séparer… Toujours, tu fais attention de ne pas les percer… Tiens, prends.

Wapitik examine les glandes habilement extirpées du corps de l'animal, ses yeux brillant du désir d'exécuter seul la délicate opération. Sur les conseils de son père, il les suspend à une corde tendue à l'écart d'une source directe de chaleur et veille à ce qu'elles ne se touchent pas. Puis il revient s'installer devant une carcasse, prêt à expérimenter la démonstration.

Lynx-des-Neiges se complaît à voir travailler Wapitik. Avec assurance, la lame de fer pratique l'incision, juste au bon endroit et de la bonne longueur. Cette précoce maîtrise du geste chasse de son âme doutes et inquiétudes. Le couteau de l'Étranger dans la main de son fils ne l'alarme plus. Ce couteau n'est qu'un objet que l'on peut se procurer, alors que ce qu'il transmet ne peut s'échanger contre des fourrures. Ce qu'il transmet se résume à l'essentiel de ce qu'il faut savoir et croire. De ce qu'il faut faire et perpétuer. Ce qu'il transmet, son fils le transmettra à ses propres enfants, et ainsi ses descendants honoreront toujours la bête qui entretient leur vie aux dépens de la sienne. Ainsi, leurs doigts sauront toujours prélever les glandes dans lesquelles le Grand Esprit a mis une huile pour les soigner.

Tout absorbé dans la contemplation de son fils qui coupe adroitement la membrane sans perforer les glandes, Lynx-des-Neiges entend soudain un curieux bruit de mastication. Qu'est-ce donc? Il met un peu de temps à réaliser que Tout-Blanc est en train de gruger une carcasse. Horrifié, il bondit sur le chien pour la lui arracher de la gueule. Celui-ci grogne, menace de mordre, mais l'homme lui tord l'échine avec rage jusqu'à ce qu'il abandonne en glapissant de douleur.

Trop tard. Le mal est fait. Hébété, Lynx-des-Neiges recueille la carcasse profanée entre ses mains tremblantes. L'esprit du castor est offensé, il en est persuadé.

Il échange un regard consterné avec Goutte-de-Rosée.

— Tu dois sacrifier le chien, dit-elle, incapable de cacher l'angoisse qui s'empare d'elle.

— Demain, propose-t-il.

— Demain, approuve-t-elle, fronçant les sourcils à la vue de Wapitik qui enserre affectueusement Tout-Blanc dans ses bras.

Un arbre éclate de froid dans la main de Pipounoukhe et le cœur de Lynx-des-Neiges s'étrangle d'effroi. Demain, il fera couler le sang du sacrifice sur le pelage blanc du chien. Cela suffira-t-il à calmer l'esprit du castor?

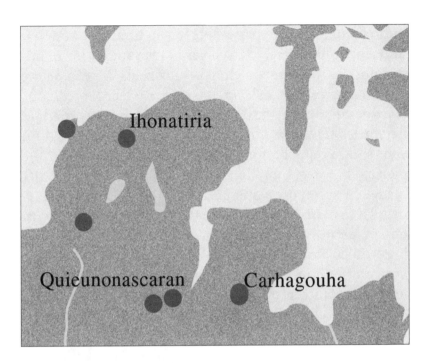

Ihonatiria

Quieunonascaran   Carhagouha

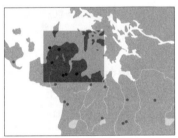

Chapitre 17

Les deux sœurs

1629, en la lune iroquoienne où le jour s'agrandit un peu (janvier), village de Quieunonascaran, au pays des Ouendats.

Demain, Petite-Pluie se mariera avec Parole-Facile. Demain sera jour de réjouissances.

Le cœur plein d'attentes, la future épouse file l'ononhasquara[1], espérant évacuer par cette occupation

---

1. Ononhasquara : chanvre du Canada, *apocynum cannabium* ou apocyn chanvrin.

tout ce qui lui trotte par la tête. Sa sœur aînée, Aonetta, lui tient compagnie, filant à ses côtés tout en lui remémorant les plaisirs qu'elles ont connus à récolter ce chanvre en groupe, le long du rivage du lac. Tantes, cousines et enfants en âge de prêter main-forte coupaient et liaient les tiges par un soleil radieux accompagné d'un vent si doux que l'effort ne se ressentait pas. Lors d'une pause, il y avait eu de bonnes galettes de maïs aux bleuets à se mettre sous la dent et de délicieux bavardages à se mettre sur la langue. Ce qu'elles en ont appris, de ces petits secrets, petits aveux de femme qu'on ne livre qu'en de pareilles occasions, quand la vie se fait douce et que le temps semble s'arrêter! Comblées par leur abondante récolte, elles se taisaient sur le chemin du retour, chacune supputant ce qu'elle pourrait en tirer de cordes.

« Nos hommes fabriqueront des filets en quantité avec toute la corde que nous pourrons tirer de cette récolte », assure Aonetta, prenant une poignée de filaments fibreux obtenus par un procédé de macération qui les isole de la matière gommeuse des tiges. Elle en donne un peu à sa fillette afin de l'initier tout en l'amusant et, d'un geste machinal, elle cordèle grossièrement le reste, qu'elle se met à rouler sur sa cuisse.

— Les filets trouvent toujours des preneurs, poursuit-elle.

— Hmm…

— Jamais nos hommes n'ont rapporté de filets.

— Hmm…

— De la fourrure, ils ont dû en rapporter… Le bateau des Agnonhas n'était pas arrivé.

— Hmm…

— Pas de bateau : pas de chaudron, pas de fer à échanger contre des fourrures.

— Hmm…

— Des filets, les hommes n'en ont pas rapporté un seul. Nous avons assez d'ononhasquara pour filer de la corde pendant tout l'hiver.

— Hmm…

Aonetta glisse un regard fureteur à Petite-Pluie, dont les réponses trahissent l'esprit absent.

— Et pendant tout l'été, blague-t-elle.

— Hmm… répond la jeune sœur à cette impossibilité, l'horticulture occupant tout leur temps pendant l'été.

— Nous chausserons nos raquettes pour aller cultiver aux champs, lance Aonetta, poussant l'absurdité à son comble.

— Hmm…

La grande sœur pouffe de rire, entraînant celui de Paisible-Tortue qui, malhabile en raison de ses quatre ans, a roulé en boule plutôt qu'en filin ses fibres textiles, ce qui ne fait qu'amplifier l'hilarité de sa mère.

Prise en flagrant délit, Petite-Pluie ouvre des yeux étonnés.

— Nous chausserons nos… nos raquettes… pour aller… aller cultiver aux champs, répète Aonetta.

La distraite s'esclaffe à son tour, puis, d'un ton faussement repentant et enjoué :

— Mes oreilles étaient fermées.

— À mes paroles, oui, mais tes oreilles sont ouvertes aux chants et aux danses de demain.

— Demain, soupire Petite-Pluie en offrant de la filasse à sa nièce qui, tant bien que mal, tente de la cordeler.

— Demain, ma sœur, aucune femme ne pourra prétendre être plus belle que toi, assure Aonetta.

Petite-Pluie incline la tête de côté, ébauchant un sourire à la fois incrédule et rêveur. Elle sait n'être pas aussi jolie que son aînée, ni aussi brillante. Depuis toujours, elle a vécu dans son ombre, sans pour autant en devenir jalouse. Demain, sans doute pour l'unique fois de sa vie, elle éclipsera Aonetta. Demain, elle sera à l'honneur, parée de ses plus beaux ornements, ses cheveux teints en rouge, peignés, huilés et décorés de plumes et de wampums. Demain, son père offrira un grand festin pour célébrer son mariage... Demain, enfin, Parole-Facile la prendra pour femme.

— Je suis heureuse de sa demande, avoue-t-elle.

— Tu as été bien patiente... Tu es devenue son asqua quand mon fils est né... Cela fait autant d'étés que les doigts d'une main plus deux... Parole-Facile n'a pas été prudent d'attendre si longtemps... Tu aurais pu choisir un autre homme par désir d'enfant ou refuser sa demande.

— Je n'avais pas envie de refuser sa demande... Il y en a de plus jolies avec qui il s'est accouplé, bredouille Petite-Pluie, faisant allusion à une parente orpheline de dix-sept ans que leur mère a adoptée.

Les regards des sœurs convergent vers la case familiale, située à côté de celle d'Aonetta et de biais avec celle, récemment aménagée, de Petite-Pluie.

— Elle aussi, elle est maintenant du clan de la Grande Tortue, souligne la promise d'un ton lucide, faisant ainsi savoir à son aînée qu'elle est consciente que le prestige de son clan a joué dans la demande de Parole-Facile.

Aonetta s'insurge intérieurement contre cette attitude. Il revient à la femme de choisir et cela l'irrite de constater que Petite-Pluie ne profite pas de l'ascendant inhérent à son sexe. Au contraire, elle ferme les yeux sur sa propre valeur, tout en se laissant éblouir par celle de Parole-Facile. Aonetta conçoit que l'homme constitue un excellent parti pour sa sœur, mais la principale intéressée semble oublier à quel point elle constitue un parti tout aussi excellent pour lui. Petite-Pluie a acquis de grandes qualités en tentant sans cesse d'être digne de son nom. Elle est douce, rafraîchissante, bienfaisante comme la pluie. Elle se donne en milliers de gouttes, milliers de gestes quotidiens, à dose idéale pour favoriser la croissance des plantes comme le bien-être des siens. Jamais elle ne s'emporte et n'inonde. Jamais elle ne se montre avare ou indifférente. Comme une bonne petite pluie, toujours elle œuvre, patiente, avec ses gouttes, avec ses gestes. Avec ses doigts qui façonnent d'admirables poteries et tissent des foulards de chanvre. Avec ses mains qui guident celles des jeunes enfants et soignent les vieillards. Avec son sourire, sa silencieuse vaillance. Hélas, comme la pluie, elle a tendance à perdre son identité, déplore Aonetta. La pluie ne se dilue-t-elle pas dans le lac, devenant le lac? Ne se perd-elle pas dans la terre en la pénétrant? Petite-Pluie deviendra-t-elle le reflet de Parole-Facile?

— Il a offert de si beaux colliers à notre mère et à notre grand-mère... Elles le regardent déjà comme leur fils et leur petit-fils, rappelle Petite-Pluie.

— À toi, il a offert un collier de plus grande valeur encore.

— Je le porterai demain... Ce sera un grand festin.

— Très grand festin... Notre père a lancé beaucoup d'invitations et nous avons ce qu'il faut d'eschionque[2] pour contenter tous les invités.

— Hmm! Que ce sera bon avec cet ours que le clan du Loup fournit!

— Cet ours est gras. Il donnera beaucoup de graisse sur le bouillon... Nous pourrons tous en boire.

— C'est une idée de Loup-Curieux de nous l'offrir, hein?

---

2. Eschionque: fine fleur de la farine du maïs qui a été grillée sous les cendres et le sable. Elle servait à épaissir le bouillon d'un genre de pot-au-feu à base de viande ou de poisson.

— Il ne lui a pas été difficile de convaincre le clan du Loup, dont Parole-Facile et lui-même sont des fils. Il dit que rien n'est trop beau pour son cousin, qu'il regarde comme son propre frère... Depuis deux ans, cet ours a été bien nourri par nos restes. C'est à son tour maintenant de nous nourrir[3]... Avant le coucher du soleil, il sera mort.

— Avant le coucher du soleil, Loup-Curieux ira le trouver dans son enclos pour le tuer.

— «Je ferai ouvrir les yeux de l'ours et je ferai fermer les yeux de l'ours pour toujours», a-t-il dit... La tête sera pour toi, pour Parole-Facile, pour grand-mère et pour notre oncle, qui est chef de clan... Une fois la peau bien préparée, tu pourras l'étendre dans ta case.

— Je laisserai le Français dormir dessus : le froid le fait trembler.

— Pourtant, il a du poil comme un animal dans la figure et sur le corps.

— Il a du poil comme un animal, mais il tremble comme un oiseau sans plumes, raille Petite-Pluie.

Fugitif sourire sur les lèvres d'Aonetta, qui reprend de la filasse et l'insère à la corde en formation pour la filer. La perspective d'avoir bientôt à partager le feu avec cet étranger ne l'enthousiasme guère et laisse Loup-Curieux bien perplexe. Depuis son arrivée au pays avec une vingtaine d'autres, l'étranger habite la maison du clan du Loup avec Parole-Facile, mais, à la suite du mariage de ce dernier, il le suivra dans la maison de la Grande Tortue, et ce, dans la case située vis-à-vis de la leur.

— Te réjouis-tu de sa venue prochaine? s'enquiert Aonetta, songeuse.

— Parole-Facile dit que ce sera bon pour renforcer l'amitié... Loup-Curieux devrait s'en réjouir : un Français

---

3. Les Hurons engraissaient des ours en captivité dans un enclos circulaire fait de pieux plantés en terre au milieu du village.

dans sa canotée pourrait lui procurer de meilleurs échanges.

— Si les bateaux arrivent, peut-être… Si les bateaux n'arrivent pas, nos hommes reviendront avec des fourrures. Pas de bateau, pas de marchandises à échanger. Si les bateaux n'arrivent pas, nos hommes reviendront encore avec des Français pour passer l'hiver… Pas de bateau, pas de vivres à Kébec. Loup-Curieux dit qu'ils viennent chez les Ouendats parce que les Ouendats ont des provisions[4].

— Ils ne viennent pas seulement pour nos provisions… Leur présence parmi nous est signe qu'ils n'en veulent pas aux Ouendats pour la noyade de l'homme à la robe et d'Auhaitsic… Leur présence rassure Parole-Facile et notre frère l'Aigle, et notre oncle, qui est chef de clan. Pourquoi ne rassure-t-elle pas Loup-Curieux?

— Parce que Loup-Curieux a vu le visage du pauvre Soranhes…

Court silence de réflexion. Soranhes, un des plus actifs marchands ouendats de la tribu de la Roche, a permis à l'homme à la robe (Le Caron) d'emmener son fils Amantacha de l'autre côté du Grand Lac Salé à condition qu'il le ramène au printemps suivant. En compagnie d'Étienne Brûlé, l'adolescent de seize ans s'est embarqué sur un navire et, depuis déjà deux printemps, il n'est pas revenu[5].

— Il y avait de l'inquiétude et de la colère sur le visage de Soranhes, indique Aonetta.

— Parole-Facile dit que Soranhes a créé des liens privilégiés avec le grand chef de la traite (Émery de Caën).

---

4. Les frères Kirke ayant capturé les navires qui apportaient vivres et marchandises de troc à Québec, Champlain, prévoyant la famine de l'hiver, décida d'envoyer vingt et un hommes en Huronie pour soulager la colonie.
5. En dépit de la promesse faite, on prolongea d'une année le séjour d'Amantacha en France afin de parfaire son éducation.

— Ces liens n'ont pas empêché Soranhes de rapporter des fourrures comme les autres marchands… Et ces liens ne ramènent pas son fils. Il ne sait même pas s'il est encore vivant. Les Français n'ont pas tenu leur promesse. Pourquoi? Comment ont-ils traité Amantacha de l'autre côté du Grand Lac Salé? Les Ouendats étaient responsables de la sécurité de l'homme à la robe et l'homme s'est noyé… Les Français se vengeront-ils de cela en ne veillant pas sur la sécurité d'un fils ouendat?

Paisible-Tortue interrompt la conversation en exhibant fièrement le petit bout de corde tout effilochée qu'elle est parvenue à rouler sur sa cuisse. Aonetta la félicite et lui passe encore un peu de filasse pour l'encourager à continuer. Avant de poursuivre son ouvrage, la mère contemple l'enfant, qui s'amuse avec sérieux, et, d'un geste affectueux, lui caresse la tête.

— Jamais je ne laisserai partir un de mes enfants avec l'homme à la robe, confie-t-elle. Toi, quand tu auras des enfants, les laisseras-tu partir avec un de ces hommes?

— Non, répond Petite-Pluie sans hésitation, au grand contentement de sa sœur aînée, qui échappe avec soulagement:

— Il n'y a aucun homme à la robe maintenant dans notre village.

— Il n'en reste qu'un dans tout le pays des Ouendats et sa robe est noire[6].

— Ces hommes apportent le malheur et la malchance, mais celui-là est plus à craindre encore car le noir est la couleur de la mort.

— Tu parles comme grand-mère.

---

6. Il s'agit de Jean de Brébeuf. Étant jésuite, il portait une soutane noire, un chapeau à large bord et de grosses bottes. Les récollets portaient une bure grise, des sabots ou des sandales.

— Tu dis vrai, je parle comme grand-mère, convient Aonetta, mais Loup-Curieux est aussi de cet avis.

— Parole-Facile prétend qu'il faut savoir y faire avec eux. Il avait l'oreille des hommes à la robe et ceux-ci avaient l'oreille du chef Auoindaon. Si les hommes qui portent une robe grise étaient restés parmi nous, Parole-Facile dit qu'il aurait pu obtenir Petit-Esprit... J'aimerais bien qu'un homme à la robe grise revienne, pour avoir un tel animal... Il serait bien utile dans notre maison pour chasser les souris.

— Je préfère la présence des souris à la présence de ces hommes qui n'aiment pas les femmes. Leurs agissements ne sont pas ceux d'un homme normal... Ils n'accordent de l'importance qu'aux hommes.

— Parce que les hommes s'occupent des échanges.

— Sans le maïs que nous cultivons, les hommes n'auraient pas autant de fourrures à échanger... Il leur faudrait toujours organiser des expéditions de chasse de plus en plus loin car le castor se fait rare en la terre des Ouendats. Et même en chassant toujours, les hommes ne rapporteraient pas des fourrures en aussi grande quantité et d'une aussi belle qualité que celles que procure le maïs... Je parle comme grand-mère parce que je vois avec les yeux de nos grands-mères, que les hommes à la robe ont insultées... Dans tous nos villages, ils se sont installés à l'écart et n'ont pas reconnu le travail des femmes. Ils ont méprisé les femmes et condamné les Français qui s'accouplaient avec elles... Ils n'agissent pas comme des hommes, mais comme des sorciers.

— Les indisposer est dangereux car ils possèdent des pouvoirs surnaturels... Parole-Facile dit que, devant eux, les Agnonhas se mettent à genoux et inclinent la tête, de peur d'être condamnés au poteau de torture pour le temps qui ne finit plus après la mort...

— Quand ils sont loin des yeux de l'homme à la robe, les Agnonhas sont moins craintifs et ne dédaignent pas nos femmes… Est-ce que la couche du Français près de la vôtre te dérangera ?

— Parole-Facile et moi savons être discrets quand vient le temps de nous unir, mais je reconnais que les yeux du Français me dérangent… Le désir que j'y vois ne ressemble pas au désir de nos hommes… Il regarde comme si, en leur pays, les femmes ne se trouvent pas en assez grand nombre… Les langues disent qu'ils aiment s'accoupler plus souvent que nos hommes.

— Tu dis vrai. Ils regardent et agissent d'étrange façon… Quand leurs yeux sont posés sur moi, je ne sais pas ce qu'ils voient… Entre eux aussi, les Agnonhas n'agissent pas comme nous agissons entre nous. Tout ce qu'ils font, ils le font pour leur seul profit… Les Français qui sont parmi nous agissent comme des égoïstes qui ne font pas partie d'un peuple… Ils ne pensent qu'à ramasser des fourrures pendant que les leurs ont faim à Kébec… Un Ouendat n'agirait pas ainsi. Il chercherait à rapporter de la nourriture aux gens de son peuple car les gens de son peuple ont plus de valeur à ses yeux que les biens qu'il pourrait obtenir en échange de fourrures… Quand les Français prennent une femme, sans doute la prennent-ils pour leur seul plaisir.

— Sans doute, mais il nous faut satisfaire leur désir car un désir insatisfait peut rendre malade… Parole-Facile dit que nous sommes responsables de leur santé.

Petite-Pluie s'arrête de rouler le chanvre sur sa cuisse et considère la case familiale, où loge leur sœur adoptive que son invité ne cesse de reluquer.

— Tu crois qu'elle l'acceptera sur sa couche ? demande-t-elle, mi-sérieuse, mi-badine.

— Il faudrait pour cela qu'il enlève les affreux poils de son visage… On dirait un ours.

— Loup-Curieux devra prendre garde de ne pas se tromper d'ours, plaisante Petite-Pluie.

Les deux sœurs rigolent, heureuses de fabriquer ensemble cette corde qui servira à leurs maris. Demain, Parole-Facile intégrera la maison de la Grande Tortue, se retrouvant de nouveau sous le même toit que Loup-Curieux, partageant avec lui le même feu et les mêmes obligations. Malgré leurs différences de caractère et d'opinions, les deux cousins s'affectionnent grandement. Si, par son éloquence, Parole-Facile retient l'attention des chefs et des grands-mères, Loup-Curieux, par son habileté de marchand et sa générosité, a acquis beaucoup de prestige.

Que peuvent-elles espérer de plus ? Des provisions de toutes sortes s'entassent dans leur maison. Maïs, citrouilles, petits fruits séchés, noix, huile de tournesol, chanvre et bois de chauffage que les femmes ont ramassés. Viande, poisson, cuir et fourrure que les hommes ont rapportés. Personne n'aura froid. Personne n'aura faim dans la maison de la Grande Tortue. Ni dans aucune des maisons du village de Quieunonascaran.

Qu'espérer de plus en cette saison de repos et de festivités qu'est l'hiver ? Les champs dorment sous la neige et les hommes sont revenus de leurs expéditions. Le mari a retrouvé la femme. L'enfant, le père. La grand-mère, les fils et les petit-fils. Les bêches et les canots sont entreposés ; les précieuses semences, protégées des incendies dans un coffret enterré ; les armes de guerre, rangées.

Qu'espérer de plus ? À l'exception de celui qui réside à Toanché, les sorciers s'en sont retournés, remportant dans les plis de leur robe maléfices et malheurs.

Dans les maisons de tous les villages, les Ouendats tantôt s'amuseront à des danses et à des jeux, tantôt s'appliqueront à des tâches artisanales, y initiant tout naturellement les enfants. Quand la neige fondra, des vases, des récipients, des tapis tressés, des paniers, des cordes, des foulards, des collets, des bracelets seront nés des mains des femmes. Quand les oiseaux reviendront, des grattoirs, des pointes de flèche, des haches, des herminettes, des harpons, des cuillères et plats de bois, des raquettes, des traîneaux, des gourdins, des rets et des filets seront nés des mains des hommes.

Qu'espérer de plus ? Quand dehors le vent soufflera, les gens de la maison façonneront ces divers objets autour du feu, bavardant doucement entre eux comme elles le font présentement entre elles de choses et d'autres. Les doigts inoccupés, le Français les regardera faire, étranger à leur volonté de travailler au bien commun. Étranger à la misère des siens qui, au village de Kébec, n'auront rien à mettre dans le chaudron.

Qu'espérer de plus ? Demain, enfin, Petite-Pluie se mariera avec Parole-Facile. Demain sera jour de réjouissances.

De leurs gestes patients et répétitifs, les deux sœurs filent le chanvre, cordelant, roulant la filasse sur leur cuisse. La corde se forme, la corde s'enroule, la corde s'allonge. Ce qui hier était une plante le long du rivage, demain attachera l'hameçon ou nouera la maille du filet.

File le temps sous leurs mains qui filent le chanvre. Filent les nouvelles, les histoires, les confidences. Filent les petits rires et les longs silences.

L'enfant apprend, se lie et s'enroule à son peuple comme le brin à la corde.

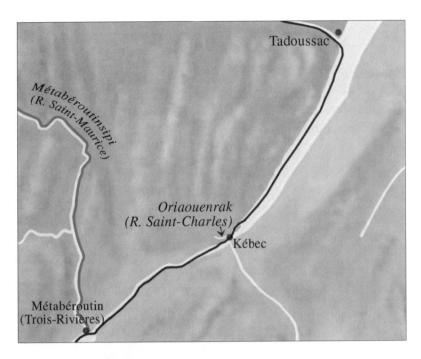

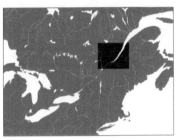

Chapitre 18

Sombres prédictions

1630, en la lune algonquienne
des fruits sauvages (août), Kébec.

La voix de la cloche se tait. Un nouveau drapeau flotte au-dessus de Kébec: celui des Anglais, tout aussi avides de fourrures que les Français. Une guerre, déclenchée de l'autre côté du Grand Lac Salé, s'est soldée Ici par la défaite de leurs alliés, mais cette guerre ne le regarde pas, rumine Loup-Curieux. À

Kébec, il n'a aucun territoire à défendre. Aucune identité à protéger. Il est un Ouendat, fils de l'Ours, et la voix de son peuple ne se taira jamais. Il est grain d'un seul épi dont le plant, avec d'autres, croît loin de ce lieu accidenté au rétrécissement du fleuve, fréquenté depuis des générations par les Anishnabecks et occupé maintenant par les Anglais, auparavant par les Français.

La voix de la cloche s'est tue l'année dernière[1] à pareille lune. De ses yeux, il a vu Champlain partir après s'être rendu à ses ennemis. La tristesse et l'humiliation l'accompagnaient car aucun combat n'avait eu lieu, les gens de son village n'ayant plus la force de tenir les bâtons de feu. Avertis par les Innus de Tadoussac de l'état d'extrême misère des Français, les Anglais sont tout simplement venus cueillir les fruits décharnés de la faim. Cette faim qui est hors de son entendement, mais tout à fait conséquente à l'étrange manière de vivre des Français. Étrange et inadmissible à ses yeux d'Ouendat. Inadmissible et néfaste pour ceux qui ne sont qu'une poignée de grains éparpillés de ce côté-ci du Grand Lac Salé.

Loup-Curieux porte son regard au-delà de l'île Minigo[2], par où venaient les barques apportant provisions et articles de traite et par où elles repartaient, chargées de fourrures. Il a suffi d'une année d'interruption de la navette des bateaux français pour que la disette sévisse. Cela donne à réfléchir. Ces gens sont incapables de vivre dans ce pays-ci sans dépendre de celui qui se trouve de l'autre côté du Grand Lac Salé. Une guerre ou une tempête peut les réduire à la famine. Tout est régi au-delà

---

1. En 1629, la Nouvelle-France tombe aux mains des Anglais. Devant le siège des frères Kirke, Champlain doit capituler. Il quitte la colonie avec tous les officiers, administrateurs, soixante des quatre-vingts colons, de même que les récollets et les jésuites.
2. Minigo : « île ensorcelée » en algonquin, désignant l'île d'Orléans.

de ce que voient ses yeux. Ce qui motive les Agnonhas à venir Ici se trouve Là-Bas. À preuve, les Français qui ont hiverné chez les Ouendats, plutôt que de rapporter du maïs aux affamés de Kébec, ont rapporté des castors à expédier Là-Bas. Il en a compté sept fois les doigts des mains pour un seul homme[3]. La valeur en maïs de ces fourrures aurait permis à cet homme de ravitailler ceux qui avaient misérablement survécu de glands et de racines à Kébec. Qui sait si, ayant recouvré leurs forces, ces habitants n'auraient pas tenu tête à l'ennemi?

Le comportement de l'homme à la robe noire fait davantage réfléchir car il a rapporté, en plus des castors, du maïs pour sa communauté. Quant aux hommes à la robe grise[4], ils ont pu aussi s'en procurer, alors que Champlain n'a pas réussi à dénicher la nourriture qu'il fallait pour secourir les siens. Incapable de soutenir un siège, encore moins de livrer un combat, il a cédé son village aux Anglais.

De ses yeux, il a vu partir Champlain et n'a su que penser. Il s'attardait à la cicatrice fendant le lobe de l'oreille et témoignant des valeureux combats de ce chef contraint de capituler sans avoir fait éclater une seule fois le tonnerre au bout des bâtons de feu. Comment cet homme pouvait-il supporter l'idée d'une telle reddition? S'interrogeait-il sur le visage réel de son ennemi? Était-ce vraiment celui de l'Anglais ou celui, sans traits précis, qui dissout les liens au sein d'une société, faisant d'un peuple un ramassis d'individus égoïstes? Se sentait-il abandonné

---

3. De retour du pays des Ouendats, «certains Français avaient rapporté des fourrures pour un total de sept à huit cents livres chacun, ce qui, selon la valeur des peaux en France ou à Québec, pouvait représenter entre soixante-dix peaux et plusieurs fois ce nombre». Bruce Trigger.
4. Jean de Brébeuf avait rapporté quatre ou cinq sacs de farine de maïs de cinquante livres chacun, qu'il offrit à ses confrères jésuites, et les récollets réussirent à acheter deux sacs aux Hurons.

par les hommes à la robe ? Pourquoi ceux-ci ne favorisaient-ils que le bien-être de leur communauté, profitant des avantages de la petite société de Kébec tout en refusant de subvenir à ses urgents besoins ? Et, surtout, pourquoi n'avaient-ils pas assisté Champlain de leurs pouvoirs surnaturels, qu'ils avaient offert de mettre au service des Ouendats pour les aider à vaincre et à anéantir leurs ennemis ?

Quelque temps après le départ de Champlain, ces hommes ont aussi quitté Kébec et la voix de la cloche s'est tue. Et, depuis, elle est toujours silencieuse. Aux Anglais, elle n'a rien à dire. Rien à commander. Son langage ne les rejoint en aucune manière. Elle se tait, perchée au clocher qui surplombe les habitations ceinturées de murailles de pierres des hommes à la robe. Elle se tait, inutile vestige de leur pouvoir. Dans les champs et jardins que leurs domestiques ont défrichés, des Anglais cultivent aujourd'hui pois, maïs et fèves. Ils sont quatre fois plus nombreux que ne l'étaient les Français. De ces derniers, il n'est resté qu'une trentaine, dont la veuve de celui qui cultivait en haut de la falaise (Louis Hébert). Tel que l'avait prévu Parole-Facile, les cultures poursuivies par son gendre (Guillaume Couillart) n'ont pu suffire à nourrir les gens de Kébec pendant un hiver. Avec raison, son cousin prétendait que les Ouendats n'avaient pas à craindre d'être envahis par les Français car peu d'entre eux avaient le désir de s'installer. Qu'en est-il de ces Anglais ? S'empareront-ils du sol en le cultivant ? Et, le cultivant, deviendront-ils peu à peu autonomes et de plus en plus nombreux ?

D'un pas lent, Loup-Curieux arpente la grève à l'embouchure de l'Oriaouenrak (rivière Saint-Charles). De temps à autre, son pas quitte le sol graveleux pour s'aventurer dans les joncs et les herbes que la marée recouvrira tantôt. La sensation de ses pieds qui s'enfoncent alors dans le sol vaseux rejoint celle que lui laisse l'enlisement de ses pensées à propos des Anglais. De ses yeux, il a vu apparaître leurs trois grands vaisseaux. Jamais encore il n'avait vu de ces voiles immenses qui traversent le Grand Lac Salé, car celles des Français ne s'aventuraient pas en amont de Tadoussac[5]. Quantité de guerriers se trouvaient à bord de ces vaisseaux, où de grandes gueules de métal menaçaient de cracher le feu et le tonnerre.

Il a vu les Anglais descendre le drapeau des Français et hisser le leur au bruit de la canonnade et de la fusillade. Il en avait les oreilles tout étourdies et les narines assaillies par l'odeur du feu et de la poudre. Avec Parole-Facile et les hommes de sa canotée, il a vu tout cela sans réagir. Cette guerre n'était pas la leur, mais il se sentait concerné car leur guerre avait déjà été celle des Français. Bien sûr, il y allait des intérêts de ces derniers, car, en assurant la sécurité des rivières, leurs bâtons de feu garantissaient celle des fourrures, mais l'alliance jadis conclue entre leurs peuples obéissait à leur coutume d'être unis en leurs échanges comme en leurs guerres. Cette coutume, les Anglais n'en ont cure. Pour eux, les fourrures ne sont ni ouendates, ni anishnabeckes, ni même iroquoises. Pour eux, les fourrures ne sont que fourrures. Aux anciens fournisseurs et alliés des Français, qui demandent leur protection, ils rappellent leur neutralité et la nécessité de garder leurs effectifs à Kébec en cas d'une contre-attaque française. Ainsi, les rivières sont de nouveau infestées par les Iroquois, qui, après avoir anéanti les Mohicans, s'en sont pris aux autres membres de la famille anishnabecke.

Loup-Curieux passe la main sur la raie médiane de ses cheveux se dressant du front à la nuque. Cet hiver, Parole-Facile et lui ont opté pour cette coiffure, qui s'avère fort pratique et les fait paraître plus grands. Des combats sont

---

5. La grande réussite des frères Kirke durant la période de l'occupation fut la remontée du fleuve Saint-Laurent jusqu'à Québec par de gros navires.

à prévoir contre les Iroquois et ils ont poussé la bravade jusqu'à se faire tatouer un pointillé sur le crâne, indiquant l'endroit où scalper. Ainsi font-ils savoir à leurs ennemis que le rouge de leur sang teintera leur terre avant qu'elle ne leur soit livrée. La cloche se tait. L'esprit de la marée s'éveille, imperceptiblement s'avance entre les joncs, mû par le désir d'aller lécher sur le rivage le pied de nombreuses plantes de haute taille[6] aux magnifiques fleurs écarlates. Quand son fils sera en âge, il l'emmènera en cet endroit voir la puissance de l'esprit qui habite le fleuve. Il lui montrera cette profusion de fleurs, comme autant de taches de sang sur le vert des feuillages qu'égaie le jaune orangé des fleurs en clochette du lys[7], dont ils consomment le bulbe. Il l'emmènera sur cette grève, toucher l'eau, goûter l'eau. Entendre le roucoulement des vaguelettes se confondre à celui des tourterelles qui font ployer les denses colonies de framboisiers. Quand son fils sera en âge, il l'emmènera avec lui dans ses voyages. Le long de la route, il lui enseignera où rendre hommage aux esprits et où poser le pied pour portager. Quand son fils sera en âge, il l'emmènera sur cette grève afin de lui permettre de rentrer en lui-même à la rencontre de l'esprit de la marée.

Loup-Curieux se surprend d'être touché par la quiétude du lieu. Il n'a pas l'habitude de se retrouver ainsi isolé. Sera-t-il soupçonné de sorcellerie pour s'être détaché de son groupe et avoir quitté le campement? Une telle agitation, un tel désordre y règne. Trop de fourrures affluent en même temps[8]. Celles de l'année dernière et celles de cette année. Trop de changements s'imposent dans la manière de procéder avec les Anglais, qui,

---

6. Lobélies du cardinal.
7. Lys du Canada.
8. On estime à trente mille peaux l'arrivage des fourrures en 1630.

contrairement aux Français, leur offrent de l'eau-de-feu[9]. Il en a bu, s'est senti un moment invincible et puissant, pour connaître par la suite un état d'hébétude profonde. Il a vu de ses compagnons devenir arrogants et s'agresser entre eux. Il a entendu Parole-Facile l'accuser de lui avoir ravi Aonetta, qu'il préférait à sa sœur. Il en a ressenti du chagrin pour Petite-Pluie et s'est bien promis de ne jamais lui rapporter les paroles que son cousin avait lui-même oubliées le lendemain. Cette boisson-là lui fait peur. Il se méfie d'elle et de ses effets. Il se méfie de tout ce qui, venant des Agnonhas, pénètre dans son corps pour y répandre le mal et la confusion. Il se méfie des Anglais. Pourtant, ce sont eux qui ont ramené Amantacha.

De ses yeux, il a vu Soranhes trahir son émotion en revoyant son fils. Quand celui-ci était parti, à l'âge de seize ans, en digne Ouendat, Soranhes avait caché ses sentiments. Nulle inquiétude, nul chagrin n'avait transpiré de sa personne. Impassible, de la grève, il avait salué ce beau et intelligent garçon assis aux côtés d'Étienne Brûlé dans la barque, confiant en la parole de l'homme à la robe de le revoir dans quelques lunes. Mais les lunes avaient succédé aux lunes, les saisons aux saisons. Chaque été, Soranhes descendait à Kébec pour y attendre le retour d'Amantacha, ignorant ce qu'il était advenu de lui. Alors, quand il le vit enfin, vêtu de somptueux habits anglais, il flancha et ses yeux s'inondèrent de larmes de joie[10].

Loup-Curieux se rappelle avoir éprouvé de la gêne devant la faiblesse de Soranhes. Il comprenait fort bien

---

9. Champlain s'était opposé à la vente de tout alcool aux Amérindiens sur le territoire qu'il contrôlait.

10. En 1628, les frères Kirke capturèrent la flotte de la Compagnie des Cent-Associés, à bord de laquelle se trouvaient Étienne Brûlé et Amantacha, revenant de France. Croyant le jeune Ouendat fils d'un « roi local », ils l'emmenèrent à Londres, accompagné de Brûlé, où il fut traité comme un personnage important.

son émotion, mais acceptait mal qu'il la montre. Sans doute aurait-il agi pareillement dans les mêmes circonstances, se répétait-il afin de faire naître chez lui un peu d'indulgence, tout en sachant qu'il n'aurait jamais permis que de telles circonstances se produisent. Ni Aonetta, d'ailleurs. À tous deux répugnait même la simple idée de confier un de leurs enfants à des Agnonhas. C'était trop cher payé, trop risqué pour établir des relations privilégiées avec eux. Et, de plus, tout à fait aléatoire car ils étaient tributaires du cours des guerres qui se déroulaient de l'autre côté du Grand Lac Salé. Ainsi, que sert-il maintenant à Soranhes que son fils sache parler français et qu'il soit baptisé du nom de Louis de Sainte-Foi[11]? Quel avantage cela lui procure-t-il aux yeux de l'Anglais, qui n'entend ni cette langue ni celle de la cloche? Du temps de Champlain, ces atouts lui auraient servi. Les hommes à la robe, assurément, lui auraient fait don d'un Petit-Esprit et, au comptoir de traite, les canotées voyageant avec son autorisation auraient bénéficié d'avantageux échanges qui lui seraient revenus. Ainsi, sans se déplacer, Soranhes aurait pu acquérir richesse et prestige pour sa famille et sa maison, devenant atiwaronta[12] à l'instar de quelques-uns déjà corrompus par l'appât du gain. Puisque l'Anglais ne fait aucune différence entre eux, son arrivée mettra-t-elle fin à cette attitude inacceptable de la part d'un Ouendat? Doit-il vraiment se méfier plus des Anglais que des Français? Amantacha et Brûlé, qui ont vécu plusieurs lunes en leur pays, les encouragent à traiter avec eux.

---

11. Sous la tutelle du vice-roi de la Nouvelle-France, le pieux Henri de Lévis, duc de Ventadour, Amantacha apprit à parler et à écrire le français. Il fut baptisé en public en décembre 1627, dans la cathédrale de Rouen. Deux membres de la noblesse lui servirent de parrain et de marraine.
12. Atiwaronta: sobriquet signifiant «grosse pierre», attribué à certains chefs qui se procuraient des marchandises pour leur prestige personnel et non pour celui du clan ou de la tribu.

Qu'Amantacha parle en bien des Anglais lui apparaît normal puisqu'il a été traité avec autant d'égards parmi eux que parmi les Français. Par contre, ces éloges dans la bouche d'Étienne Brûlé le laissent songeur. Pourquoi sert-il aujourd'hui ceux qui, hier, ont affamé les siens jusqu'à la capitulation ?

Les vieilles dissensions à son sujet se sont ravivées et ont de nouveau opposé sa pensée à celle de Parole-Facile. Cela l'affecte. Dès que l'un ou l'autre ouvre la bouche, une distance se crée entre eux et, par son éloquence, Parole-Facile réussit toujours à rallier les opinions, l'isolant dans la sienne avec Aonetta. En passant de la tribu de la Roche à celle, plus puissante, de l'Ours, Étienne Brûlé était devenu le principal agent de liaison entre les Ouendats et les Français, rôle qu'actuellement il tient entre eux et les Anglais. Qui cet homme servira-t-il demain ? Une parole de Toujours-Plus-Loin lui revient souvent à la mémoire. « Un fils qui délaisse sa tribu pour une autre plus importante est un drôle de fils. » En délaissant si facilement les Français pour les Anglais, ce « drôle de fils » ne leur indique-t-il pas clairement qui, des Français ou des Anglais, sont les plus importants Là-Bas ? Les plus forts ? Les vainqueurs ?

L'esprit de la marée commande aux flots de refluer dans la rivière Oriaouenrak. Ses pieds maintenant foulent un fin gravier et le rapprochent des anciennes habitations des hommes à la robe. L'envol d'innombrables tourterelles fait pleuvoir les fruits trop mûrs des framboisiers et ramène sa pensée vers Aonetta. Si elle était ici, tout abondants qu'ils soient, aucun de ces savoureux petits fruits n'aurait échappé à sa main vaillante. Elle aurait mis le surplus à sécher, pour les incorporer aux galettes de maïs au cours de l'hiver. Le goût de son pays lui monte à la bouche. Il revoit sa femme et ses enfants occupant une des douze cases sous le toit de la Grande Tortue, qui compte six feux. Il revoit son village protégé d'une triple palissade et les champs tout autour où œuvrent les femmes. Sa vie n'est-elle pas là-bas ? Ce qui le motive à se rendre à Kébec ne se trouve-t-il pas au village de Quieunonascaran ? En quoi ses agissements diffèrent-ils tellement de ceux des Agnonhas ?

Soudain, un bruit l'arrache à ses réflexions. D'instinct, il se dissimule dans des buissons, épiant le déplacement d'un homme dans le boisé. Est-ce un ennemi ? Possible. Les Anglais n'assurent pas la sécurité des rivières. Il porte la main à son couteau, prêt à le lancer. Les pas se rapprochent, trahissent une chute comme si l'homme était blessé, puis ils reprennent, hésitants, irréguliers. Cric ! Crac ! Nouvelle chute, accompagnée d'un grognement et d'un bruissement de feuilles. Enfin, un rot sonore, suivi d'un gargouillement. Loup-Curieux risque un coup d'œil et aperçoit un homme tombé à genoux qui vomit copieusement, se relève, titube et retombe.

Cet homme, il le reconnaît. C'est Lynx-des-Neiges. Le voilà rendu bien loin de l'embouchure de la Wabozsipi, où jadis ils s'échangeaient leurs produits ! Que lui est-il arrivé ? La dernière fois qu'ils ont fait affaire ensemble, lui et sa famille avaient le visage peint en noir. Il sait que, depuis, cet Oueskarini a profité du marché parallèle qui s'effectuait à partir du campement de Métabéroutin (Trois-Rivières) avec les Agnonhas du Sud. Ce marché, vivement condamné par les Français, s'est sans doute effondré depuis le retour des hostilités iroquoises, ce qui expliquerait la présence du chasseur dans les parages.

Rassuré, Loup-Curieux s'approche de Lynx-des-Neiges. Ce dernier jette sur lui un regard trouble, puis grimace et s'élance, un couteau à la main. Loup-Curieux recule d'un pas et son agresseur s'étale par terre. Aussitôt, il lui applique un genou dans le dos, puis le saisit d'une main par les cheveux pour lui renverser la tête, et de l'autre lui arrache son arme.

— Pourquoi déclares-tu la guerre aux Ouendats, Oueskarini ?

— Ouendat ?

— Ouendat, fils de l'Ours.

Loup-Curieux libère Lynx-des-Neiges et le retourne brusquement, gardant son couteau. La bouche molle et pendante, le chasseur lève vers lui des yeux vitreux qui deviennent vite piteux.

— C'est toi… Tes cheveux… J'ai cru… un Iroquois, bredouille-t-il avec son fort accent.

— L'eau-de-feu brouille tes yeux.

— Loup-Curieux… Je te reconnais… Le chien blanc… Tu voulais le chien blanc de mon fils.

— Tu m'as offert l'oki.

Loup-Curieux porte la main au talisman noué à son cou.

— L'oki… pour te porter chance… Le chien blanc a porté malheur… J'ai sacrifié le chien blanc, mais… le malheur s'est abattu… Le castor s'est vengé… Trouve un bâton de feu pour moi… Je te fournirai des castors… Beaucoup de castors.

Lynx-des-Neiges s'accroche aux épaules de Loup-Curieux, qui tente de le relever.

— Il n'y a pas de place pour d'autres castors dans les canots des Ouendats.

— Je suis un bon… bon chasseur. Demande… Je viderai toutes les cabanes de castors… pour toi… Seulement pour toi… Trouve un bâton de feu… pour moi… Mes chasses seront tes chasses.

— Le bâton de feu ne t'aidera pas dans tes chasses.

— Le bâton de feu… servira à délivrer Wapitik… Les Anglais échangent le bâton de feu… Ils ne sont pas comme les Français… Ils échangent l'eau… l'eau-de-feu… et les bâtons de feu… J'irai chercher mon fils… chez les Iroquois… Avec le bâton de feu… j'irai…

Wapitik… Wapitik, termine Lynx-des-Neiges en étouffant un sanglot et en se laissant retomber pesamment.

Loup-Curieux le regarde choir. Il n'a que dédain envers cet homme qui succombe aux larmes comme une femme. La tentation de l'abandonner comme une loque indigne lui semble la meilleure chose à faire, mais il ne s'y résout pas. Cet homme est plus qu'un simple fournisseur et autre chose qu'un ami… Cet homme lui a remis l'oki que lui destinait l'esprit de la tortue. Entre eux, un lien existe depuis le jour où ce fils disparu lui a offert une poignée de fraises écrabouillées. Est-ce à cause de ce dernier ou du fait qu'il est père d'un fils ou encore de l'oki que Loup-Curieux s'assoit près du chasseur ? Il ne le sait pas et il se surprend de la sollicitude de sa propre voix quand il demande :

— Qu'est-il arrivé à ton fils ?

— Les Iroquois l'ont capturé… N'Tsuk et sa mère étaient parties cueillir… Wapitik était resté avec moi pour aller lever le filet… Les Iroquois ont attaqué par sur-prise… De partout, il en venait… J'ai pris ma hache au fond du canot… Wapitik a tiré son couteau… Je lui ai crié de se sauver… Deux hommes m'ont attaqué… Je me suis battu… J'ai vu Wapitik se faire couper l'oreille d'un coup d'épée. Au lieu de tomber, il a sauté sur l'Iroquois avec son couteau… J'ai vu l'Iroquois l'assommer.

— Les Iroquois sont revenus infester les rivières.

— J'ai réussi à m'échapper… Ceux qui campaient avec nous ont presque tous été tués… ou faits pri-sonniers… Les Iroquois ont volé toutes les fourrures, défoncé les canots… J'ai mis du temps… à en réparer un et je suis parti… pour délivrer Wapitik… Mon pauvre Wapitik…

— Les Iroquois tuent rarement un enfant de cet âge.

— Surtout un enfant courageux comme Wapitik… Je veux un bâton de feu pour aller le délivrer.

— S'il est vivant, tu pourras l'échanger un jour contre l'un des leurs.

— Nous... nous n'avons pas de prisonniers... à échanger... Les Iroquois veulent notre perte... Ces vrais serpents veulent nous tuer... comme ils ont tué les Mohicans... Les Iroquois sont en colère contre les Anishnabecks, qui ont porté secours à leurs frères mohicans... Les Iroquois ont coupé une branche de l'arbre des Anishnabecks... Les Mohicans sont comme des feuilles, des feuilles dispersées par le vent... La vengeance du castor est commencée... Ce que nous faisons le met en colère... Les Iroquois ont anéanti les Mohicans pour les remplacer... dans les échanges avec les... Étrangers du Sud... La vengeance du castor est commencée...

Les propos de l'homme rejoignent une inquiétude sans nom au fond de l'âme de Loup-Curieux.

— Les Français voulaient notre perte... pour avoir nos terres.

— Ta langue parle comme l'Innu, souligne Loup-Curieux, qui n'est pas sans connaître l'animosité croissante des Innus envers les Français.

Une animosité étonnamment proportionelle à l'état de dépendance qui s'était développé au rythme des échanges entretenus depuis plusieurs générations à Tadoussac.

— La langue de l'Innu s'entretient depuis longtemps avec l'Étranger... Elle dit qu'il y a maintenant des bâtons de feu... chez les Iroquois.

— La langue de l'Innu est menteuse. C'est en leurs mains que se trouvent des bâtons de feu. Demande le bâton de feu aux Innus, pas à moi[13].

---

13. Basques, Normands et Bretons pêchant dans les eaux du golfe du Saint-Laurent exercèrent avec les Innus la contrebande de l'alcool et, à l'occasion, des armes à feu.

— Ces bâtons de feu servent à protéger les Innus des Iroquois… Toi, demande aux Anglais, qui n'ont pas à se protéger des Iroquois.

— Ils ne sont pas comme les Français, qui protégeaient les rivières.

— Les Français protégeaient les fourrures… Toutes les fourrures… Celles des Ouendats… et celles que les chasseurs déposaient dans leurs mains en échange de maïs… Des fourrures de castor… Des montagnes de castors… Sa vengeance est commencée… La langue des Kichesipirinis raconte qu'en votre territoire il ne se trouve plus de castors[14].

Loup-Curieux ne conteste pas ce fait qui l'alarme, mais dont Parole-Facile minimise la portée en avançant que cela leur évite de surveiller les braconniers iroquois.

— Il ne se trouve plus de Mohicans… sur leur territoire… Les Iroquois y sont à leur place… Un jour, il n'y aura plus d'Ouendats… sur leur territoire.

— L'eau-de-feu rend ton esprit trouble comme l'eau d'un marais, objecte Loup-Curieux.

— Trop de fourrures… passent dans les mains des Ouendats… Le castor se vengera.

— Trop d'eau-de-feu pénètre dans le corps des Anishnabecks… Vois les Innus. Ils crachent sur les Français, mais depuis longtemps ils avalent leur eau-de-feu… Cette boisson sera ta perte… Elle rend ton esprit trouble comme l'eau d'un marais, répète Loup-Curieux.

Comme il regrette de s'être penché sur les malheurs de Lynx-des-Neiges! Ce grand chasseur ravalé au rang de loque pleurnicharde lui trouble l'âme autant qu'il semble avoir l'esprit troublé. Il devrait le quitter. Il n'a rien à partager avec cet homme rustre qui lie son sort à celui de

---

14. En 1630, l'intensité des chasses organisées par les Hurons entraîna l'extinction totale des castors sur tous leurs territoires.

la bête qu'il traque. Lui, il est ouendat. Les siens n'ont qu'à multiplier les champs quand se multiplient les bouches à nourrir.

— Le castor étendra sa malédiction sur... les Anishnabecks avant de l'étendre sur les Ouendats, prédit l'ivrogne.

— ...

— Mon esprit est clair comme l'eau d'une source... L'eau-de-feu des Étrangers ouvre mes yeux... au-delà des soleils qui ne sont pas encore levés... Mes yeux voient d'autres yeux pleurer, d'autres visages grimacer de douleur... Mes yeux voient une perte, une perte si grande... que celle de Wapitik semblera petite... Mes yeux voient que nous changeons... Nous changeons pour notre perte à tous.

Loup-Curieux chasse de son esprit l'inquiétant phénomène des atiwarontas et se lève brusquement, décidé à retourner au campement. Lynx-des-Neiges se pend à ses jambes, suppliant, hoquetant.

— Reste... Nous sommes d'Ici... Chassons ensemble les Étrangers... pour que les choses soient comme avant... Ton maïs, un jour, personne n'en voudra... Il y a des biscuits maintenant pour le remplacer... Il y a des couvertures de laine pour remplacer les peaux de wapiti... Il y a l'étoffe... Un jour, les Étrangers n'auront plus besoin de vous... Un jour, les Peuples d'Ici n'auront plus besoin de votre maïs... Laissons en paix l'esprit du castor... Au lieu de nous tuer... pour leurs fourrures, unissons-nous pour chasser les Étrangers.

— Tu dis cela parce que les Anishnabecks, qui se prétendaient les maîtres de la Kichesipi, n'ont pas été choisis par les Français pour traiter avec eux et voient aujourd'hui les Iroquois menacer leur rivière...

— Les Français sont partis... Les Anglais traitent avec ceux qui apportent des fourrures... Ne les laissons pas s'installer : chassons-les. Redevenons comme avant, entre Peuples d'Ici.

— Et avec ceux qui ont pris ton fils, tu voudrais aussi t'unir ?

Lynx-des-Neiges s'effondre d'un coup et sanglote, visage contre terre. Loup-Curieux s'éloigne de lui à grands pas, puis ralentit l'allure. Doit-il rejeter en bloc les propos de celui qui a bu l'eau-de-feu ? N'y a-t-il pas toujours dans le flot de ses paroles insensées une goutte de sagesse ? Et, dans l'amas de ses mensonges, une parcelle de vérité ? Il se remémore la manifestation de la jalousie latente de Parole-Facile et s'arrête. Il n'a pas plus envie de retrouver les siens que de demeurer en compagnie de l'Oueskarini. Au risque de passer pour un sorcier, il va rester dans les parages de l'esprit de la marée.

Il trouve un endroit où s'asseoir à l'abri de tout regard et y demeure immobile, tentant d'être de nouveau touché par la quiétude du lieu. La grandeur du moment.

Malgré lui, ses pensées se bousculent, ses sentiments le tiraillent. Sans cesse, l'image de son fils revient le hanter. S'il était capturé, n'essayerait-il pas lui aussi d'aller le délivrer ? Ne chercherait-il pas, à cette fin, d'obtenir le bâton de feu qui jette la terreur ? Sûrement. Qu'il soit chasseur ou marchand, un père est un père.

La perspective que certains Iroquois aient pu obtenir l'arme toute-puissante l'angoisse. S'il fallait que, dans l'avalanche d'inepties de Lynx-des-Neiges, celle-ci n'en soit pas une !

Un miaulement en provenance des buissons attire son attention. Il regarde et aperçoit Petit-Esprit, avec une robe toute noire, qui le fixe de ses yeux d'or. A-t-il été oublié ou abandonné par les sorciers qui en faisaient l'élevage [15] ? Ce

---

15. Les récollets élevaient des chats domestiques afin de les donner aux chefs ou à des personnages influents des Ouendats.

serait relativement facile de le capturer. Quelle tête fera son cousin en le voyant revenir avec cette acquisition de très grande valeur qu'il cherche à se procurer depuis longtemps! Le chat l'observe, sans méfiance et sans crainte. Devant ce mystérieux comportement, Loup-Curieux se ravise. Cette couleur est de mauvais augure. Et puis Petit-Esprit ne s'est jamais trouvé chez les Ouendats avant l'arrivée des Étrangers. Pourquoi, tel l'éclair, ce désir cupide? A-t-il donc lui-même tant changé, pour avoir espéré devancer Parole-Facile en rapportant cette bête fabuleuse dans la maison de la Grande Tortue, augmentant de cette façon son prestige personnel? Serait-il en voie de devenir lui-même un atiwaronta?

À l'image de la marée sur la berge, un malaise l'envahit et, dans sa robe noire, Petit-Esprit le saisit de ses yeux d'or.

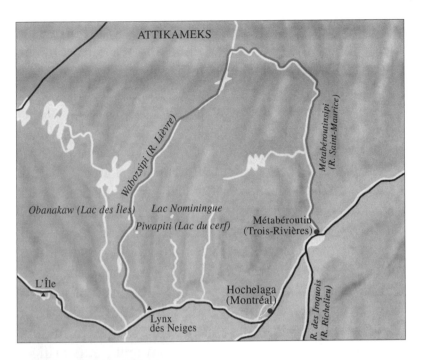

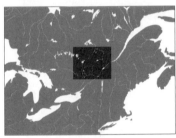

Chapitre 19

Le mort vivant

1632, en la lune algonquienne de la plus longue nuit (décembre), marécage au sud-ouest du petit lac Piwapiti.

Quand le froid a saisi l'eau de leur étang, ils y étaient préparés. La digue se trouvait en parfait état, leur hutte, bien colmatée de boue, et leur réserve alimentaire, amplement garnie de ramilles et de bouts de bois. Ils n'ont rien à craindre de l'hiver sinon la loutre, capable de se faufiler dans leur abri pour les égorger.

Ils se sont retirés, bien au sec, dans le confort de leur logis, et, depuis, ils n'ont rien d'autre à faire que de dormir, entretenir leur pelage, manger, sortir les déchets et vérifier le niveau de l'eau.

Le plus gros et le plus vieux des castors somnole, sa fidèle femelle roupillant à ses côtés. Tout contre elle se blottissent les quatre petits de l'été et, groupés ensemble, les trois de l'été précédent. Quand la chaleur libérera l'étang, ceux-ci seront chassés. Les voilà en âge d'aller s'accoupler ailleurs et d'y édifier leurs propres digue et cabane. Depuis leur naissance, ils apprennent de leur expérience transmise par l'exemple. Qu'ils soient mâles ou femelles, tous savent abattre l'arbre ainsi que construire, réparer et étayer le barrage. Tous connaissent la manière de tracer des pistes et de creuser des canaux pour faciliter le transport des billes. Tous sont en mesure d'aménager la hutte, comportant un ou plusieurs orifices submergés par lesquels ils accèdent au plan d'eau. Et tous devinent le moment d'entasser les provisions à proximité de l'abri afin de pouvoir s'y alimenter sous la glace.

Pour l'instant, ces jeunes se consacrent aux soins méticuleux de leur pelage. À l'aide de la griffe fendue des pattes arrière, ils démêlent, cardent et extraient les parasites du duvet qui s'épaissit au rythme des nuits qui allongent. Une fois l'opération terminée, ils lubrifient jarres et duvet au moyen de l'huile secrétée par leurs deux petites glandes situées près de l'anus. Ainsi bien entretenue, leur fourrure les imperméabilise et les garde bien au chaud, ses longs poils ayant la propriété de se hérisser au besoin pour en augmenter la densité. Ah! ils n'ont vraiment rien à craindre de l'hiver, sinon la loutre. Et rien d'autre à faire que de se reposer de leurs incessants travaux de la belle saison.

Le gros castor s'étire les pattes, bâille en faisant claquer ses grandes incisives, puis, clignant de ses petits yeux myopes, il observe les jeunes qui n'en finissent pas de lustrer leur fourrure, s'aidant parfois mutuellement comme ils faisaient avec les derniers-nés quand ils en avaient la garde. Les voilà en âge... Quand leur duvet s'éclaircira au rythme des nuits qui raccourcissent, ils seront chassés de l'étang.

Un craquement feutré le tire de sa torpeur. Il lève la tête, renifle... On marche sur la glace. Pesamment. À deux pattes. Le voyant en état d'alerte, les jeunes cessent leur toilettage. Sa femelle s'éveille. Deux prédateurs à deux pattes furètent autour du gîte. Les castors s'immobilisent. Évitent tout bruit. Feignent l'absence, même si, à l'exception de la loutre, aucun prédateur ne peut les rejoindre dans leur terrier.

Lynx-des-Neiges et N'Tsuk déblaient la glace aux endroits soupçonnés d'être les voies d'accès à la hutte, dont la présence des occupants a été trahie par la vapeur se condensant à la cheminée d'aération. N'Tsuk découvre un chemin de bulles pétrifiées dans la glace, entre l'amas de provisions et le gîte. Aussitôt, elle se met à creuser la glace, pendant que son père cherche l'autre voie d'accès. L'entendant creuser au bout d'un moment, la jeune femme en conclut qu'il a trouvé à son tour et elle poursuit son ouvrage. L'outil de fer lui fait voler des éclats de glace au visage. Les yeux plissés, elle frappe à coups redoublés, s'imaginant qu'elle fend le crâne de ceux qui leur ont ravi Wapitik. Depuis cette terrible disparition, leur vie a basculé... Dans tous leurs déplacements, les vêtements et les objets de son jeune frère les accompagnent. Comme il n'est pas décédé, ils n'ont pu les enterrer avec sa dépouille comme ils ont fait pour les morts en face de Rocher-Montagne, mais, Wapitik n'étant plus là, ils ne servent à personne. C'est comme s'il était mort sans l'être... Ou vivant sans l'être. Quoi qu'il en soit, depuis ce jour fatidique où les Iroquois l'ont capturé, il n'a cessé d'être présent dans leurs pensées. Dans leur wigwam, dans leur canot. Dans leurs gestes. Chaque soir, sa mère passe le doigt sur les poils de porc-épic qu'elle était à broder sur un de ses vêtements et des larmes perlent à ses yeux. Réalise-t-elle que, s'il revenait, ce vêtement serait trop petit pour Wapitik, qui aurait quatorze ans en la prochaine grande lune (février)? Souvent lui revient à la mémoire ce cri lancé au ciel par sa mère: «Wapitik est né.» Qui criera: «Wapitik est mort»?

Des Innus présument que son frère se trouve prisonnier chez les Iroquois et ils offrent, moyennant plusieurs castors, de dénicher pour son père un bâton de feu afin qu'il aille le soustraire à ses ravisseurs. Pour cette raison, ils se livrent dorénavant essentiellement à la chasse à ce rongeur. Terminée la chasse exaltante au wapiti. Désormais, il lui faut creuser la glace afin de piéger les castors en bloquant les issues par des pieux et transformer ainsi leur demeure en tombeau. Désormais, elle chasse à coups de hache dans la glace. Elle frappe et frappe. Avec rage. Avec haine. Elle frappe sur sa douleur pour la tuer. Elle frappe sur le doute qui sans cesse refait surface. Doit-elle prêter foi aux paroles de ces Innus qui distribuent à la dérobée de l'eau-de-feu au lieu de traite de Métabéroutin (Trois-Rivières)? Réinstallé au cours de l'été par les Français, qui ont repris leurs établissements à la suite de palabres avec les Anglais[1], ce lieu ne suscite plus chez les siens l'enthousiasme qui prévalait avant la double défaite des Mohicans et des Français qui a entraîné les raids iroquois. Personnellement, elle déteste cet endroit, qui sent la mort que l'ennemi a semée et qui empeste l'eau-de-feu que l'Étranger apporte. Quand son père en avale, il devient habité par

---

1. Le traité de Saint-Germain-en-Laye, signé le 29 mars 1632 entre les rois de France et d'Angleterre, remet l'Acadie et la Nouvelle-France à la France. Au cours de l'été 1632, Trois-Rivières est favorisé comme site de la rencontre annuelle entre Amérindiens et trafiquants de fourrures.

un esprit dément. Imprévisible. Désespéré. Incontrôlable. Rien ne le raisonne. Rien ne l'effraie. Et rien d'autre ne se trouve sur ses lèvres que le nom de Wapitik. Rien d'autre ne se trouve dans son âme que la béante déchirure de sa disparition. Sa mère et elle n'existent plus, transformées en fantômes par le spectre de Wapitik. A-t-elle pris une bonne décision quand elle a choisi de suivre son père en cette saison de chasse afin de lui gagner de nombreux castors? Perdra-t-elle ainsi le cœur de Flèche-Rapide, qui lui a demandé de le suivre en son territoire du lac Nominingue? Avant de la quitter, il lui a bien fait sentir qu'à son avis elle faisait fausse route en encourageant l'aveugle obsession de son père. À ses yeux, la mort de Wapitik paraît une évidence et ce projet d'aller le délivrer, une folie sacrilège. Folie parce que c\est inutile, les Innus n'étant, d'après son prétendant, que «des mangeurs de biscuits et des buveurs d'eau-de-feu» qui disent n'importe quoi pour obtenir des fourrures. Sacrilège parce que cela intensifie la pression de la chasse sur une seule espèce d'animal, tout en la contraignant à poursuivre des activités d'homme. Activités qui n'ont fait que s'accroître à la suite de la capture de son frère. «Ton père a fait de toi un fils... Ton père te veut homme... Moi, je te veux femme. Je te veux mère», a-t-il établi en lui demandant de l'épouser.

De dix ans son aîné, il est réputé pour la rapidité avec laquelle il décoche ses flèches. Il a déjà été uni à une femme, qui lui a donné un enfant mort en bas âge et qui s'est éteinte en accouchant d'un mort-né l'année précédente. Leur rencontre au pied des rapides de la Wabozsipi fut aussi tumultueuse que les eaux de l'endroit, qui obligent au portage. Avant de se plaire, ils se sont d'abord défiés. Affrontés. Détestés. Une chasseresse sur le chemin du chasseur bafouait la fierté de ce dernier. D'autant plus qu'elle tirait à l'arc avec autant de précision que lui de vitesse. Il la railla, la traitant de femme-homme, la dénigra, assurant qu'elle n'était ni l'une ni l'autre. Quelle grotesque erreur son père avait commise ! Quel résultat lamentable elle personnifiait ! Quel homme voudrait bien d'un femme qui agit comme un homme ? À ces affronts, elle ripostait par la qualité des peaux qu'elle apprêtait et l'art de la broderie, qu'elle était parvenue à maîtriser. De ses opinions, elle faisait fi, allant jusqu'à l'ignorer. Pourtant, en elle, ce désir de lui... Ce désir du mâle. Désir puissant d'être, pour lui, femelle.

L'eau lui gicle au visage. Quelques coups encore et elle pourra enfoncer des pieux par le trou. Son père termine déjà cette opération. Il travaille vite. Acharné et obsédé, il ne considère maintenant les castors que comme des moyens susceptibles de contribuer à la libération de Wapitik. Comme il a changé ! Où est passé ce père qui a sacrifié Tout-Blanc pour demander pardon à l'esprit du castor ? Cet esprit qu'il ne cesse d'offenser en exterminant des familles entières. Qu'est-il advenu de ce père qui lui affirmait que l'arbre continue à vivre quand une branche en tombe comme est tombée celle de sa jumelle ? La branche de Wapitik ne pend-elle plus à l'arbre que par l'écorce ? Flèche-Rapide prétend que son père est un mort vivant qui va à l'encontre des vivants autant que des morts. A-t-elle bien fait de le suivre, ce mort vivant ? Ne va-t-elle pas à l'encontre d'elle-même en écrémant avec lui ce territoire hanté par Wapitik, qui en aurait hérité ?

Quand elle a choisi qui, de lui ou de Flèche-Rapide, elle allait suivre, il était question de chasser sur le territoire du mari de Plume-de-Perdrix, au lac Obanakaw (lac des Îles). L'idée de passer l'hiver en compagnie de sa tante et de sa famille reconstituée l'enchantait. Huit personnes la composent maintenant, dont trois enfants de six, cinq et un an. Elle anticipait la joie de les voir se retrouver tous sous le même wigwam, autour du même feu. D'entendre rire les petits, d'écouter les histoires des adultes et de parler de Nesk à sa mère. De Nesk qu'elle a revue à la Manouansipi cet été en se rendant à Métabéroutin par le « chemin détourné[2] » de la Wabozsipi, qui permet d'éviter les embuscades des Iroquois. Sa cousine y allaitait son premier-né, s'estimant en sécurité chez les Attikameks de l'arrière-pays, épargné par les Iroquois. Elle lui manque tellement, cette cousine devenue comme sa sœur. Presque comme sa jumelle. Le simple fait de parler d'elle à Plume-de-Perdrix aurait été doux à son cœur. Est-ce pour l'amener à le suivre que son père lui a fait luire ce bonheur ? Elle ne comprend plus cet homme. Quand et pourquoi a-t-il décidé de venir chasser sur le territoire ancestral ? Est-ce pour pouvoir commettre ces abus loin du regard des siens ou encore pour leur donner un sens ? Plus que tout autre, cet endroit pleure l'absence de son frère. Le wigwam, dressé près du ruisseau mystérieux, rappelle sans cesse les jours heureux de sa présence, et le vide qu'il a laissé prend toute la place. Flèche-Rapide a raison. Les voilà en train de devenir des morts vivants.

Lynx-des-Neiges vérifie la solidité des pieux qu'il a enfoncés devant l'orifice de la voie d'accès. Par mesure de précaution, il leur assujettit un filet derrière. Ainsi, au cas où un animal parviendrait à s'échapper, il se retrouverait piégé dedans. N'Tsuk fera de même devant l'autre issue.

Il grimpe sur la hutte et s'attaque férocement à la cheminée d'aération afin de l'agrandir. Préservée du gel par la vapeur que dégagent les bêtes, cette cheminée constitue une faille centrale dans le solide bâtiment de gaules et de brindilles entrecroisées que la boue gelée a pétrifiées.

---

2. Chemin détourné : route qui consistait en la remontée de la rivière du Lièvre afin de rejoindre, via la rivière Manouan, celle du Saint-Maurice (Métabéroutinsipi), qui descend jusqu'à Trois-Rivières.

Avec adresse et force, il procède du cœur vers la périphérie, arrachant, tirant, soulevant, coupant. Bientôt, sa fille vient lui prêter main-forte. Il faut faire vite. Aucun castor ne doit leur échapper, car, une fois leur cabane détruite, aucun ne pourra survivre à l'hiver.

Il faut faire vite. Ramasser le plus de castors possible pour se procurer un bâton de feu. Son fils est vivant. Il le sent et l'a toujours pressenti. Jamais il n'a accepté l'idée de sa mort. Des Innus aussi le croient vivant. Ils vont l'aider à le délivrer. Wapitik l'attend, captif chez les Iroquois. Wapitik l'appelle et il l'entend. Wapitik l'appelle et il lui répondra. Il se glissera en catimini en pays iroquois, l'arme toute-puissante à la main… N'Tsuk l'accompagnera. Il ne le lui a pas encore demandé, mais il sait qu'elle acceptera. L'adresse et le courage ne manquent pas à sa fille et bien des hommes s'en assombrissent. À commencer par Flèche-Rapide. Celui-ci est trop orgueilleux pour lui servir de mari. Il ne sait pas apprécier ce qu'elle est et il ne croit pas au projet du sauvetage de Wapitik. Tout bon tireur qu'il soit, Flèche-Rapide a décliné l'invitation de se joindre à lui. Le mari de Plume-de-Perdrix aussi a refusé, ainsi que son neveu Pattes-d'Ours. Sont-ils donc tous des lâches, pour laisser en des mains iroquoises son pauvre Wapitik? N'y aura-t-il pour lui porter secours que sa sœur, son père et les deux Innus de Kébec qui lui procureront le bâton de feu? Car N'Tsuk viendra. Il le faut. Il a besoin d'elle. Cela, jamais il ne le lui dira. Ni n'avouera qu'il lui a menti en prétendant vouloir passer l'hiver avec Plume-de-Perdrix au lac Obanakaw… Ce territoire n'est pas le sien… Ce territoire n'est pas celui qu'il léguera à Wapitik. Car il le lui léguera un jour. Oui, un jour, Wapitik reviendra ici, et plus jamais ils n'outrageront l'esprit du castor comme ils le font présentement.

N'Tsuk s'écarte de son père, qui s'acharne frénétiquement à démolir l'abri. Branches et bouts de bois volent alentour et elle l'entend souffler comme une bête hargneuse. Cet assaut la désole. La choque. L'effraie. Lui fait regretter sa décision. Si elle avait suivi Flèche-Rapide, plus d'une fois elle aurait comblé ce désir d'être femelle pour lui. D'être gourmande femelle offerte au mâle doux et rude qui s'abandonne et prend. Que d'extase elle a goûtée quand il s'est glissé sur sa couche! Comment a-t-elle donc pu renoncer à s'accomplir en tant que femme pour continuer d'agir comme un fils auprès de ce père à la poursuite d'un mirage? Ne devrait-elle pas se résoudre à enterrer Wapitik pour se consacrer à la vie nouvelle éclose en son ventre?

Les issues sont bloquées, le toit, arraché. L'homme brandit son épée emmanchée au-dessus du gros castor qui, poils tout hérissés, gronde en dévoilant ses tranchantes incisives. Han! Le coup s'abat. Le sang coule. Des convulsions secouent le corps grassouillet. Han! La grosse femelle émet un son, bave des bulles roses avant de s'écrouler parmi ses petits terrorisés qui, aveuglés par l'éblouissante lumière, cherchent à fuir dans toutes les directions. Han! Han! Ils tombent, gigotent, tressautent. Han! Han! Il faut les tuer tous.

La vision de son père brandissant l'épée emmanchée saisit N'Tsuk. Comme elle pouvait l'admirer quand il la brandissait pour abattre le wapiti susceptible de charger! Que de dignité et de bravoure ce geste recelait alors! Aujourd'hui, il en est un de carnage. Windigo[3], le monstre cannibale, viendra-t-il les dévorer pour les punir de leurs excès?

Lynx-des-Neiges saisit de justesse la queue d'une bête qui a plongé vers la sortie et la lance sur le lac. « À toi »,

---

3. Windigo, witikow : signifie « monstre fabuleux, homme géant anthropophage », et désigne un esprit de la mythologie algonquienne qui symbolise le caractère destructeur de l'avidité et de l'excès.

crie-t-il à sa fille afin qu'elle l'achève. Lent et maladroit au sol, le castor fuit devant N'Tsuk. Il s'enfonce dans la neige, trébuche, se relève et s'affole. Elle le rejoint aisément. À l'instant où elle lève la hache, il se retourne. Et s'écrase, poils hérissés, à la fois menaçant et suppliant. La jeune femme hésite. Lui laisser la vie sauve s'avère inutile puisque l'hiver, de toute façon, la lui ravira, cette vie. Han ! Elle assène un coup violent qui lui éclabousse le visage de fines gouttelettes de sang.

L'animal gît sur le sol. Sur sa fourrure lustrée et bien peignée, le sang coule et glisse pour aller imbiber la neige. Un haut-le-cœur soulève l'estomac de N'Tsuk, qui détourne la tête pour vomir. Son père s'approche d'elle.

— Tu portes un enfant ? s'informe-t-il.

Elle fait signe que oui.

— De Flèche-Rapide ?

Voyant sa fille répondre d'un nouveau signe affirmatif, Lynx-des-Neiges retourne ramasser les cadavres. Des castors, il lui en faudra encore beaucoup plus, car il devra en offrir en récompense à ceux qui voudront l'accompagner en pays iroquois. Toute courageuse qu'elle soit, N'Tsuk ne viendra pas. Il est inutile de le lui demander.

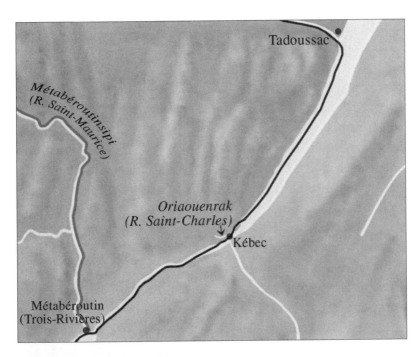

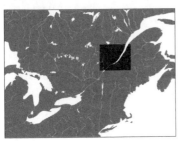

Chapitre 20

Méfiance

1633, 2 juillet, Kébec de nouveau
sous le drapeau français.

Il va tuer un Iroquois. N'importe lequel. Le premier
venu. Il n'a pas le bâton de feu, mais il va le tuer.

Lynx-des-Neiges se sent doté d'une force invincible. Rien ne pourra arrêter son bras, comme personne n'a pu le retenir, ni sa femme ni Flèche-Rapide
et N'Tsuk, venus avec leur bébé nommé Amiconse,

c'est-à-dire « le jeune castor ». Lui, il aurait tant aimé que ce garçon porte le nom de Wapitik. Il lui aurait donné les vêtements de son fils disparu, mais il se nomme Ami-conse, et ces vêtements, il les a échangés avec des castors contre de l'eau-de-feu, à défaut d'un bâton de feu. Ils ne seront plus là à lui crever le cœur et à faire couler les larmes de Goutte-de-Rosée sur les motifs joliment brodés. Ils ne seront plus là car il n'y a plus d'espoir de revoir Wapitik au pays des vivants. Les deux Innus qui lui avaient promis l'arme toute-puissante le lui ont affirmé. Ils détiennent un prisonnier iroquois qu'ils ont ample-ment interrogé à ce sujet et celui-ci n'a aucun souvenir d'un jeune captif répondant au signalement de Wapitik.

Maintenant que l'espoir n'est plus, rien ne peut plus l'empêcher d'assouvir sa vengeance. C'est fini. Il ne comptera plus les saisons et les années comme il le faisait depuis l'enlèvement de son fils. Wapitik aurait eu douze ans, treize, puis quatorze et quinze. Quinze ans, voilà l'âge qu'il aurait aujourd'hui. Sa femme aussi comptait en silence quand, d'une main attendrie, elle évaluait les habits devenus trop petits. N'Tsuk aussi comptait. Que de fourrures de castor elle lui a permis d'accumuler! Il y en avait suffisamment pour se procurer un bâton de feu et pour inciter de jeunes guerriers à l'accompagner en pays iroquois. Maintenant que la voilà unie à Flèche-Rapide, il réalise à quel point elle lui manque. À quel point aussi elle s'avère exceptionnelle. Il aurait dû le lui faire savoir car son mari ne le fera jamais. Flèche-Rapide prend ombrage du fait qu'elle sache manier l'arc et qu'elle ait l'intuition de pressentir le gibier. Il désire la reléguer uniquement dans des tâches de femme. « Tu n'as pas à remplacer Wapitik auprès de moi, lui dit-il pour justifier sa conduite. Oublie-le, il ne reviendra pas. »

En cela, Flèche-Rapide a raison. Wapitik ne reviendra pas. Le voilà en deuil de son fils et, d'une certaine manière, de sa fille. Elle non plus ne reviendra pas. Elle laisse dans son wigwam un vide plein de vertige entre lui et Goutte-de-Rosée. Un vide que les vêtements de Wapitik ne faisaient qu'amplifier.

Il est chasseur, fils de chasseur, et désormais sans fils. Il n'y a personne pour suivre ses traces et en faire de nouvelles. Et son cœur est un grand trou que la haine creuse davantage. La haine de l'Iroquois, la haine de l'Anglais parti, la haine du Français revenu. La haine de tout ce qui a changé le cours des choses. La haine de ce qui l'a contraint à vider complètement les cabanes de castors, répétant l'offense envers l'esprit de la bête. Et l'esprit le poursuit. Des centaines de carcasses écorchées habitent ses songes, et, sans cesse, le sang coule en vain sur le pelage de Tout-Blanc. Sacrifice inutile : le sacrilège est trop grand. Le castor poursuit sa vengeance et lui, il commence la sienne.

Soudain, un homme près de la rivière, à laver ses vêtements. Un Français. Qu'importe ! Sans l'Étranger, Wapitik serait encore vivant et chasserait pour se nourrir et se vêtir, comme le faisaient son père et le père de son père. Sans l'Étranger, la cabane du castor serait toujours son refuge pour l'hiver, avec garde-manger à la porte, et non son tombeau. Sans l'Étranger, l'esprit en colère ne le poursuivrait pas…

Rien ne retient son bras. Il frappe et tue. L'homme s'écroule. Du sang sur sa peau pâle.

Il aurait été préférable que ce fût un Iroquois, constate Lynx-des-Neiges, hébété et hoquetant d'ivresse. Le sang des Peuples d'Ici, aux yeux de l'Étranger, n'a aucune valeur. Il peut en ruisseler sur tous les poteaux de torture et couler à flots comme celui des Mohicans. Mais le sang d'un Français, il ne sait pas.

* * *

Ce même jour, dans la résidence de Champlain, au fort Saint-Louis.

Loup-Curieux observe Champlain s'entretenant avec Amantacha. L'homme lui paraît différent. Bien sûr, il a vieilli, mais c'est autre chose qui le distingue de l'homme qu'il a guidé chez les Tionnontatés, il y a plus de quinze ans. Sa défaite devant les Anglais est-elle responsable de ce changement? Il décèle maintenant dans son geste et son regard une équivoque subordination envers le sorcier à la robe noire qui l'accompagne en tout lieu et en tout temps. Qui des deux remplace réellement les oreilles et la bouche du Chef Très Grand des Français? Champlain agit comme s'il avait été dépossédé de son autorité de l'autre côté du Grand Lac Salé[1]. La voix de la cloche enterre davantage la sienne depuis que ce sont des hommes à la robe noire qui la font sonner. Que s'est-il passé pour que les hommes à la robe grise ne reviennent pas[2]?

Amantacha apprendra peut-être les raisons qui, de Là-Bas, motivent Ici le comportement des Agnonhas, mais là n'est pas le but de l'entretien. Bien qu'il comprenne peu de mots de cette langue étrangère, Loup-Curieux entend à maintes reprises le nom d'Étienne Brûlé, qui, invariablement, plisse les lèvres de Champlain d'un profond mépris, ce qui fait grandir la confiance dans les yeux d'Amantacha. « Attention, jeune homme! Ne montre pas ce qui te convient ni ce qui ne te convient pas, aimerait-il lui rappeler. Tu es ici pour sonder le terrain à propos de la mort de Brûlé et t'assurer que les tiens ne courent aucun

---

1. Le 16 mai 1633, Champlain est de retour à Kébec, non à titre de gouverneur, mais de simple commandant de la Nouvelle-France, en l'absence de Richelieu.
2. Conseiller de Richelieu, le père capucin Joseph, qui n'aimait pas les récollets, convainquit le cardinal d'accorder aux jésuites l'exclusivité des œuvres missionnaires en Canada.

risque à venir jusqu'à Kébec. On ne doit pas lire sur ton visage ce que ta bouche ne dit pas. »

Hélas, quand Amantacha se trouve en présence des Français, il devient Louis de Sainte-Foi et se comporte un peu comme eux, déplore Loup-Curieux. Lui, il ne montre rien de sa méfiance. La mort de Brûlé, ce fils adoptif de l'Ours, a causé beaucoup de dissensions, surtout au village de Toanché, où la famille d'Aonetta a déménagé, Quieunonascaran ayant perdu de son influence politique. Il craint même que les divergences entre ceux qui approuvent l'exécution de Brûlé et ceux qui la condamnent ne mènent à la scission du village. Lui, il est de ceux qui l'approuvent. Parole-Facile, de ceux qui la condamnent. En vain, il a tenté d'expliquer son point de vue à son cousin. Étienne Brûlé les a trahis en œuvrant pour faire des Iroquois tsonnontouans les partenaires commerciaux des Français, ce qui équivalait à faire de leurs pires ennemis leurs principaux concurrents. Chez les Ouendats, le châtiment de la trahison est la peine de mort. Mais Étienne Brûlé était-il un Ouendat, soulevait Parole-Facile. Leur loi pouvait-elle s'appliquer à lui ? Les Français n'allaient-ils pas les punir et exiger réparation pour le meurtre de l'un des leurs ?

Étienne Brûlé n'était pas un vrai Ouendat, répliquait-il. Même s'il parlait leur langue, portait leurs vêtements, observait leurs coutumes et vivait dans la maison clanique de sa femme avec ses enfants, cela ne faisait pas de lui un Ouendat. Il fallait, pour l'être vraiment, avoir goûté le maïs dans le lait de sa mère. Cependant, leur loi s'appliquait à lui car il était devenu un citoyen ouendat et il avait agi de telle sorte qu'il avait mis en péril l'économie et la sécurité de la confédération entière.

Bien que la peine de mort fût justifiée, Parole-Facile soutenait que les Ouendats ne pouvaient l'appliquer. À l'instar de l'Aigle et de tous les tenants de cette opinion, il ne reconnaissait pas Étienne Brûlé comme citoyen ouendat puisque sa vie était contrôlée par les autorités de Kébec, qui l'avaient déjà renvoyé, contre son gré, de l'autre côté du Grand Lac Salé[3].

Que de discussions sous le toit de la maison de la Grande Tortue entre lui et son cousin, entre Aonetta et sa sœur Petite-Pluie! Que d'oppositions entre familles du même clan et entre clans du même village! Quoi qu'il en ait été de toutes ces divergences, la sentence d'Étienne Brûlé avait été prononcée par un chef lors d'un conseil. Cependant, l'affaire était si délicate qu'on s'employait à taire le nom de ce chef et à envelopper tout cela de mystère. Où et quand cette réunion avait-elle eu lieu? Quels membres y participaient? Nul ne semblait le savoir vraiment. Ou ne vouloir le dire. Une seule chose demeurait certaine : seul un chef aurait pu ordonner la mise à mort de cet homme car seuls les chefs étaient responsables d'enquêter lorsqu'il y avait mort violente. Or, l'enquête ayant été déclarée close et le corps d'Étienne Brûlé inhumé loin de leur cimetière, il devenait indéniable qu'une sentence avait été prononcée par un chef.

Loup-Curieux croit connaître l'identité de ce dernier, qui devait avoir une grande influence dans le marché de la fourrure ainsi que de bonnes relations parmi les autorités françaises pour oser prendre une telle décision. Il s'agit probablement d'Aenons, successeur d'Auoindaon, car il est le seul chef à ne pas s'être déplacé pour rencontrer Champlain. Tous les autres sont descendus et attendent le long de la Grande Rivière, en aval des chutes du Gros Chaudron, le retour d'Amantacha, envoyé en éclaireur avec quelques hommes pour annoncer la mort d'Étienne

---

3. Jugeant sa conduite scandaleuse et immorale, les jésuites avaient réussi à convaincre les autorités de rappeler Étienne Brûlé en France, en dépit du fait qu'il était un agent d'importance dans le commerce entre Hurons et Français.

Brûlé et percevoir la réaction des Français à celle-ci.. Ils sont plus de cinq cents à dépendre du compte rendu de cet entretien d'une importance capitale. Si les Français ne leur tiennent pas rigueur de cette exécution, ils se rendront à Kébec avec leurs nombreuses fourrures, leurs pipes et leurs habits d'apparat, afin de renouveler l'alliance qui prévalait avant l'occupation anglaise. Jamais contingent ne fut plus imposant et plus prestigieux. À l'exception d'Aenons, demeuré à Toanché, tous les chefs et les atiwarontas se sont déplacés, accompagnés de guerriers pour assurer leur sécurité. Ils apportent des cadeaux à Champlain pour saluer son retour et l'assurer de leur amitié, mais, avant de les lui donner, ils doivent connaître sa pensée sur la mort d'Étienne Brûlé.

L'entretien tire à sa fin. Champlain se montre amical et rassurant, vomissant une dernière fois le nom d'Étienne Brûlé, puis la Robe-Noire, d'un geste large, trace une croix dans l'air, faisant ployer la tête d'Amantacha et de Champlain.

Se retrouvant seul avec le jeune homme hors de l'enceinte du fort, Loup-Curieux le questionne.

— Que dit la parole de Champlain ?

— Elle dit qu'Étienne Brûlé n'est plus un Français car il a trahi pour obtenir des faveurs des Anglais.

— Est-ce que sa parole demande qu'on lui livre le coupable ?

— Non.

— Est-ce que sa parole exige des présents de réparation de la part des Ouendats pour cette mort ?

— Non. Champlain demande d'aller porter cette parole aux nôtres… Il se réjouit à l'idée qu'ils viendront tous le rencontrer.

Voilà, Étienne Brûlé n'est plus un Français et n'a jamais été un vrai Ouendat. Qui est donc l'homme qui repose seul en terre ? Son esprit est-il condamné à errer dans l'au-delà? Qui le reconnaîtra pour sien dans le royaume des morts?

De la falaise qui domine le fleuve, Loup-Curieux demeure saisi à la vue des eaux impétueuses que les grandes voiles anglaises sont parvenues à remonter. Le souvenir des visites d'Amantacha et d'Étienne Brûlé après que le drapeau français eut été baissé au mât de ce fort ranime sa méfiance. Son jeune compagnon a-t-il déjà oublié les civilités qu'il témoignait au chef des Anglais[4], qui logeait dans la pièce où ils viennent de laisser Champlain? N'a-t-il pas remarqué les canons et les soldats armés, qui donnent une certaine crédibilité aux rumeurs des Kichesipirinis voulant que les Français feignent l'amitié afin de les attirer dans un guet-apens à Kébec?

— Est-ce que les Français regardent les Ouendats comme des traîtres parce qu'ils ont échangé des fourrures avec les Anglais? s'enquiert-il.

Amantacha s'arrête et pivote brusquement vers lui, l'air éberlué.

— Étienne Brûlé était comme un frère pour toi, poursuit Loup-Curieux. Avec lui, tu as traversé le Grand Lac Salé... Avec lui, tu es revenu, vêtu de beaux habits anglais... Avec lui, tu venais saluer les Anglais dans le fort... Comme lui, tu as encouragé l'échange et l'amitié entre nos peuples... Si les Français te voient comme un traître, ils vont prendre ta vie comme les Ouendats ont pris la vie d'Étienne Brûlé.

— Je crois en la parole de Champlain, réplique le jeune homme.

— Crois-tu en la parole de la Robe-Noire? Mes oreilles se rappellent t'avoir entendu dire que les hommes à la robe noire aimaient les Ouendats pour leurs

---

4. Louis Kirke habita la résidence du fort Saint-Louis de 1629 à 1632.

fourrures[5]... S'il en est ainsi, une fois que les Robes-Noires auront nos fourrures, les Français pourront se débarrasser de nous.

Songeur, Amantacha se détourne vers les gueules de métal capables de cracher le tonnerre et le feu. A-t-il vraiment bien saisi le fond de la pensée de Champlain? s'interroge Loup-Curieux.

Alors qu'ils s'apprêtent à redescendre par le sentier reliant le fort du cap au reste du village, installé près de l'eau, des voix en colère montent vers eux. Elles proviennent d'un groupe d'hommes accompagnant des soldats qui traînent un individu. Suivent, quelques pas derrière, Pieds-Dansants, Yocoisse ainsi que d'autres membres faisant partie de l'escorte d'Amantacha. Que se passe-t-il? L'un des leurs connaîtrait-il des ennuis,?

D'un même élan, ils se pressent vers le rassemblement qui, dans un brouhaha de cris, d'insultes et de vociférations, grimpe le sentier. Un peu avant de le rejoindre, Amantacha s'arrête afin de discerner le motif de tant d'agitation.

« Un Français vient d'être tué... Ils ont trouvé l'assassin... C'est un Oueskarini», lui apprend-il, quelque peu ébranlé.

Loup-Curieux tente de voir le prisonnier ligoté qu'on bouscule et malmène. À l'instant où le groupe passe à proximité, il l'aperçoit. Instinctivement, il touche l'oki noué à son cou et ressent pour le malheureux un élan de solidarité que son visage se garde bien d'exprimer. Leurs regards se croisent. Celui, trouble, de Lynx-des-Neiges semble lui reprocher de laisser les Étrangers le rudoyer en son pays.

---

5. Les frères Kirke, Étienne Brûlé et, dans une moindre mesure, Amantacha prétendaient que, contrairement aux récollets, les jésuites n'aimaient les Indiens que pour leurs fourrures.

Champlain arrive, et il donne des ordres pour qu'on enferme le coupable dans le fort. Rapidement, l'attroupement grossit avec l'arrivée des Innus, des Oueskarinis et des Kichesipirinis qui se sont rendus à Kébec pour échanger leurs fourrures. Avec véhémence, ils expriment leur indignation de voir l'un des leurs entraîné en captivité. Champlain hausse alors le ton et fait savoir, par le truchement d'interprètes, que la mort du Français sera vengée par celle de son assassin.

Un froid silence tombe.

« Étienne Brûlé n'était plus un Français », chuchote Amantacha, se voulant convaincant.

* * *

Sur le fleuve en face de Kébec, 28 juillet.

Loup-Curieux fait partie de l'arrière-garde fermant l'imposant convoi de cent quarante canots qui arrive à Kébec. Tout ce que son peuple a de plus prestigieux se trouve devant lui. Ah! si son fils pouvait voir tous ces hommes à la chevelure et au corps abondamment oints d'huile de fleur-soleil! S'il pouvait contempler la luisance de leur peau peinte de différents motifs et dessins de couleurs noire, rouge, blanche et bleue! S'il pouvait s'émerveiller des plumes, du duvet, des bandeaux et des nombreux ornements qui les parent de la tête aux pieds! Ah! s'il pouvait admirer la soixantaine de chefs et de notables vêtus de leur costume d'apparat et entendre les centaines de pagaies en cadence rythmée par leurs voix!

Un frisson de fierté lui parcourt l'échine. Ce qu'il est, lui, ce qu'est son peuple, se manifeste aujourd'hui dans toute sa grandeur et sa magnificence. Ce qu'ils ont accompli et perfectionné d'une génération à l'autre est déployé avec éclat devant le village des Français.

«Regardez : nous sommes les Ouendats, proclame leur grandiose arrivée. Nos canots sont chargés de fourrures et nous avons de la farine de maïs en réserve. Nous sommes des milliers, répartis dans divers villages. Nos femmes travaillent ensemble dans les champs. Nos hommes chassent et combattent ensemble. Nos marchands ont des partenaires dans les principales tribus et notre langue est la langue des affaires. Nous sommes les Ouendats et notre maïs est la monnaie d'échange du pays. Regardez-bien et réfléchissez avant de poser un geste contre nous… Nous sommes ici d'une seule voix car toutes nos voix, malgré nos désaccords, s'unissent en une seule voix qui est celle de la confédération. Nous sommes ici d'un seul corps car tous nos corps forment celui de la confédération. Voyez comme il est grand et fort ! Voyez comme il est beau ! Nous sommes tous grains d'un même épi et plants d'une même terre, l'Ouentake. Vous, vous êtes une poignée éparpillée loin de votre terre, qui se trouve de l'autre côté du Grand Lac Salé. De cette terre, vous dépendez pour survivre de ce côté-ci. Vos guerriers et vos sorciers n'ont pas de femme pour les seconder et les perpétuer, ce qui vous condamne à être un peuple stérile. Votre langue est étrangère et, dans le besoin, sans nous, vous pourriez tous périr en un seul hiver. Réfléchissez bien. Voyez à qui vous avez affaire. »

La beauté et l'unicité du moment font regretter à Loup-Curieux d'avoir laissé son fils à Toanché. S'il avait cédé aux exhortations de l'Aigle, Doigt-du-Soleil ressentirait comme lui ce frisson de fierté sur sa peau bien huilée et enjolivée de couleurs. Personnellement, il le trouvait trop jeune pour participer à une expédition d'une telle envergure et dans un tel climat d'incertitude. Aonetta abondait heureusement dans son sens et déclina elle-même le privilège que l'Aigle accordait à leur fils de douze ans de les accompagner.

Le fait qu'Aonetta ait préféré garder Doigt-du-Soleil auprès d'elle chasse rapidement ce regret naissant, et la méfiance reprend sa place. Les armes à ses genoux, Loup-Curieux surveille les alentours, prêt à riposter. Cette méfiance stagne en lui comme une brume épaisse que le soleil ne parvient pas à dissiper. Il se rappelle les propos des Kichesipirinis qui les avaient devancés, Amantacha et lui, pour venir annoncer au contingent en attente l'intention de Champlain de tuer un Oueskarini pour venger le meurtre d'un Français. Celui qui était responsable de la mort d'Étienne Brûlé ne risquait-il pas de subir le même sort ? avaient-ils insinué.

Il y eut de longues discussions et réunions à la suite de ces mises en garde. Allaient-ils prendre le risque de continuer vers Kébec ? Malgré les divergences d'opinions, tous étaient cependant unanimes à tenir compte du fait que les Gens de l'Île voyaient d'un mauvais œil la reprise des activités économiques entre Ouendats et Français et qu'ils avaient intérêt à semer la mésentente entre eux.

Finalement, l'absence dans leurs rangs du chef Aenons, présumé responsable de la sentence de mort d'Étienne Brûlé, favorisa la décision de continuer jusqu'à Kébec car, contrairement aux Peuples d'Ici, qui se tiennent tous pour responsables de l'agissement de l'un des leurs, les Français, eux, dissocient le coupable de sa communauté en ne punissant que ce dernier. Selon ce principe, ils n'ont donc rien à craindre.

Les premiers canots touchent la grève et le tonnerre éclate aux gueules de métal pour les accueillir. L'odeur de la poudre dilate les narines de Loup-Curieux qui contemple devant lui la splendeur de son peuple, que les Français reconnaissent en leur rendant hommage avec l'arme suprême. Il racontera à son fils combien ils étaient nombreux et beaux et puissants. Il lui dira avec quel éclat ils ont été accueillis par ces Étrangers qui, Ici, ont besoin d'eux pour s'accomplir Là-Bas.

* * *

Campement ouendat à Kébec, 29 juillet.

Les chefs et les Anciens ont convoqué Champlain à un grand conseil général. Invariablement accompagné des Robes-Noires, le principal représentant des Français se tient aux côtés d'Anenkhiondic, le Grand Chef de la confédération des Ouendats. Devant eux, assis l'un contre l'autre, se trouvent les délégués de chaque tribu et village dont fait partie l'Aigle.

Champlain réalise-t-il l'honneur qu'on lui fait? l'ampleur de leur démarche? Se trouvent rassemblés en sa présence les hommes les plus sages, les plus influents et les plus dévoués au bien-être des Ouendats. Ceux qui veillent à la sauvegarde de l'unité de la confédération, qui s'emploient à maintenir les relations amicales et commerciales avec les peuples voisins, et qui parlementent avec les tribus ennemies. Ceux-là qui ont été choisis pour leurs qualités au sein de leur village afin de le gouverner et de le représenter, chaque printemps, à la grande assemblée du conseil fédéral. Assemblée qui dure des semaines, à la recherche d'un consensus pour régler leurs problèmes. Champlain sait-il que, aux yeux des Ouendats, Anenkhiondic est plus grand que le Chef Très Grand des Français? A-t-il la moindre idée de ce que représente le déplacement d'un tel homme? L'invitation d'un tel homme?

Lui, Loup-Curieux, il sait. Parole-Facile aussi, qui se tient à ses côtés, debout et derrière, comme tous ceux qui n'ont pas droit de parole. Cela les affecte de ne pouvoir s'exprimer en public, mais lui, il a dû se rendre à l'évidence que non seulement il ne sait pas habiller convenablement sa pensée avec des mots, mais que celle-ci prend du temps à s'élaborer. Dans ses discussions avec Parole-Facile, les répliques et les arguments ne lui viennent à l'esprit qu'après coup, alors qu'il est trop tard pour les exprimer. En raison de ce manque d'éloquence, il n'a guère de chances d'être choisi pour chef, bien qu'il soit un valeureux guerrier et un habile marchand. Son cousin, par contre, peut espérer accéder à un tel poste car il maîtrise de mieux en mieux l'art oratoire. Il lui arrive même parfois d'y supplanter l'Aigle, que sa lignée destine au rôle de chef civil, sans toutefois en écarter tout homme de grande valeur. Loup-Curieux connaît assez bien Parole-Facile pour savoir qu'il caresse secrètement l'espoir d'être reconnu un jour comme cet homme de grande valeur digne d'être choisi pour chef. Comme il doit se morfondre, le pauvre, de se tenir debout avec les bouches fermées !

Anenkhiondic ouvre l'assemblée, se disant fier de pouvoir considérer Champlain et les Français comme ses amis. Alliant le geste à la parole, il offre de nombreux paquets de peaux de castor et ajoute qu'il espère ainsi renforcer leur alliance. Champlain accepte les cadeaux sans en donner en retour et répond par le truchement d'un interprète. Indigné du fait que, après plus de vingt-cinq ans au pays, cet homme n'ait pas encore appris leur langue, Loup-Curieux prête une grande attention à son discours.

« Nous aussi sommes fiers d'être les amis des Ouendats et mon Chef Très Grand, le Roi, m'a ordonné de faire tout en mon possible pour vous protéger et surveiller vos rivières. Il ne faut pas croire toutes les mauvaises choses que l'on dit de nous. Ce ne sont là que des rumeurs. Le Roi vous a envoyé des prêtres, non pas pour faire le commerce avec les autres tribus, mais pour vous instruire comme ils ont fait avec Amantacha. »

Le regard de Loup-Curieux glisse sur les sinistres sorciers vêtus de la couleur de la mort. Avec quelle conviction Champlain assure qu'ils n'agiront pas comme ceux à la robe grise, qui, indubitablement, se comportaient en marchands déloyaux, tentant de ravir aux Ouendats leur rôle de partenaires ou d'intermédiaires. En tant que marchand, il a peine à croire que ces sorciers-là ont traversé le Grand Lac Salé dans l'unique but de les instruire comme ils ont instruit Amantacha. Quel Ouendat a demandé cela ? À son retour, Amantacha a tout raconté des absurdités et des iniquités qui existent de l'autre côté du Grand Lac Salé. Quel Ouendat désirerait devenir aussi barbare et cupide que ces étrangers ? Quel Ouendat organiserait des festins dans son immense maison sans y inviter les siens qui meurent de faim et de froid à sa porte ? Quel Ouendat brutaliserait son enfant ? Quel Ouendat attacherait l'un des siens au poteau de torture pour le faire souffrir et mourir tel un ennemi ? C'est à n'y rien comprendre. Là-Bas, ils ont même supplicié à mort le fils d'un esprit venu les aider. Amantacha le certifie. Ils lui ont enfoncé des piquets de fer dans les mains et les pieds pour le fixer sur une croix, et depuis, la croix, ils la portent et l'érigent partout en mémoire de lui.

Quel est le sens de la parole d'un homme qui, tel Champlain, a été élevé de manière à ne pas considérer les gens de son propre peuple comme étant égaux entre eux ? s'interroge Loup-Curieux. Comment cet homme perçoit-il les Ouendats, dont il a injurié les guerriers lors de l'attaque contre les Iroquois tsonnontouans ? Il se souvient encore à quel point son père était revenu ébranlé de cette expédition au cours de laquelle Champlain, à maintes reprises, avait haussé le ton contre eux, ses alliés. Que faut-il conclure de cette conduite typique des sorciers ? Champlain en serait-il un, lui aussi ? Après tout, sa jeune épouse n'est demeurée que très peu de temps auprès de lui et ne lui a assuré aucune descendance. L'homme aurait-il caché son jeu au début pour mieux s'introduire, s'arrangeant pour que d'autres sorciers habitent leur village? Quel est son véritablement dessein relativement aux Robes-Noires? Pourquoi s'acharne-t-il à vouloir les convaincre que ces sorciers-là n'ont pas l'intention de commercer? S'imagine-t-il que les Ouendats ont oublié qu'Amantacha, qui pourtant a reçu leur instruction, a déjà prétendu le contraire?

« Si les Ouendats aiment vraiment les Français et veulent renforcer leur alliance, ils vont permettre aux prêtres de vivre dans leurs villages et vont les bien traiter. »

Malgré l'impassibilité apparente de l'assemblée, Loup-Curieux devine son étonnement, voire sa stupéfaction, face à ce discours. Quoi donc? De quel droit Champlain agit-il comme s'il se trouvait en son pays? Depuis quand se croit-il autorisé à dicter les règles du jeu? À exiger des conditions pour reconduire leur alliance? Il revient aux Ouendats d'inviter les Robes-Noires dans leur village et non de se les faire imposer.

Comme il s'y attendait, aucun chef ne donne formellement son approbation avant d'en avoir discuté au préalable avec les autres. Tous se contentent simplement de répéter leurs bons sentiments envers les Français et les Robes-Noires, mettant ainsi fin à la réunion.

Avant de s'en retourner, l'homme à la robe noire nommé Echon (Jean de Brébeuf) par les villageois de Toanché, où il a séjourné avant l'occupation anglaise, s'avance et commence à leur parler dans leur langue, qu'Amantacha et Étienne Brûlé lui ont enseignée. Malgré son accent, il parvient à s'exprimer convenablement, ce qui les séduit. Et ce qui inquiète Loup-Curieux, car autant il trouve indécent que Champlain ne parle pas encore leur langue, autant il trouve suspect que ce sorcier l'ait apprise si vite.

« Nous voulons nous installer parmi vous, dit-il, et vivre comme vous. Pour l'instant, nous ne sommes pas nombreux, mais notre désir est d'avoir un prêtre dans chacun de vos villages afin qu'il n'y ait pas de concurrence entre vous... »

La stupeur atteint son comble chez Loup-Curieux. Ce sorcier est doué d'une redoutable éloquence. À l'entendre parler, tous désirent leur venue, et il offre de pouvoir les satisfaire tous dans un proche avenir. Par ce langage, il tente d'établir — ou peut-être même a-t-il déjà réussi à l'établir dans certains esprits — qu'on ne peut pas ne pas les désirer parmi eux. Quelle menace sérieuse représente une telle éloquence! Avant de songer à s'y mesurer, les Ouendats feraient mieux de plier bagage et de s'en retourner avec leurs richesses, croit Loup-Curieux. Les Français auront tôt fait de les rattraper pour les supplier de reprendre le commerce.

* * *

Soirée du 29 juillet, campement ouendat à Kébec.

Loup-Curieux n'aime pas entendre ce qu'il entend. À peine la langue de la Robe-Noire s'était-elle tue que celles des délégués des différents villages avaient rivalisé entre elles pour accueillir les sorciers. Ah! comme il n'aime pas entendre ce qu'il entend de la bouche de l'Aigle!

— Nous avons offert aux hommes à la robe de les transporter, dit-il, à condition qu'ils s'installent chez nous, à Toanché. S'ils acceptent, nous n'aurons qu'à leur construire une maison et ainsi nous aurons la certitude que les Français ne nous gardent pas rancune de la mort d'Étienne Brûlé.

— Cela mettra fin à nos querelles et nous pourrons nous occuper de commerce, approuve Parole-Facile. La présence de ces hommes a toujours été favorable à la bonne marche des affaires.

— Tu dis vrai, mon fils, mais assurer leur transport est une grande responsabilité, souligne Taïhy. L'un d'eux s'est déjà noyé.

— Celui-là portait des chaussures légères. Avez-vous vu les grosses chaussures que portent ces Robes-Noires ? lance Pieds-Dansants, moitié pour faire rire, moitié pour faire réfléchir.

— Avec de si lourdes chaussures, un homme a peine à nager, mais défonce facilement le canot, remarque Yocoisse.

— Et leur grand chapeau nous cache la vue, ajoute Loup-Curieux.

— Cela est vrai ; ils vont défoncer nos canots et nous cacher la vue, rouspètent quelques-uns.

Parole-Facile laisse échapper un mouvement d'humeur à l'endroit des récalcitrants, mais retrouve rapidement son calme.

— Toutes vos paroles sont sensées, reconnaît-il. Ces hommes ne portent pas d'armes, ils ne pagayent pas et ils sont une charge inutile. Les transporter est une grande responsabilité, mais nous obtenons des marchandises en retour pour leur voyagement... Si ces hommes choisissent d'habiter dans notre village, leur présence effacera la mort d'Étienne Brûlé et nous réunira en une seule pensée... Cette mort nous a trop divisés. Leur présence ramènera la paix dans nos cœurs et dans ceux des Français... Pourquoi craindre de les accueillir ? Nous avons déjà hébergé de ces hommes dans notre ancien village de Quieunonascaran et ils y ont apporté beaucoup de prestige.

— Je suis un fils de l'Ours, avance Loup-Curieux d'une voix posée, comme s'il réfléchissait tout haut. Mes yeux voient le prestige de la confédération des Ouendats et la petitesse des Français, qui sont, comme tu as dit, des grains éparpillés sur une terre qui n'est pas la leur... Quand la faim a livré ces grains aux Anglais, la voix de la cloche s'est tue. Les Anglais acceptaient nos fourrures sans nous imposer d'hommes à la robe... Je suis un fils de l'Ours et je m'offense d'entendre les Français poser des conditions à notre alliance... Ils ne sont que grains éparpillés. Reprenons nos fourrures et repartons. Nous les verrons nous supplier de commercer avec eux. Il revient aux fils de l'Ours de poser les conditions.

Un silence de réflexion fait suite à ces arguments et convainc Loup-Curieux qu'il n'est pas le seul à penser de la sorte.

— Les Anglais ne protégeaient pas nos rivières, rappelle l'Aigle. Quand le Français est parti, l'Iroquois est revenu. Si nous repartons avec nos fourrures, les Kichesipirinis s'empresseront de prendre notre place... Nos femmes travaillent fort pour nous procurer le maïs. Est-ce que Loup-Curieux désire que nos femmes s'éreintent à nous procurer une monnaie d'échange à laquelle nous, les hommes, nous ferions perdre de la valeur en laissant les Kichesipirinis prendre notre place?

À l'instar de ses compagnons, Loup-Curieux revoit en pensée les filles de l'Ours qui travaillent aux champs. Femme, mère, sœur ou fille, il se sent relié à elles comme par un cordon ombilical. L'image d'Aonetta écartant une mèche de cheveux de son beau visage en sueur lui fait se sentir un devoir envers elle. N'est-il pas ici pour faire profiter au maximum les fruits de son labeur?

Il s'en veut d'avoir laissé libre cours à sa pensée. Par son intervention, l'Aigle lui a fait réaliser que divers éléments ont échappé à sa réflexion, entre autres la protection des rivières, qu'assurent les Français. L'exemple de Lynx-des-Neiges, rendu fou de douleur par la perte de son fils, illustre bien l'audace des Iroquois, qui ont infesté leurs cours d'eau dès que les Français furent partis. Il ne devrait jamais perdre de vue que, tout grains éparpillés qu'ils soient, les Français possèdent l'arme suprême.

$* * *$

Coup d'éclat. Champlain a déclaré qu'il souhaite personnellement que les Robes-Noires et autres Français se rendent au village d'Ossossané[6]. Voilà donc Toanché éclipsé. Pourquoi? Que s'est-il passé pour que, tout à coup, le village d'Ossossané lui soit préféré?

C'est, paraît-il, le Grand Chef Anenkhiondic qui a rencontré Echon (Brébeuf) en privé afin de l'inviter chez lui, à Ossossané, le plus important village de la tribu de l'Ours, où se réunit plus souvent qu'autrement le conseil de la confédération. Au moment où Toanché risque d'être cruellement divisé par les dissensions au sujet de l'exécution d'Étienne Brûlé, le Grand Chef les prive de ce qui aurait pu les réconcilier.

Un tel comportement paraît tout à fait inadmissible à Loup-Curieux. Et indigne de la part du Grand Chef. Encore sous le choc, les villageois de Toanché ressentent cette décision comme un rejet et une condamnation. Les voilà de nouveau divisés, s'accusant mutuellement d'être responsables de la situation. Invariablement, le nom d'Étienne Brûlé revient sur les lèvres, et son cadavre, qui pourrit seul en terre, continue à pourrir également leurs relations.

D'aucuns se désolent qu'Echon, qui a jadis vécu à Toanché, ne veuille plus revenir parmi eux. Pourquoi? «Nous l'avons traité comme un frère», rappellent-ils, ignorant à quoi attribuer sa volte-face. Echon leur en voudrait-il d'avoir éliminé un homme qu'il n'a cessé lui-même de condamner? Étienne Brûlé habitait aussi

---

6. Ossossané: anciennement Tequenonquiaye; signifie «où les épis ondulent». Capitale de la tribu de l'Ours.

Toanché et disait autant de mal de ce sorcier que ce dernier en disait de lui.

La pensée de Loup-Curieux se heurte aux contradictions des Français. Il ne peut clairement la définir pour l'instant car trop d'éléments restent à analyser. Une seule chose lui apparaît certaine. Du fait qu'il parle maintenant leur langue, Echon est un sorcier encore plus puissant. Et plus sournois car il peut agir sans le concours d'un interprète. Ainsi, il a œuvré en catimini, acceptant ou encourageant l'invitation d'Ossossané alors que celle de Toanché semblait acceptée. Sous quel jour a-t-il, par la suite, présenté la chose à Champlain ? Sa parole est à craindre car elle est parvenue à pratiquer une brèche dans la solidarité de son peuple. Voilà les gens de Toanché plus divisés que jamais. Pourtant, Echon n'avait-il pas assuré que les Robes-Noires agiraient de façon qu'il n'y ait pas de concurrence entre eux ? La langue de cet homme est fourchue, conclut Loup-Curieux. Ce qu'il dit et ce qu'il fait sont deux choses différentes.

* * *

Kébec, 4 août.

Hier, Champlain a offert un festin à tous les Ouendats réunis à Kébec. Ils ont mangé de la soupe de maïs assaisonnée de pois, de croûtons de pain et de pruneaux, puis ils ont chanté et dansé. Les ententes et les échanges étaient conclus, et le voyage des Robes-Noires, organisé. Ainsi, elles prendront place dans différents canots, afin que chacune des tribus puisse bénéficier des cadeaux avec lesquels ces sorciers paient le coût de leur transport.

Ce matin, la plupart des siens sont encore sous le charme de ce festin, remarque Loup-Curieux, mais lui, il conserve un arrière-goût de cette soupe de maïs. Bien que la confédération ait obtenu des garanties commerciales par le renouvellement de l'alliance avec les Français, il a le sentiment d'une perte. D'un recul. Quelque chose dans les agissements des Ouendats jure avec la magnificence et la puissance manifestées par leur contingent lors de l'arrivée. Il s'en est ouvert à Parole-Facile sans rien cacher de son inquiétude, ce qui les a rapprochés. Tous deux en ont ressenti une joie profonde et ils se sont bien promis de ne plus laisser leurs divergences d'opinions les séparer, chacun ayant droit à sa pensée.

— Mon âme s'attriste de savoir la tienne si inquiète pour notre peuple, lui a confié son cousin en le serrant affectueusement contre lui. Sois confiant en nos chefs. Hier, Champlain a organisé un grand festin en notre honneur, et aujourd'hui il viendra assister à notre dernier conseil à Kébec. Aujourd'hui, frère, tes yeux seront éblouis et tes oreilles charmées par la grandeur de notre peuple.

Il ne demande pas mieux que d'adhérer à cette conviction et, dans l'attente de ce conseil mémorable, il se lave dans l'Oriaouenrak (rivière Saint-Charles), communiant intimement avec le dieu de la marée qui l'habite. Il est là, cet esprit puissant, dans chaque goutte qui coule sur son visage et le long de son corps. Il est là, qui le purifie. Loup-Curieux s'asperge le visage et boit l'eau dans ses mains réunies en écuelle, dans l'espoir de se débarrasser de cet arrière-goût, mais sans y parvenir tout à fait. Puis il se laisse sécher, enfile son pagne et retourne au campement.

Chemin faisant, il croise une délégation de chefs kichesipirinis et innus et leur emboîte le pas, se sentant vaguement fautif à leur égard, en raison de cette fête donnée par Champlain et à laquelle aucun d'entre eux n'a été convié. Après tout, autant les Français que les Ouendats se trouvent ici en territoire de la grande famille anishnabecke. Son malaise tient au fait que lui, Loup-

Curieux, verrait d'un très mauvais œil que les Anishna-becks festoient avec les Français en territoire ouendat sans même les inviter. C'est là un affront. Un manquement aux lois intertribales. De plus, les Anishnabecks, principa-lement les Kichesipirinis, sont depuis longtemps des alliés et des partenaires commerciaux d'importance. Il les com-prend d'être insultés. Que pourront invoquer les Ouen-dats pour leur défense sinon qu'il aurait été inconvenant de décliner les invitations lancées par les Français ?

Une femme attire son attention dans le petit groupe qui suit la délégation. Robuste sur ses longues jambes, elle arbore une peinture noire sur la moitié supérieure de son visage. Un collier de wampums orne sa poitrine aux seins gonflés de lait et, sur son dos, un poupon repose dans sa nagane[7] abondamment décorée. D'une taille plus élevée que la moyenne des Anishnabecks, elle possède le port altier des femmes ouendates. Ce qui pourtant le frappe chez elle, c'est sa façon de regarder à gauche et à droite comme si elle cherchait quelqu'un. Qui est-elle ? Que fait-elle à la suite de cette délégation ?

Intrigué, il se rapproche du groupe. L'apercevant, la femme se dirige aussitôt vers lui, entraînant un homme par le bras. Rendue à sa hauteur, elle s'arrête, pose à plat la main sur le tatouage du loup qu'il a sur son thorax, puis fixe avec détermination son oki.

— Sans connaître ta langue, cette femme connaît ton nom, dit à ce moment l'homme qui l'accompagne.

Loup-Curieux a l'impression de la connaître aussi, mais laisse poursuivre l'interlocuteur.

— Je suis kichesipirini et je parle pour elle... Nos chefs viennent rencontrer les chefs des Ouendats et cette femme vient rencontrer Loup-Curieux. Elle se nomme N'Tsuk.

---

7. Nagane : porte-bébé.

Cette dernière touche respectueusement du bout de l'index la petite tortue de pierre découverte dans le gésier d'une outarde et elle se met à parler en oueskarini, ponctuant ses phrases de silences afin que l'interprète puisse la traduire.

— Je suis la fille de celui que l'esprit a choisi pour acheminer jusqu'à toi cet oki… Vois, mes yeux sont dans le noir parce que les yeux de mon père ne voient plus la lumière du soleil, mais seulement le noir d'un cachot… Mon nez est noir… parce que le nez de mon père ne sent plus le vent… Ni l'odeur des animaux ni le parfum des fleurs… Mes oreilles sont noires parce que les oreilles de mon père n'entendent plus bruisser la feuille ni craquer la branche… Vois, ma bouche n'est pas noire, parce que le souffle habite encore la bouche de mon père… Et la parole remue encore sa langue… Le souffle de mon père, les Français veulent l'enlever à sa bouche… Sa parole, les Français veulent la faire taire… Cette parole, je l'apporte à tes oreilles car, entre toi et mon père, il y a l'oki… Mon père n'a pas tué le Français… Le mauvais esprit de l'eau-de-feu est entré dans son corps et a frappé par son bras… C'est ce mauvais esprit, le vrai coupable… Pas mon père… Ce mauvais esprit habite l'eau-de-feu, qui vient des Français. Alors, les Français ont tué l'un des leurs avec l'eau-de-feu… Nos chefs viennent rencontrer tes chefs parce que ton peuple a renouvelé son amitié avec les Français… Nos chefs demanderont à tes chefs d'obtenir la libération de mon père… Entre toi et mon père, il y a l'oki… Je viens vers toi qui es ouendat pour porter la parole de mon père aux oreilles des tiens afin qu'ils sachent que c'est l'esprit de l'eau-de-feu qui a tué par son bras.

N'Tsuk se défait de son collier et le considère avec attachement avant de le lui tendre.

— Ce collier vient de mon père… Je te l'offre pour que ta voix soit persuasive auprès des tiens.

Loup-Curieux reçoit l'ornement et le tourne entre ses mains expertes de marchand. De facture mohicane, il est d'une grande valeur par la quantité de coquillages noirs et violets qui composent le dessin stylisé d'un arbre. L'idée d'en faire cadeau à Aonetta lui traverse l'esprit, mais, presque simultanément, cette idée lui semble sacrilège. Ce collier siérait mal au cou de sa femme car son histoire et son message le lient à une autre qu'elle.

Que de confiance exprime le visage que N'Tsuk lève vers lui ! Une confiance dont il ne se sent pas à la hauteur, en raison de son manque d'éloquence. Il s'attarde à la moitié peinte en noir de ce visage et sa pensée rejoint Lynx-des-Neiges, qui a été placé sur sa route par des esprits bienveillants afin que la tortue le garde sous sa protection. Aujourd'hui, les esprits placent de nouveau cet homme sur sa route par l'entremise de sa fille. Si les Français lui enlèvent le souffle, N'Tsuk s'appliquera la couleur de la mort sur tout le visage, ce qui le désolerait. Il se souvient l'avoir vue, enfant, avec sa jumelle plus délicate, puis de l'avoir remarquée, quelques années plus tard, amaigrie et enveloppée de ses longs cheveux, le visage noirci par de nombreux deuils… Lynx-des-Neiges a connu bien des épreuves auxquelles les Français ne sont pas étrangers.

— Je porterai la parole de ton père aux miens… Mon désir est de laver ton visage de la couleur de la mort… Entre moi et ton père, il y a l'oki… Entre toi et ton père, il y a ce collier. Cela doit demeurer ainsi.

En attachant le collier de coquillages ouvragés au cou de N'Tsuk, Loup-Curieux se surprend d'éprouver à son endroit une troublante attirance. Avant de le quitter, elle le pénètre de son regard aussi noir que son noir maquillage. L'espoir qu'il y voit briller le touche comme si, à travers lui, N'Tsuk s'en remettait à la grandeur et à la puissance de la nation ouendate.

* * *

Même jour, avant la dernière réunion du conseil.

— La parole de cette femme et la parole que les chefs innus et kichesipirinis ont rapportée aux oreilles de nos chefs ne font qu'une, résume Parole-Facile, se tenant parfaitement immobile pendant que Loup-Curieux lui peint le dos.

— J'ai confiance en la sagesse de nos chefs, mais ils ne connaissent pas Lynx-des-Neiges… Toi et moi le connaissons. Nous savons qu'il est un grand chasseur. Sans l'eau-de-feu, il n'aurait pas tué le Français, car c'est l'Iroquois qu'il voulait tuer.

— Ce grand chasseur, jadis, échangeait ses peaux et ses fourrures avec nous. Maintenant, il va les porter chez les Anishnabecks, qui savent où trouver de l'eau-de-feu. Les Ouendats n'échangent pas de cette eau et ne sont donc pas responsables du mauvais esprit qu'il y a dedans.

— Tous les Agnonhas sont responsables du mauvais esprit de l'eau-de-feu, qu'ils apportent Ici sur leurs bateaux de bois.

— En cela, ma pensée rejoint la tienne.

Cette communion de pensée ramène Loup-Curieux aux temps bienheureux de son enfance alors qu'en compagnie de Parole-Facile il patrouillait les champs avec leur chienne. Une singulière complicité s'était développée entre eux et, dès leur plus jeune âge, son cousin a pris l'habitude de manier la parole à sa place. Aujourd'hui, il revit délibérément le même phénomène, espérant convaincre Parole-Facile, susceptible d'influencer à son tour l'Aigle avant la réunion du dernier conseil.

Loup-Curieux s'imprègne le doigt de teinture blanche et, d'un geste sûr, trace des bandes verticales légèrement ondulantes et d'égale largeur. De temps à autre, il prend un léger recul pour s'assurer de l'effet des rayures contrastant avec la peau cuivrée. À n'en pas douter, Parole-Facile suscitera l'admiration. Le visage et le corps entièrement peints, les cheveux ornés de plumes, les oreilles parées de boucles, de pendants de wampums et de duvet, des bracelets aux bras et aux chevilles, son cousin a fière allure. Une belle apparence donne du poids à la parole d'un homme, croit Loup-Curieux. Son intention étant que cette parole soit la sienne par procuration, il s'applique de son mieux.

Il aimerait tant que ses chefs obtiennent la libération de Lynx-des-Neiges et démontrent ainsi à sa fille N'Tsuk la grandeur et la puissance des Ouendats. La confiance qu'elle lui a témoignée le perturbe et le stimule. Parfois, il lui arrive d'imaginer qu'il s'accouple avec elle et qu'il y puise une jouissance hors de l'ordinaire. Cela le laisse songeur car jamais il n'aurait cru éprouver un jour du désir envers la fille d'un chasseur, si grand fût-il.

— Pourquoi les Ouendats aideraient-ils un Anishnabeck? Les Anishnabecks n'ont jamais rien fait pour les Ouendats. Au contraire, les Kichesipirinis ne cessent de hausser le tarif de passage sur leur île, soulève Parole-Facile après un long silence.

La question est pertinente. La réponse, complexe. L'abstention d'y répondre, inconcevable. Pourquoi? Pour qui? L'enjeu dépasse le sort de Lynx-des-Neiges et les concerne tous. Bien sûr, pour des motifs d'ordre personnel et probablement sexuel, Loup-Curieux souhaite essuyer de sa propre main la couleur de la mort sur le visage de N'Tsuk, mais il croit que, ce faisant, sa confédération attesterait sa suprématie de ce côté-ci du Grand Lac Salé.

— Pourquoi les Ouendats aideraient-ils un Anishnabeck? redemande Parole-Facile.

— Tu t'attristes à savoir mon âme inquiète pour mon peuple… Cette âme, je l'ouvre toute grande pour que tu regardes dedans… Toi et moi sommes d'un même sang…

Nous vivons sous le même toit… Nous voyageons dans le même canot… Toi et moi sommes frères… Mon âme s'emplit de nuages quand nos pensées ne sont pas comme des sœurs… Quand je regarde Lynx-des-Neiges, mes yeux ne voient pas un Anishnabeck, mais un homme qui est né, comme nous, de ce côté-ci du Grand Lac Salé… Champlain a décidé de prendre la vie de cet homme pour venger la vie d'un Français… Le laisserons-nous appliquer sa loi de ce côté-ci du Grand Lac Salé? Pourquoi la vie d'un Français a-t-elle aujourd'hui de la valeur alors qu'avant elle ne valait rien? Champlain lui-même, au cours de la cérémonie de l'épée, a reconnu qu'il n'en coûtait rien aux Innus d'avoir tué deux Français…

— Mes oreilles se souviennent de son discours, l'interrompt Parole-Facile. Comme l'épée, la faute des coupables était ensevelie au fond de la rivière, et jamais les Français n'iraient la chercher pour se venger des Innus.

— Ces Innus n'étaient pas habités par le mauvais esprit de l'eau-de-feu quand ils ont tué et Champlain a enseveli leur crime sans exiger de présents de compensation… Champlain a changé… Il ne lance plus l'épée à l'eau, mais veut la plonger dans le cœur d'un homme pour venger la mort d'un Français. Que faut-il y comprendre? Il change ses propres lois et veut les appliquer comme bon lui semble… Les Français ne se reconnaissent pas comme des hommes égaux entre eux et ne reconnaissent pas ceux des Peuples d'Ici comme égaux entre eux… Est-ce que c'est la vie des deux Français tués par les Innus qui valait moins que la vie du Français tué par Lynx-des-Neiges? Ou bien est-ce que c'est la vie de Lynx-des-Neiges qui vaut moins que celle des deux Innus? Pourquoi deux traitements différents? Mon âme craint que ces grains éparpillés n'envahissent nos cultures comme de mauvaises herbes… Mon âme craint qu'ils n'imposent leurs lois et leurs injustices aux Peuples d'Ici… Si nous laissons les Français soumettre les Peuples d'Ici à leurs lois en tuant Lynx-des-Neiges, nous allons nous comporter comme eux en ne nous reconnaissant pas comme égaux entre nous… Les Peuples d'Ici alliés qui ne se considèrent pas tous comme égaux entre eux face aux Français courent le danger de devenir eux-mêmes des grains éparpillés…

Parole-Facile se retourne lentement vers lui avec un petit sourire admiratif.

— Ta pensée est sœur de la mienne et exprimée avec éloquence… Elle est juste et sage. Je ferai en sorte qu'elle se rende au conseil.

* * *

Même jour, après la dernière réunion du conseil.

Ses yeux n'ont pas été éblouis ni ses oreilles charmées lors de la dernière réunion du conseil. Impuissant parmi les bouches fermées, Loup-Curieux a entendu Champlain refuser la faveur demandée par ses chefs de libérer Lynx-des-Neiges. Plutôt que d'insister, ceux-ci ont poursuivi sans plus la réunion et il s'est senti trahi. Pourquoi ses représentants n'avaient-ils pas investi dans cette cause leur coutumière éloquence? Où s'étaient égarés les pertinents arguments portés à l'attention de Parole-Facile, que cette assemblée a laissé fort perplexe? En réalité, cette réunion du conseil se résumait à n'être que la clôture de leurs échanges commerciaux et l'organisation des derniers préparatifs de leur voyage de retour. Champlain a offert des présents équivalents à ceux qu'il avait reçus et les chefs ont répété leur bonheur de recevoir les Robes-Noires, dont les bagages étaient déjà confiés à ceux qui en avaient charge.

À l'arrière-goût de la soupe des Français s'ajoute maintenant pour Loup-Curieux l'amertume de la déception. Il semble que les pressions exercées par les atiwarontas ont porté leurs fruits et que désormais, pour la confédération des Ouendats, la reprise du commerce importe plus que la sauvegarde des lois en usage de ce côté-ci du Grand Lac Salé. « Trop de fourrures vous passent par les mains. Elles vont vous faire périr... comme elles ont fait périr les Mohicans. C'est la vengeance du castor », prédisait Lynx-des-Neiges. Loup-Curieux ne peut oublier ces paroles, même si elles ont été prononcées en état d'ébriété. Elles rejoignent les peurs et les doutes qui lui collent à l'âme. « Laissons en paix l'esprit du castor et chassons les Étrangers. Au lieu de nous tuer pour la fourrure, unissons-nous pour les chasser... Redevenons comme avant... »

Est-ce possible de redevenir comme avant? De prime abord, il a rejeté cette idée, puis il s'est mis à l'apprivoiser. Elle le séduit à certains égards, mais à d'autres, elle lui paraît tout à fait utopique. Il doute que les Peuples d'Ici veuillent redevenir comme avant. Les chaudrons de métal sont trop utiles, les couteaux de fer trop tranchants, les lames d'épée et les haches trop efficaces pour ne pas les rechercher. Pour être en mesure de repousser les Étrangers, ne faudrait-il pas que les Peuples d'Ici sachent fabriquer le fer et les chaudrons de métal?

Une agitation l'arrache à ses réflexions. « Tessouat arrive », avertit-on. Tessouat le Borgne, deuxième du nom[8], Grand Chef des Kichesipirinis, pénètre dans le campement, porté sur les épaules de ses valeureux guerriers. Sa réputation le précède, l'auréole. Fier, noble, courageux et combatif, il est doué d'une vive intelligence et d'une grande éloquence.

Chefs et notables ouendats s'avancent respectueusement à sa rencontre, conscients de l'importance de sa démarche.

---

8. Tessouat le Borgne, deuxième du nom, fut Grand Chef des Kichesipirinis de 1615 à 1636.

— Nos pères et les pères de nos pères ont fumé la pipe de l'amitié… Moi, Tessouat le Borgne, fils de mes pères, je viens vous parler en ami… Nous sommes les enfants de la Grande Rivière, que vous empruntez pour venir chez les Français… Quand le soleil se lèvera, votre désir est d'embarquer dans vos canots pour retourner en vos villages… Dans certains de vos canots, des Robes-Noires et des Français prendront place et seront en danger car les Oueskarinis, enfants comme nous de la Grande Rivière, ont promis de les tuer si Champlain tue l'un des leurs, maintenu prisonnier dans un cachot.

Loup-Curieux remarque N'Tsuk, dont la lèvre supérieure est peinte en noir. Arborant toujours son collier de wampums, elle contemple Tessouat, qui en impose du haut de son piédestal humain. La confiance qu'elle voue maintenant au Grand Chef des Kichesipirinis le mortifie et illustre grandement l'échec de la confédération dans cette affaire, et, par ricochet, son échec personnel.

— Les parents de cet homme, prévient Tessouat, guetteront le long de la Kichesipi… Si vous tentez de défendre les Robes-Noires, ils devront vous tuer aussi… Aucun Français ne pourra franchir vivant le territoire de nos frères oueskarinis tant que le prisonnier ne sera pas relâché. Si, pour défendre les Français, vous tuez un Oueskarini, c'est toute la famille anishnabecke qui se lèvera contre vous.

Les paroles du maître de la Kichesipi, lourdes et tranchantes comme hache de fer, entaillent l'alliance fraîchement renouvelée avec les Français. Comment respecter les termes de leur accord sans risquer un conflit avec les Anishnabecks ?

Alors que, superbe et digne, Tessouat s'en retourne comme il était arrivé, N'Tsuk l'aperçoit. Le tuerait-elle ? La tuerait-il ? Ensemble, ils n'ont partagé que le fugitif espoir de sauver Lynx-des-Neiges, mettant tous deux leur

confiance en la puissance et en la grandeur de la confédération des Ouendats. Grandeur aujourd'hui ébréchée à
leur regard commun. Comment perçoit-elle sa nation à
travers lui ? Et lui à travers sa nation ? Sans un geste, elle se
détourne et rejoint le cortège de Tessouat.

Cette spectaculaire intervention du maître de la
Grande Rivière laisse cependant Loup-Curieux sceptique.
Il aimerait bien, ce Grand Chef, que tout redevienne
comme avant, quand l'Île était la plaque tournante entre
l'Est et l'Ouest et que les Kichesipirinis étaient les principaux intermédiaires auprès de l'Étranger. Au nom de la
solidarité entre Peuples d'Ici, ne tente-t-il pas de reprendre
ce rôle que la dernière réunion du conseil a entériné ?

Redevenir comme avant n'est plus possible car il y a
trop de fourrures en jeu.

De N'Tsuk, il ne voit maintenant que le dos, avec, bien
ficelé dans sa nagane, le bébé, dont le petit pénis pend à
l'extérieur pour le rejet de l'urine. Quelle fierté pour la
femme d'un chasseur que de donner naissance à un fils !
Et quelle désolation pour un chasseur que de perdre un
fils ! Il pense à Lynx-des-Neiges et ressent dans son âme
inquiète la brûlure de l'échec.

* * *

Matin du 5 août.

Les canots sont chargés. Çà et là dans le campement
défait, les feux achèvent de se consumer. Les Ouendats
sont prêts à partir, mais ils ne le font pas. Jusque tard dans
la nuit, ils ont analysé, pesé, répété les paroles de Tessouat.
Plus personne n'est intéressé maintenant à transporter les
Robes-Noires.

Depuis le lever du soleil, ils se savent observés. Le
moindre geste est rapporté aux chefs kichesipirini,

oueskarini et innu. Dès qu'un canot sera poussé à l'eau, des messagers s'empresseront de sauter dans les leurs pour rejoindre les parents de Lynx-des-Neiges et les autoriser à se venger.

N'Tsuk se tient-elle déjà en embuscade, prête à décocher ses flèches ? On la dit aussi habile qu'un homme à cet exercice. Combien seront les Oueskarinis et où guetteront-ils, camouflés dans les broussailles ? Les lieux de portage s'avèrent les plus critiques car, en remontant le courant, les voyageurs doivent obligatoirement mettre pied à terre, ce qui en fait des cibles faciles.

Jamais les Ouendats ne se sont trouvés dans une position aussi délicate. Partir avec les Robes-Noires, c'est reconnaître aux Français le droit d'appliquer leurs lois et se dissocier par le fait même des Peuples d'Ici. Les refuser, c'est remettre en question l'alliance et le monopole de la fourrure, qu'ils partagent avec eux.

Refuser les Robes-Noires signifie refuser de nourrir leur chaudron de cérémonie. Ce chaudron d'or qui, en rêve, l'avait rendu prisonnier de son corps et de son canot afin qu'il tombe dans une chute. « Donnons des fourrures à manger au chaudron, observait Parole-Facile en interprétant le message de ce rêve. Nourrir ce chaudron, c'est nourrir l'Ours. » En cela, son cousin avait raison, mais, à l'heure présente, nourrir ce chaudron, c'est également allumer le feu sous celui de la guerre.

Loup-Curieux sent la tension parmi les siens. Chacun est prudent dans ses paroles et ses actes, repoussant le départ sous divers prétextes. Soudain, un mouvement se forme. Champlain descend vers eux, escorté par des Robes-Noires et des soldats. D'un même pas et dans un silence solennel, Tessouat et son cortège d'Anishnabecks se portent à la hauteur du Français. Juché sur les épaules de ses guerriers, richement paré, le corps et le visage peints, il domine la foule. Nul n'est plus grand que lui. Nul n'est plus majestueux. Il porte brièvement son regard sur le représentant des Français avant de le promener au-dessus des têtes, puis il prend la parole en sa langue, des interprètes le traduisant.

— Les parents du prisonnier sont résolus à se venger. Si des Ouendats se font tuer en tentant de protéger les Français qui seront avec eux, ce sera la guerre entre les Ouendats et tous les enfants de la Grande Rivière.

Anenkhiondic s'avance alors vers Champlain.

— Les Ouendats se sont réjouis à l'idée de bien recevoir les Robes-Noires parmi eux, lui dit-il, mais la Kichesipi n'est pas sûre pour eux. Cette Grande Rivière ne nous appartient pas. Elle traverse le territoire des Anishnabecks... Les Ouendats seraient très affligés qu'il arrive malheur à leurs amis français.

Champlain lève la tête vers Tessouat et, se montrant arrogant, lui ordonne de changer d'attitude, sous peine de sanction. Un sourire narquois glisse sur le visage du chef kichesipirini.

— Qui sera puni ? s'informe-t-il.

— Vous tous.

— Pourquoi nous tous ? Selon vos lois, nous ne sommes pas responsables de la conduite des parents du prisonnier.

Une Robe-Noire s'interpose et, sans trop de conviction, demande la grâce du condamné. Champlain tergiverse un moment avant de consentir à suspendre l'exécution en attendant la décision de son roi.

Loup-Curieux serre les poings. De quel droit le Chef Très Grand des Français étend-il son autorité sur les Peuples d'Ici ?

Le maître de la Kichesipi ne s'en laisse pas imposer.

— Libérez le prisonnier et les Français pourront remonter la Grande Rivière avec leurs alliés ouendats.

Ironique et catégorique, Tessouat soutient avec calme le regard furieux de Champlain, et une pensée sacrilège traverse alors l'esprit de Loup-Curieux car il préfère l'attitude du chef kichesipirini à celle d'Anenkhiondic.

Champlain réagit promptement, laissant libre cours à sa colère comme si sa véritable nature de sorcier venait de prendre le dessus.

— Jamais ! Jamais je ne céderai à ce chantage ! vocifère-t-il. Tant que vous ne changerez pas d'idée, mes hommes auront l'ordre de tirer à vue sur quiconque d'entre vous aura des armes.

Tessouat sourit malicieusement.

— Les Français veulent appliquer leurs lois et les nôtres. Il faudrait choisir : ou un homme paie son crime, ou son peuple en est responsable, mais pas les deux à la fois. Nous, nous appliquons les nôtres. Tant que le prisonnier ne sera pas libéré, la Kichesipi vous est interdite.

Sur ce, le superbe Tessouat et sa suite s'en retournent avec grand apparat, laissant les Français dans la colère et dans l'impasse d'être à l'origine d'un conflit armé entre Ouendats et Anishnabecks.

Résignées, les Robes-Noires conviennent de ne pas les accompagner cette fois-ci. Loup-Curieux éprouve un grand soulagement à l'idée que ces sorciers n'habiteront pas son village cet hiver et que le danger d'une guerre est écarté.

En donnant le premier coup de pagaie, Loup-Curieux jette un coup d'œil vers le fort en haut de la falaise, où Lynx-des-Neiges est enfermé. Pour Tessouat et Champlain, cet homme représente un instrument politique, mais, pour lui, ce grand chasseur a toujours été plus qu'un fournisseur, mais autre chose qu'un ami. Voilà que, maintenant, il est aussi le père d'une femme à laquelle son être a étrangement vibré. Une femme qui aura à se peindre le reste du visage de la couleur de la mort. Cela est de mauvais augure. L'impuissance des Peuples d'Ici à demeurer maîtres chez eux épaissit le nuage gris de la méfiance dans son âme. Il ne sait plus ce qu'il racontera à son fils Doigt-du-Soleil. Sans doute serait-il préférable de se limiter à leur entrée triomphale, car leur départ a quelque chose d'une retraite. Qui sait maintenant si un soldat, voyant les armes à ses genoux, ne lui tirerait pas dans le dos?

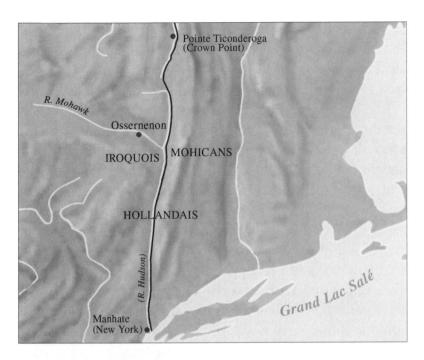

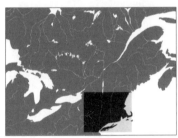

Chapitre 21

Renaissance

*1633, en la lune iroquoienne où le maïs est récolté
(septembre), au pays des Iroquois agniers[1],
village d'Ossernenon[2].*

1. Les Iroquois agniers, plus connus sous leur nom anglais de Mohawks,
nommaient leur nation Kanienkehaka ("nation de la pierre à feu" ou silex).
Cette nation faisait partie de la confédération iroquoise des Cinq-Nations
et, par sa situation géographique à l'Est, était considérée comme la
gardienne de la Porte du Soleil Levant de la Grande Maison.
2. Ossernenon : village installé près des rapides de la rivière Mohawk.
Actuellement, son lieu se trouverait près de la ville d'Auriesville, dans la
région d'Albany, État de New York.

La nuit règne. Entière et blanche, la lune veille. Surveille. Régit le sang et la sève. Impose les cycles. La nuit, comme les femmes et le royaume des âmes, appartient à la lune.

Les mains liées, assis nu sur une petite table basse dans la maison des réunions, en cette nuit, il aura à mourir et à renaître. Il ne lui sert à rien de profiter de chaque occasion pour s'évader. Une condamnation à mort le menace et, cette mort au poteau de torture, il n'en veut pas. Les cris d'atroces souffrances et les contorsions des prisonniers qu'il a vus suppliciés lors de sa capture le hantent encore. Ainsi que cette odeur de chair brûlée. Wapitik n'a pas le choix : il doit mourir.

Bien qu'il soit placé près du feu, il a froid. De ce froid qui gagne l'intérieur du corps. Ce froid de la mort.

Il a froid, mais il ne tremble pas. Immobile, il attend de subir le rituel de passage entre sa condition d'enaskwa (esclave) et celle de tekekonhens (parent adopté). Présidée par une maîtresse de maisonnée, cette cérémonie relève des femmes, qui intercèdent auprès de la mère de l'humanité. Cette mère du monde obscur que ses ravisseurs nomment AWEnHAi[3] et dont ses vrais parents ne lui ont jamais parlé.

La tête couverte d'une peau, ces femmes se mettent à crier, à se plaindre et à gémir. Elles pleurent celui qu'il remplacera. Elles se montrent affligées et inconsolables. A-t-il été autant pleuré par Goutte-de-Rosée, Lynx-des-Neiges et N'Tsuk ? Que de larmes il a versées, lui, en cachette ! Que d'évasions il a tentées pour les retrouver, espérant vainement qu'ils viennent un jour le délivrer ! Pourquoi ce jour n'est-il jamais arrivé ? L'auraient-ils oublié ? Serait-il mort, pour eux ? Si, pour eux, il est mort, pour qui donc Wapitik survivrait-il ?

---

3. AWEnHAi : équivalent d'Aataentsic, mère ou grand-mère mythologique des Iroquoiens.

L'aïeule de la maison de l'Ours s'avance. C'est elle qui faisait peser contre lui une sentence de mort, en raison de son comportement récalcitrant. Maintenant qu'il renonce définitivement à s'évader, elle le fera renaître en un autre.

Cette vieille femme l'a toujours terrorisé, avec sa bouche édentée et ses rêches cheveux gris. Elle doit ressembler à la puissante AWEnHAi, qu'on dit méchante. Ses yeux sont comme des tisons, prêts à brûler les chairs. Ses yeux observent, parfois épient. Rien ne leur échappe. Ses yeux dictent et condamnent. Rien ne leur résiste. Elle est la grand-mère du clan de l'Ours, le clan des guerriers, et maintenant, ses yeux, elle les ferme pour entonner un chant lugubre.

« Oh ! notre frère est mort… Notre frère tant aimé est tombé alors qu'il était un adolescent plein de vigueur… Il est mort en combattant ses ennemis, le casse-tête à la main.

« Oh ! notre frère tant aimé est mort… Sa mère le pleure… Ses sœurs le pleurent… Son père le pleure… Sa maison le pleure… Nous tous le pleurons… Oh ! Hatériata est mort ! Tous se souviennent de lui… La force de sa flèche tuait l'ours, mais sa précision tuait l'oiseau en vol… Il courait plus vite que le lièvre et, au jeu de baggataway[4], il faisait honneur à notre village.

« Hatériata ne connaissait pas la peur… Hatériata ne connaissait pas le découragement… Tous se souviennent de sa douceur… De sa générosité… Et surtout de sa bravoure, qui le rendait digne du nom reçu à sa naissance : Hatériata, le brave, l'homme de cœur. »

Lui aussi sera digne de ce nom, qu'il recevra lors de cette renaissance, se promet Wapitik. Sa mère adoptive sera fière de lui. Cette femme, il la bénit. Il la respecte. Et

---

4. Baggataway : jeu de la crosse, qui donnait lieu à des compétitions entre villages.

peut-être même l'aime-t-il. Dès son arrivée en cette communauté, elle a soigné son oreille coupée avec beaucoup de tendresse. Jamais, de sa part, il n'a eu droit à des sévices, ce qui n'empêchait pas les autres de lui en infliger. Plus on le frappait, plus il ripostait, parfois même jusqu'à ce qu'il perde connaissance. Quand il revenait à lui, toujours elle était là avec ses gestes apaisants et affectueux, lui parlant doucement. Ainsi, petit à petit, il a appris leur langue et quelques rudiments de leurs croyances et coutumes.

Cette femme le regarde, le visage baigné de larmes. Elle pleure Hatériata, tué lors de son premier raid contre les Mohicans. Lui, dans le secret de son âme, il pleure Wapitik. Jamais plus personne ne le nommera ainsi. Jamais plus il ne verra surgir de terre le ruisseau mystérieux. Jamais plus il n'obéira au cycle des saisons, remontant vers le territoire de chasse quand les feuilles changent de couleur.

Le voilà parmi les horticulteurs, qui habitent des maisons fixes et non des wigwams portatifs. Ici, ce sont les femmes qui pourvoient à la subsistance. Ici, le maïs est la nourriture de base, et la viande, une nourriture d'appoint. Pour Wapitik, c'était le contraire, le maïs servant de nourriture d'appoint au gel et au dégel de l'eau. Ici, on l'a contraint à des tâches dégradantes pour un chasseur, telles celles d'aller chercher du bois et de l'eau, d'aider à moudre et à transporter le maïs, ainsi que de s'occuper du dépotoir. À Wapitik, son père enseignait à prélever les glandes du castor et à construire des attrapes. À Wapitik, son père promettait de l'initier aux grandes chasses dans la neige, mais cette promesse ne se réalisera jamais car, en cette nuit de la lune algonquienne des changements de couleur, Wapitik entreprend une migration sans retour. Le voilà chez les Kanienkehakas (Iroquois agniers) à demeure. De ce peuple, il fera le sien. De lui, ils feront l'un des leurs.

« Oh! l'esprit d'Hatériata a vu pleurer nos yeux. Cet esprit a entendu nos cris de détresse devant sa place vide dans notre maison, devant son rang inoccupé chez les guerriers et les joueurs de baggataway. Pour nous consoler, l'esprit d'Hatériata nous envoie cet adolescent pour combler sa place demeurée vide… Recevons-le avec joie… Il est fort et courageux… Aimons-le comme nous avons aimé Hatériata car son cœur est loyal… Recevons-le au sein de notre famille. »

La vieille matrone se tait et s'éclipse au profit de sa mère adoptive, qui, le visage soudain transfiguré, dénoue ses liens. « J'ai de nouveau un fils », bredouille-t-elle en le gratifiant d'une caresse sur la joue. Ses deux filles s'approchent avec un chaudron d'eau chaude et, ensemble, elles le lavent de la tête aux pieds, couvrant d'un pansement symbolique les vestiges cicatrisés de son oreille. Puis elles lui enveloppent les épaules d'une couverture de castor, lui attachent un pagne à la ceinture, le chaussent de mocassins et, finalement, lui peignent et huilent les cheveux. À son cou, celle qui le reçoit pour fils passe un collier de wampums en enfilade. Désormais, il l'appellera « ihota », c'est-à-dire « mère ».

Les autres femmes s'avancent et lui offrent un potage de farine de maïs auquel, à son intention, on a mêlé de la viande de chevreuil. Chacune le traite avec chaleur et bonté, lui caressant la tête, le visage, les bras et la poitrine, portant de la nourriture à sa bouche.

La vieille et puissante matriarche revient alors et le fait se lever, gardant sur lui ses yeux intransigeants.

— Te voilà dans ta famille, Hatériata… Dans ton clan, qui est celui des plus féroces guerriers… Dans ta tribu, qui a pour mission de protéger la Grande Maison de notre peuple… Je te reçois avec joie. Les Kanienkehakas pleuraient ton départ car ton courage était précieux… Te voilà revenu, Hatériata… Voici l'arc et les flèches pour que tu puisses protéger ta mère et tes sœurs, tes tantes et tes cousines, tes amies et tes voisines quand elles travailleront aux champs... Désormais, ta mission sera de surveiller l'approche de tout ennemi et de défendre les tiens.

Avec émotion, il reçoit les armes dont tout esclave est privé. Il se sent honoré d'accéder à cette place au sein de la tribu et de se voir confier cette mission. De tout cœur, il souhaite satisfaire les exigences de l'aïeule, qui lui attribue le noble idéal d'être Hatériata.

Sa mère le cajole, l'embrasse, le contemple.

— Comme tu es beau, Hatériata ! le complimente-t-elle. Comme tu es fort et courageux !

Dans les yeux d'Ihota, il revoit ceux de Goutte-de-Rosée, dont les traits se sont estompés avec le temps. Il y lit autant d'amour. Autant de tendresse. Alors, en lui, sans un cri, Wapitik s'éteint.

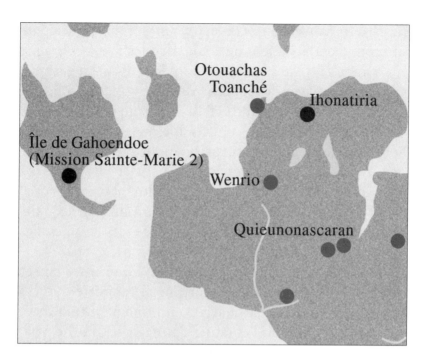

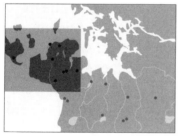

Chapitre 22

L'intrus

*1634, en la lune iroquoienne où le maïs mûrit
(août), sur la route menant au village ouendat
de Toanché.*

Loup-Curieux claudique encore des suites de la blessure infligée lors du raid contre les Iroquois tsonnontouans, ce printemps. Sur sa cuisse droite, une
large cicatrice boursouflée atteste la guérison de
l'entaille produite par la hache de l'ennemi. Il a bien
failli y laisser sa peau et l'Aigle, la sienne, mais il a

réussi à les sauver toutes les deux, remportant un scalp de surcroît. Depuis, sa femme le touche avec d'autres mains. Il y a dans ses gestes la soumission de la chair au guerrier victorieux, alliée à la douceur de la consolation pour le survivant d'une sanglante défaite. Des cinq cents hommes de l'expédition, deux cents seulement sont revenus. Pourtant, cette attaque-surprise aurait dû se solder par une victoire, mais les ennemis avaient été informés de leurs intentions. Qui a voulu surprendre fut donc surpris. Deux cents guerriers ont été tués, cent autres faits prisonniers, dont Amantacha. Au village, des femmes, des mères, des enfants pleurent un mari, un fils, un père.

Amantacha est parvenu à s'enfuir, non sans y laisser un doigt, arraché lors de la torture. Il rapporte que ces Iroquois tsonnontouans, avec qui Étienne Brûlé avait comploté, projettent d'entamer des négociations de paix. Dans cette optique, ils auraient épargné la vie des prisonniers les plus importants, dans l'espoir qu'une trêve permettrait de les échanger contre les prisonniers tsonnontouans détenus par les Ouendats. Dans l'attente d'éventuels pourparlers avec cette nation, gardienne de la Porte de l'Ouest de la confédération iroquoise des Cinq-Nations, la prudence règne chez les Ouendats, qui ignorent encore la position des quatre autres nations. Pour cette raison, cette année, seuls quelques marchands de moindre importance se sont aventurés à descendre vers les Français et, à l'exception d'Aenons, tous les chefs sont demeurés au pays.

Depuis que Loup-Curieux est revenu avec une blessure et un scalp, son fils le regarde avec d'autres yeux. Avant, Doigt-du-Soleil semblait ne voir en lui que le marchand qui partait au printemps et revenait au début de l'automne. Marchand fort habile, certes, mais quelque peu terne en comparaison de l'Aigle, son oncle maternel et mentor. Maintenant, Doigt-du-Soleil voit en lui un homme d'action, un guerrier, voire un héros qui a sauvé la vie de l'Aigle. Cela le réconforte, mais il ne se glorifie pas de ses exploits. Il aurait préféré mourir dans la victoire plutôt que de survivre dans la défaite et la honte. Car c'est une honte pour son peuple que d'avoir été trahi. Qui donc a informé les Tsonnontouans de leur plan? Est-il encore parmi eux, cet infâme? Trame-t-il un complot de plus grande envergure en faisant luire des espérances de paix? Maintenant, dans son âme, la suspicion côtoie la méfiance.

Chaque jour, les hommes se doivent d'exercer une constante surveillance. L'ennemi peut surgir de partout et à tout moment, mais il y a pire. Une menace sans nom plane sur eux, comme s'ils étaient victimes d'un acte de sorcellerie. Cet hiver, deux incendies ont détruit Toanché, leur village, n'épargnant chaque fois qu'une seule maison: celle d'Aouandoïé, l'atiwaronta le plus prospère et le plus favorable aux Robes-Noires.

Quel message faut-il y voir? Et qui leur sert cet avertissement? Est-ce l'esprit d'Étienne Brûlé? Celui des Robes-Noires? La destruction totale de leur village les ayant contraints à se relocaliser, ils n'ont pu unir leurs bras et leurs efforts dans la reconstruction, en raison de leurs divergences d'opinions. Leur communauté s'est alors scindée. Ceux qui approuvaient l'exécution d'Étienne Brûlé ont érigé le village de Wenrio, plus au sud. Ceux qui la désapprouvaient ont érigé celui d'Ihonatiria, tout près de Toanché. Ainsi se sont concrétisées leurs divisions. Les tenants de l'un et de l'autre camp s'identifient par leur appartenance à l'un des villages et ils ne se fondent plus en une seule communauté. Quelle est cette force obscure capable de faire se détacher de l'épi la moitié des grains? En raison de ses convictions, Loup-Curieux préférait habiter à Wenrio, mais il a dû suivre sa belle-famille à Ihonatiria, où il entend les gens répéter que si les Français les avaient accompagnés dans leur expédition guerrière, ils leur auraient permis de vaincre avec l'arme suprême. À Wenrio, les gens insistent plutôt sur le fait qu'il y a eu traîtrise.

Détectant l'odeur des restes calcinés de Toanché, Loup-Curieux ralentit l'allure. Son fils fait de même, impressionné de constater qu'il se déplace rapidement en dépit de sa boiterie. Chaque jour, il vient inspecter les lieux, et aujourd'hui Doigt-du-Soleil l'accompagne. Comme il n'a pas souvent la chance d'instruire son fils, car son éducation relève de l'Aigle, il en profite pleinement pour lui transmettre ses connaissances. Il l'initie à la traque. Lui enseigne à observer toute modification dans l'aspect des feuilles, de la mousse et du sol, ainsi qu'à sélectionner les bruits, tel ce crissement de perdrix qui retient son attention. Loup-Curieux s'arrête et se tourne vers Doigt-du-Soleil, chez qui aussitôt s'éveille le regard du prédateur. Ses oreilles ont repéré l'oiseau, à gauche, dans le sous-bois, qui picore, gratte, s'avance et fait bruisser l'écorce sèche d'un tronc mort en grimpant dessus. Guidé par le son, le regard suit le mouvement sans le voir. Le jeune prédateur s'assure du vent, prépare sa flèche et s'avance en silence. Il va lentement, s'arrêtant parfois pour étudier le terrain afin de suivre l'animal à la dérobée. Il le voit avec ses oreilles et sait parfaitement où il se trouve derrière les feuilles. Dès qu'il l'aperçoit, il bande l'arc sans brusquerie et décoche sa flèche. Les battements d'ailes de l'oiseau à l'agonie font savoir à Loup-Curieux que son enseignement a porté ses fruits et il s'en félicite. C'est le guerrier qu'il forme en formant le chasseur. C'est la précision et la vitesse du tir qu'il développe.

Doigt-du-Soleil revient à ses côtés avec sa prise, s'efforçant de cacher sa légitime fierté, et Loup-Curieux sent monter dans son cœur une douce chaleur. Cet enfant est digne de lui. Digne de sa mère. Digne de son peuple. Digne de ce nom reçu à sa naissance et conservé par lui à la suite de la période de jeûne et d'isolement consacrée à la quête de son identité. Doigt-du-Soleil est un nom du clan de la Grande Tortue. Comme l'astre du jour, celui qui le porte prend soin de tout ce qui est nécessaire à la vie. Il est chaleur, il est lumière. Il est force et bonté. Avec un soin attentionné, son fils cultive ces qualités dans le jardin de son âme, tout comme lui, au même âge, s'appliquait à être curieux des choses et du pourquoi des choses. Qu'elle est bienfaisante, cette chaleur dans son cœur de père! Pour la première et sans doute la seule fois de sa vie, Loup-Curieux se permet de serrer affectueusement l'épaule de son fils, en signe de satisfaction.

Soudain, le vent porte une odeur étrangère à ses narines. Il se tapit, tend l'oreille, imité par Doigt-du-Soleil. Cette odeur provient des ruines du village. Tels deux chasseurs, père et fils s'en approchent furtivement, guidés par le grincement de pas dans le sable. Du noir glisse dans le champ de vision de Loup-Curieux, qui s'immobilise à l'abri de framboisiers. Quelqu'un se déplace entre les poteaux calcinés des maisons réduites en cendres. Cette personne ne tente pas de cacher sa présence car elle marche fermement, se dirigeant vers la demeure intacte d'Aouandoïé. Par une trouée du feuillage, il aperçoit enfin l'intrus. C'est Echon. Que fait-il, seul ici, dans les décombres d'un village qu'il a autrefois habité? Qui l'a transporté dans son canot sans avoir obtenu au préalable l'autorisation des chefs du Conseil et au risque de déclencher une guerre avec les Anishnabecks? Serait-il tombé du ciel? Vient-il vérifier son œuvre? S'assurer que la maison du riche atiwaronta n'a pas été endommagée? Le voilà qui sort de cette maison et se dirige sans hésitation vers la route menant à Ihonatiria. Comme s'il savait tout de leurs malheurs et de leurs déplacements.

La menace se concrétise en cet homme. Toutes les malédictions qui leur sont tombées dessus lui sont attribuables. Cet hiver, les incendies ayant donné naissance à deux villages distincts ; ce printemps, leur cinglante défaite due à la traîtrise de l'un des leurs, et, cet été, de mauvaises récoltes en perspective. Toutes ces calamités ne sont-elles qu'un mince aperçu de l'étendue de ses pouvoirs surnaturels ? Que vient-il réclamer ? Exiger ? Quel est le motif de la vengeance qu'il exerce ?

Vêtue de noir, la menace fonce vers Ihonatiria, faisant fi des règles de prudence, comme si rien ne pouvait l'arrêter, l'intimider, encore moins l'éloigner. Suivi de son fils, Loup-Curieux la suit aisément, puis la devance à un endroit propice, pour se cacher en embuscade. Il prépare sa flèche, guette le sentier et bande son arc à l'apparition de la Robe-Noire.

Doigt-du-Soleil l'observe. L'exemple de Lynx-des-Neiges le fait réfléchir. Cet homme a-t-il été exécuté, tel que prévu ? Qu'adviendra-t-il de son fils à lui s'il tue Echon ? Qu'adviendra-t-il de sa famille, de sa maison, de son clan, de sa tribu et de la confédération ? S'il laisse filer la flèche, ne se détachera-t-il pas de lui-même de l'épi ?

Loup-Curieux se ravise, relâche la tension de sa corde et laisse passer l'intrus. Il ne lui appartient pas de prendre seul cette décision. Son fils l'interroge du regard. Son mentor lui enseigne tout autre chose à propos des Robes-Noires et de leur influence prépondérante dans la traite des fourrures. L'Aigle l'initie à la conduite des choses, car, par hérédité, Doigt-du-Soleil est éligible à la fonction de chef civil.

Par crainte d'être en contradiction avec cet enseignement, Loup-Curieux choisit de ne pas lui expliquer son geste, mais, de tout cœur, il espère lui avoir inculqué la notion de danger que représente la Robe-Noire.

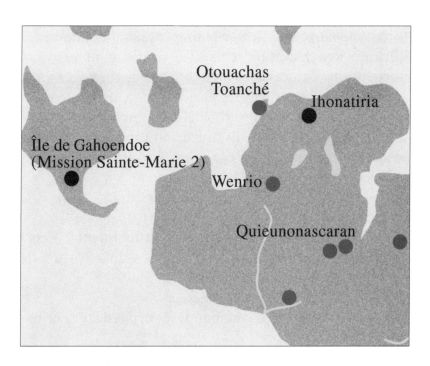

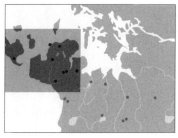

Chapitre 23

La cabane magique

1635, en la lune iroquoienne où les jours sont plus grands (février), village d'Ihonatiria.

Une flèche en plein front de l'intrus n'aurait rien changé, pense Loup-Curieux. D'ordre surnaturel, la menace est sur sa lancée. Au premier sorcier s'en sont ajoutés deux autres au cours de l'été, ainsi que six hommes armés travaillant sous leurs ordres[1]. Avec

---

1. Le père Antoine Daniel et le père Davost, ainsi que leurs domestiques, dont deux adolescents. La compagnie commerciale des fourrures

force cadeaux, les Robes-Noires avaient soudoyé les quelques marchands présents à Kébec afin qu'ils les transportent sans l'autorisation du conseil des chefs. Les voilà infiltrés dans leur village et jusque dans leurs pensées. En langue ouendate, Echon (Brébeuf) apprend des incantations magiques à son fils qui, à son tour, les enseigne à sa sœur de dix ans dans l'espoir qu'elle puisse mériter des perles de verre.

— Au nom du Père et du Fils et de l'Esprit… Ainsi… euh… Ainsi…

— Du Saint-Esprit, reprend patiemment Doigt-du-Soleil en guidant la main de Paisible-Tortue de l'épaule gauche à celle de droite.

— … du Saint-Esprit. Ainsi…

— Ainsi soit-il… Il faut joindre les mains de cette façon.

— De cette façon ?

Loup-Curieux s'insurge intérieurement de voir les doigts de sa fille se conformer au rituel des Robes-Noires. Ces doigts-là ne feraient-ils pas mieux de tresser des paniers ?

Aonetta échange avec lui un regard déconcerté. Elle aimerait pouvoir intervenir, mais le libre arbitre l'en empêche, ainsi que la position de sa famille, qui, l'Aigle en tête, multiplie les marques de politesse à l'endroit des Robes-Noires. Ainsi, Parole-Facile s'évertue à leur apprendre la langue ouendate et l'Aigle suit leur enseignement dans la cabane magique en compagnie de Doigt-du-Soleil. Cela n'est pas sans déplaire à Loup-Curieux, mais il ne peut, lui non plus, intervenir, car l'éducation de son fils ne relève pas de lui.

Cette impossibilité d'agir, ainsi que son incapacité à s'exprimer, contraint Loup-Curieux à une frustrante

---

remboursait le salaire et les frais d'entretien de ces domestiques que les jésuites employaient et surveillaient.

résignation. Dans la maison, le héros a vite été oublié au profit de celui qu'il a sauvé et qui prône sans relâche de composer avec les puissants pouvoirs des sorciers. Pouvoirs que ces derniers ne cessent de démontrer et qui les subjuguent autant qu'ils les fascinent.

À la fin de l'été, quand tous ces intrus se sont retrouvés dans leur village d'Ihonatiria, ils ont d'abord logé dans la maison du prospère Aouandoïé. Dès lors, le mal s'est répandu. Un mal contre lequel les herbes, les cataplasmes et les pouvoirs des ocatas[2] ne pouvaient rien. La fièvre s'emparait des corps, couvrant la peau de lésions et altérant la vue. Les entrailles se vidaient, dans certains cas jusqu'à la mort. Parole-Facile, Petite-Pluie, Doigt-du-Soleil tombèrent malades l'un à la suite de l'autre, puis suivirent le jeune fils de son cousin et Paisible-Tortue. Aonetta partageait son temps entre les soins à leur accorder et les travaux des champs. Quoique maigres, les récoltes réclamaient des bras, mais, dans toutes les maisons du village, nombreux étaient les bras arrêtés par la maladie. Il en manquait pour ramasser le maïs, les graines de fleurs-soleil et les citrouilles. Il en manquait pour jeter les filets à l'eau lors de la grand pêche d'automne. Ainsi, une grande partie des récoltes fut abandonnée sur place et les hommes ramenèrent moitié moins de poissons, ce qui leur a laissé moitié moins de provisions pour l'hiver.

Ce mal d'ordre surnaturel leur était destiné car ceux des Français qui en ont été atteints s'en sont facilement rétablis. Pourquoi les sorciers ont-ils apporté ce mal ici? À quoi veulent-ils en venir? Ils ont obtenu tout ce qu'ils désiraient et ont agi comme bon leur semblait, sans aucun égard pour leurs lois et leurs coutumes. Cet automne, accompagné de ses cinq hommes, Echon s'est rendu chez les Tionnontatés afin de les encourager à faire affaire avec

2. Ocata : chaman qui diagnostiquait et traitait toutes les maladies.

les atiwarontas de son choix, à Ihonatiria. C'était là s'infiltrer dans leur réseau de relations commerciales. Dans son réseau puisque son père et lui-même ont toujours entretenu là-bas l'amitié avec leur fournisseur de tabac de qualité. Il prévoyait même, d'ici deux ans, d'y envoyer séjourner Doigt-du-Soleil pour renforcer les liens. Maintenant, il ne sait plus. Il a l'impression que des grains tombent un à un de l'épi. Que les hommes succombent un à un aux présents des sorciers. Et que les lois se voient enfreintes une à une. Les divergences d'opinions pullulent et partout la menace pèse. Invisible, sournoise, terrible. Chacun tente d'y échapper comme il l'entend, mais tous savent maintenant que les sorciers sont parmi eux et qu'ils pratiquent sans répit leurs rites chamaniques dans la maison qui leur fut construite en bordure du village.

— Tu iras dans la cabane magique, papa? demande Paisible-Tortue après avoir accompli et récité son signe de croix, à la satisfaction de son frère.

— Oui, j'irai aujourd'hui avec Parole-Facile.

— Veux-tu apprendre les incantations magiques? Je les sais maintenant. Echon me donnera des perles de wampum.

— Ce ne sont pas des perles de wampum[3].

— Je sais, mais je les trouve très jolies.

Elle vient s'asseoir près de lui, le visage radieux. Qu'il est bon de la voir revenue à la santé!

— En cas de danger, ce signe et ces paroles nous protègent… Veux-tu les apprendre? Aux hommes qui les savent, Echon donne du tabac.

— J'ai ce qu'il faut de tabac, ma fille, et mon oki me protège, répond-il calmement sans manifester sa frustration.

---

3. Perles de verre: les missionnaires introduisent en Huronie des imitations de perles de wampum, fabriquées en manufacture, qu'ils donnent ou dont ils se servent pour acheter du maïs, du poisson fumé, etc.

Paisible-Tortue lui sourit, puis tend le doigt vers son talisman.

— C'est ton oki qui t'a protégé de nos ennemis?

— Oui. Mon oki me protège de tous les dangers et de la maladie.

— L'oki des Robes-Noires les protège aussi de la maladie. Leur oki est une croix.

— Les Robes-Noires ont leurs okis, nous, les nôtres... Les Agnonhas ont des croyances et des coutumes différentes des nôtres. C'est ainsi. Il faut respecter leurs croyances comme eux doivent respecter les nôtres.

Elle le considère avec gravité, visiblement réceptive à ses propos. Paisible-Tortue est à l'âge où l'âme est malléable et ne demande qu'à croire. N'est-ce pas là l'occasion rêvée de refaçonner cette jeune âme que les Robes-Noires tentent de modeler à leur convenance? Comme il s'apprête à ouvrir la bouche, une cloche tinte et, au même moment, Parole-Facile apparaît.

— La cabane magique est ouverte, s'exclame Doigt-du-Soleil avec enthousiasme.

— Oui, les Robes-Noires ouvrent leurs portes, mais toi, tu as déjà vu les objets sacrés... Les yeux de ton père doivent les voir, maintenant. Tu es prêt, Loup-Curieux? demande Parole-Facile, se tournant vers lui.

— Je t'accompagne, répond-il, interrompant à regret le dialogue avec sa fille.

Sans rien enfiler pour se préserver du froid, Loup-Curieux suit son cousin hors de la maison. Aux sorciers qui lui démontreront leurs pouvoirs, il démontrera son endurance.

— L'Aigle sera heureux de ta présence, annonce Parole-Facile.

— L'Aigle est-il heureux d'entendre la voix de la cloche chez les Ouendats?

— Oui. Moi aussi. Il est bon de l'entendre à Ihonatiria.

— Pourquoi?

— Parce que les Robes-Noires ne vont plus à Ossos-sané, le plus important de nos villages. En s'installant parmi nous, à Ihonatiria, les Robes-Noires nous annoncent que la mort d'Étienne Brûlé est oubliée.

— Ossossané doit se déplacer cette année parce que les champs autour du village ne donnent plus rien... Voilà pourquoi les Robes-Noires s'installent ici... Si la mort d'Étienne Brûlé est oubliée, pourquoi les Robes-Noires se sont-elles vengées par la maladie?

— Cette maladie a touché autant les Anishnabecks que les Ouendats[4]... Cette maladie n'est pas une vengeance... Les Robes-Noires ont distribué de la nourriture pour nous aider. Leurs hommes sont allés chasser du gibier parce que les nôtres étaient malades... Les Robes-Noires ont même accompli leur rituel de guérison en faisant couler de l'eau sur le front et la vieille Oquiaendis s'est rétablie.

— Mais les petites filles de sa maison qui ont reçu cette eau sont mortes et les Robes-Noires les ont fait enterrer loin de notre cimetière... Pourquoi les séparer de leur famille dans la mort?

— ...

— Mes oreilles n'aiment pas entendre la voix de cette cloche en mon village.

— À Kébec, la voix de la cloche est la plus puissante des voix... Elle fera acheminer à Ihonatiria autant de fourrures qu'à Kébec.

— Je ne crois pas... Il faudrait pour cela que les canots de bois qui traversent le Grand Lac Salé se rendent jusqu'à Ihonatiria.

— ...

---

4. Dès juin 1634, cette épidémie, sans doute apportée par les navires arrivés de France, se répandit rapidement dans la vallée du Saint-Laurent, gagna celle de l'Outaouais et rejoignit la Huronie en même temps que les missionnaires et leurs domestiques.

Parole-Facile salue deux hommes de leur parenté qui sortent de la maison du clan du Loup et qui se dirigent comme eux vers la sortie du village. Plutôt que de presser le pas pour les rejoindre, il ralentit ostensiblement l'allure, les laissant prendre de l'avance, puis il s'arrête, obligeant Loup-Curieux à faire de même. Parole-Facile promène un regard circonspect à la ronde et s'adresse à lui sur le ton de la confidence.

— Ces deux-là, ce n'est pas la première fois qu'ils se rendent à la cabane magique… Bon nombre des hommes d'Ihonatiria y sont allés… Il y en a même de Wenrio qui y sont allés et, dans ce village, tu le sais, la plupart redoutent la vengeance des Robes-Noires pour la mort d'Étienne Brûlé… Toi, tu te tiens à l'écart, alors que tu es censé te montrer curieux des choses.

— Je suis curieux du pourquoi des choses plus que des choses elles-mêmes.

— Être curieux du pourquoi des choses ne nourrit pas l'Ours… Écoute, tu es marchand et je fais partie de ta canotée… Je vais te parler comme à un frère et à un partenaire… Il y en a qui disent que tu te comportes comme un sorcier en te tenant à l'écart.

— Nous savons tous qui sont les vrais sorciers et où ils habitent.

Loup-Curieux pointe le menton dans la direction d'où provient le tintement de la cloche, qui, à ce moment, se tait, cédant la place aux bruits familiers du village et déclenchant une nervosité inhabituelle chez son cousin. Impatient, celui-ci se balance d'une jambe à l'autre comme s'il était poussé par la double urgence de lui livrer son message et de répondre à l'invitation des Robes-Noires. Il baisse encore le ton et, d'une voix grave, lui dit :

— Justement, nous le savons… Tu n'as pas idée de leur puissance… N'as-tu pas remarqué la douceur exceptionnelle de cet hiver ?

— Oui, l'hiver est très doux.

— L'hiver est très doux depuis que nous nous montrons intéressés au discours des Robes-Noires... Depuis que nos enfants répètent leurs incantations et que nos hommes les visitent... Crois en ma parole... Si tu continues à te tenir à l'écart, on te gardera à l'écart au temps des échanges chez les Français... Il suffit pour cela de refuser à notre canotée la permission d'emprunter la route.

Avec quelle clarté Parole-Facile a dépeint la situation ! Comment réfuter de tels arguments ? Se rendre à la cabane magique est plus qu'une visite de courtoisie et de curiosité, mais un acte dont la portée le dépasse, le trouble et le choque.

Parole-Facile lui presse gentiment le bras.

— Je sais ton âme inquiète, Loup-Curieux... Je t'ai parlé en frère... Crois-moi, il vaut mieux ne pas se tenir à l'écart. Viens... Tu verras de tes yeux.

* * *

Construite par des Ouendats et à leur manière, la cabane magique sert également d'habitation aux Robes-Noires et aux hommes qui sont à leur service. Loup-Curieux se fige devant la porte de bois artistiquement ouvragée qui a traversé le Grand Lac Salé pour remplacer l'habituelle porte d'entrée en jonc tressé. Timidement, du bout de l'index, il parcourt les volutes du relief sculpté, impressionné par leur beauté et leur précision. À travers le travail de l'artiste, c'est l'outil qu'il admire et, à travers l'outil, l'homme qui l'a fabriqué. Cet implacable constat d'une supériorité technologique le déconcerte et il demeure planté là, observé par Parole-Facile, maintenant accoutumé à ce genre de réaction. Devinant son état d'âme, son cousin lui ouvre la porte et l'invite à passer devant.

Loup-Curieux pénètre dans une pièce enfumée qui sert d'entrepôt pour les fourrures et pour les denrées, et où attendent une dizaine de ses concitoyens. Un homme de la compagnie de traite l'accueille aussitôt et lui offre du tabac. Prétextant qu'il a oublié sa pipe, il refuse poliment, masquant son indignation devant l'usurpation de cette branche du commerce mise sur pied et léguée par son père. Parole-Facile s'empresse d'accepter et fait comprendre qu'ils se partageront la même pipe.

Ils se mêlent au groupe. Silencieusement, les fils de l'Ours inspirent la fumée qui nettoie l'esprit, patients devant deux autres portes menant à la pièce des objets sacrés. Le goût de ce tabac ne semble pas aussi délectable à Loup-Curieux que le goût du sien, mais à quoi bon émettre des commentaires à ce sujet? Le sien n'est pas distribué sans réserve, pourrait-on lui répliquer.

Plus imposantes et d'un relief plus élaboré que celle de l'entrée, les deux portes fermées incitent au respect et au recueillement. À mesure que le temps passe, la contemplation grandit, ainsi que la conscience d'avoir droit à un rare privilège. Enfin, la voix d'Echon se fait entendre et il ouvre toutes grandes les portes, offrant la pièce des objets sacrés à leurs profanes et admiratifs regards.

* * *

Loup-Curieux a vu. Il a entendu. Il a touché, constaté, examiné. Puis il est revenu.

Les enfants ont voulu connaître ses impressions. Il s'est tu et Parole-Facile a raconté à sa place les merveilles observées. Les femmes ont préparé une soupe claire à laquelle Petite-Pluie a fièrement ajouté des morceaux de viande de chevreuil qu'Echon leur a fait parvenir. «Pour célébrer l'évènement», a-t-elle spécifié. Il ne voyait pas cequ'il y avait à célébrer et, à vrai dire, c'est plus du soulagement que de la joie que Petite-Pluie et Parole-Facile ont manifesté au cours du repas.

Maintenant, dans la maison de la Grande Tortue, il semble à Loup-Curieux que tout le monde se soit endormi. Lui, il veille, étendu sur le dos aux côtés d'Aonetta, qui s'est glissée sous la couverture. De la chaleur de la fourrure, il n'a pas besoin, surtout en cet hiver particulièrement doux.

L'homme inspire profondément pour se débarrasser d'une oppression qu'il ressent au niveau de la poitrine. Rien n'y fait. Dans sa tête, des images, des souvenirs, des pensées se cousent et se décousent. Depuis le jour de sa naissance, on le prépare et il se prépare au combat. « La guerre que tu connaîtras ne sera plus la guerre que j'ai connue », lui avait prédit son père. Vingt ans plus tard, en cette nuit d'hiver étrangement douce, cette prédiction le trouble. Quel sera le combat qui les attend, lui et les siens ? Pour ce combat qu'il pressent de plus en plus, il n'est pas préparé. Et il ne possède ni les armes ni la connaissance nécessaires. Ce qu'il a vu aujourd'hui a jeté l'angoisse dans son âme.

Il y avait d'abord une pierre qu'il suffisait d'approcher d'une pointe de flèche en fer pour que celle-ci prenne vie et se déplace vers la pierre, jusqu'à se coller contre elle. Voulait-on les séparer que la pointe de flèche opposait une certaine résistance, comme si elle ne voulait pas redevenir un objet inanimé. Puis il a vu Parole-Facile prisonnier d'un panneau. Poussé par la curiosité, il s'en est approché et il a vu apparaître un autre visage : le sien. Par temps calme, l'eau lui a déjà renvoyé son image, mais jamais avec autant de fidélité. C'était bel et bien lui, cet homme, puisque c'était bel et bien Parole-Facile. Il s'est regardé avec insistance, à la fois satisfait de son apparence et médusé d'être en présence de lui-même. Cela le désarçonnait de se regarder et de se voir comme les autres le voyaient. Dans le miroir, Parole-Facile lui a adressé un sourire, auquel il a répondu par un sourire, puis une grimace, à laquelle il a répondu par une grimace. Ils se sont esclaffés, mais, en réalité, il ne sait pas pourquoi il a ri. Ces doubles d'eux-mêmes qui les singeaient à la perfection ne leur volaient-ils pas leur âme ? Inquiet, il s'en est éloigné, et Parole-Facile lui a fait voir un plus petit miroir, devant lequel il a placé sa pipe. Une dizaine d'autres pipes sont apparues, toutes identiques à celle de Parole-Facile. Ensuite, ils ont examiné un récipient transparent qui grossissait une mouche bien des fois, et enfin ils ont pu contempler à loisir Chef-de-la-Journée, le plus fascinant de ces objets sacrés. Que disait-il ? Les Robes-Noires avaient dévoilé une partie de son langage codé. Quand il sonnait quatre coups, cela signifiait qu'il était temps pour les Ouendats de quitter les lieux. Longtemps, il est demeuré en face de Chef-de-la-Journée, regardant des flèches se déplacer dans sa figure ronde autour de laquelle étaient dessinées des pistes. Toujours, il faisait tic tac, tic tac, puis il sonnait deux coups… et encore tic tac, tic tac. C'était là le battement régulier de son cœur. Tic tac, tic tac… De quoi se nourrissait-il ? Où était sa bouche ? Son anus ? Pouvait-il bouger autre chose que ses flèches et son pendule ? Qu'annonçait-il lorsqu'il sonnait trois coups ? Dormait-il la nuit ? Se fâchait-il ? Parole-Facile assurait que jamais encore il ne l'avait entendu hausser le ton. Chef-de-la-Journée avait toujours la même voix et le même rythme. Quand il égrena ses quatre coups, tous lui obéirent et sortirent de la cabane magique.

Et depuis… dans son âme… c'est l'angoisse[5].

---

5. Afin d'exciter l'intérêt des Hurons et de les impressionner, les jésuites avaient apporté divers objets, dont trois portes de bois ouvragé, un miroir qui reflétait onze fois un objet, une pierre d'aimant, une fiole munie d'une loupe, et une horloge, baptisée Chef-de-la-Journée par les Hurons. Dans un même but, au cours de leurs missions, ils se communiquèrent les dates des éclipses.

Il comprend maintenant pourquoi Parole-Facile tenait tant à ce qu'il voie de ses yeux. Et pourquoi aussi plusieurs ont choisi de frayer avec les Robes-Noires. Lui, il n'en a nulle envie. Adolescent, il a approché la Robe-Grise, dans l'espoir de percer son mystère. Il a même appris quelques mots français et une phrase qu'il n'a jamais oubliée : « Jésus, aie pitié de moi. » Il ne savait pas et ne sait toujours pas ce qu'elle signifie, mais il craint d'avoir appris à son insu une formule magique qui pourrait s'avérer désastreuse pour les siens. Quelle est la portée des incantations que ses enfants apprennent ?

La main d'Aonetta le fait sursauter en se posant sur son cœur, là où déjà un poids l'oppresse. Devine-t-elle son tourment ? Il pose sa main par-dessus la sienne et en caresse les doigts un à un, se demandant si, un jour, ces doigts-là devront se joindre pour le rituel des Robes-Noires.

— Ton esprit est demeuré dans la cabane magique, chuchote-t-elle.

— Mon esprit ne comprend pas ce que mes yeux ont vu.

— Mais tes yeux ont vu… Les yeux de bien des hommes ont vu… Mes yeux n'ont pas vu… Les Robes-Noires n'invitent pas les femmes dans la cabane magique.

Cette remarque l'ébranle. Effectivement, les Robes-Noires accordent plus d'importance aux hommes qu'aux femmes. Pourquoi ? Il n'accepte pas ce comportement. Ni ne se l'explique. Pourquoi les Robes-Noires ignorent-elles la moitié de son peuple ?

— Les Robes-Noires ont des pouvoirs surnaturels d'une grande puissance, laisse-t-il échapper, soucieux.

— Je sais… Nous savons… Entre femmes, nous parlons… Grand-mère a connu bien des hivers et elle ne se souvient pas d'un hiver aussi doux… Entre femmes, nous parlons… Il ne faut pas contrarier les Robes-Noires car leurs pouvoirs pourraient se retourner contre notre village. Mais faut-il les laisser séparer l'homme de la femme, le frère de la sœur ? Plusieurs d'entre nous craignent que notre conseil prête de plus en plus l'oreille à la voix des Robes-Noires et de moins en moins à celle des femmes.

— Les Robes-Noires n'ont pas d'orateur pour porter leur voix au conseil comme ont les femmes.

— Il y a des orateurs qui n'écoutent pas vraiment la voix des femmes…

Aonetta s'accoude, se penche vers lui et, s'appuyant la joue contre la sienne, murmure tout bas :

— Parole-Facile est de ceux-là.

Elle frissonne et il sent les tétins se durcir contre sa poitrine. Il l'enlace pour la réchauffer, mais, la voyant trembler, il se glisse avec elle sous la couverture. Comme il aimerait pouvoir la rassurer ! Dès l'arrivée du premier homme à la robe parmi eux, Aonetta a frémi d'inquiétude et il avait promis de la protéger. Il ne savait pas au juste contre qui, mais il comptait bien l'apprendre. Maintenant, il sait qu'il doit la protéger contre de très puissants sorciers, mais il ne sait pas comment. Alors, il n'ose rien lui promettre et il se contente de la serrer contre lui. Parole-Facile écouterait-il davantage la voix des femmes s'il avait eu la chance d'être le mari d'Aonetta plutôt que celui de Petite-Pluie, qui est l'écho de sa propre voix ?

— Que disent les femmes entre elles ?

Aonetta se presse contre lui.

— Avec l'homme, la femme partage les tâches qui procurent la nourriture, le feu, les vêtements, la protection… Avec l'homme, la femme partage les décisions avec lesquelles hommes et femmes ont à vivre.

— Il en est ainsi chez les Ouendats.

— Les Robes-Noires ne veulent pas qu'il en soit toujours ainsi… Elles veulent écarter les femmes des décisions… Elles veulent faire taire la voix des femmes, mais conserver le travail de leurs bras… Voilà ce que se disent bien des femmes entre elles et ce que n'entend pas Parole-Facile.

Que son cousin n'entend pas la voix des femmes de la maison qu'il est censé représenter au conseil n'a rien d'étonnant car la voix de la cloche lui sonne aux oreilles. Lui, Loup-Curieux, cette voix des femmes, il l'entend très bien, mais, hélas, il ne possède pas l'éloquence nécessaire pour la porter au conseil, où l'Aigle occupe maintenant une place.

— Parole-Facile demeure notre orateur, car ainsi nous pouvons éviter les Robes-Noires sans les contrarier. Quand il sera urgent de nous faire entendre, nous choisirons un autre orateur… Plusieurs ont pensé à toi.

— J'en serais honoré, mais je ne possède pas l'éloquence de Parole-Facile.

— Tu ne possèdes pas son éloquence, mais tu entends notre voix… Quand il deviendra urgent de la faire entendre, tu y parviendras… Tu y parviendras, répète-t-elle en se retournant vers lui, plaquant ses seins aux mamelons durcis contre son thorax. En toi, j'ai confiance, souffle-t-elle, s'offrant dans un élan passionné et gourmand.

Il la sent frissonnante et brûlante de désir et de crainte emmêlés. Une forte pulsion s'éveille en lui. Sa verge se durcit, son souffle se précipite. Il l'embrasse, la mordille, la lèche avant de la pénétrer, puisant dans l'acte procréateur une inégalable sensation de vie, de force et de plénitude. Il sera cette voix puisqu'elle a confiance en lui. Peu lui importe que Parole-Facile en prenne ombrage. Il sera la voix des femmes, que les Robes-Noires excluent de leurs pensées, de leur couche et de leur cabane magique. La voix de la moitié de son peuple, qui, s'unissant à l'autre, assure leur descendance. Sa jouissance déborde la sexualité, devient comme une riposte aux manœuvres occultes des Robes-Noires. Tant qu'ils seront unis, hommes et femmes, les sorciers ne pourront rien contre eux. Il leur faut demeurer soudés, un sexe et l'autre, autant dans les tâches qu'impose la vie que dans la conduite de ces tâches, car c'est ainsi qu'ils ont formé leur peuple, bâti leurs villages, tracé leurs routes et établi leur commerce. Il leur faut ne faire qu'un tout en étant deux, comme ils ne font qu'un en l'enfant qui naît. L'orgasme les foudroie simultanément, mêlant à la jouissance de leurs corps celle de leurs esprits, qui ont contré, par la concrétisation de leur union, l'intention maléfique des sorciers de saper les fondements de leur société.

Alanguie, Aonetta a vite succombé au sommeil, sa main confiante reposant toujours sur son cœur. Un à un, il en caresse les doigts, incapable de fermer ses yeux qui ont vu. Il ressent un très léger et alarmant frisson sous la couverture. Qu'est-ce donc qui est venu à bout de son endurance au froid en cet hiver si clément? Le miroir lui aurait-il volé une parcelle de son âme?

À cheval entre le sommeil et l'état de veille, Loup-Curieux entend tic tac, tic tac dans sa tête. Tic tac, comme un cœur. Que fait Chef-de-la-Journée à l'heure présente dans la cabane magique? Est-il aussi Chef-de-la-Nuit? Si oui, cela fait de lui le Chef-du-Temps… Tic tac, comme le battement du cœur sous la main de la femme.

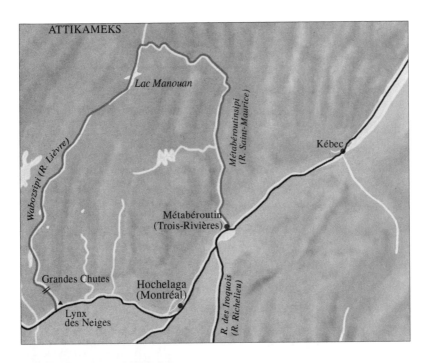

ATTIKAMEKS

Lac Manouan

Wabozsipi (R. Lièvre)

Métabéroutinsipi
(R. Saint-Maurice)

Kébec

Métabéroutin
(Trois-Rivières)

Grandes Chutes

Hochelaga
(Montréal)

Lynx
dès Neiges

R. des Iroquois
(R. Richelieu)

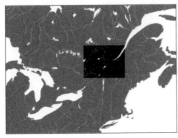

Chapitre 24

Marchands et guerriers

1635, en la lune algonquienne où les oiseaux perdent leur duvet et gagnent leurs plumes (fin juin à fin juillet). Comptoir de traite de Métabéroutin (Trois-Rivières).

D'un pas leste, N'Tsuk longe la palissade que les Français ont érigée l'année dernière autour de quelques bâtiments[1]. C'est sur les ruines d'une ancienne bourgade

---

1. En 1634, sous les ordres de Champlain, le sieur de Laviolette, un employé de la traite des fourrures, fonde une habitation à Trois-Rivières.

anishnabecke qu'ils se sont installés, dans le but d'y faire la traite des fourrures. Le choix de l'emplacement s'avère excellent. N'est-ce pas ici que se rencontrent déjà nombre de peuples chasseurs en vue de faire du troc ?

La jeune femme observe au passage les pieux de bon diamètre, solidement fichés dans le sol et bien serrés les uns contre les autres, qui protégeront les Français et leurs précieuses fourrures en cas d'attaque des Iroquois. Bien qu'une paix ait été conclue avec ces « vrais serpents », elle semble bien précaire. Un rien peut y mettre fin et exposer alors au danger tous ceux et celles qui vivent hors de l'enceinte.

Elle aperçoit l'interprète qui doit l'accompagner au campement des Ouendats. Elle a recours au même qu'il y a deux ans. Né d'un père kichesipirini, cet homme dans la trentaine présente un lien de parenté avec elle par sa mère oueskarinie. Tout jeune, il accompagnait son père aux postes de péage de l'Île et il s'est ainsi familiarisé avec la langue ouendate, qu'il ne maîtrise pas parfaitement, certes, mais suffisamment pour comprendre ceux qui la parlent et s'en faire comprendre.

Il la salue. À son expression, elle devine qu'il la trouve séduisante. Cela la rassure. L'enhardit. Elle veut, elle doit paraître à son meilleur pour cette rencontre avec Loup-Curieux. N'agit-elle pas en quelque sorte comme une envoyée ? Elle a des messages à lui livrer, des informations à lui demander.

Ointe de graisse d'ours de la tête aux pieds, elle porte son collier de wampums et des pendentifs d'os à ses oreilles. Nesk lui a savamment coiffé les cheveux, les laissant pendre librement sur les tempes et les ramassant en une tresse décorée de duvet et de peaux d'anguille par-derrière. Sur son visage, sa cousine a tracé de fines lignes rouges épousant l'orbite de ses yeux jusqu'aux oreilles.

L'interprète la précède vers la rive où sont renversés les canots de quelques marchands ouendats en route pour

Kébec. Une fumée s'élève au milieu d'un groupe d'hommes en train de manger et le cœur de N'Tsuk s'emballe alors qu'elle reconnaît la silhouette de Loup-Curieux. Cet homme s'est inscrit en elle d'étrange manière. Et ce, depuis longtemps, croit-elle. Il l'impressionne et l'attire. Il habite ses souvenirs et ses fantasmes. Parfois, il se glisse dans sa pensée quand elle s'accouple avec Flèche-Rapide. Cela la perturbe, mais elle n'y peut rien.

« Je l'ai averti de ta visite », la prévient l'interprète, lui signifiant ainsi que Loup-Curieux a accepté de s'entretenir avec elle. Il aurait fort bien pu refuser, la femme d'un chasseur ne présentant guère d'intérêt pour un marchand de son calibre. Pourquoi donc a-t-il accepté ? Est-ce parce que, selon son père, il est autre chose qu'un marchand ? « Il acceptera », lui a prédit ce dernier lorsqu'elle a quitté leur campement. « Va… Va lui apprendre que je suis vivant », lui répétait-il. « Va lui demander », répétait pour sa part Flèche-Rapide au nom des familles qui, s'étant jointes chez les Attikameks de la Manouansipi, avaient décidé de descendre ensemble à Métabéroutin pour y trafiquer. Voilà les deux mandats de sa démarche. L'un s'adresse à celui qu'un esprit a mis sur la route de Lynx-des-Neiges. L'autre, à celui dont la main connaît la valeur des marchandises. À l'un, elle apporte la nouvelle que son père s'est évadé sans trop de difficultés du fort Saint-Louis. À l'autre, elle apporte la parole des familles oueskarinies et attikameks arrivées depuis peu par le chemin détourné, avec des ballots de fourrures qui excitent la convoitise.

N'Tsuk rassemble et résume ses idées. Elle doit se montrer à la hauteur de la confiance qu'on lui témoigne, ainsi qu'à la hauteur de son interlocuteur. Jadis, il revenait à son père de négocier avec Loup-Curieux, mais, depuis son évasion, Lynx-des-Neiges évite tout lieu et toute rencontre pouvant le signaler aux Français. De toute façon, depuis son évasion, Lynx-des-Neiges n'est plus le même homme. L'emprisonnement n'a fait qu'exacerber sa haine de l'Étranger et justifier son intention de s'en débarrasser en unissant les Peuples d'Ici. Son obsession a atteint la démesure. Il n'a que le mot « vengeance » à la bouche. Vengeance du castor. Vengeance contre ceux qui lui ont ravi Wapitik. Vengeance contre les Français et les hommes à la robe, qui répandent la maladie. Vengeance contre l'eau-de-feu, à laquelle, hélas, il succombe à la moindre occasion. N'Tsuk doit éviter de s'égarer dans les délires de son père, sans toutefois perdre de vue les faits qui en sont à l'origine. Ainsi, dans presque tous les territoires de chasse, le nombre des castors a diminué sensiblement, et certaines familles de chasseurs ont empiété sur le territoire des familles voisines, créant ainsi des conflits au sein d'une même bande. Par bonheur, au territoire de son mari, au lac Nominingue[2], le castor se maintient, mais au lac Piwapiti (lac du Cerf), il a déjà disparu, et au lac Obanakaw (lac des Îles), il est en voie de disparition. Que feront les membres de sa famille lorsqu'il n'y en aura plus ? Où iront-ils chasser ces castors dont la fourrure leur procure chaudrons, couteaux, lames d'épée et autres articles d'importation, sans compter l'indispensable maïs ?

C'est au contact des autres bandes et tribus de chasseurs qu'elle a pris conscience de l'ampleur du phénomène. Auparavant, elle le croyait local, car, dans sa volonté d'obtenir un bâton de feu, son père s'était livré à un vrai carnage, mais, à sa grande déception, plusieurs avaient perpétré de semblables abus. Le constat général d'une raréfaction du castor donnait un sens aux prédictions de son père, prédictions que l'avidité de divers trafiquants ne

---

2. Nominingue, nomininct : signifie « celui qui est oint, graissé ».

fait que corroborer depuis leur arrivée. À peine descendus de leurs canots, ils furent littéralement assaillis par eux, qui usaient tantôt de la flatterie, tantôt de la menace, tantôt de l'allèchement. C'était à qui obtiendrait leurs fourrures, dont la valeur fluctuait de l'un à l'autre.

Les chefs des différentes familles avaient choisi Flèche-Rapide pour les représenter auprès de ces intermédiaires, qui avaient la possibilité de se ravitailler en articles d'importation à d'autres sources que celle, officielle, de ce poste de traite français. Réfractaire à l'eau-de-feu et consciencieux, son époux sonda le terrain au moyen de quelques peaux. La valeur qu'en offrait le Kichesipirini était la plus basse. En mesure de se ravitailler auprès des Étrangers du Sud (Hollandais), il évoquait la solidarité entre Anishnabecks pour faire affaire avec lui. N'était-ce pas grâce à l'intervention du Grand Chef Tessouat que la vie de Lynx-des-Neiges avait été épargnée? rappelait-il. Ne devraient-ils pas lui en témoigner quelque reconnaissance? Car il s'avérait évident que, pour dénouer l'impasse, les Français avaient tout bonnement laissé s'échapper le prisonnier. Que représentaient quelques marchandises d'échange en moins si le rôle d'intermédiaire de la grande famille anishnabecke s'en trouvait renforcé au détriment de celui des Ouendats? Au nom d'une semblable solidarité, les Innus s'arrachaient leur attention, augmentan la valeur d'échange, à défaut d'eau-de-feu, de quelques perles de verre, piètre imitation des perles de wampum. Ils accusaient les Français de vouloir la perte des Peuples d'Ici en répandant la maladie, mais ils continuaient cependant de trafiquer avec eux à la hauteur de Tadoussac. Pour leur part, les Gens du Castor (Algonquins), fixés à Métabéroutin, assuraient qu'ils pourraient répondre dès l'an prochain à leur demande de maïs car ils avaient considérablement accru leur surface de culture.

La jeune femme détourne la tête en direction des champs de maïs ceinturant la palissade. C'est sans doute là un paysage familier à Loup-Curieux. Pour elle qui vit en forêt, la vue de cette multitude de plantes soumises à la main de l'homme la déroute. D'autant plus que cette main est celle de chasseurs qui, victimes de la maladie, de la famine ainsi que de la quasi-extinction du castor, ont été encouragés par les Robes-Noires à se convertir à l'agriculture sur une grande échelle. Ce changement de mode de vie ne donne-t-il pas raison aux sombres prophéties de son père, qui, tout en préconisant un retour à la situation antérieure, ne peut se libérer de l'emprise du mauvais esprit de l'eau-de-feu ?

Malgré elle, N'Tsuk épouse la haine et la colère de son père à l'endroit des Français. Tant d'Anishnabecks ont succombé à la maladie alors que les étrangers en guérissent facilement ! Tant d'Anishnabecks ont souffert de la faim et du froid à la suite de ces décès ! Par quel miracle elle et ses proches ont-ils été épargnés cette fois-ci ?

Le tintement d'une cloche provenant de l'intérieur de la palissade la rappelle à l'ordre. S'abandonner au ressentiment ne sert en rien l'un des buts de sa démarche, qui est de savoir avec qui il est le plus avantageux de pratiquer le troc. Ce n'est pas en son nom qu'elle parlera, mais au nom de leurs familles, autant oueskarinie qu'attikamek, qui, sitôt leurs échanges conclus, quitteront l'endroit comme ils l'ont fait l'an dernier. Si on l'a choisie pour aller au-devant de Loup-Curieux, c'est en raison du contact qu'elle a établi avec lui de sa propre initiative pour sauver son père. Il sait qui elle est. De qui elle est la fille. Un lien ténu existe entre eux par le truchement de l'oki qu'il porte au cou. Lien qu'elle rappellera d'entrée de jeu en lui transmettant les salutations de Lynx-des-Neiges et qu'elle utilisera par la suite pour s'enquérir de la valeur qu'il accorderait à leurs fourrures.

N'Tsuk presse le pas, talonne l'interprète. Maintenant qu'elle sait comment procéder, il lui tarde d'aborder Loup-Curieux. Les siens ont confiance en elle, et elle, elle a confiance en la grande qualité de leurs fourrures, à laquelle nul marchand ne serait indifférent.

L'apercevant, Loup-Curieux se lève et délaisse ses compagnons pour la rejoindre. Il lui paraît beaucoup plus grand que dans ses souvenirs. Plus imposant aussi. Elle aimerait ne voir en lui qu'un marchand, mais il est plus que cela. Autre chose que cela. Cet homme lui remue les sens et l'intimide. À sa grande surprise, il la salue par son nom, d'une voix chaleureuse. Elle décèle dans sa façon de la regarder une attirance mêlée de respect. Elle n'a nul besoin de l'interprète pour savoir qu'elle lui plaît et que, d'une certaine manière, elle s'est aussi inscrite en lui. Elle le salue par son nom. Les voilà d'égal à égal pour parler d'affaires.

* * *

22 juillet[3], Kébec.

La tenue d'un grand conseil franco-ouendat vient de clôturer la traite des fourrures. De moindre éclat que celui d'il y a deux ans en raison du nombre plus restreint de chefs et de délégués présents, il ne lui cède en rien en importance par les nouvelles conditions que Champlain impose à leur alliance. Conditions que Loup-Curieux interprète comme une diffuse et confuse menace envers son peuple.

L'âme tourmentée, il n'a pu se résoudre à rejoindre les hommes de sa canotée, que Parole-Facile cherche à gagner à ses arguments. Élu délégué depuis l'ascension de l'Aigle

---

3. Selon les *Relations des jésuites*.

au poste de chef civil, son cousin a pris pour la première fois la parole lors d'une séance publique et cette parole le renverse. Non seulement elle le renverse, mais elle remet en question tout ce qu'il avait élaboré avec Aonetta pour se protéger des Robes-Noires et minimiser leur ascendant au sein de leur communauté. Ascendant que la parole de son cousin ne vise qu'à faciliter.

Loup-Curieux s'éloigne du campement, préférant éviter un affrontement avec Parole-Facile, qui, fort de son éloquence, tenterait par tous les moyens de lui faire admettre comme raisonnables ces conditions qu'il juge tout à fait inacceptables et d'une grande arrogance. Il entend encore la voix de Champlain répéter que, si les Ouendats aiment les Français et veulent maintenir leur alliance, ils devront tous se faire baptiser et emmener, lors de leur prochain voyage à Kébec, quelques-uns de leurs garçons afin que les Robes-Noires les instruisent. Quel choc il a ressenti alors que, immobile parmi les «bouches fermées», il assistait à la tenue de ce grand conseil! Depuis quand, entre partenaires et alliés, impose-t-on les croyances? Du même souffle, Champlain leur a garanti que son dieu leur assurerait la victoire sur leurs ennemis. Est-ce à dire que le dieu des Français, qui possèdent le bâton de feu, est plus puissant qu'Iouskéha, le protecteur des guerriers ouendats, qui, eux, ne possèdent pas cette arme? Est-ce à dire que, dans l'au-delà, le bâton de feu a défait l'arc et les flèches, et qu'il serait préférable pour eux d'adhérer à la plus performante des sociétés rituelles, soit celle de la Croix? Pour qui Champlain se prend-il donc pour s'ingérer jusque dans leur monde spirituel? Afin de rendre plus attrayante l'obligation d'adopter leurs croyances, le chef des Français leur fit part de son dessein d'envoyer des hommes épouser leurs filles et enseigner aux Ouendats à fabriquer des chaudrons, des outils et des armes de fer, tandis que, pour ne pas trop les brusquer, les marchands du poste de fourrures ajoutaient qu'on leur donnait quatre ans pour se convertir.

Bouleversé, désemparé, en proie à la colère, Loup-Curieux marche à grands pas vers le sentier abrupt menant au haut de la falaise. Incapable de dénouer le complexe écheveau de ses arguments, sentiments et pressentiments, il éprouve le besoin d'agir et il se retrouve bientôt face au fort Saint-Louis. Il en examine attentivement les fortifications, flanquées de deux demi-bastions. Il lui paraît invraisemblable que Lynx-des-Neiges ait pu s'en évader. Selon les rumeurs, on lui aurait facilité la chose afin que les Français puissent reprendre la navigation sur la rivière des Kichesipirinis sans risquer de déclencher un conflit avec la grande famille des Anishnabecks. Cela indique clairement qu'aux yeux des Français la traite des fourrures a préséance sur la vengeance ou la compensation pour la vie de l'un des leurs. Le castor régit de plus en plus les Peuples d'Ici et les Peuples de Là-Bas. Il fait conclure des alliances, ourdir des complots, provoque des guerres, fait bloquer des rivières, et veut maintenant faire imposer des croyances. À mesure qu'il disparaît des territoires, le castor gagne du pouvoir. Les prédictions de Lynx-des-Neiges sont-elles en train de se réaliser ? N'exige-t-on pas des Ouendats qu'ils changent leurs croyances afin de maintenir ce rôle d'intermédiaires que plusieurs leur envient ?

Loup-Curieux revoit N'Tsuk, venue lui transmettre les salutations de son père, et possiblement amorcer des négociations entre lui et les familles qui l'ont mandatée à cette fin. Cette femme le dérange. Elle le trouble. Elle l'habite. Elle n'éclipse pas Aonetta, loin de là, mais elle a laissé son empreinte dans son âme. Il a eu le désir de la prendre, mais il n'a ébauché aucun geste en ce sens. Leur relation en est une d'affaires. Ils représentent tous deux les leurs et rien ne doit les distraire des avantages qu'il se doivent de négocier en leur nom. Grâce à elle, il a obtenu des fourrures de grande qualité et il a été mis en contact avec des Attikameks qui chassent très au nord à l'intérieur des terres, où le nombre de castors est demeuré stable et où le froid épaissit à merveille leur duvet. Quelle chance inespérée pour lui de compter désormais ces familles parmi ses fournisseurs, alors qu'en bien des endroits le castor périclite et les chasseurs succombent à la maladie ! Que de visages portant la couleur de la mort il a comptés le long des berges de la Kichesipi ! Et que sa joie fut profonde de voir celui de N'Tsuk épargné du deuil et maquillé de fines lignes rouges dessinant l'orbite de ses yeux ardents ! De tout cœur, il espère la revoir ainsi l'an prochain.

— Le castor sait dénouer les liens d'un prisonnier, commente une voix derrière lui.

Loup-Curieux se retourne vivement et reconnaît Pieds-Dansants, un habitant d'Ossossané, comme lui chef de canotée. Sans développer son propos, celui-ci jette un coup d'œil éloquent sur les fortifications, puis lui dit :

— Je t'ai suivi… Ta bouche et ma bouche demeurent fermées au Conseil… Ici, elles peuvent parler… J'ai l'âme agitée comme les remous d'une rivière car ton rêve me poursuit.

D'un commun accord, les hommes s'éloignent du fort, longent par le bord de la falaise la maison de pierres du premier Français à cultiver le sol, et grimpent derrière, jusqu'au sommet du cap, où règnent de puissants noyers et de gigantesques chênes qui nécessiteraient de très nombreux coups de hache de fer pour les abattre. S'étant trouvé un endroit dégagé, ils s'assoient, les jambes repliées devant eux.

— D'ici, nos yeux voient loin, commence Pieds-Dansants en présentant d'un geste large le paysage.

En effet, de leur promontoire, la vue embrasse le fleuve, l'île ensorcelée (île d'Orléans), les rochers escarpés de la pointe sur la rive opposée, et la vaste forêt où vivent parsemés différents peuples, celui des Iroquois gagnant vers le sud-ouest. À cette heure, le soleil couchant décoche ses flèches de feu sur le village de Kébec, faisant rougeoyer l'eau. Champlain n'aurait pu choisir endroit plus judicieux pour la traite des fourrures car il est situé sur la rive gauche de la plus importante artère commerciale que les bateaux aux grandes voiles puissent remonter. Loup-Curieux s'attarde au rétrécissement du fleuve, à la hauteur de Kébec, qui en fait également un emplacement stratégique pour la surveillance des ennemis, aucune embarcation ne pouvant passer inaperçue. À n'en pas douter, Champlain ne s'est pas installé ici pour la culture du sol. Poursuivait-il vraiment cette route que son Chef Très Grand l'avait soi-disant envoyé découvrir ou n'était-il intéressé que par leurs fourrures?

— Puissent nos esprits voir aussi loin que nos yeux, reprend Pieds-Dansants. Ton rêve est revenu hanter mon âme depuis que mes oreilles ont entendu la parole de Champlain… Le rêve de ton canot chargé de fourrures qui t'a fait plonger du haut d'une chute vers le chaudron d'or.

— Ce canot ne m'obéissait plus et me gardait prisonnier.

— Quand tu as raconté ce rêve, j'ai dit que le chaudron d'or se nourrissait de fourrures. Par ses pouvoirs, il avait fait naître une chute sur ton parcours et avait pris le contrôle de ton canot et de ton corps.

— Il faut se méfier de lui, as-tu dit.

— Je le dis encore.

— Je le crois encore.

— Je te livre ma pensée, Loup-Curieux. Comme moi, tu es marchand… Comme moi, tu es guerrier. Ensemble, nous avons connu la victoire… Ensemble, nous avons connu la défaite… Le marchand et le guerrier te parlent.

Le premier nourrit l'Ours… Le second le défend… Pour nourrir l'Ours, Parole-Facile disait qu'il fallait nourrir l'esprit du chaudron d'or. Toi et moi sommes de bons marchands et nous avons donné beaucoup de fourrures à manger à l'esprit de ce chaudron… Surtout des fourrures de castor… Est-ce parce qu'il en a trop mangé que cet animal disparaît? Au pays des Ouendats, il ne s'en trouve plus, et dans les territoires de mes fournisseurs, il diminue.

— Le castor diminue partout et les chasseurs aussi diminuent car la maladie les frappe, souligne Loup-Curieux.

— D'où vient cette maladie? Les Anishnabecks prétendent que les Agnonhas veulent la perte de tous les Peuples d'Ici pour s'emparer de leurs terres et que les Robes-Noires les aident à répandre la maladie… Cela paraît insensé à mon esprit de marchand car les Robes-Noires affameraient ainsi l'esprit de leur chaudron de cérémonie. Mais, à mon esprit de guerrier, cela se présente comme un plan sournois des Agnonhas pour nous envahir sans livrer bataille, en nous faisant mourir de maladie ou de famine… L'Ours a pris goût au castor et il en réclame toujours plus. Il en mange autant que l'esprit du chaudron d'or des Robes-Noires… Toi et moi sommes marchands et l'avons nourri jusqu'à ce jour en nous méfiant des pouvoirs surnaturels de ce chaudron. Qu'en sera-t-il dans les jours à venir? Champlain exige que nous devenions les enfants de l'Esprit du ciel pour continuer à nourrir l'Ours… Cela agite mon âme… Tu es d'Ihonatiria, Loup-Curieux… Les Robes-Noires vivent en ton village. À Ossossané, nos oreilles entendent parler de leurs pouvoirs extraordinaires et de leur maison où se trouvent des objets sacrés et magiques. Ces Robes-Noires parlent directement à l'Esprit du ciel, qu'elles nomment «père». On raconte qu'elles lui ont demandé de faire pleuvoir ce printemps et que la pluie s'est mise à tomber à la suite de leurs incantations. L'Esprit du ciel a répondu à leur demande alors qu'il a fermé ses oreilles aux suppliques de Tehorenhaegnon, le plus réputé de nos chamans[4]... Mes oreilles ont-elles entendu la vérité ?

— Tes oreilles ont entendu ce que mes propres yeux ont vu à Ihonatiria... Les Robes Noires regardent l'Esprit du ciel comme leur père. Elles lui ont demandé de nous envoyer un hiver court et doux... Puis, elles lui ont demandé d'envoyer la sécheresse, pour nous démontrer toute l'étendue de leurs pouvoirs. Pendant plus de deux lunes, il n'est pas tombé une seule goutte d'eau.

— Il n'en est tombé nulle part au Ouentake... Les pas de nos femmes soulevaient la poussière dans les champs et les semences qu'elles déposaient brûlaient en terre... Les flammes ont détruit bien des maisons, deux villages et une partie de Teanaostaiaé, qui est l'un des plus gros... Les Anciens affirment que leur mémoire ne se souvient pas d'une si longue sécheresse[5].

— Les Robes-Noires ont demandé cette sécheresse à l'Esprit du ciel, puis elles lui ont demandé de faire pleuvoir pour éviter la famine de notre confédération. Mes yeux ont vu cela, résume Loup-Curieux.

— L'Esprit du ciel est le plus puissant de tous les esprits. Il commande les vents et les nuages, fait se lever et se coucher le soleil... Si les Robes-Noires peuvent se faire entendre de lui, nous avons avantage à nous faire entendre

---

4. Rival du père Brébeuf, Tehorenhaegnon échoua à faire tomber la pluie. Ceux qui appuyaient les jésuites leur demandèrent d'intercéder auprès de l'Esprit du ciel. Le père Brébeuf leur promit alors d'organiser une neuvaine de messes et une procession afin d'implorer l'assistance divine, à condition que les Hurons renoncent à leurs coutumes traditionnelles. Pendant le déroulement de la procession, la pluie se mit à tomber.
5. Selon Heidenreich, ce fut la pire sécheresse de la première moitié du XVIIᵉ siècle. De la fin mars à la mi-juin, il n'y eut pas de précipitations.

des Robes-Noires… Dis-moi, quel est le lien entre l'Esprit du ciel et celui qui habite le chaudron d'or ?

Loup-Curieux réfléchit un long moment. Il a glané à gauche et à droite des bribes sur les croyances des Français, qu'il a amalgamées à l'enseignement sommaire reçu par Doigt-du-Soleil. Cependant, ces croyances lui échappent, du fait que la Nature en est exclue. Elles ne touchent que les esprits et les hommes, ignorant le reste de la création, comme s'ils en étaient détachés. Au meilleur de ses connaissances, il rassemble ses quelques notions afin d'en donner un aperçu à Pieds-Dansants.

— Les Robes-Noires disent que l'esprit du chaudron est le fils de l'Esprit du ciel, commence-t-il.

— Est-ce que les Robes-Noires le nomment « frère » ?

— Mes oreilles n'ont pas entendu que les Robes-Noires le nommaient « frère », mais elles ont entendu l'histoire de cet esprit… Son père qui habite le ciel lui a donné un corps d'homme et l'a envoyé chez les Peuples de l'autre côté du Grand Lac Salé afin de les aider… Plutôt que de se réjouir de sa venue, ces Peuples l'ont fait souffrir et mourir sur une croix… Il a subi la torture sans échapper un seul cri ni une seule larme. Aucune douleur ne lui a fait demander grâce à ses bourreaux… Quand il est mort, les Peuples de Là-Bas ont recueilli son sang pour le boire et conservé sa chair pour la manger, afin d'hériter de son courage et de sa force… Ce sang, ils l'ont versé dans le chaudron d'or, et les Robes-Noires le boivent durant leurs cérémonies.

— C'est ce sang qui leur donne de si grands pouvoirs… Si nous recevons l'eau sur notre front, nous pourrons appeler « père » l'Esprit du ciel, mais pourrons-nous boire ce sang ?

— Il n'y a que les Français qui boivent de ce sang… Je crois qu'il ne nous appartient pas de le boire.

— Pourquoi ?

— Parce que les Peuples d'Ici n'ont pas participé au supplice de cet homme-esprit… Boire ce sang donne des pouvoirs aux Robes-Noires, mais pas aux autres Français, qui disent craindre la colère de l'Esprit du ciel. Il veut se venger de ceux qui ont massacré le corps de son fils sur la croix.

— La colère de ce père est juste. Je la comprends car je suis un père… L'Esprit du ciel a donné un corps d'homme à son fils pour rencontrer les Peuples de Là-Bas. Je le comprends car Aataentsic, notre mère à tous, est tombée par un trou du ciel dans un corps de femme… Que l'on boive le sang et que l'on mange la chair pour ne faire qu'un avec le courage d'un supplicié, je l'entends, car ainsi nous faisons nous-mêmes… Qu'un esprit se nourrisse de fourrures, je l'entends aussi, car nos esprits aiment le goût du bon tabac… Que notre partenaire exige que nous adoptions ses croyances, cela, mon esprit ne peut le comprendre… Si, pour accepter les fourrures que je leur apporte, les Français exigent que je sois baptisé, est-ce que je devrai exiger du chasseur qui m'échange ces fourrures qu'il se fasse baptiser à son tour ? Un marchand ne se soucie pas de la croyance de ceux avec qui il fait affaire… C'est ainsi… Le fils de l'Esprit du ciel a pris un corps d'homme pour rencontrer les Peuples de Là-Bas, qui l'ont tué… Nous ne sommes pas responsables de sa mort… Voilà maintenant son esprit, dans le chaudron d'or, qui réclame la fourrure du castor à manger… Je suis marchand… Je veux bien le nourrir pour nourrir mon peuple, mais je me méfie de lui… Dans ton rêve, cet esprit était prêt à te faire mourir pour avoir tes fourrures… Tu t'es éveillé à l'instant où tu allais toucher le chaudron d'or… C'est un signe… Les Robes-Noires ont fait pleuvoir sur la terre des Ouendats pour éviter la famine, et cela aussi est un signe… Mon esprit de marchand désire se faire entendre des Robes-Noires, qui se font entendre de l'Esprit du ciel, mais mon esprit de guerrier se méfie de l'esprit du chaudron, capable de nous anéantir… Vois, le marchand et le guerrier se partagent mon âme depuis que ton rêve l'habite.

— Depuis ce rêve, le marchand et le guerrier se partagent aussi mon âme, avoue Loup-Curieux. Mes yeux ont vu, mes oreilles ont entendu la puissance des sorciers à la robe noire. Leur langue est fourchue, mais les oreilles des atiwarontas leur prêtent attention… Mes yeux de marchand ont vu leur tabac bourrer les pipes des miens. Ces sorciers sont aussi des marchands et, à Ihonatiria, la voix de la cloche résonne dans les oreilles des atiwarontas, à qui il faut donner des redevances pour emprunter les routes… Les marchands qui auront reçu le rituel de l'eau seront les mieux positionnés… Parole-Facile sera de ceux-là.

— Cela t'avantagera d'avoir un baptisé dans ta canotée… Dans la mienne, j'en connais qui accepteraient de participer à ce rituel, mais il n'y a pas de Robes-Noires à Ossossané. Tu dis vrai : leur langue est fourchue, car elles avaient promis de venir dans notre village.

— D'ici quatre ans, elles y seront, car c'est le temps qu'on donne aux marchands ouendats pour devenir les enfants de l'Esprit du ciel. Je n'ai pas l'intention de le devenir.

— Cette intention n'est pas la mienne non plus, car, quand on reçoit l'eau, il faut changer aussi nos manières de vivre, qui déplaisent à l'Esprit du ciel… Ma femme m'a quitté et je vis avec une autre… Si je deviens un enfant de l'Esprit du ciel, il me faudra abandonner cette femme et reprendre mon ancienne, qui a bien mauvais caractère… Je plains l'homme qu'elle a choisi pour me remplacer, termine Pieds-Dansants sur une note d'humour.

Loup-Curieux sourit. L'irascibilité de la femme de son interlocuteur a franchi les limites du village d'Ossossané. Nommée Fleur-du-Matin à sa naissance, elle devint

Petit-Tonnerre dès l'adolescence. Excessivement forte et vaillante, elle exige des autres ce que sa formidable énergie lui permet d'accomplir et elle s'emporte à la moindre défaillance de son entourage. Ses colères s'entendent par tout le village et font quelquefois voler les objets. Avant qu'elle le répudie, ce n'était un secret pour personne que Pieds-Dansants trouvait dans ses longs voyages un répit bien mérité. Répit qui s'est vu tantôt troublé par les exigences de Champlain. Se sentant en confiance, Loup-Curieux se permet d'élaborer sur la harangue du chef des Français.

— Champlain promet des choses insensées, dit-il. Pourquoi l'Esprit du ciel aiderait-il nos guerriers quand il n'a pas aidé les siens à repousser les Anglais? C'est le bâton de feu qu'il faut dans nos mains, pas de l'eau sur notre front.

— Je t'entends. Avec le bâton de feu dans nos mains, nous ferons trembler nos ennemis iroquois.

— Champlain a aussi promis qu'il enverrait des hommes pour épouser nos filles et nous montrer à fabriquer des chaudrons, des armes et des outils avec le fer… Regardons avec nos yeux de marchands. Cette promesse est impossible à tenir car elle mènerait le commerce des Français à sa ruine… Pour les Peuples d'Ici, le castor sait tout faire, car c'est lui qui procure toutes les marchandises qui nous viennent des Français.

— Il sait même délier les liens d'un prisonnier, glisse Pieds-Dansants, ironique.

— Et bloquer la Grande Rivière, renchérit Loup-Curieux dans la même veine. Qu'adviendra-t-il si nous, Ouendats, savons fabriquer ces objets? Pour nourrir l'Ours, il ne sera plus nécessaire de nourrir l'esprit du chaudron d'or, qui nous procure ces objets, car nous pourrons les fabriquer nous-mêmes pour nos besoins et pour les besoins du troc avec les autres peuples.

— Nous n'aurons plus besoin alors des Français... Tous les autres peuples viendront à nous et nous n'aurons plus à nous rendre à Kébec pour obtenir les marchandises que les bateaux de bois transportent.

Pieds-Dansants se tait un moment, puis poursuit, de son air enjoué :

— Ne plus faire de longs voyages me sourit depuis que Petit-Tonnerre n'est plus ma femme.

— Je sais, mais ta nouvelle femme apprécie tout ce que tu rapportes de tes voyages.

— Oh oui ! Elle me le montre sur la couche.

— Je crois que Champlain a menti : il ne peut avoir l'intention de tenir cette promesse.

— Ma pensée rejoint la tienne, Loup-Curieux. Aujourd'hui, nous sommes marchands et, à nos yeux, cette promesse impossible à tenir prouve que la langue de Champlain est fourchue... Dans quatre ans, toi et moi ne serons peut-être plus marchands...

— Mais je resterai toujours un guerrier... jusqu'à la dernière goutte de mon sang.

Se tournant de son côté, Pieds-Dansants lui enserre l'avant-bras, lève la tête vers le ciel et prononce solennellement :

— Le ciel est témoin, nous serons des guerriers jusqu'à la dernière goutte de notre sang.

* * *

Village iroquois d'Ossernenon.

« Ho ! ho ! Hatériata ! Hatériata ! » scande-t-on alors qu'il franchit la porte de la palissade, porté sur les épaules des joueurs de baggataway. Cet après-midi, grâce à lui, l'équipe d'Ossernenon a remporté la victoire sur celle du village voisin.

Plus que tout autre, il en éprouve une grande joie et une grande fierté. Ces acclamations, ces félicitations qui fusent de partout le récompensent des efforts déployés pour devenir Hatériata, le Brave, l'homme de cœur.

« Ho! ho! Hatériata court plus vite que le vent », entend-il crier par des filles de son âge, en admiration devant ses exploits. De son perchoir, il les gratifie d'un regard séducteur. Demain, il le sait, au moins l'une d'entre elles l'invitera aux plaisirs du sexe, dans l'intimité du sous-bois. Malgré sa peau plus foncée et sa taille moins haute, il a gagné leur faveur. Ainsi que celle de leurs parents. En fait, à partir du moment où il s'est séparé de Wapitik, les choses se sont mises à bien aller pour lui. On ne le traitait plus en captif, mais vraiment comme un membre à part entière de leur communauté. Sa mère et ses sœurs le chérissaient; son père et ses oncles l'instruisaient de tout ce qu'un homme doit savoir. Avec eux, il a appris à construire les maisons et la palissade, à défricher les champs, à nouer les filets qu'on jette à l'eau ou qu'on tend entre les arbres pour piéger les tourtes. À l'arc et aux flèches qu'on lui avaient donnés pour patrouiller les champs, s'ajoutèrent la hache de guerre et le couteau de fer, comme preuves de la confiance qu'on avait en lui. Wapitik aurait pu s'enfuir et tenter de retrouver le chemin du retour, mais il n'était plus Wapitik. De toute son âme, il tendait à devenir Hatériata. En cela, sa mère l'aidait beaucoup. En se comportant avec lui comme avec ce fils perdu, elle établissait le modèle à imiter. Aucun adolescent d'Ossernenon ne s'est consacré avec autant d'ardeur et de volonté au maniement des armes et aux jeux d'adresse. Une extraordinaire combativité le motivait à repousser sans cesse les limites de sa force et de son endurance. Dans les combats corps à corps qu'on encourageait entre les jeunes, il s'en prenait à de plus grands et de plus vieux que lui. Un jour, il osa défier le Géant, fils du chef guerrier qui l'avait capturé. C'était de la folie, assurait-on. Il l'apprit à ses dépens, mais n'eut jamais à s'avouer vaincu, puisqu'on interrompit le combat devant sa détermination à se battre jusqu'à la mort. Il en ressortit passablement amoché, mais grandi.

Le chef guerrier l'invita dans sa maison, où il donna un festin en son honneur. Il le fit asseoir près de son propre fils et lui réserva les mets les plus appréciés. Il le louangea, lui fit présent d'une pipe et d'une chemise d'étoffe obtenue des Assirionis[6]. Puis il rappela comment il lui avait tranché l'oreille d'un coup d'épée et à quel point il était heureux d'avoir doté leur tribu d'un garçon si courageux. Dès lors, aux yeux de tous, il fut Hatériata, le Brave. « Les Kanienke-hakas [Agniers ou Mohawks] sont les gardiens de la porte du Soleil levant, clama le père du Géant. Ils empêchent tout ennemi de pénétrer en la Grande Maison qui rassemble nos tribus, qui sont au nombre des doigts d'une main et ne forment qu'une seule main : celle de notre confédération… Hatériata, tu es du clan de l'Ours, le clan des plus farouches guerriers… Tu guettes devant la porte de la Grande Maison et tu veilles sur nos femmes et nos enfants… Encore enfant toi-même, tu as montré la valeur de ton sang, et cette valeur, les gens avec qui tu vivais en étaient indignes. Moi, cette valeur, je l'ai reconnue. Hatériata, tu es digne de la Grande Maison et la Grande Maison est digne de toi. De te savoir devant la porte me rassure car je sais que tu empêcheras l'ennemi de pénétrer. »

Sa mère était au comble de la joie lors de ce festin et il trouva une profonde satisfaction à être honoré de la sorte par son ravisseur.

« Ho ! ho ! Hatériata ! » scande-t-on en le promenant sur la place publique, au centre du village. Soudain, dans

---

6. Assirionis : nom donné aux Hollandais, signifiant « fabricant d'étoffe » dans la langue des Agniers (Mohawks).

la foule, il aperçoit le Géant qui s'avance d'un pas chancelant. Une étrange maladie l'a foudroyé lors d'un séjour prolongé à Manhate, où habite le Grand Chef des Assirionis, qui pratiquent la traite des fourrures[7]. Deux de ses compagnons en sont décédés, alors que lui et les cinq autres ont pu regagner le village, de peine et de misère, une fois guéris. Depuis, une grande faiblesse les accable. Cela l'affecte de voir le Géant dans cet état, car des liens d'amitié se sont tissés entre eux et il le regarde maintenant comme son frère. Cette victoire sur l'équipe du village voisin, il la lui doit en quelque sorte car il lui avait promis de la remporter à sa place. Un silence succède subitement à l'exubérance quand le colosse s'adresse à lui.

— Frère, à moi seul, j'aurais pu te porter sur mes épaules, mais, à présent, elles ne peuvent porter que le poids du jour.

— Le temps reviendra où elles porteront des montagnes…

— Cette victoire me rend heureux… J'aurais aimé en être.

— Tu en es car ton cœur battait avec le mien dans ma poitrine.

Sur ce, Hatériata demande qu'on le dépose, et il se fait alors l'un des porteurs du Géant afin de le promener comme un vainqueur, démontrant à ses concitoyens qu'il est aussi Hatériata l'homme de cœur.

---

7. Gouverneur de la Nouvelle-Hollande, à Manhate (Manate ou Manhattan), appelée aussi New Amsterdam et devenue par la suite New York.

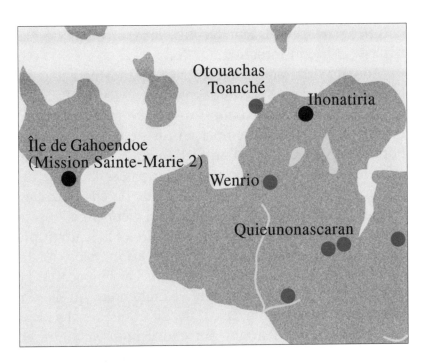

Otouachas
Toanché
Ihonatiria
Île de Gahoendoe
(Mission Sainte-Marie 2)
Wenrio
Quieunonascaran

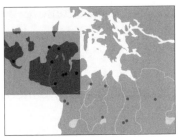

Chapitre 25

Des fils
pour Kébec

*1636, en la lune iroquoienne de la pêche
au poisson doré (avril), village d'Ihonatiria.*

Ce matin, Loup-Curieux s'est brouillé avec Parole-Facile. S'ensuivit une dispute entre Aonetta et sa sœur Petite-Pluie. Au plus fort de l'altercation, son cousin l'a accusé de travailler à la perte de l'Ours, puis il est parti avec sa femme et ses deux jeunes enfants. Depuis, c'est le vide et le silence dans la case qu'ils occupent en face de la leur. Depuis, dans son cœur, c'est la tristesse et la consternation.

Aonetta s'est rendue auprès de sa grand-mère afin de lui faire part de la réaction explosive de Parole-Facile à son remplacement par Loup-Curieux en tant qu'orateur des femmes, et lui, le remplaçant, il s'est retrouvé seul. Ébranlé, il s'est emparé d'un filet en cours de confection et, depuis, ses doigts s'occupent à y passer l'aiguille de bois, nouant maille par maille la corde de chanvre. Des paroles, des phrases, des arguments lui viennent à l'esprit alors qu'il est trop tard. Il aurait dû dire ceci, il aurait pu répondre cela, évoquer telle ou telle raison, mais, sur le coup, son esprit marchait au ralenti. La violence de la réaction de Parole-Facile a été si inattendue qu'elle l'a privé de ses maigres moyens. Il ne faisait que répéter : « Je suis celui que les femmes ont choisi pour entendre et porter leur voix. — Comment peux-tu porter la voix des femmes quand tu ne sais même pas faire entendre la tienne ? » ripostait, cinglant, son cousin. « Tu agis comme un marchand qui veut affamer l'Ours. Moi, je sais ce qu'il faut faire… Moi, je fais ce qu'il faut faire. Je travaille pour nourrir et défendre l'Ours… Toi, tu travailles contre moi, tu travailles contre l'Ours. »

Loup-Curieux se concentre sur son occupation, dans l'espoir de se calmer, mais, malgré lui, à tout moment, ses yeux abandonnent l'ouvrage pour aller errer dans la case d'en face. Les paroles de son cousin l'ont grandement blessé, mais il ne regrette pas d'être allé porter la voix des femmes au conseil. Le temps était venu pour elles de faire connaître leur opposition au départ pour Kébec des douze garçons que les Robes-Noires ont instruits. Il ne se souvient pas d'avoir été particulièrement brillant lors de son exposé, mais il sait avoir rendu avec justesse la voix des femmes sans y avoir mêlé celle de ses ambitions.

La pièce vide de Parole-Facile lui emplit le cœur de chagrin car ils n'ont désormais que le temps de leur vie à passer ensemble. La mort les séparera à tout jamais dans l'au-delà car son cousin a reçu l'eau sur son front.

Les Robes-Noires n'élaborent pas tellement sur cette eau qui sépare les baptisés des non-baptisés dans le Royaume des Morts, insistant surtout sur le fait qu'elle permet de devenir un enfant de l'Esprit du ciel. Quant à Parole-Facile, il préfère retenir que cette eau, autant que le sang, scelle l'alliance avec les Français et il en réfute les conséquences dans l'après-vie. Ce ne sont que racontars, affirme-t-il. Comment son cousin, qui est un homme intelligent, peut-il ainsi se cacher la vérité? Echon (Brébeuf) lui-même l'a confirmé en refusant que la dépouille d'Étienne Brûlé soit exhumée de sa fosse solitaire pour être enterrée avec celles des Ouendats, dans la fosse commune, au cours de la fête des Morts, à Ossossané. «Echon refuse pour rappeler qu'Étienne Brûlé était un Français et que les Ouendats n'avaient pas à le tuer», explique Parole-Facile à quiconque soulève la question, s'abstenant de commentaires quand on lui demande ce qu'il en est des baptisés ouendats qu'Echon exige d'inhumer à part. Quoi qu'il en soit de l'aveuglement de son cousin, cette séparation définitive qui les attend rend précieux chacun de leurs moments de vie. Comme il s'afflige de voir un de ces moments gâché! Qui peut savoir le temps qui leur reste? Cet automne encore, la maladie a frappé et chacune des maisons du village déplore des décès, dont celui de Sangwati, chef d'Ihonatiria. Il avait reçu l'eau sur son front, mais cela ne l'a pas empêché de mourir. Par contre, d'autres l'ont reçue et ont survécu. Echon prétend que c'est l'Esprit du ciel qui décide.

Loup-Curieux perçoit un pas d'homme dans l'allée centrale. Voilà Parole-Facile qui revient faire la paix avec lui. Il en éprouve un grand soulagement et, à l'instant où il se détourne pour l'accueillir, il aperçoit Amantacha. Est-il venu en conciliateur ?

Le jeune homme le salue, s'assoit tout près et prend le filet entre ses mains.

— Les femmes n'ont pas produit beaucoup de cordes cette année, commente-t-il en examinant la régularité des mailles.

— À cause de la maladie... Elles ont fait ce qu'elles ont pu.

— Tu auras de belles fourrures en échange de ce filet.

— Oui, j'aurai de belles fourrures. J'ai du bon tabac aussi.

Loup-Curieux met son ouvrage de côté et offre sa blague à tabac. Amantacha en bourre le fourneau de sa pipe, lui repasse la blague et retire un tison du feu central pour les allumer.

L'instant est sacré. Les gestes sont porteurs d'un héritage. Ainsi fait l'Ouendat quand vient en sa maison le visiteur. Le temps de se nettoyer l'esprit, ils fument en silence, puis Amantacha prend la parole.

— Cet automne, Soranhes, mon père, a demandé l'eau du baptême pour lui et pour toute notre famille. Pour la recevoir, il apprend les incantations et tout ce qu'il faut savoir pour devenir un enfant de l'Esprit du ciel. Echon dit que les jeunes garçons apprennent plus vite que lui... Il y a de grands avantages à s'apparenter aux Français par l'eau du baptême.

— Doigt-du Soleil a appris des incantations dans la cabane magique.

— Ton fils est un garçon intelligent et de bon lignage. Il aura de grands avantages s'il reçoit cette eau. On lui donnera pour ses fourrures autant qu'on donne à un Français. On lui fera présent d'une couverture et de vête-ments d'étoffe... On le traitera avec tous les honneurs...

Voilà ce que les Robes-Noires promettent à Satouta, qui a accepté de se rendre à Kébec.

— À dix-neuf ans, Satouta est presque un homme. Son grand-père est le membre du conseil qui est responsable de toutes les relations avec les peuples qui entretiennent des liens avec la confédération. Satouta aura un jour le poste de son grand-père et il devra souvent négocier avec les Français.

— Tu dis vrai : Satouta est assez vieux pour voir les avantages. C'est pourquoi il est venu de lui-même. Les autres garçons sont trop jeunes pour voir ces avantages et ils ont été envoyés par leur famille. Ils sont presque tous d'une lignée maternelle de chefs, comme l'est ton fils. L'Aigle et Parole-Facile souhaitent que tu laisses aller Doigt-du-Soleil à Kébec… Toute votre maison pourra en bénéficier et augmenter son prestige.

— Les Robes-Noires ont de grands pouvoirs et je les respecte. Depuis qu'elles sont arrivées, la maladie est parmi nous. Parfois, la médecine de nos chamans réussit à nous guérir, parfois, c'est le rituel de l'eau. Dans la maison de la vieille Oquiaendis, qui s'est fait baptiser avec les membres malades de sa famille, la moitié sont morts, dont son fils Sangwati, qui était notre chef.

— L'eau du baptême a fait de moi un enfant de l'Esprit du ciel alors que j'étais de l'autre côté du Grand Lac Salé… Ce que tes yeux ont vu dans la cabane magique n'est rien en comparaison avec ce que mes yeux ont vu Là-Bas… Les pouvoirs des Robes-Noires s'étendent dans le monde des vivants et dans le monde des morts… Le Chef Très Grand des Français et l'Esprit du ciel leur prêtent l'oreille. Pourquoi leur fermes-tu les tiennes ?

— Parce que je ne vis pas Là-Bas.

— C'est Là-Bas que vont nos fourrures… C'est de Là-Bas que partent les marchandises d'échange… Tu es marchand et ton fils t'accompagnera un jour dans tes voyages.

— Il m'accompagnera cet été pour son premier voyage... Je lui présenterai l'esprit de la marée.

— L'esprit de la marée n'influence pas la valeur des échanges. C'est à l'Esprit de la Croix, qui est aussi l'Esprit du ciel, que tu dois présenter ton fils afin qu'il devienne un marchand prospère.

Sur ce point, Amantacha a raison. Tout marchand qui gravite dans le giron des Robes-Noires y trouve son bénéfice, à commencer par Soranhes. Est-ce pour que son père obtienne de plus grandes quantités de marchandises d'échange qu'Amantacha est venu se mettre au service des Robes-Noires installées à Ihonatiria? Il siérait mieux de le nommer Louis de Sainte-Foi, d'après ses agissements. Il passe son temps à réciter des incantations et assiste tous les jours à la cérémonie du chaudron d'or. Il appert que les Robes-Noires lui laissent boire de ce sang qui donne des pouvoirs surnaturels, mais jusqu'à maintenant personne n'en a remarqué chez Amantacha. Celui-ci aurait-il été tout simplement ensorcelé par l'esprit du chaudron d'or afin que les Ouendats remplissent leurs canots de fourrures?

— En plus, si tu présentes ton fils à l'Esprit de la Croix, il sera sous sa protection. C'est Lui qui m'a aidé à m'enfuir de chez nos ennemis, rappelle Amantacha, montrant sa main amputée d'un doigt.

— Pourquoi dis-tu que c'est l'Esprit de la Croix? Iouskéha, le fils d'Aataentsic, veille sur les guerriers. Il a été témoin de ta bravoure sous les tortures. C'est lui qui a permis que tu t'évades.

— Echon dit que l'Esprit du ciel est plus puissant qu'Ihouskéha et qu'il ne fait qu'un avec l'Esprit de la Croix... Echon sait ce qui se passe dans le monde des esprits... Il sait ce qui se passe au comptoir de la compagnie de fourrures, à Kébec... Il sait ce qui se passe de l'autre côté du Grand Lac Salé... Aucune femme ne sait rien de cela...

Elles ont laissé les Robes-Noires instruire leurs fils et maintenant elles refusent de les laisser partir à Kébec.

— Les femmes ne font pas entièrement confiance aux Robes-Noires... Voilà leur parole.

— C'est là une parole de mère craintive... Si nos femmes tremblent à l'idée d'envoyer leurs fils à Kébec, comment réagiront-elles quand viendra le temps pour leurs fils de marcher sur le sentier de la guerre? Il aurait fallu habiller un peu plus la parole des femmes et non la livrer toute nue.

Ce reproche mortifie Loup-Curieux. Il y retrouve facilement la griffe de Parole-Facile. Privé de riposte, il reprend son filet et s'applique à nouer les mailles pendant qu'Amantacha poursuit:

— Ce que j'ai vu de l'autre côté du Grand Lac Salé, tes oreilles ne sauraient le croire... Les gens y sont très nombreux. Leurs villages sont bien des fois plus gros que Kébec et que tous nos villages réunis. Leurs routes sont plus larges, leurs ports pleins de bateaux aux grandes voiles... Dans la conduite de toutes ces choses, les femmes n'ont pas à se prononcer Là-Bas... La guerre et le commerce relèvent des hommes... Chez les Ouendats, les femmes ont droit de parole. Mais que savent-elles de la guerre? Rien. Elles ne comprennent pas l'importance du bâton de feu et des Français qui le possèdent. Elles ne connaissent pas la valeur des fourrures à Kébec. Pourquoi se mêleraient-elles de la conduite des choses qu'elles ignorent? Leurs regards ne portent pas plus loin que les champs de culture... Les Robes-Noires assurent que la conduite des choses relève des hommes.

— Les Robes-Noires évitent les femmes. Cela est leur affaire. Les Robes-Noires veulent séparer les femmes des hommes. Cela est notre affaire... Tu demandes ce que les femmes savent de la guerre, toi, un guerrier? As-tu oublié qu'un ventre de femme t'a porté? Ne sais-tu pas que des yeux de femme vont te pleurer quand tu mourras au combat ? Tu dis vrai : elles ne connaissent pas la valeur des fourrures à Kébec, mais, toi, saurais-tu cueillir et filer le chanvre ? Leur regard ne porte pas loin, dis-tu. Moi, je te dis que, quand il se porte sur l'enfant, leur regard se porte au-delà de nos vies… Les femmes ont parlé par ma bouche. Je ne retire aucune de leurs paroles dans ma bouche. Les garçons n'iront pas à Kébec.

— Et ton fils ?

— Il est rendu à l'âge de venir avec moi afin que je lui enseigne ce que mon père m'a enseigné.

— Il est rendu à l'âge de décider par lui-même. Que feras-tu s'il veut rester à Kébec ?

— Chacun a droit à sa pensée… Je la respecterai comme je respecte la pensée des Robes-Noires. Ainsi avons-nous toujours fait.

N'ayant plus rien à ajouter, Amantacha se décide à prendre congé de lui. Alors qu'il soulève la natte du portique, Loup-Curieux l'interpelle.

— Quand nous serons au Royaume des Morts, est-ce que toi et moi pourrons nous revoir ?

Amantacha le regarde, hésite un long moment, puis, d'un air navré, il nie de la tête avant de sortir.

* * *

En la lune iroquoienne où les framboises mûrissent (juillet), rive du lac Attignaouantan (lac Huron[1]).

Doigt-du-Soleil n'a pas dormi de la nuit. Ou presque pas. Pourtant, il ne ressent pas la fatigue, tant il est excité à la vue des nombreux canots que l'on achève de charger et

---

1. Lac Attignaouantan, signifiant «lac de l'Ours» et nommé «mer Douce» par Champlain.

de tous ces hommes et garçons venus des villages voisins avec armes, bagages et cargaison pour Kébec. Le canot de son père étant fin prêt pour le départ, il va d'un groupe à l'autre, communiant avec l'effervescence et conversant avec les jeunes qui, comme lui, en sont à leur premier voyage.

Ah! quitter l'Ouentake! Voir d'autres paysages que celui des champs de maïs! Emprunter les voies d'eau au lieu de leurs pistes sablonneuses! Rencontrer d'autres peuplades! S'entendre avec les fournisseurs! Mettre pied sur l'Île de Tessouat le Borgne! Visiter Kébec! Tout cela les fait rêver. Partir, c'est devenir un homme. Que ce soit à la guerre ou pour le commerce. Partir, c'est risquer de ne pas revenir. Encore adolescents sur la plage du grand lac Attignaouantan, où les préparatifs s'achèvent, il leur tarde de donner le premier coup de pagaie qui, les séparant de leur terre nourricière, fera d'eux des hommes.

À la fièvre des départs, Doigt-du-Soleil détecte la tension due aux hostilités le long de leur frontière méridionale. Quelques-uns de leurs guerriers, parmi lesquels figurait Amantacha, ont été tués dernièrement, lors de raids iroquois. Toute leur communauté en a été grandement affectée et inquiétée, au point de remettre en question le voyage à Kébec. La route était-elle sûre?

Ils en discutèrent au conseil ainsi qu'avec les Robes-Noires. Enfin, quand il fut décidé qu'ils prendraient le risque de se rendre chez les Français, son père Loup-Curieux se mit à hésiter. Allait-il l'emmener avec lui ou le laisser à Ihonatiria pour protéger les femmes et les enfants en leur absence? Dans son for intérieur, il espérait faire partie du voyage, mais il n'en montrait rien. L'Aigle, son oncle et tuteur, œuvra-t-il d'une quelconque manière pour que son père choisisse de le prendre à son bord à la place de Taïhy, père de Parole-Facile, qui avait succombé à la maladie? Peut-être... La parole de l'Aigle a beaucoup de poids.

Flairant l'imminence du départ, Doigt-du-Soleil s'empresse de rejoindre le canot de son père, où l'attendent Parole-Facile, Yocoisse et Dents-de-Loup, qui lui recommandent de garder ses armes à portée de la main. Loup-Curieux lui fait signe de s'installer au milieu et, une fois que tous sont à bord, il imprime le premier coup de pagaie. Les voilà partis.

* * *

En cours de route, au fil d'une tumultueuse rivière…

Depuis le premier coup de pagaie, le marchand et le guerrier, dans l'âme de Loup-Curieux, s'opposent. Se questionnent, mais ne peuvent se répondre.

Le guerrier voulait laisser le fils au village, pour protéger la mère et la sœur. Le marchand se réjouit de l'initier au grand voyage. Et toujours, dans son âme, l'un ou l'autre se voit déçu, inquiet, tourmenté. Qui a raison ? Qui a tort ? Comment savoir ?

Les eaux s'agitent, tourbillonnent autour du canot. Ces rapides-là, il sait pouvoir les passer sans avoir à mettre pied à terre. Son fils avironne maintenant avec constance et à la même cadence que les autres. Au début, inexpérimenté et fébrile, il y allait avec trop d'ardeur et s'épuisait rapidement. Il lui a fallu souffrir dans ses muscles et dans la paume de ses mains pour apprendre à donner force et efficacité à son coup de pagaie. Maintenant, il sait.

Il a tant de choses à lui montrer. À lui enseigner. Le temps est venu.

— Vraiment ? demande en lui la voix du guerrier, qui préférait laisser Doigt-du-Soleil au village. Amantacha a été tué. Ni l'Esprit de la Croix ni Iouskéha ne l'ont sauvé. Un peu partout sur la frontière, il y a des embuscades.

— Les Français restés au village ont des bâtons de feu. Ils protégeront les femmes.

— Vraiment ?

Comment en être certain ? Ces hommes ne protégeront-ils pas en premier lieu les Robes-Noires, pour qui ils travaillent ? Plus Loup-Curieux s'éloigne de sa maison, plus sa pensée l'y ramène. Chaque coup de pagaie le distançant et le rapprochant d'Aonetta et de Paisible-Tortue. Comment savoir où est le danger ? Avec habileté, il dirige le canot dans les remous et son expérience lui fait deviner l'écueil à fleur d'eau, mais, dans le trouble de son âme, il est à la dérive, emporté par une rivière sournoise dont il ne connaît pas les pièges. Quand le chaudron d'or fera-t-il naître des chutes mortelles ?

Aouandoïé, l'atiwaronta dont seule la maison a résisté aux deux incendies de Toanché, vient de quitter Ihonatiria avec toute sa famille. De quel désastre les sorciers à la robe noire l'ont-ils prévenu, cette fois-ci ? Useront-ils de leurs pouvoirs surnaturels pour punir les femmes d'avoir empêché la plupart des garçons qu'ils ont instruits de se rendre au collège de Kébec ? De plus, que faut-il comprendre à cette exhortation à recevoir l'eau du baptême alors que Soranhes se l'est vu refuser malgré qu'il ait appris leurs incantations ? Le pauvre homme n'a même pas pu obtenir une lettre de recommandation de la part d'Echon pour les trafiquants de la compagnie de fourrures. Soranhes n'avait-il donc de l'importance que parce que son fils était aussi Louis de Sainte-Foi ? Comment pourra-t-il retrouver son enfant dans l'au-delà, puisque les baptisés ne vont pas au même endroit que les non-baptisés ? Lui, Loup-Curieux, quand il quittera cette vie, il retrouvera son père, ses parents et ses amis, dans le pays des âmes où vivent Aataentsic et Iouskéha. Avec eux, pour toujours, il continuera à défricher les champs, à pêcher, à chasser, à fumer, à danser et à festoyer. À moins qu'il ne meure au combat et ne se retrouve parmi les guerriers dans l'endroit spécial qui leur est réservé et où ils sont à l'honneur. Amantacha pourrait-il y être?

Une partie de lui-même sait tant de choses de ce qui s'apprend et se transmet. L'autre n'est que questionnement sans réponse. L'une guide le fils sur les chemins d'eau et lui enseigne où mettre pied à terre, où porter le canot sur les épaules, où le haler à la cordelle. Il n'est pas un remous qu'elle ignore, pas un sentier de portage qu'elle n'ait foulé. Mais, le soir, quand le regard monte vers les étoiles, l'autre partie de lui-même rencontre l'insaisissable connaissance.

Doigt-du-Soleil a quinze ans et il connaît sa mélopée personnelle. Si l'ennemi surgit, Loup-Curieux sait que son fils saura se battre. Il sait aussi qu'il aura peut-être à mourir. C'est ainsi depuis toujours. Devenir homme se fait parfois en mourant adolescent. Depuis toujours, il y a eu les dangers de l'homme contre l'homme et les dangers des esprits en colère, mais, aujourd'hui, il y a ces esprits avec lesquels ils ne peuvent communiquer sans passer par les Robes-Noires.

Après un dernier soubresaut, la rivière se calme. Le canot file sur la route qu'Ochasteguin a ouverte, il y a plus de vingt ans déjà, et qu'aujourd'hui il présente à son fils. Sur cette section de la voie d'eau, en amont de l'Île de Tessouat, les Ouendats circulent en maîtres, mais, en aval, ils la partagent avec tous ceux qui ont obtenu le consentement des Kichesipirinis. Ainsi, à l'image de la Grande Rivière, qui se gonfle des eaux de tous ses affluents, la route se peuple au fur et à mesure qu'elle progresse vers l'est.

— Tessouat interdira-t-il l'Île aux Ouendats, qui ont refusé de joindre leurs forces aux siennes pour attaquer les Iroquois? demande la voix du guerrier.

— Les Kichesipirinis jalousent l'amitié qui existe entre les Ouendats et les Français, mais ils ne peuvent se mettre à dos ni l'un ni l'autre, répond, rassurante, la voix du marchand.

En principe, la voix du marchand a raison, mais le refus des Ouendats de s'allier aux Kichesipirinis pour une vaste offensive a provoqué la colère de Tessouat le Borgne. Venu en personne avec toute sa délégation pour proposer une alliance, ce chef est reparti la menace aux lèvres, répétant que son corps était de hache, ce qui signifiait qu'il pourrait empêcher les haches de fer et toutes autres marchandises de transiter par l'Île.

— Des éclaireurs ont rapporté que quelques-uns des nôtres ont passé l'Île, soutient, encourageante, la voix du marchand.

— Ils étaient peu nombreux… Dans notre convoi se trouvent la plupart de nos marchands… Tessouat a un corps de hache, et des haches nous allons chercher, rétorque la voix du guerrier.

— Nous verrons à l'Île.

Loup-Curieux va ainsi, dissimulant le marchand et le guerrier qui se contredisent en lui. Aux yeux de son fils, il doit n'être qu'un.

∗ ∗ ∗

Lac Kichesipirini, en amont de l'Île de Tessouat.

Plusieurs canots en attente. Le passage est bloqué. L'Île en deuil. Tessouat, dit Le Borgne, deuxième du nom, est mort, et son peuple réclame, en plus du péage, un lourd tribut pour les condoléances. Devant ces frais exorbitants, les quelques marchands népissings qui s'étaient joints aux Ouendats ont rebroussé chemin.

— Je ne pleure pas Tessouat, confesse la voix du marchand en Loup-Curieux. Ce chef ne cherchait qu'à voler le rôle d'intermédiaires des Ouendats.

— Ce chef a tenu tête à Champlain, qui voulait imposer ses coutumes, défend la voix du guerrier. Il a tenu tête aux Robes-Noires en leur faisant payer le tribut comme aux autres pour passer l'Île. Elles lui ont jeté un mauvais sort.

— Possible… Les Robes-Noires ont des pouvoirs et elles vont négocier notre passage.

Le guerrier s'incline devant la suprématie des armes surnaturelles. Deux Robes-Noires viennent de débarquer sur l'Île. Sur la berge du lac, les marchands ouendats s'interrogent à propos des éclaireurs, qui semblent avoir passé sans trop de difficultés. La plupart sont indignés. À leur avis, les Kichesipirinis profitent de ce deuil pour faire main basse sur leur précieuse cargaison. Un peu à l'écart, Soranhes regarde l'eau, sans se mêler de ces questions qui lui tenaient tant à cœur auparavant. Loup-Curieux va le rejoindre. C'est la deuxième fois qu'il se trouve en présence d'un père qui a perdu son fils. Bien que Soranhes s'efforce de dissimuler son chagrin, Loup-Curieux s'aperçoit que l'âme de l'homme est brisée. Il s'assoit près de lui et partage longtemps son silence.

— Amantacha serait allé avec eux pour parler en notre nom, échappe finalement Soranhes.

— Amantacha aurait parlé en notre nom… Les Robes-Noires agissent comme nos délégués sans avoir été désignés par nous.

— Mon fils a vu la puissance des Robes-Noires… Elle s'étend chez les esprits et les hommes… Elle nous fera passer l'Île.

— Elle nous fera passer l'Île afin que les fourrures se rendent jusqu'aux bateaux de bois, mais elle ne parlera pas en notre nom.

— Les Robes-Noires parlent au nom de l'Esprit du ciel.

— Alors, cet esprit a besoin de nos fourrures.

Soranhes confirme d'un hochement de tête et retombe dans un état proche de la prostration. Plus rien ne suscite son intérêt et son âme est vide de tout. Vide d'Amantacha.

Loup-Curieux observe son fils qui déambule le long de la plage en compagnie de Satouta. Ce dernier tente-t-il de l'inciter à suivre son exemple et de demeurer à Kébec ? Que peut bien penser Doigt-du-Soleil de l'intervention des Robes-Noires ? Si elles parviennent à leur faire traverser l'Île de Tessouat alors que les Népissings en ont été incapables, n'interprétera-t-il pas leur présence au sein de la confédération comme un atout indispensable ?

— Doigt-du-Soleil ne peut devenir marchand en ignorant la puissance des Robes-Noires, constate l'intérieure voix mercantile.

Celle du guerrier se tait et Loup-Curieux demeure auprès de Soranhes, attendant l'annonce de la libération de la route comme celle de leur dépendance envers les Robes-Noires.

* * *

En la lune iroquoienne où le maïs mûrit (août), Trois-Rivières.

La traite des fourrures avec les Français ne s'est pas déroulée telle qu'il l'avait préalablement racontée à son fils. Est-ce la mort de Champlain[2], au cours de l'hiver, qui a entraîné sa réorganisation, privilégiant Trois-Rivières pour les principales transactions et pour la cérémonie de clôture, à laquelle son successeur[3] n'a pas daigné assister ?

---

2. Mort le 25 décembre 1635, Champlain, devenu particulièrement dévôt vers la fin de sa vie, légua son héritage à la Sainte Vierge.
3. Favori des jésuites, Charles Huault de Montmagny arriva au printemps 1636, à titre de gouverneur de la Nouvelle-France, alors que Champlain n'en était que le commandant, en l'absence de Richelieu.

Probablement, croit Loup-Curieux avec un certain défaitisme. En réalité, rien ne s'est déroulé au cours de ce voyage tel qu'il l'avait prévu et il en retire une grande insatisfaction. La suprématie de leur peuple, qu'il espérait démontrer à Doigt-du-Soleil, a été éclipsée par celle des Robes-Noires, et cela à partir de l'Île. Dès lors, au sein de sa canotée, Parole-Facile devint officieusement le maître. Si lui, Loup-Curieux, continuait à diriger l'embarcation, son cousin, par contre, en dirigeait les opérations auprès des Français. Son statut de baptisé lui accordait un traitement de faveur et de meilleurs prix. À Kébec, ce statut lui permit de faire visiter à Doigt-du-Soleil le fort Saint-Louis, ainsi que la maison de pierres que les Robes-Noires avaient construite pour y héberger et y instruire les jeunes Ouendats. Pendant ce temps, seul au bord de l'Oriaouenrak (rivière Saint-Charles), il attendait l'esprit de la marée. Quand son fils vint enfin le rejoindre, ébloui par tout ce qu'il avait vu, l'esprit avait fini de se manifester. «Si tu restes à Kébec, tous les jours, tu pourrais voir l'esprit de la marée commander aux eaux», insinua Parole-Facile. Comme il s'est senti diminué face à son fils! Cet esprit de la marée qu'il offrait de rencontrer à l'occasion du voyage, Parole-Facile offrait de le rencontrer tous les jours.

Comme il regrette d'avoir obéi à la voix du marchand plutôt qu'à celle du guerrier, qui jugeait préférable de laisser Doigt-du-Soleil à Ihonatiria. Ici, son fils a été incité de toutes parts et de toutes manières à ne pas retourner en son village, et, encore ce soir, à la veille du départ, l'Aigle et Parole-Facile lui font l'honneur d'assister à un rituel à l'intérieur de la palissade. Est-ce celui de l'eau du baptême? Ils ne lui en ont rien dit, mais il appréhende le pire, tout en examinant une avarie découverte sur le fond du canot. Au cours de la journée, Doigt-du-Soleil s'en est servi pour aller pêcher avec Satouta et Tsiko. Sans doute l'embarcation a-t-elle effleuré une roche pointue, pour déchirer ainsi l'écorce. Il avait compté effectuer la réparation avec le responsable du dommage, mais son tuteur est venu le chercher. « Une telle réparation ne demande pas deux hommes », a tranché l'Aigle. À cela, il n'a pu répliquer, un seul homme pouvant y suffire effectivement. Étant donné que Yocoisse et Dents-de-Loup, membres de son équipe, prennent part à une grande partie de dés[4] entre canotées, le voilà donc seul et en colère contre la voix du marchand, qui étouffe en ce lieu celle du guerrier.

Adroitement, Loup-Curieux se met à tailler un morceau de la grandeur appropriée, à même l'écorce de rechange dont ils se munissent, ainsi que de racines à coudre et de résine de calfeutrage, en prévision des réparations. Ces gestes ramènent sa pensée à N'Tsuk, qu'il a présentée à son fils, tout comme son propre père l'a jadis présenté à Toujours-Plus-Loin, le père de Lynx-des-Neiges. En plus de fourrures de castor de premier choix, elle offrait la possibilité de commander des canots, que les familles attikameks qu'elle représentait pourraient fabriquer et livrer à la prochaine saison de traite. Le sien étant pratiquement neuf, il fit circuler l'offre parmi les autres marchands et, la réputation d'excellence en la matière des Anishnabecks aidant, deux d'entre eux passèrent une commande, au bonheur manifeste de la jeune femme. Comme il a aimé voir passer la joie sur son visage, bien que, en aparté, il ait fait remarquer à Doigt-du-Soleil qu'en affaires l'expression de tels sentiments constituait une faille. Mais n'y a-t-il qu'un lien d'affaires entre lui et cette nomade qui a appris de son père les rudiments de la langue ouendate afin de pouvoir négocier sans l'aide d'un

4. Ce jeu de hasard se nommait « jeu du plat ». Il consistait à faire sauter dans un large plat six noyaux aplatis, tels des noyaux de prune, dont un côté était peint en blanc et l'autre en noir.

interprète? Alors qu'à la suite de l'entretien Doigt-du-Soleil se moquait de son horrible accent, lui y trouvait un charme qu'il s'est bien gardé d'avouer.

L'arrivée de Pieds-Dansants l'arrache à ses réflexions. Le voyant à l'œuvre, l'homme se penche au-dessus du canot renversé et, remarquant la déchirure, y insère le doigt.

— Une roche pointue, diagnostique-t-il.

— Hmm…

— Tu vas jouer aux dés?

— Il faut réparer… Toi, tu vas jouer?

— J'ai joué. J'ai perdu… Où est ton fils?

— Chez les Français.

— Il retournera avec toi?

— Sa décision n'est pas arrêtée.

Le regard de Pieds-Dansants bifurque vers la palissade.

— Hier, ton fils a vu les honneurs que les Français ont rendus à Satouta. Il est tentant pour un jeune d'être ainsi traité comme un chef.

Quelle indignation le comportement du chef de la compagnie de fourrures (Du Plessis Bochart) a provoquée chez lui! Cette préséance qu'il accordait à Satouta jetait l'insulte à la face de ses aînés. Jamais Champlain n'avait, de manière si flagrante, manqué à leurs coutumes. Au sortir de la séance, une autre déception l'attendait quand l'Aigle lui a glissé: « Ç'aurait pu être ton fils et mon neveu qui soit honoré à la place de Satouta. — Satouta n'a rien fait pour mériter les louanges et avoir préséance sur ses aînés… C'est là un affront à nos coutumes », a-t-il dit et répète-t-il encore à Pieds-Dansants.

— Ma pensée rejoint la tienne; les jeunes n'ont pas à s'asseoir à la place des vieux… Ils n'ont pas à remuer la langue, mais à ouvrir leurs oreilles… Les Français veulent nos jeunes en la maison de pierres des Robes-Noires. Pour cela, ils usent des honneurs et des présents, mais aussi de la menace… Les Robes-Noires nous accusent de manquer de parole, et le chef de la traite, de vouloir affaiblir notre alliance… La guerre a repris entre les Anishnabecks et les Iroquois… Cette alliance est nécessaire car elle nous assure la présence de soldats armés de bâtons de feu.

— Tu dis vrai: cette alliance nous avantage par le bâton de feu.

— Mon esprit ne comprend pas pourquoi les Français cherchent tant à retenir nos jeunes chez eux… Le chef de la traite propose jusqu'à deux fois les doigts des mains de soldats armés en échange d'autant de jeunes que nous laisserions derrière.

— Je préfère ramener mon fils à sa mère que de ramener tous les Français armés du bâton de feu, avoue Loup-Curieux en ajustant sa pièce sur la déchirure.

— Il aurait fallu qu'il ne quitte pas le village. Le mien, sa mère s'est opposée, et quand Petit-Tonnerre s'oppose…

Loup-Curieux craint que son compagnon n'ait raison. Emmener Doigt-du-Soleil en ce voyage comportait le risque qu'il soit séduit par tous les avantages que procure le rituel de l'eau. Avantages que l'Aigle et Parole-Facile n'ont cessé de faire miroiter.

Pieds-Dansants s'empare du contenant de résine afin d'en badigeonner généreusement les alentours de la déchirure avant que Loup-Curieux n'y applique son morceau.

— Est-ce que Parole-Facile a obtenu autant de marchandises qu'un Français?

— Autant qu'un Français, affirme Loup-Curieux.

— Moi, j'en ai obtenu moins que l'an passé… Personne n'est baptisé, dans ma canotée.

Loup-Curieux se remémore l'humiliation qu'il a subie quand son cousin est revenu du comptoir avec une éloquente quantité de marchandises. « Vois ce que la langue d'un baptisé peut obtenir pour nourrir l'Ours », a-t-il lancé devant son fils émerveillé par la transaction.

— Satouta a de la parenté dans mon village, poursuit Pieds-Dansants. Sa présence à Kébec permettra peut-être que les Robes-Noires y viennent pratiquer le rituel de l'eau.

— Ce rituel nous permet d'avoir autant de marchandises qu'un Français pour nos fourrures, mais il nous divise dans l'au-delà… Ceux qui le reçoivent ne retrouvent pas les leurs après la mort, mais s'en vont au pays des âmes des Français.

— Ainsi, nous ne reverrons pas Parole-Facile dans l'au-delà ?

— Ni lui ni l'Aigle.

— Les Robes-Noires n'en disent rien.

— C'est ainsi… Je le sais d'Amantacha.

— Son père ne le retrouvera donc jamais.

— Jamais.

— Pauvre Soranhes… Les Robes-Noires lui refusent le rituel de l'eau.

— Je sais… Il n'a pas eu autant de marchandises que Parole-Facile, et Satouta a été traité avec plus de préséance que lui.

Pieds-Dansants le considère avec gravité, puis déclare :

— Le temps dans l'au-delà ne s'achève jamais… Ici, ta vie ou la mienne peut s'achever demain… Il vaut mieux obtenir moins de marchandises pour nos fourrures de notre vivant, mais passer du bon temps avec les nôtres dans l'au-delà.

— Ma pensée rejoint la tienne, termine Loup-Curieux, ne pouvant s'empêcher de lancer en direction de la palissade un regard anxieux que son compagnon intercepte.

— Ce que tu me dis, est-ce que tu l'as dit à ton fils ?

— Pas encore.

Pieds-Dansants lui pétrit l'épaule, compatissant.

— Moi aussi, j'ai un fils… Ne plus le revoir dans l'au-delà me briserait le cœur… À tout dire, même ne plus revoir Petit-Tonnerre me causerait chagrin, même si je ne vis plus en sa maison... Ton tourment est mon tourment...

Sur ce, d'un côté de l'écorce, l'homme enfile la racine par un trou, de manière à ce que Loup-Curieux puisse facilement la saisir de l'autre côté. Ainsi ils s'affairent, réparant la déchirure du canot et appréhendant celle, irréparable, de l'âme.

∗ ∗ ∗

Quand Pieds-Dansants a vu revenir Doigt-du-Soleil, un chaton dans les bras, il s'est éloigné, la mine grave, laissant Loup-Curieux debout près du canot raccommodé, les mains gommées de résine. Les exclamations des joueurs qui encourageaient leur camp à faire tomber les dés chanceux donnaient à la vision de son fils rapportant ce cadeau princier des allures de mauvais rêve où il avait perdu à un jeu dont il ignorait les règles. Doigt-du-Soleil s'est empressé de lui montrer la bête aux yeux envoûtants et au doux pelage.

— Quand on caresse Petit-Esprit, il fait un bruit dans sa gorge... Écoute.

Le cœur noué, il s'est penché pour entendre l'animal ronronner de plaisir.

— Je l'ai nommé Pattes-d'Hiver. Il est pour notre famille, a indiqué Doigt-du-Soleil en lui tendant fièrement le noir animal aux pattes blanches.

Le poil du chat lui a aussitôt adhéré aux doigts, lui donnant la désagréable sensation de lui coller au cœur pour le rapiécer d'avance.

— Où est l'Aigle? s'est-il informé.

Doigt-du-Soleil a fait un signe vers la palissade, puis a dit:

— Tes oreilles doivent m'entendre, mon père.

Son fils a repris le chaton, qui se tortillait dans les mains résineuses de son père, l'a caché sous le canot, puis s'est accroupi tout près, l'amusant avec une branchette. Les voilà maintenant assis côte à côte, se préparant à dire et à entendre l'essentiel des choses.

À ce moment précis, Loup-Curieux réalise la pauvreté des rapports qu'il a eus avec son enfant. Il lui semble que celui-ci a grandi, si vite et trop vite, sans lui. Aurait-il pu en être autrement ? Son propre père ne s'est-il pas entretenu une seule fois en tête-à-tête avec lui ? Les garçons ouendats passent de la tutelle de la grand-mère à celle des hommes, tout particulièrement à celle de l'oncle maternel. Il en a toujours été ainsi. Hélas, aujourd'hui, une autre tutelle veut s'imposer : celle des Robes-Noires.

— Tsiko[5] restera à Kébec... Son oncle, qui est Grand Chef de la tribu de la Corde, en est heureux, lui annonce Doigt-du-Soleil.

Loup-Curieux se compose un visage impassible. Rien ne doit transpirer de l'angoisse profonde qui le tenaille.

— L'Aigle et Parole-Facile obtiennent plus de marchandises que tout autre qui n'a pas reçu l'eau du baptême... Ainsi, ils ont obtenu Pattes-d'Hiver pour la maison de la Grande Tortue, poursuit le garçon tout en attisant les réflexes du félin avec sa branchette.

— Pattes-d'Hiver fera la chasse aux souris qui mangent nos grains de maïs, convient Loup-Curieux, se rappelant avec regret avoir déjà mentionné à Aonetta et aux enfants son désir de leur procurer un chat.

— Sans l'Aigle, la maison de la Grande Tortue n'aurait pas Pattes-d'Hiver pour protéger les grains de maïs, mais

---

5. Satouta, Tsiko Tewatirhon, neveu d'un chef de conseil nommé Tarantouan, ainsi que deux autres jeunes Hurons dont on ignore les noms demeurèrent finalement à Kébec en 1636.

sans toi, mon père, l'Aigle n'habiterait plus la maison de la Grande Tortue, mais celle qui est au Royaume des Morts.

De sa branchette, Doigt-du-Soleil montre sur sa cuisse la large cicatrice qu'a laissée la blessure de guerre contre les Iroquois tsonnontouans.

— Je suis ton fils et tu es marchand… En ce voyage, j'ai vu l'avantage pour un marchand de plaire aux Robes-Noires… Je suis ton fils et tu es aussi guerrier… Ma mémoire se souvient de t'avoir vu bander ton arc contre Echon… À tes yeux de guerrier, la Robe-Noire représente un danger… En ce voyage, les voix de l'Aigle et de Parole-Facile se sont emparées de mes oreilles… La tienne s'est faite muette… À l'intérieur de la palissade, c'est la voix de la cloche qui s'empare des oreilles… La tienne se tait toujours… Elle me laisse libre avec mes pensées… Toutes les autres voix conseillent de me rendre à Kébec avec Satouta et Tsiko… La tienne me laisse libre d'y aller ou de retourner à Ihonatiria, notre village… Le silence de ta voix me traite en homme et m'a permis d'entendre celle de ma pensée véritable… Grâce à l'Aigle, Pattes-d'Hiver viendra en la maison de la Grande Tortue, mais grâce à toi, l'Aigle est encore de ce monde… Il m'importe plus de devenir un guerrier qu'un marchand… Avec toi, je retourne auprès de ma mère et de ma sœur.

Loup-Curieux réprime l'émotion qui le gagne. Semblables aux rayons du soleil qui chassent le froid et l'obscurité, les paroles de son fils l'éclairent et le réchauffent. Cet enfant est digne du nom qu'il porte. Digne du sang qu'il lui a transmis. En tant que père, il se fait violence pour ne pas le serrer sur son cœur, lui enseignant par l'exemple à dissimuler ses sentiments.

— Pattes d'Hiver a une grande valeur, mais la plus grande richesse que je rapporterai dans mon canot, c'est toi, mon fils, dit-il en contemplant l'adolescent qui s'amuse des pirouettes du chat.

Dans le cœur de Loup-Curieux, le marchand et le guerrier ne font maintenant qu'un, tout comme lui ne fait qu'un pour toujours avec son fils.

Le canot est réparé. Partis ensemble de l'Ouentake, demain ils y retourneront ensemble.

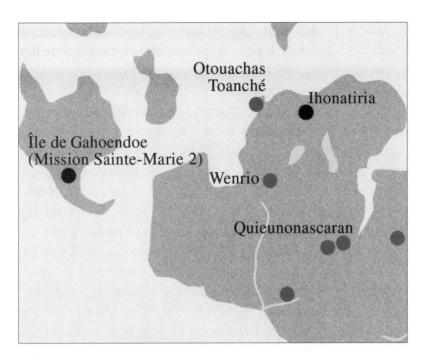

Otouachas
Toanché

Ihonatiria

Île de Gahoendoe
(Mission Sainte-Marie 2)

Wenrio

Quieunonascaran

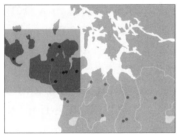

Chapitre 26

Quand
meurent les
petits de l'Ours

1636, en la lune iroquoienne où l'ours fait ses petits
(décembre), Ihonatiria.

Taretandé remplace son frère Sangwati au poste de chef du village. En ce froid matin, comme hélas depuis trop de jours, il s'acquitte du devoir d'annoncer les décès. Ses assistants l'accompagnent de rue en rue alors qu'il informe à haute voix ses concitoyens des victimes de la maladie que les Robes-Noires ont répandue parmi eux [1]. Quand donc cesseront ces funèbres tournées ? S'y est-il pris trop tard pour convoquer les chefs des villages avoisinants à discuter en conseil du cas de ces sorciers malfaisants ?

« Si un seul autre membre de ma famille meurt, je tue le premier Français que je rencontre », a-t-il juré lors de la tenue de ce conseil. Un autre chef, qui pourtant s'était déjà prétendu l'ami des Robes-Noires, est allé plus loin en proposant de toutes les exécuter. Finalement, il fut décidé d'agir avec prudence. Tuer un Français ou exécuter les Robes-Noires ne pouvait qu'aggraver la situation et attirer la colère des mauvais esprits qui les possédaient. De plus, cinq de leurs jeunes servaient plus ou moins d'otages à Kébec. Les chefs convinrent donc de suivre la voie normale et de les accuser de sorcellerie. C'est Taretandé lui-même qui alla porter l'accusation à leur cabane magique. Bien que la peine de mort fût l'habituelle sentence d'un acte de sorcellerie, il leur permit d'entrevoir une punition plus douce, soit l'expulsion du pays au printemps. Dès lors, les Robes-Noires raréfièrent leurs visites au village, ce qui n'a guère encore diminé la virulence de la maladie. Taretandé s'alarme. Au rythme où meurent les habitants d'Ihonatiria, combien en restera-t-il au printemps quand les Robes-Noires retourneront à Kébec ?

— Prenez courage, lance-t-il à pleins poumons. Prenez tous courage et faites tous festin du mieux qu'il vous sera possible pour Dents-de-Loup, le mari de Mains-Habiles, qui est décédé en la maison de la Grande Tortue… Prenez courage pour Étoile-du-Matin, la fille de Petite-Pluie, qui est aussi décédée en la maison de la Grande Tortue.

« Étoile-du-Matin », murmure tristement Parole-Facile en caressant la joue froide de la défunte fillette. Puis il ramasse ses bras autour de ses genoux et, assis à

---

1. On attribue cette épidémie à la fièvre pourprée.

croupetons, il écoute pleurer sa femme qu'une soudaine faiblesse a alitée. Enceinte de quatre lunes, Petite-Pluie s'est effondrée quand l'enfant de trois ans a rendu l'âme, et, depuis, Aonetta lui prodigue soins et affection, partageant sa douleur de mère.

Couchée sur le côté en position fœtale, ses fins cheveux ramassés en une petite natte ornée de plumes, et vêtue de sa plus belle robe, Étoile-du-Matin semble dormir, paisible, devant son père prostré au front tendu. Loup-Curieux devine ce qui l'accable, mais n'en souffle mot. La veillée nocturne du cadavre s'est déroulée dans le silence des hommes, la compassion s'exprimant par la simple présence, la légère pression de la main et l'entretien du feu. « Prenez courage. Prenez tous courage… », poursuit Taretandé par le village.

« Ce que j'ai fait, je l'ai fait pour nourrir l'Ours », balbutie Parole-Facile. Loup-Curieux échange un regard avec son fils. Tous deux savent que Parole-Facile fait allusion à l'eau du baptême que sa femme et ses enfants ont reçue, mais aucun ne se reconnaît la légitimité d'en aborder la question.

« En cette lune, l'ours fait ses petits », échappe encore Parole-Facile, la voix étranglée, puis il se tait.

Paisible-Tortue met l'eau à bouillir dans le chaudron. Les paupières gonflées d'avoir tant pleuré, elle s'affaire à préparer le repas du matin, puisant dans cette occupation une diversion à son chagrin. Cependant, bien malgré elle, ses yeux reviennent à Étoile-du-Matin, sa petite cousine qui fut sa merveilleuse poupée vivante, et les larmes roulent, intarissables, jusque dans sa bouche.

Dans la case obliquement adjacente à la leur, Mains-Habiles, la cousine d'Aonetta, adoptée par les parents de celle-ci, gémit sa souffrance auprès de Dents-de-Loup. Mariée depuis huit ans à cet homme qui avait reconnu comme sien l'enfant aux yeux bleus qu'elle avait conçu avec un des hôtes français de la maison, elle psalmodie des mots d'amour à son endroit et des mots de haine à l'égard des Agnonhas et des Robes-Noires, responsables de son décès. Pour la consoler, sa mère adoptive l'entoure de ses bras et la berce d'avant en arrière, pleurant elle-même encore la mort, survenue en la lune précédente, de sa propre mère, femme-chef et maîtresse de la maison de la Grande Tortue.

La matriarche de la maison du Loup aussi a laissé dans le deuil ses enfants et petits-enfants, dont Loup-Curieux et Parole-Facile. Les Robes-Noires ont-elles voulu se débarrasser des grands-mères les plus influentes ? À quoi riment toutes ces mortalités ? s'interroge Loup-Curieux à la vue du corps robuste de Dents-de-Loup, vêtu et décoré de ses plus beaux ornements, dont deux bracelets de cuivre qu'il avait gagnés au jeu du plat à Trois-Rivières. Ce corps, il se souvient de l'avoir vu se dépenser à pagayer et à portager sans relâche. Nouveau membre de sa canotée en remplacement du père de Parole-Facile, Dents-de-Loup s'est démarqué par sa vaillance et sa constante bonne humeur. Son fils de quatre ans a-t-il hérité de ces inestimables qualités ? À peine rétabli de la maladie, le bambin demeure tranquille, appuyé contre son demi-frère aux yeux bleus remplis de détresse. Que comprend ce garçon à l'hostilité qui déferle sur le village et qui concerne une partie de lui-même ?

— En cette lune, l'ours fait ses petits, reprend Parole-Facile. Pourquoi, en cette lune, les petits de l'Ours meurent-ils ?

Son cousin s'adresse à lui comme s'il voulait entendre de sa bouche la réponse qu'il a sans doute lui-même ressassée au cours de la nuit. Pourquoi les Robes-Noires ont-elles répandu la maladie en dépit de leur alliance et de leur partenariat économique ? Pourquoi aussi l'eau du baptême a-t-elle sauvé son fils et non sa fille ?

— Les Robes-Noires ont promis d'agir pour le bien de l'Ours… Les Robes-Noires ont menti et font mourir les petits de l'Ours, conclut Parole-Facile.

— Je vais leur fendre le crâne, déclare Doigt-du-Soleil en se levant d'un bond.

Parole-Facile le retient par la jambe.

— Entends ma parole… Après, tu iras si tu le juges à propos.

Avec soulagement, Loup-Curieux voit son fils se rasseoir. Il comprend autant qu'il la redoute l'impétuosité de la jeunesse et il compte sur l'éloquence de son cousin pour la modérer.

— Fendre le crâne d'une Robe-Noire, c'est condamner à mort Satouta, Tsiko et les autres qui sont demeurés à Kébec. Est-ce pour avoir beaucoup d'otages que les Robes-Noires ont voulu que beaucoup de nos garçons aillent dans leur maison de pierres? Je le crois… Elles avaient l'intention de nous rendre tous malades… Leur langue est fourchue… La langue des Français aussi est fourchue… Ils ont prétendu ne pas reconnaître Étienne Brûlé comme l'un des leurs… C'était là une ruse pour mieux le venger… Pour cela, ils nous ont imposé les puissants sorciers à la robe noire… Depuis, les petits de l'Ours meurent… Combien en faudra-t-il pour venger la vie de ce seul Français que nous avons exécuté? Si tu fends le crâne d'une Robe-Noire, le sang qui jaillira sur tes mains sera celui des enfants de l'Ours.

Doigt-du-Soleil baisse un regard consterné sur ses mains réduites à l'impuissance.

— Qu'est-ce qu'un guerrier peut faire pour défendre l'Ours? s'enquiert-il au bout d'un moment.

— Attendre le printemps, répond Parole-Facile en contemplant Étoile-du-Matin contre laquelle Pattes-d'Hiver vient se frôler en quête d'une caresse qui ne viendra jamais plus.

* * *

Trois jours plus tard.

Une première neige tombée au cours de la nuit reflète la chiche lumière d'un ciel bas et sombre. Accompagné de ses assistants, Taretandé parcourt le village. « Prenez courage, parents et amis de la maison de la Grande Tortue qui s'en va porter ses morts au cimetière », annonce-t-il. De chacune des demeures familiales, les gens sortent, l'air grave, quelques-uns portant un cadeau, d'autres affichant de la peinture noire sur leur visage. Dès l'aube, les feux ont brûlé sous les chaudrons du clan de la Grande Tortue, en vue du festin qui doit honorer les défunts et nourrir ceux qui sont venus de loin offrir leurs condoléances. Tout au long de la matinée, les visiteurs ont exprimé leur sympathie par l'échange de nourriture, puis ils ont participé au festin des funérailles organisées par l'Aigle, qui a pris soin de distribuer les restes du repas aux villageois. Maintenant, l'heure est venue d'aller reconduire les chers disparus à leur repos éternel.

La foule s'assemble devant la maison de la Grande Tortue. Muette, elle attend, se rangeant derrière Taretandé. Un adolescent soulève l'entrée du portique pour laisser passer la dépouille de Dents-de-Loup, qui, enroulée dans sa robe de castor, est étendue sur une natte que Loup-Curieux, Yocoisse, Doigt-du-Soleil et Parole-Facile tiennent par chacun des coins. Stoïques, les quatre hommes marchent au même pas, comme jadis ils ont pagayé au même rythme que leur défunt compagnon de canotée. Derrière eux, accompagnée de ses deux fils, Mains-Habiles suit, les cheveux emmêlés et la mine négligée, comme il sied à une veuve. Ses pleurs et ses lamentations déclenchent dans le rassemblement les démonstrations d'affliction des femmes, qui redoublent à la

420

vue de la petite dépouille d'Étoile-du-Matin, portée sur sa natte par l'Aigle et Pieds-Dansants.

À la suite du chef du village, le cortège funèbre se met en branle dans un silence religieux. Seuls s'entendent les sanglots et le bruit des pas foulant la neige qui se mêle de boue. Des chiens vont et viennent, reniflant de-ci de-là, accompagnant les hommes par habitude.

Le cortège franchit la palissade et marche sur la distance d'une portée de flèche jusqu'au lieu de sépulture, où les échafauds funéraires ont été préparés. Avec un grand respect, les porteurs y hissent les dépouilles et les couchent dans leur cercueil d'écorce. Dans celui d'Étoile-du-Matin, l'Aigle a déposé trois petits pains de maïs aux bleuets et Pattes-d'Hiver. C'est lui-même qui a tué le chat que sa nièce affectionnait grandement, afin qu'il lui tienne compagnie dans l'au-delà.

Dans le cercueil de Dents-de-Loup, son chef de canotée a déposé une pagaie afin qu'il puisse s'en servir au Royaume des Morts, ainsi qu'une blague remplie de son meilleur tabac, en provenance des Tionnontatés.

Durant un long moment, l'assistance s'est recueillie au pied de la plateforme, dressée sur quatre poteaux, à une hauteur de trois mètres, hors de portée des animaux. Puis l'Aigle est monté sur une souche afin de recevoir les présents offerts aux familles. « Deux fourrures de castor, de la part de Yocoisse, pour essuyer les larmes de Mains-Habiles », dit-il en montrant les fourrures au bout de ses bras levés. « Un collier de wampums à trois rangs, de la part de Pieds-Dansants, pour essuyer les larmes de Petite-Pluie et de Parole-Facile », poursuit-il, ébranlé plus qu'il ne le montre par les lamentations des femmes de sa maison. Interpellé jusqu'au tréfonds de son âme par tous ces morts perchés sur leur plateforme et avec qui il demeure seul alors que sa communauté s'en est retournée.

A-t-il bien agi en encourageant les siens à recevoir l'eau du baptême, qui, une fois reçue, exige qu'ils abandonnent leurs croyances, coutumes et traditions pour satisfaire les Robes-Noires ? Il se sent une telle responsabilité dans ce cimetière, où chaque cercueil ressuscite l'image d'une personne connue.

Son attention se fixe sur celui de sa grand-mère, nommée Grande-Racine, qui considérait les Robes-Noires comme les plus maléfiques sorciers qui soient, et, avec effroi, il se remémore une séance du conseil où Echon a offert à la tribu de l'Ours un collet de deux mille perles de wampum pour, disait-il, aider ses membres à trouver le chemin du ciel[2]. Ce chemin étant celui des âmes, le meneur des puissants sorciers n'indiquait-il pas clairement son macabre dessein de les tuer tous ? Comment, en tant que chef, a-t-il pu ne pas réagir, à ce moment-là ? Ne pas prévoir ? Et, surtout, ne pas prévenir ?

Il ne sait pas. Il ne sait plus. Au cours de l'été, tel que l'avaient prédit les Robes-Noires[3], la lune s'est voilé le visage, leur annonçant par là l'imminence d'une grande défaite contre les Iroquois. Étant donné un tel avertissement venu de l'Esprit du ciel, comment peuvent-ils se débarrasser des Robes-Noires, qui communiquent avec cet esprit tout en étant garantes de l'assistance du bâton de feu ?

La pénombre déjà s'annonce. Le froid fige les pas dans la neige. Seul parmi les morts, l'Aigle implore le secours de l'aïeule pour l'aider, dans sa fonction de chef de clan, à garder vivants les vivants.

---

2. Le père Jean de Brébeuf avait offert ce collet de très grande valeur afin que les chefs présents au conseil incitent les leurs à embrasser la foi catholique.

3. Au mois d'août 1636, il y eut une éclipse de lune, que les jésuites avaient prédite.

* * *

1637, en la lune iroquoienne où les fraises mûrissent (juin), aux environs d'Ihonatiria.

Le soleil darde ses rayons sur les femmes accroupies çà et là, dans le vallon, à la cueillette des fraises. Est-ce pour les consoler de toutes les pertes subies au cours de l'hiver que la nature se montre particulièrement prodigue ? Charnus, abondants et sucrés, les savoureux fruits sauvages emplissent déjà à ras bord de grands paniers qu'elles ont mis à l'ombre, à la lisière de la forêt. Tout près de ceux-ci, appuyée contre le tronc d'un chêne, une planchette où sommeille un bébé, et, à quelques pas, sa mère, Petite-Pluie.

L'endroit où Petite-Pluie persiste à cueillir s'avère des plus avares, les fraisiers boudant son sol d'humus, mais rien ne la ferait s'éloigner de cette enfant qu'elle a mise au monde il y a une lune. Cette petite fille qu'elle a failli perdre au décès d'Étoile-du-Matin et qu'elle regarde aujourd'hui comme un miracle et une consolation. À tout moment, elle lève les yeux sur elle, la contemplant et la veillant, les seins durcis par la montée du lait. Une douleur lui tenaille la nuque et le bas du dos, mais elle continue à cueillir avec la même constance que ses compagnes, en dépit du peu de résultats de ses efforts. Qu'importe. Aucune ne lui tiendra rigueur de la modestie de sa contribution à la récolte collective.

Dès les premières lueurs, elles étaient à l'ouvrage, désherbant leurs cultures avant de se rendre ici pour consacrer le reste de la journée à la cueillette des fraises. L'endroit se trouvant hors de vue du village, Doigt-du-Soleil les accompagne avec ses armes. Bien que ce dernier s'acquitte consciencieusement de sa mission, patrouillant sans relâche les alentours, Petite-Pluie craint sans cesse que le malheur ne fonde sur elle. Ou sur son bébé. Ce qui revient au même. Contre ce malheur, Doigt-du-Soleil ne pourrait pas plus que sa farouche combativité de mère, car ce malheur vient du ciel. Les Robes-Noires l'ont dit.

À peine touche-t-elle un plant que des nuées de moustiques s'envolent de dessous les feuilles et viennent la harceler. Elle les laisse faire, se consolant à l'idée d'avoir protégé sa petite de leurs morsures et piqûres en l'enduisant du peu d'huile qui restait dans la gourde. Contre le malheur venu du ciel qui les a anéantis, elle n'a rien pu faire, mais, contre celui qui vient de ces bestioles, elle peut riposter.

À l'instant où le lait commence à s'égoutter de ses lourdes mamelles, Petite-Pluie entend les autres femmes s'approcher pour un repos bien mérité. Elle se lève lentement et se cambre les reins, ressentant d'un coup la fatigue que la chaleur accroît. « Nos paniers sont pleins », lui annonce Aonetta, le visage zébré de sang et boursouflé. À force de funérailles, l'huile s'est tarie dans toutes les gourdes, mais la satisfaction d'une récolte exceptionnelle semble effacer sur le visage de ses consœurs fatigue et meurtrissures d'insectes. Le malheur serait-il passé ? De meilleurs temps s'annoncent-ils ? Les Robes-Noires ne l'ont pas dit.

Petite-Pluie s'empresse auprès de son bébé alors que les autres se désaltèrent et se rafraîchissent à une source de la forêt. Paisible-Tortue lui rapporte de l'eau dans un récipient d'écorce et, pendant un long moment, la regarde allaiter, fascinée par le rôle de mère qu'un jour elle devra assumer.

Par groupes familiaux, on s'assemble à l'ombre bienfaisante, sortant quelques galettes pour accompagner les fraises.

— Mes doigts n'ont jamais cueilli si grande quantité de fraises en si peu de temps, déclare Aonetta.

— Ni les miens, dit Mains-Habiles.

Petite-Pluie se tait, se sentant étrangère à la situation.

— Mes yeux ont déjà vu tant de fraises que nos doigts n'avaient pas réussi à tout ramasser... Et en ce temps, nos doigts étaient nombreux, évoque leur mère, caressant le généreux vallon d'un œil triste.

En ce temps de leur grand-mère. Avant que les Robes-Noires n'arrivent et que le malheur ne s'abatte... Quand les doigts étaient nombreux et ignoraient encore comment pratiquer le signe de la croix.

Moment de réflexion. De malaise. Dans toutes les maisons maintenant, les doigts qui restent ne suffisent plus à la tâche. Dans ces maisons trop grandes pour le nombre de leurs occupants, en un village trop étendu pour sa population. Tout est à réorganiser, à réajuster, à reconstituer, à réaménager. Il manque des bras pour la superficie des champs et pour le nombre des pagaies. Il manque des bouches et des oreilles au conseil. Chaque personne qui s'en est allée dans l'au-delà a laissé un vide dans la communauté. Un vide à la place de ses connaissances. De ses compétences. De son expérience ou de son potentiel. Et, sur un vide, on ne peut bâtir.

Ihonatiria est si défait que certains envisagent de l'abandonner pour se joindre à des parents habitant d'autres villages [4]. Ce printemps, les Robes-Noires ont exercé des pressions afin que le village se réunisse à celui de Wenrio, mais le spectre d'Étienne Brûlé, qui les a séparés, plane encore. Peut-être cela se fera-t-il l'an prochain... Peut-être... Cette décision ne concerne plus les Robes-Noires, qui ont décidé de s'installer à Ossossané.

— En ce temps, il était plus facile de savoir les choses à faire, échappe Aonetta.

---

4. « À la fin du printemps 1637... à Ihonatiria, le nombre de décès était tel que le village était maintenant anéanti. » (Bruce Trigger)

— Tu dis vrai, approuve sa mère. Aujourd'hui, il est difficile de savoir ce qu'il faut faire. Vois ton frère l'Aigle. Le voilà bien tourmenté depuis la mort de Taretandé et de presque toute sa famille.

Un frisson parcourt l'échine de Petite-Pluie et, instinctivement, elle étreint sa petite. Bon nombre des parents de Taretandé, à commencer par sa propre mère Oquiaendis, ainsi que par son propre frère, l'ancien chef Sangwati, ont reçu l'eau du baptême, il y a trois ans, alors qu'ils étaient malades. Ce rituel en avait guéri certains, mais, cet hiver, il n'en a protégé aucun. Est-ce parce que Taretandé a osé accuser les Robes-Noires de sorcellerie et les condamner à retourner à Kébec? Sans doute. Où sont rendus, dans l'au-delà, ces gens qui, comme elle, ont reçu l'eau du baptême? L'Esprit du ciel, mécontent de leur comportement envers les Robes-Noires, les a-t-il attachés au poteau de torture afin qu'ils y brûlent pendant tout le temps qui ne s'achève pas? Où est rendue Étoile-du-Matin? La retrouvera-t-elle? Lorsqu'elle mourra, qui sait si l'Esprit du ciel ne la ligotera pas elle aussi au poteau de torture? Il est, paraît-il, des coutumes qu'elle devrait observer pour ne pas offenser cet esprit et qu'elle n'observe pas. Ainsi, il est des jours où il ne faut pas travailler et d'autres où l'on ne doit pas consommer de viande, mais ces jours, elle ignore quand ils se présentent au cours d'une lune, et, si les Robes-Noires quittent définitivement Ihonatiria, il lui sera impossible de le savoir. Pour l'instant, il en reste trois, et l'une d'elles insiste pour faire couler l'eau du baptême sur le front de la nouveau-née. Elle en a touché mot à Parole-Facile, qui préfère attendre un peu. Attendre quoi? Il ne le sait lui-même. Cela l'inquiète. Si jamais un malheur lui ravissait cette enfant, elle en serait séparée dans l'au-delà pendant tout le temps qui ne s'achève pas. La Robe-Noire le lui a confirmé. La Robe-Noire sait comment les choses se passent dans le ciel. Elle connaît la nuit où la lune se voile et elle peut commander aux nuages d'abreuver ou d'assécher la terre. Parole-Facile ne sait rien de cela. Pourquoi lui obéirait-elle même si l'Esprit du ciel souhaite que la femme obéisse à son mari?

— Ce n'est pas seulement à Ihonatiria que, depuis la mort de Taretandé, les gens se tournent et se retournent sur leur couche durant la nuit. À Ossossané, Pieds-Dansants dit qu'il en est ainsi, rapporte Aonetta.

— La maladie s'est aussi répandue à Ossossané cet hiver… Certains doivent s'inquiéter que leur conseil accepte de recevoir les Robes-Noires, rappelle Mains-Habiles.

— Pieds-Dansants croit que les Robes-Noires vont détruire Ossossané comme elles ont détruit Ihonatiria et qu'après elles iront ailleurs détruire un autre village… Il a accepté de faire partie de la canotée de Loup-Curieux pour remplacer celui que nous pleurons tous, poursuit Aonetta, évitant de prononcer le nom de Dents-de-Loup, par respect.

Un nuage passe sur le visage de sa veuve. Un léger recueillement s'impose pendant que chacune, mentalement, se rappelle ces noms qu'elles n'auront plus à prononcer et qu'il est préférable de taire.

— Ainsi, la canotée de Loup-Curieux est organisée, s'assure Grande-Racine, la mère d'Aonetta, qui a hérité du nom et de la charge de femme-chef de sa propre mère.

— Oui. L'Aigle remplacera Doigt-du-Soleil, qui a choisi de demeurer, répond Aonetta, arborant une expression de grand bonheur à la vue de son fils accomplissant sa ronde de surveillance.

L'adolescent ne promet pas d'être aussi grand que son père, mais, comme lui au même âge, il porte les cheveux longs d'un seul côté de la tête et se classe parmi les meilleurs archers, sans compter qu'il est champion au lancer du couteau. Aonetta ne se rassasie pas de le contempler. Quel homme il est en voie de devenir!

— Ainsi, Loup-Curieux aura deux baptisés dans sa canotée, résume Grande-Racine, avec l'air préoccupé qui sied à ses responsabilités.

— Oui. Parole-Facile et l'Aigle.

— Cette canotée ne devra pas manquer de maïs. Avec deux baptisés à bord, elle aura plus de marchandises en échange… Et des marchandises, notre maison a besoin.

Grande-Racine observe les filles de sa maison, qui confirment d'un signe de tête. Qu'elles le veuillent ou non, elles ne peuvent se désengager du partenariat commercial que leur confédération a établi avec les Français. L'Aigle lui a fait part de la principale raison qui a motivé Aenons à favoriser l'installation des Robes-Noires à Ossossané. D'après ce chef et important marchand de la confédération, il suffirait d'être privé pendant deux années consécutives des articles qui proviennent de l'autre côté du Grand Lac Salé pour que les Kichesipirinis reprennent leur rôle d'intermédiaires. Qu'elle le veuille ou non, la confédération entière ne peut se débarrasser des Robes-Noires sans renoncer à ce rôle. Voilà qui ajoute au tourment et complique les prises de décision. Comment faire quand on ne peut faire autrement ?

Du temps de sa grand-mère, avant les Agnonhas, décider de la quantité et de la variété du maïs à semer s'avérait relativement simple. Il fallait tenir compte des besoins présents et prévoir des surplus pour au moins deux ans d'avance en cas de mauvaises récoltes. Aujourd'hui, il faut de surcroît tenir compte du nombre de canotées, dont plusieurs sont encore à se réorganiser, tout en ne perdant pas de vue les pouvoirs que détiennent les Robes-Noires sur le succès de leurs cultures. Dans cette optique, ce printemps, elle s'est empressée de faire ensemencer presque entièrement avec du maïs dur, qui vient à maturité une lune avant le maïs à farine, au cas où les Robes-Noires se seraient avisées de nuire à l'éclosion des semences. Déjà bien vigoureux, ce maïs dur présente en plus l'avantage de donner plus d'épis par plant et plus de grains par épi.

— Il est déjà haut, notre maïs, remarque Aonetta.

— Dans peu de temps, les fèves pourront s'y accrocher. Elles sont bien sorties, ajoute Mains-Habiles.

— Les citrouilles aussi sont bien sorties, mais les fleurs-soleil tardent. Les Robes-Noires les tiennent peut-être enfermées dans la terre, s'inquiète Petite-Pluie.

— Echon, leur chef, ne voit plus nos champs. Le voilà à Ossossané… Les fleurs-soleil viendront, assure Aonetta.

— Mais l'Esprit du ciel voit nos champs et Echon lui parle comme ton fils parle à son père… Si, à Ossossané, les fleurs-soleil sont déjà levées, ce sera signe qu'Echon nous en veut encore, se tracasse Petite-Pluie.

— Les Robes-Noires ne peuvent plus rien contre nous car elles ont emmené le morceau de cadavre décomposé [5] et leurs objets magiques, affirme Mains-Habiles.

Avec un soulagement mêlé d'un reste d'appréhension, elles se remémorent ce déménagement survenu au début de la lune. Une cinquantaine d'habitants d'Ossossané étaient venus chercher les provisions, les meubles et les effets des Robes-Noires, dont Chef-de-la-Journée, qui avait tenu à sonner quelques coups d'adieu [6].

— Ce morceau de cadavre qui vient de l'autre côté du Grand Lac Salé ne cessera de se corrompre, prévoit Grande-Racine.

— Alors, il ne cessera de répandre la maladie à Ossossané, loin d'Ihonatiria, observe Aonetta.

---

5. En 1637, la rumeur se répandit à Ihonatiria que les jésuites avaient rapporté de France un morceau de cadavre qu'ils conservaient dans le tabernacle de leur chapelle et que c'était lui qui causait la mort.

6. Le 7 juin 1637, les habitants d'Ossossané terminent la construction de la maison des jésuites. Le 9 juin, cinquante d'entre eux viennent quérir leur réserve de maïs et leurs meubles.

Petite-pluie lève vers sa grande sœur un regard plein d'espoir. Se pourrait-il que le malheur ne vienne que de ce cadavre enfermé dans un coffret, et non du ciel, comme le prétendent les Robes-Noires?

— La parole des Robes-Noires dit que le malheur ne vient pas de ce morceau de cadavre, mais du ciel, indique-t-elle, le front soucieux.

— La parole des Robes-Noires dit des choses aux Ouendats et d'autres choses aux Français, invervient Mains-Habiles.

— La parole des Robes-Noires est la même pour tous, objecte faiblement Petite-Pluie.

— Si elle est la même pour tous, dis-moi pourquoi les hommes qui travaillent pour les Robes-Noires se permettent de coucher avec nous sans être mariés? Aux baptisés, les Robes-Noires interdisent d'aller avec une femme sans être marié à elle.

Mains-Habiles parle en connaissance de cause. Son fils aux yeux bleus atteste sans contredit les écarts de conduite des domestiques et des soldats séjournant au Ouentake. Écarts dont la grande majorité ont écho dans leurs conversations. Pourquoi, en effet, ces hommes se permettent-ils d'offenser l'Esprit du ciel, comme si le châtiment éternel qui en découle n'existait pas? Serait-ce que ce châtiment n'existe effectivement pas? Que ce lieu terrifiant où brûle notre chair pour le moindre manquement à l'observance des coutumes n'existe pas non plus? Serait-ce que le malheur ne vient pas du ciel, mais bien de ce morceau de cadavre décomposé rendu à Ossossané?

L'âme libérée d'un immense fardeau, Petite-Pluie contemple le ciel exempt de nuages à travers le feuillage des arbres. Le malheur ne vient pas de lui. La Robe-Noire ne le lui a pas dit, mais sa parole n'est pas la même pour les Ouendats que pour les Français.

— Notre maïs est bien levé et bientôt les fleurs-soleil sortiront de terre, répète, confiante, Aonetta. Je crois, comme Loup-Curieux, que le malheur est passé.

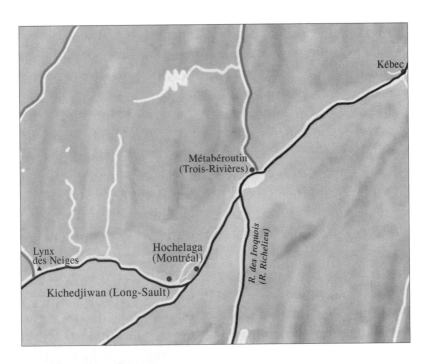

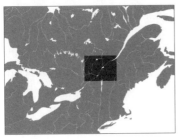

Chapitre 27

La croix
profanée

*1637, en la lune iroquoienne des framboises
qui mûrissent (juillet), site du bivouac en aval
de Kichedjiwan (rapides du Long-Sault).*

Harassés, autant physiquement que moralement, ils
fument avec recueillement en mémoire de Yocoisse,
dont ils ont brûlé le corps afin de pouvoir rapporter ses
ossements au cimetière d'Ihonatiria. Aveuglément, la
maladie a frappé les flottilles de marchands en route vers
les Français, foudroyant les hommes àdans les canots. Des

gémissements s'échappent de canotées voisines, où deux hommes sont dévorés par la fièvre. D'après ce qu'il sait de l'évolution de ce mal, Loup-Curieux doute que les pauvres survivent au lever du soleil.

Faut-il y voir la vengeance des Robes-Noires ou celle du castor annoncée par Lynx-des-Neiges à cause de l'abondance des fourrures passant par les mains ouendates? Quand donc cesseront de mourir les petits de l'Ours? Pour lui-même, il ne craint rien car son oki le protège, mais le sort des siens l'angoisse. Ils sont comme des proies pourchassées par d'implacables prédateurs envoyés du monde des esprits et contre lesquels aucun rituel de guérison ne réussit, que ce soit celui des Robes-Noires ou celui de leurs chamans.

Loup-Curieux observe ses compagnons. L'un d'eux est-il déjà désigné comme victime expiatoire d'un crime qu'ils ignorent avoir commis? À moins que l'exécution d'Étienne Brûlé ne soit à l'origine de ce carnage. Est-ce possible? Si, pour un seul des leurs, les Français exterminent des centaines d'Ouendats, cela en fait des alliés plus dangereux que leurs ennemis. Pourtant, jadis, ils ont lancé l'épée de la vengeance à l'eau afin que personne ne puisse la retirer. C'était avant que les hommes à la robe n'introduisent en leur village un morceau de cadavre décomposé. En ce temps où Champlain était plus un guerrier qu'un marchand et rêvait d'une route à découvrir pour son Chef Très Grand.

L'odeur de l'incinération leur colle aux narines. Aux pensées. Comment oublier le triste et pénible devoir qu'ils ont accompli pour honorer la dépouille de Yocoisse? Lui rendre le dernier hommage sans la participation des femmes les laisse défaits. Il a manqué des pleurs à leur douleur. Des cris à leur révolte. Contrôlant l'expression de leurs émotions, ils ont ramassé le bois, dressé le bûcher, allumé le feu et nourri les flammes tout au long de la journée. Ce soir, ils se taisent, leur visage enduit de suie pour marquer leur deuil. Aucun n'a mangé. Aucun n'a bu. Et chacun est rentré en soi-même.

Parole-Facile revit sans doute le décès d'Étoile-du-Matin, qui a suscité en lui une incertitude qu'il partage depuis avec l'Aigle au sujet de l'eau du baptême. Il semble que cette eau soit autre chose qu'un simple rituel de guérison et ne constitue que la première étape d'une initiation beaucoup plus exigeante. Elle conduirait, d'après certains, aux abords d'un gouffre de souffrances sans fin dans lequel l'Esprit du ciel précipiterait les baptisés qui l'offensent. Jamais les Ouendats n'ont eu connaissance d'un esprit si impatient, si vengeur et incompréhensif. Un esprit que Pieds-Dansants redoute de voir envahir Ossossané. S'il fallait que sa nouvelle femme prête l'oreille aux discours des Robes-Noires et le mette à la porte de sa maison, il en serait grandement affecté car, se réjouit-il, cette femme lui convient en tous points.

Du plus profond de son être, Loup-Curieux souhaite ramener ses compagnons à leur famille. Ces familles déjà tant éprouvées et qui, à son grand soulagement et à celui de ses pairs, se voient au moins épargnées du fléau qui, en traquant les marchands, s'est éloigné d'Ihonatiria. Quelle consolation lui procure la décision de Doigt-du-Soleil ! Son fils a-t-il été inspiré par quelque esprit bienveillant, pour demeurer au Ouentake ? De le savoir au village, assurant la protection des femmes et des enfants, amoindrit grandement son tourment. Là-bas, il n'y a maintenant à craindre que l'Iroquois sournois tapi en embuscade et, contre cet ennemi-là, son fils peut décocher ses flèches et lancer son couteau.

* * *

Ihonatiria, maison de la Grande Tortue.

Hier encore, Paisible-Tortue cueillait des framboises en compagnie des femmes. Réservée et besogneuse, elle entourait Petite-Pluie d'attentions, allant lui quérir de l'eau pendant qu'elle allaitait ou remplaçant la mousse de quenouille souillée par les selles du bébé. Elle faisait cela tout naturellement, sans que jamais Petite-Pluie le lui ait demandé, et le cœur d'Aonetta débordait d'amour et de fierté.

Hier encore, Doigt-du-Soleil assurait la surveillance des parages. L'œil vigilant, il patrouillait, soulevant au passage les commentaires élogieux des cueilleuses, les jeunes trahissant leur béguin pour lui, les plus âgées avouant se sentir en sécurité en sa présence. Et le cœur d'Aonetta débordait d'amour et de fierté.

Aujourd'hui, Paisible-Tortue et Doigt-du-Soleil gisent sur leur natte, le front fiévreux et l'œil absent, luttant pour garder le souffle de la vie. Et le cœur d'Aonetta se crispe d'angoisse et de douleur.

La maladie a frappé si soudainement qu'il lui arrive de croire qu'elle fait un cauchemar et qu'elle va bientôt se réveiller. De nouveau, dans les maisons dépeuplées, ce ne sont que pleurs et gémissements. Pourquoi le malheur est-il revenu, une fois les hommes partis[1]?

— En deux jours, il y a des morts dans toutes les maisons, rappelle Petite-Pluie en lavant affectueusement le visage de sa nièce pour la rafraîchir.

Des morts. Encore des morts. Assise entre ses deux enfants, Aonetta s'empare de chacune de leurs mains,

---

1. Au début de l'été 1637, peu de temps après le départ des Hurons pour le poste de traite de Trois-Rivières, une épidémie (semble-t-il causée par une maladie infantile) attaque la confédération. Beaucoup de malades moururent en moins de deux jours, autant en Huronie que parmi ceux qui étaient descendus à Trois-Rivières.

qu'elle presse contre les seins qui les ont nourris. Leurs mains brûlantes et inertes qui lui glacent les os. Elle refuse d'envisager la possibilité de la mort de ses robustes et merveilleux enfants. Cela n'est pas dans l'ordre des choses. Chair de sa chair, ils sont la garantie de ses lendemains, car, un jour, ils auront des enfants pour repeupler les maisons et poursuivre l'œuvre des Ouendats. Il lui paraît absurde et inconcevable de leur survivre. Pourquoi la maladie s'en est-elle prise à eux plutôt qu'à elle ? Pourquoi cette maladie veut-elle faucher ces deux vies-là comme le fer d'une épée fauche deux plants d'un seul coup ?

— Les racines des ocatas n'ont pas pu faire tomber la fièvre... Le rituel de l'eau du baptême parfois guérit, insinue Petite-Pluie.

Aonetta secoue énergiquement la tête. Jamais. Non, jamais elle ne permettra à l'un de ces sorciers d'expédier ses enfants dans l'au-delà des Français. Ah ! si seulement Loup-Curieux était auprès d'elle ! Il est si solide, si sûr de ses convictions, qu'elle n'aurait nulle crainte de succomber au doute. Ce doute ancré dans les replis de son âme et que les paroles de sa sœur ont éveillé. Ce doute inavoué parce que inavouable. Parce que incompatible avec la nature même d'une fille de l'Ours. Ce doute sacrilège, semé par les Robes-Noires et entretenu par ceux et celles qui osent l'exprimer. Et si ce que prêchent les Robes-Noires était vrai ?

— La Robe-Noire viendra verser l'eau du baptême sur le front de ma fille, lui annonce Petite-Pluie.

— Ta petite n'est pas malade.

— C'est pour la protéger.

— Notre mère sait-elle que tu as invité la Robe-Noire dans la maison de la Grande Tortue ?

— Elle sait. Cela l'inquiète, mais j'agis selon ma pensée.

— Je respecte ta pensée, mais je crois que la Robe-Noire ne devrait pas venir en notre maison. C'est elle qui répand la maladie et veut nous anéantir.

— Si la Robe-Noire peut nous anéantir, elle seule peut nous sauver.

De cela, Petite-Pluie est maintenant convaincue. Le malheur vient du ciel et les Robes-Noires parlent à l'Esprit du ciel, qui est le plus puissant de tous les esprits. Parole-Facile a demandé d'attendre avant de faire baptiser l'enfant, mais elle ne peut se permettre d'attendre, car le malheur, lui, n'attend pas. Il frappe vite et fort. Sans distinction. Elle ne peut pas prendre le risque de perdre sa petite dans l'au-delà. Sa décision est irrévocable : elle la fera baptiser et elle-même reniera ses croyances afin de se convertir.

Le redoutable sorcier se présente, et s'agenouille d'abord aux pieds des enfants d'Aonetta, qu'il offre de soigner. Elle bondit, refuse catégoriquement, lui interdisant de les toucher et même de les regarder. Il répond qu'il peut les sauver d'un supplice éternel en faisant couler l'eau du baptême sur leur front. Un court instant, Aonetta hésite, harponnée par le doute. Puis elle se ressaisit. Se rebiffe. Pourquoi ce sorcier parle-t-il comme si ses enfants allaient mourir ? Est-ce parce qu'il a l'intention de les tuer avec son eau ou avec de la neige française [2] qu'il leur ferait avaler ? Elle s'interpose. Farouche, déterminée. Pour atteindre ses enfants, il faudra d'abord qu'il la tue.

— Viens verser l'eau du baptême sur le front de mon bébé, intervient alors Petite-Pluie, invitant le prêtre dans la case voisine.

---

2. Neige française : nom que les Hurons donnaient au sucre et dont les jésuites se servaient quelquefois pour soigner les malades. En raison du nombre élevé des décès, la plupart des Hurons associèrent le sucre à un poison.

Le regard d'Aonetta glisse sur le noir de la robe que porte cet envoyé de la Mort. Car c'est Elle, la Mort, que ces puissants sorciers servent. Elle qu'ils utilisent pour arriver à leurs fins. Elle qu'ils louangent, prétendant qu'elle mène à la Vie. Elle qu'ils attirent sur les enfants en les baptisant à la dérobée malgré l'interdiction de leurs parents. Elle qu'ils répandent dans les villages.

Doigt-du-Soleil s'agite, roulant la tête d'un côté et de l'autre, haletant.

— Fendre le crâne… Fendre… fendre le crâne… des Robes Noires, bredouille-t-il dans son délire.

Aussitôt Aonetta se penche vers lui et, se collant la joue contre la sienne, lui chuchote à l'oreille :

— Tais-toi, mon fils, tais-toi… Shh… Tais-toi… La Robe-Noire t'entend… Tais-toi, je t'en prie.

— Fendre le crâne des… Robes-Noires… Je vais fendre le crâne… des Robes-Noires, poursuit le malade emporté par son délire.

Incapable de faire taire son fils, Aonetta capte le regard courroucé de l'envoyé de la Mort et la peur la saisit.

∗ ∗ ∗

Trois-Rivières, cimetière français.

Parmi la foule des non-baptisés massés à la limite du cimetière des Français, Loup-Curieux assiste à la mise en terre d'Aenons, chef et prestigieux marchand ouendat, décédé après avoir reçu le rituel de l'eau. La maladie l'a terrassé vers la fin du voyage et, bien que déjà grandement affaibli à son arrivée, il s'est déplacé pour offrir des cadeaux à Onontio[3], le

---

3. Onontio : signifie littéralement « Grande-Montagne », soit la traduction de « Montmagny ». Cette appellation désignera par la suite tout gouverneur de la Nouvelle-France.

successeur de Champlain, le priant de bien traiter les Ouendats et de poursuivre les échanges avec eux. Entretenait-il des remords pour l'exécution controversée d'Étienne Brûlé, dont, selon toute vraisemblance, il avait été le décideur ? Est-ce pour se racheter que, à l'article de la mort, il a accepté de recevoir l'eau du baptême, disant qu'il voulait mourir en une alliance solide avec les Français ? Espérait-il mettre fin ainsi à la vengeance qui s'exerçait sur les siens ? Nul ne le saura jamais. Il a emporté sa réponse dans l'au-delà des Français, qui lui ont organisé de belles funérailles, avec une imposante procession ponctuée par la cloche qui sonnait, lente et triste, un coup à la fois.

Le regard de Loup-Curieux se porte sur l'Aigle et Parole-Facile, qui, en tant que baptisés, ont le droit de pénétrer dans l'enceinte du lieu de sépulture. Ni l'un ni l'autre ne savent maintenant s'ils vont se convertir, ce qui les obligerait à renoncer à leurs traditions et coutumes pour adopter celles des Français. Perçu à l'origine comme un rite d'admission dans une société à la fois chamanique et commerciale, le baptême exige maintenant d'eux d'extrêmes sacrifices pour les conduire à la conversion. Si le premier en a fait des citoyens français sur le plan des valeurs d'échange, la deuxième les hissera au rang d'élite et leur procurera honneurs et suppléments de cadeaux. Mais Parole-Facile et l'Aigle hésitent à franchir ce pas… ou plutôt ce fossé qui sépare les Ouendats des Français. Ils craignent l'inconnu de l'aller. La possibilité d'un non-retour. Franchir ce fossé comporte plus de risques que de franchir le Grand Lac Salé. Des risques qui sont sans commune mesure avec ceux des voyages que l'on accomplit dans le monde des vivants.

L'un comme l'autre ont assisté à l'anéantissement de leur village, Ihonatiria. L'un comme l'autre ont appris la mort de Satouta et de Tsiko, de maladie selon certains, d'avoir été battus selon d'autres. À l'annonce de cette nouvelle, Loup-Curieux a été tenté de glisser à l'oreille de l'Aigle: «Ç'aurait pu être mon fils et ton neveu qui soit mort.» Mais il s'est tu. Parce que l'Aigle est fort tourmenté depuis le décès de Taretandé. Par deux fois, il s'est isolé pour jeûner et réfléchir, sans parvenir à comprendre ce qui se passe ni à savoir ce qu'il faut faire pour nourrir et défendre l'Ours.

Tewatirhon, un des autres jeunes ayant passé l'hiver à Kébec, a demandé de retourner auprès de sa mère et il est parti depuis peu à bord d'un canot qui transporte une Robe-Noire[4] vers l'Ouentake. Les deux autres ont consenti à poursuivre l'instruction que leur dispensent les Robes-Noires dans leur maison de pierres. Venus de Kébec pour rencontrer des membres de leur famille, ils bénéficient eux aussi du privilège d'assister à la cérémonie à l'intérieur des limites du cimetière.

Personnellement, Loup-Curieux préfère se tenir loin des cérémonies de sorcellerie que pratiquent les Robes-Noires. Accompagné de Pieds-Dansants, qui partage cette attitude, il s'est faufilé dans la foule jusqu'aux côtés de N'Tsuk, qu'il zieute de temps à autre. Tenant son bambin sur la hanche, la jeune femme manifeste beaucoup de curiosité à l'égard des coutumes des Agnonhas. Elle n'est pas sans savoir les avantages liés au statut de baptisé de l'Aigle et de Parole-Facile, qui permet à leur canotée d'offrir de meilleures valeurs d'échange aux chasseurs attikameks, qu'elle représente. Cette année encore, ils lui ont procuré des fourrures de castor de grande qualité qui ont excité la convoitise des marchands kichesipirinis. Le castor déclinant, il lui faut désormais tenir compte de la concurrence. C'est pourquoi il n'a pas hésité à dépanner le groupe de N'Tsuk en proposant que Parole-Facile revende pour eux aux Français un canot commandé l'année précédente par une équipe ouendate qui n'a pu en

---

4.   Le père Paul Ragueneau.

prendre livraison, ses membres étant décédés au cours de l'hiver. Que de gratitude elle lui a témoignée lorsqu'il a renoncé à toute part des bénéfices ! « Pour exprimer mon amitié à ton père et aux tiens », a-t-il indiqué, s'assurant ainsi la fidélité de fournisseurs de première classe.

Les Robes-Noires récitent des incantations pendant que l'on descend le cercueil dans la fosse. Aenons fait désormais partie des Français. Ses os pourriront seuls en une terre qui ne l'a pas vu naître ni ne l'a nourri, et personne n'aura l'autorisation de les rapatrier afin de les mêler à ceux des siens lors de la fête des Morts. En ce cimetière, il reposera, grain solitaire détaché de l'épi, une croix dressée sur sa tombe. Aenons a-t-il consenti à ce sacrifice afin de plaider dans l'au-delà des Français la cause de la confédération des Ouendats ? Expliquera-t-il à l'Esprit du ciel, comme un fils explique à son père, la nécessité de l'exécution d'Étienne Brûlé, implorant sa clémence pour les enfants de l'Ours ? L'avenir des Peuples d'Ici est si incertain. Si sombre. Qui sait si, en la prochaine saison d'échanges, il reverra N'Tsuk ? s'interroge Loup-Curieux. Chez les Anishnabecks aussi, la maladie a fait rage, diminuant le nombre des fournisseurs comme elle a diminué le nombre des canotées de marchands.

Un léger toucher sur sa poitrine attire son attention sur le fils de N'Tsuk, qui, fasciné par son tatouage, promène son petit doigt sur le dessin du loup totémique. Ce gamin aujourd'hui vigoureux aura-t-il la chance de devenir un homme ?

Selon son grand-père Lynx-des-Neiges, les Peuples d'Ici commettent une erreur de vouloir se procurer les marchandises des Agnonhas. Et les Ouendats, de vouloir les distribuer. Courent-ils tous à leur perte dans la ruée aux fourrures et aux richesses qui en découlent ?

Loup-Curieux couve le bambin d'un regard paternel. Est-il une plus grande richesse pour N'Tsuk que cet enfant, tout comme Doigt-du-Soleil et Paisible-Tortue le sont pour lui? Le temps est-il venu d'abandonner le canot chargé de fourrures avant que l'esprit du chaudron d'or ne l'en rende prisonnier? Ce canot qui, pour assurer l'assistance du bâton de feu, impose les Robes-Noires et leurs armes surnaturelles tournées contre eux. Le temps est-il venu pour lui de n'être qu'un guerrier?

N'Tsuk pose la main sur celle du garçonnet pour la retirer, et aussitôt Loup-Curieux pose la sienne par-dessus, éprouvant à son contact un certain émoi qui lui rappelle la main d'Aonetta sur son cœur. Cette main qui sait filer le chanvre et moudre le maïs et celle-ci qui sait manier la pagaie et dépiauter l'animal ne se rencontrent-elles pas d'étrange façon dans la sienne? «Il s'amuse», dit-il simplement, considérant l'enfant comme sacré. Et comme béni, son émerveillement en ce lieu et en ce temps.

* * *

1637, soir du 6 août, Trois-Rivières.

N'Tsuk s'est-elle endormie? Rien n'est moins sûr. Des images, des paroles, des ébauches de rêve la visitent sans parvenir à l'arracher définitivement à la réalité. Elle flotte. À mi-chemin entre le conscient et l'inconscient. Entre le réel et le rêve. Elle sait où elle se trouve, étendue sur la couche de son mari Flèche-Rapide, son fils Amiconse blotti dans ses bras. L'obscurité règne, et demain ils repartiront. Jusqu'au coucher du soleil, avec Nesk, elle a terminé les préparatifs du voyage. Au réveil, elles n'auront qu'à démonter les abris, rouler leurs couvertures et charger les canots. Demain, leurs familles quitteront ce poste de traite, avec l'intention d'y revenir l'an prochain.

N'Tsuk étreint tendrement son fils, jouissant de la chaleur de son corps et de son souffle paisible. L'image du loup tatoué la visite, lui faisant envelopper la main de l'enfant. Retrouvera-t-elle un jour celle de Loup-Curieux par-dessus la sienne ? Elle revoit la longue procession des funérailles d'Aenons, réentend les tintements de la cloche qui tombaient comme tombent les larmes. Comme tombent hommes, femmes et enfants des Peuples d'Ici, victimes de maux inconnus. Dans ses moments de lucidité autant que dans ses délires provoqués par l'eau-de-feu, son père répète que ces maladies proviennent des Étrangers et qu'il est préférable de ne pas s'attarder dans leur voisinage. L'absence de ces maladies au sein de leur groupe semble lui donner raison car, autant que possible, ils évitent les Français et les Robes-Noires. Il en va autrement des Ouendats. Et de Loup-Curieux. Plusieurs marchands sont arrivés dans un état lamentable tandis que d'autres ont succombé en cours de route. Perdre les services de Loup-Curieux se traduirait pour les siens par une perte significative sur le plan des échanges et, pour elle, par l'abandon du rôle de négociation, habituellement réservé aux hommes. Perdre ce marchand, ce serait perdre cette main sur la sienne... Ce trouble en elle, combattu mais recherché et goûté... Ce désir chaque fois plus fou, chaque fois plus fort, mais chaque fois maîtrisé au nom du bien des siens... Du bien d'Amiconse, tout mou, tout chaud, près de qui elle s'enfonce dans le sommeil, adoptant son souffle lent et régulier. « Ouai ! Ouai ! Ouai ! Les Iroquois ! » Pour cet enfant, elle sacrifierait son propre souffle. Elle le presse encore contre elle. Le petit corps se confond avec celui de son frère Wapitik, qui, par grand froid, se collait contre elle sous la fourrure. Son âme se confond avec celle, inconsolable, de Goutte-de-Rosée, leur mère, et avec celle, tourmentée, de Lynx-des-Neiges, leur père. « Ouai ! Ouai ! Ouai ! Les Iroquois ! » Elle serre les poings. Revoit tous les castors massacrés afin d'obtenir le bâton de feu qui leur aurait permis de délivrer Wapitik.

«Ouai! Ouai! Ouai! Les Iroquois!» Les sons s'intensifient. Se précisent. D'un bond, elle s'éveille et tend l'oreille. Venant du fleuve retentit le cri d'alarme. «Ouai! Ouai! Ouai! Les Iroquois!»

Branle-bas partout dans les campements. Éveillés en sursaut, tous s'affolent, les hommes cherchant leurs armes dans le noir, les femmes secouant les enfants. On s'interpelle, on se cherche, on se crie des consignes. À la hâte, on abandonne les abris pour se ruer vers la porte de la palissade. Bientôt on s'y entasse et on y frappe à coups redoublés en suppliant les Français d'ouvrir. La panique s'empare des femmes. Les enfants pleurent. Les bébés braillent. Mais les portes demeurent fermées.

L'alarme vient des occupants d'un canot parti ce matin en compagnie d'un autre. Ils racontent qu'ils ont été attaqués par des Iroquois à l'affût sur le fleuve et qu'ils ont pu s'échapper de justesse, l'autre canot ayant été capturé. Les hommes se renseignent sur le nombre des ennemis et l'endroit de l'attaque. En peu de temps, une troupe d'éclaireurs s'organise. Flèche-Rapide en fait partie et, avant de quitter la place, il recommande à leur groupe de retourner au campement. N'Tsuk s'y conforme, se sentant plus en sécurité à proximité de la forêt qu'acculée à la porte obstinément fermée du fort des Français. Dans un calme relatif, plusieurs retournent dans leurs abris, où seuls les enfants en bas âge finissent par céder au sommeil. Les autres veillent, l'oreille tendue, appréhendant le pire et ressassant les souffrances que leur ont infligées ces ennemis par le passé. Aussi vive que la flamme du bûcher, la haine attise leur colère et nourrit leur épouvante.

À l'aube, les éclaireurs reviennent, atterrés par les nouvelles qu'ils rapportent. Ils estiment à environ deux cents le nombre des ennemis qui se cachent aux environs du lac du fleuve (lac Saint-Pierre). Quelques-uns ont entendu les Iroquois soumettre des prisonniers à la torture tandis que d'autres affirment avoir perçu la détonation de bâtons de feu.

Les Anishnabecks se préparent au combat alors que leurs femmes fuient avec les enfants et les vieillards. Celles du peuple innu se dirigeant vers Kébec, celles du peuple attikamek remontant la Métabéroutinsipi (rivière Saint-Maurice). Elles n'emportent que le strict nécessaire, laissant abris, provisions et marchandises derrière elles. Ainsi allégés, les canots filent rapidement, propulsés par les vigoureux coups de pagaie que l'adrénaline alimente. Poussées par la terreur, elles se dépensent au-delà de leurs forces, ne songeant qu'à soustraire les plus vulnérables à la férocité des Iroquois.

Parmi elles, Lynx-des-Neiges, pour les assister et se sacrifier au besoin. Il aurait préféré demeurer avec les guerriers, mais Flèche-Rapide s'y est opposé, alléguant que les Français pourraient prendre ombrage de la présence d'un fugitif dans leurs rangs. Peut-être son gendre a-t-il raison. Peut-être pas. Quand il s'agit de verser du sang, importe-t-il vraiment qu'il ne soit pas celui d'un fugitif ?

Haineux, vindicatif, enragé, Lynx-des-Neiges multiplie les coups de pagaie, s'éloignant du combat où, sans cesse, sa pensée le ramène.

* * *

Soir du 7 août.

Dans l'imminence de l'attaque, les guerriers veillent, groupés autour du fort que, sûrement, l'ennemi épie. Ce matin, cet ennemi les a défiés, se présentant seul dans son canot, les narguant et les incitant à la poursuite. Son audace n'avait d'égal que le nombre élevé de ses guerriers, évalué à près de cinq cents par les Français, qui ont envoyé une barque en reconnaissance à la suite de cette provocation. Devant l'énormité de la menace, leurs portes ont cédé, offrant refuge aux quelques femmes et enfants qui n'avaient pu partir, et Onontio a dépêché un canot sur Kébec afin d'obtenir des renforts. Depuis, les combattants attendent, leur visage couvert de peinture de guerre, leurs armes à portée de main, leur courage galvanisé par leurs danses et leurs chants.

Anishnabecks, Ouendats et Français se retrouvent pour la première fois unis dans une guerre défensive en ce lieu où ils ont coutume de s'unir pour leurs échanges. Leur vaste coalition a toujours préparé longtemps d'avance ses invasions en territoire ennemi et elle se voit aujourd'hui prise au dépourvu, risquant d'être envahie à son tour. Menacée chez elle. Coupée de l'artère fluviale, que les Iroquois infestent et contrôlent en amont.

À l'équipe de Loup-Curieux, Flèche-Rapide, Sent-le-Vent et trois des leurs se sont joints. Incapables de communiquer avec les autres dans leur langue, ils ont fait comprendre que l'exclusivité de leurs liens commerciaux les destinait à combattre côte à côte. Sans plus, ils ont pris place dans leur cercle et, depuis, ils se montrent attentifs au moindre de leurs mouvements ou paroles, comme s'ils y entendaient quelque chose.

— Les canotées qui s'en viennent courent un grand danger, s'inquiète Pieds-Dansants.

— Celles qui sont parties vers l'Ouentake avec la Robe-Noire et Tewatirhon courent le même danger... Tout dépend de l'endroit où se trouve l'ennemi... Jusqu'où s'est-il rendu en amont? demande Loup-Curieux.

— Loin... Jusqu'à l'entrée du lac, d'après ma pensée... Ils sont assez nombreux pour se cacher dans les îles et guetter les chenaux... Ils sont assez nombreux pour bloquer complètement le passage, avance l'Aigle.

Ses compagnons l'approuvent d'un hochement de tête. Un calme étrange règne alors qu'à l'horizon subsistent les dernières lueurs du jour et que chacun se remémore les canotées de marchands qui, parties quelques jours plus tard que la leur, étaient attendues sous peu.

— Si les Iroquois sont si nombreux, pourquoi tardent-ils à attaquer ? s'enquiert Pieds-Dansants en s'adressant directement à l'Aigle, susceptible, en tant que chef, d'être plus informé qu'eux.

— Parce qu'ils craignent d'attaquer les Français, qui possèdent le bâton de feu.

— Les oreilles de certains éclaireurs ont entendu éclater le tonnerre des bâtons de feu chez les Iroquois, affirme Loup-Curieux.

— Les oreilles d'un homme parfois le trompent, intervient Parole-Facile. Vois : les oreilles des éclaireurs ont entendu un nombre d'ennemis, mais les yeux des Français ont vu que ce nombre est beaucoup plus élevé... Crois-tu qu'un ennemi supérieur en nombre et tenant en ses mains le bâton de feu hésiterait à nous attaquer ?

— ...

— Les mains de l'ennemi ne tiennent pas le bâton de feu... Quand je serai converti, les miennes le tiendront.

Parole-Facile tend les mains, paumes ouvertes, d'abord vers Loup-Curieux, puis, tour à tour, vers ses compagnons interloqués.

— La Robe-Noire a promis de déposer en tes mains le bâton de feu ? demande Loup-Curieux que cette déclaration renverse, son cousin n'ayant manifesté jusqu'à maintenant qu'hésitation et indécision à l'endroit de la conversion.

— La Robe-Noire a dit qu'un converti serait traité en tous points comme un Français... Je tiendrai le bâton de feu en ces mains-là, assure Parole-Facile, décelant une lueur d'intérêt dans les prunelles de l'Aigle. Plus il y aura de convertis, plus il y aura de bâtons de feu pour défendre l'Ours, ajoute-t-il avec aplomb.

Cette affirmation suscite leur plus vif désir. Qui ne rêve pas de posséder en ses mains l'arme toute-puissante ? Quel peuple, de ce côté-ci du Grand Lac Salé, ne la convoite pas pour assurer sa suprématie sur les autres ? Si la conversion permet effectivement de l'obtenir, le chemin ardu qui y mène est rendu plus accessible aux Ouendats du fait que les Robes-Noires vivent parmi eux. Alors que Parole-Facile se dispose à élaborer sur le sujet, il est interrompu par l'arrivée à l'improviste de Lynx-des-Neiges, accompagné de sa fille. À la vue de N'Tsuk, Flèche-Rapide bondit sur ses pieds, son être entier exprimant son désaccord.

— Toi et moi avons échangé ensemble, commence Lynx-des-Neiges à l'intention de Loup-Curieux.

— Toi et moi avons échangé ensemble, confirme ce dernier en se levant pour l'accueillir, étonné de constater à quel point l'homme a vieilli.

La dernière fois qu'il l'a vu, il était ligoté, bousculé par les Français qui le menaient au cachot. Dans son regard se lisait le reproche de laisser des Étrangers le rudoyer dans son pays. Le chagrin et l'impuissante colère qui ont marqué les traits de Lynx-des-Neiges en l'espace de quatre ans font mesurer à Loup-Curieux l'ampleur du désastre qui, depuis le même nombre d'années, décime les siens. Il y a quatre ans, Champlain imposait la condition d'accueillir les Robes-Noires au Ouentake pour maintenir alliance et partenariat. En grande pompe et grand apparat, plus de cinq cents Ouendats s'étaient rendus à Kébec, à bord de cent quarante canots chargés de fourrures. Que reste-t-il de la grandeur et de la magnificence de sa nation aujourd'hui ? Les voilà dispersés en groupes au pied de la palissade des Français, envisageant de se renier pour obtenir le bâton de feu. Dans l'attente d'une attaque, ils craignent le pire pour leurs canotées, réduites cet hiver par la maladie, pourchassées par elle en cours de route et se trouvant maintenant à la merci de cinq cents Iroquois en amont du fleuve.

— Cet homme est recherché par les Français, objecte Parole-Facile.

— La nuit arrive… Les Français ne pourront le reconnaître… De toute façon, les yeux des Français ne voient pas de différence entre nous, réplique Loup-Curieux, invitant l'incongru visiteur à s'asseoir.

N'Tsuk demeure debout, légèrement en retrait, subissant les foudres silencieuses de son mari.

— Le sang de la vengeance me ramène ici… Les Iroquois ont versé le sang de mon fils… Je suis venu pour verser le sang de l'Iroquois, explique Lynx-des-Neiges au groupe, malmenant de son fort accent oueskarini la langue ouendate.

— Toi et moi avons été unis en nos échanges, répond Loup-Curieux. Il est juste que nous soyons unis en nos guerres. Ma bouche a parlé pour moi, poursuit-il, demandant par là que chacun se prononce sur le sujet.

Sans hésitation, tous acceptent Lynx-des-Neiges dans leurs rangs.

— Et la femme ? demande Parole-Facile, braquant sur elle un froid regard.

— Les bras de ma fille ont permis à mon canot d'aller plus vite, explique Lynx-des-Neiges pour justifier la présence de N'Tsuk.

— Chez les Ouendats, les bras des femmes préfèrent tenir leurs enfants que manier la pagaie, rétorque Parole-Facile, ironique.

— Chez les Anishnabecks, les bras des femmes apprennent à tenir l'enfant et à manier la pagaie… Nous voyageons beaucoup, rappelle Lynx-des-Neiges d'un ton embarrassé, cherchant visiblement l'appui de Loup-Curieux.

— Les Iroquois ont tué mon frère, déclare N'Tsuk avec calme. Ma flèche est aussi précise que celle d'un homme… Quelle importance, le bras qui tend l'arc, si la flèche atteint le cœur?

Loup-Curieux l'observe, la trouvant tellement différente d'Aonetta et pourtant capable de le charmer. Il ne sait ce qui, en elle, éveille chez lui cette attirance. Cela va au-delà de l'apparence physique, bien qu'elle soit assez jolie de visage et d'une belle robustesse. C'est en son âme que réside la fascination qu'elle exerce sur lui. Cette âme si fière. Si intense. Si unique.

— Ses bras savent tendre l'arc aussi bien que ceux de l'homme et ils savent faire tout ce que font les bras des femmes, renchérit Lynx-des-Neiges, tentant ainsi de faire accepter ou, à tout le moins, d'excuser l'irrégularité de l'éducation donnée à sa fille.

Manifestement contrarié, Flèche-Rapide débite quelques phrases saccadées qu'il termine par un geste éloquent en direction de la palissade.

— Son mari a raison… Sa place est dans le fort. L'ennemi ne doit pas la voir avec nous. «Les Ouendats sont réduits à demander l'aide d'une femme», dira l'Iroquois en l'apercevant à nos côtés. Ma bouche a parlé pour moi, lance Parole-Facile.

Soudain, les sentinelles sonnent l'alerte: un canot est en vue. D'un même élan, les groupes se dirigent vers la grève, prêts à intervenir. Sur le qui-vive, ils guettent l'embarcation qui s'approche. Elle n'est pas de facture grossière comme celles des Iroquois, en écorce d'orme, mais cela peut s'avérer une ruse de leur part. De longues minutes s'écoulent avant que les Ouendats ne reconnaissent les leurs, qu'ils accueillent avec fraternité.

Exténués, ceux-ci annoncent la capture, par les Iroquois, des neuf canotées de leur convoi. L'embuscade a eu lieu dans la branche nord du chenal du lac et ils ne doivent leur salut qu'au fait d'avoir choisi d'emprunter la branche sud. Les Français s'informent de la Robe-Noire partie vers l'Ouentake. Les rescapés répondent que le canot de cette Robe-Noire a rencontré, en amont du danger, leur convoi, dirigé par Tarantouan, et qu'il n'y a pas lieu de craindre pour elle. Par contre, le jeune Tewatirhon, qui l'accompagnait par désir de revoir sa mère, s'était laissé persuader par son oncle Tarantouan, important chef-guerrier, de revenir à Kébec afin d'y passer une autre année. À l'instar de tous les membres de ce convoi, il se retrouve donc prisonnier des Iroquois.

La nouvelle jette la consternation. Tous savent ce que signifie le fait d'être prisonnier. Les ongles probablement déjà arrachés afin qu'ils ne puissent défaire leurs liens, les leurs subissent les premiers sévices d'une torture qui atteindra son apogée au pays de leurs bourreaux.

Dans un morne silence, soldats et guerriers de la coalition retournent à leur attente, qui dans leur fort, qui en périphérie de celui-ci pour refouler les premiers assauts, prévoyant de battre en retraite par la suite derrière la palissade. N'Tsuk suit son père, regrettant d'avoir cédé à sa demande. Bien que sa flèche soit précise, elle ne juge pas sa présence pertinente parmi les guerriers. Le récit de Tewatirhon, qui désirait revoir sa mère, l'amène à penser qu'elle aurait mieux fait de demeurer auprès d'Amiconse. Ce qu'elle donnerait pour le tenir dans ses bras en cet instant et lui garantir qu'aucun Iroquois ne viendra l'enlever tant qu'elle sera là pour décocher ses flèches! Qui sait si, au lieu d'attaquer là où on les attend, ces «vrais serpents» ne remontent pas la Métabéroutinsipi pour attaquer là où on ne les attend pas, c'est-à-dire là où les femmes ne peuvent guère se défendre? Comment pourrait-elle se le pardonner si une telle catastrophe se produisait? Se pardonner d'avoir rendu inutiles parmi les hommes ses flèches qui auraient sauvé des vies parmi les femmes?

Les membres de la canotée de Loup-Curieux reforment leur cercle, se disposant à continuer à discuter de son cas. Anticipant le consensus qu'ils atteindront, plutôt que d'essuyer leur rebuffade, N'Tsuk les informe tout de go de son intention de gagner le fort, puis tourne brusquement les talons, les laissant pantois.

D'un pas ferme et rapide, elle se dirige vers la porte entrouverte, décidée à se battre en homme avec la fureur d'une mère. Quelqu'un la rejoint, l'attrape par le coude. Vivement elle se dégage, puis se retourne et la voilà face à face avec Loup-Curieux, si près, oh! si près qu'elle se retrouve, sans trop savoir comment, la joue appuyée contre son thorax. Il l'enferme dans ses bras et, fondus dans la nuit, ils demeurent un très long moment enlacés. Sans rien dire. Sans rien faire d'autre que de communier dans la chaleur de leur corps et la fugacité du moment.

— Je crois en ton courage, mais il appartient à l'homme de verser son sang, dit-il enfin en l'éloignant de lui.

Du revers de la main, doucement, il lui caresse le visage, puis retourne auprès des guerriers.

* * *

12 août, au confluent du fleuve
et de la rivière des Iroquois (rivière Richelieu).

Hier, deux chaloupes d'hommes armés sont arrivées en renfort de Kébec. L'ennemi n'ayant pas attaqué, elles sont parties en chasse, sous les ordres d'Onontio aux commandes d'une barque. Toute la nuit, elles ont vogué vers l'amont, escortées par les canots de la coalition. Ce matin, elles avaient déjà traversé le lac du fleuve, mais des vents contraires se sont levés, les obligeant à s'arrêter dans les îles, voile baissée.

Ce contre-temps a agacé les guerriers de la coalition, qui, à bord de leurs canots, n'avaient qu'à redoubler d'efforts pour contrer le vent. Ils n'avaient encore repéré aucune trace de l'ennemi et il leur tardait de lui mettre la main dessus. Pour Loup-Curieux et les autres Ouendats, chaque minute comptait davantage, les chances de sauver les leurs diminuant au fil de l'attente. Cependant, trop peu nombreux, ils ne pouvaient se dissocier de la petite armada munie du bâton de feu et ils durent se résoudre à patienter. Par bonheur, le vent s'est affaibli au cours de la journée, leur permettant enfin de poursuivre leur route vers la rivière des Iroquois.

Dès qu'il a aperçu l'épaisse fumée à l'embouchure de cette rivière, Loup-Curieux a su qu'ils arrivaient trop tard. Selon son habitude, l'ennemi était reparti après avoir brûlé ses retranchements. Le rejoindre s'avérait encore possible pour leurs canots, beaucoup plus légers que ceux des Iroquois, mais impensable pour les lourdes embarcations françaises. Hélas, sans elles, ils se voyaient privés de l'arme suprême qui compensait le nombre élevé des ennemis, et la poursuite prit ainsi fin.

Les voilà mêlant leurs empreintes à celles des «vrais serpents», les Français constatant avec horreur que la traverse de la croix qu'ils ont érigée a été arrachée, les Ouendats et les Anishnabecks déchiffrant avec non moins d'horreur les dessins peints sur cette traverse suspendue à un arbre ébranché. Trente têtes y figurent, indiquant le total des prisonniers. Deux d'entre elles, nettement plus grosses, représentent deux chefs, dont le brave Tarantouan. Quatre autres, plus petites, désignent de jeunes garçons, excluant Tewatirhon, qui était parvenu à s'éclipser pendant la bataille et à regagner Trois-Rivières. Elles sont peintes en rouge, pour signifier que les prisonniers sont destinés au feu, et une seule est peinte en noir, marquant la mort de l'un d'eux.

Loup-Curieux ne sait ce qui, de la lecture de ce message ou de l'écriteau sur lequel il est inscrit, jette le plus d'angoisse dans son âme. Ses ennemis, censés craindre les Français et leurs bâtons de feu, n'ont pas hésité à les provoquer en s'attaquant à leur puissant symbole. Privée de sa traverse, la croix se transforme en simple poteau. Poteau de torture sur lequel périront Tarantouan et ses compagnons. Cette croix, qu'Ouendats et Anisnabecks ont toujours respectée au nom de la coalition, se voit profanée sans impunité par les Iroquois. Contre ces derniers, le ciel n'a pas sévi et les Robes-Noires ne pourront exercer de vengeance.

Que faut-il en conclure? N'auraient-ils pas dû eux-mêmes démolir au fur et à mesure les croix dressées dans leurs villages et échelonnées le long de leurs rivières? En les respectant, ne leur ont-ils pas reconnu une certaine légitimité?

Ahuri, Loup-Curieux considère la traverse. Arrachée de son poteau, elle n'est plus qu'une pièce de bois plane servant d'écriteau pour proclamer la victoire de ses ennemis. Et la défaite des siens. La Robe-Noire leur a menti: la croix ne les protège pas... Ni contre la maladie ni contre les Iroquois. Sans doute la Robe-Noire ment-elle encore lorsqu'elle prétend que la croix leur permettra d'obtenir l'arme suprême.

Il échange un regard avec Pieds-Dansants. Le temps est venu d'abandonner le canot du marchand pour se couvrir des peintures de la guerre.

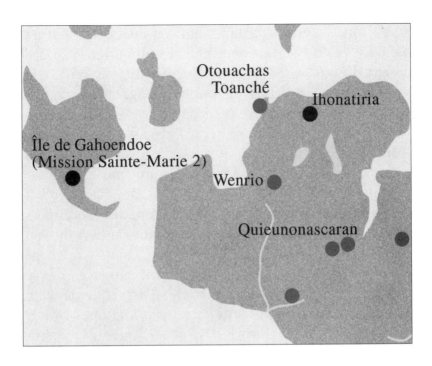

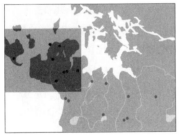

Chapitre 28

Un père

1637, en début d'automne,
aux alentours d'Ihonatiria.

Loup-Curieux s'est réfugié dans la forêt, sans aucune arme. Il n'est ni chasseur ni guerrier. Ni marchand.

Assis, la tête entre les genoux, au pied d'un arbre, il se laisse descendre au fond de sa douleur. Ici, personne ne le voit. Personne ne l'entend.

À force d'être constamment refoulées, les larmes pleurent en lui. Il n'en peut plus de supporter le regard absent d'Aonetta. Sa femme n'habite plus ses yeux. Ces yeux-là dans lesquels il est tombé à l'âge de dix ans et desquels il n'a jamais voulu s'échapper.

Il n'en peut plus de ce regard absent dans un corps trop présent, trop lourd, accroché à lui et répandu en larmes sur le tatouage du loup sur sa poitrine.

Il n'en peut plus de souffrir la vue des vêtements et objets inutiles de ses enfants, de leurs nattes inoccupées dans la case familiale, de leurs places vides autour du feu.

Il n'en peut plus du silence qui règne au village d'Ihonatiria, qui a continué, en son absence, de se dépeupler au profit du cimetière. Parce que le chef Taretandé a osé les accuser de sorcellerie, les Robes-Noires lui ont jeté un mauvais sort. Les Robes-Noires n'acceptent pas qu'on les conteste. Ni même que l'on soit réfractaire à leur présence. Elles ont fait périr son fils, qui, dans son délire, avait révélé son intention de leur fendre le crâne. Elles ont fait périr sa fille, qui pourtant avait appris à se signer de la croix. Elles ont fait périr sa femme, encore vivante, mais morte au-dedans d'elle.

À son retour, il a retrouvé Ihonatiria dans la désolation la plus totale. Les défunts avaient eu droit à de bien modestes funérailles, faute de vivants pour les organiser. Les femmes n'avaient pas encore séché leurs larmes que les marchands rapportaient les ossements de leurs maris ou de leurs fils. Partout, ce n'était que pleurs et lamentations. Partout, des mères anéanties, des veuves, des orphelins. Chacun, chacune avait quelqu'un, quelqu'une à regretter.

À son retour, il n'a pas retrouvé Aonetta. Celle qui en porte le nom lui est étrangère, elle-même étrangère au monde qui l'entoure. Lorsqu'elle l'aperçoit, elle se pend à lui comme s'il pouvait lui venir en aide. Mais que peut-il dire, que peut-il faire pour alléger sa souffrance ?

Rien.

Rien du tout.

À ses enfants disparus, il n'a pu qu'offrir une sépulture décente. Hissés de peine et de misère sur la plateforme, ils avaient été couchés dans des cercueils de fortune que la pluie traversait. Des cercueils qu'il vient de réparer de la même manière qu'il répare son canot, les cousant et les calfeutrant de résine. Parole-Facile et l'Aigle se sont offerts pour effectuer cette tâche, mais il a refusé, par besoin de se retrouver seul avec ses enfants.

Il se devait de les voir pour croire à l'évidence de leur décès. Il se devait de les palper. De passer le doigt sur les traits de leurs visages transformés par la mort. Il se devait d'être avec eux, accablé de regrets d'être parti et écrasé par son impuissance à les protéger s'il était resté. Qu'aurait-il pu faire ?

Rien.

Rien du tout.

Auprès de Doigt-du-Soleil, il a déposé son arc, ses flèches et le couteau qu'il lançait avec tant de précision. Ces armes se sont avérées inutiles contre l'ennemi sans nom et sans visage qui l'a terrassé. Longtemps, il l'a contemplé, se rappelant les paroles de son père : « La guerre que tu connaîtras ne sera pas celle que j'ai connue. » Doigt-du-Soleil est-il mort aux prémices d'une guerre nouvelle ? D'une guerre contre laquelle il n'est pas préparé ? Bien qu'il soit décidé à n'être désormais qu'un guerrier, que valent l'arc et les flèches et même le bâton de feu contre un ennemi sans nom et sans visage ?

Rien.

Rien du tout.

À sa douleur s'ajoute la rage. L'impuissance. L'incompréhension. Depuis qu'il est revenu dans son village ruiné, il serre les mâchoires et se montre fort. Il est Loup-Curieux et il sait contenir ses émotions. Mais ici, dans la forêt, il n'est qu'un homme sans arme. Sans nom. Sans réputation. Il n'est qu'un père… sans enfants.

La tête entre les genoux, il échappe un cri rauque et laisse tomber ses larmes sur les feuilles desséchées de l'arbre. Personne ne le voit. Personne ne l'entend.

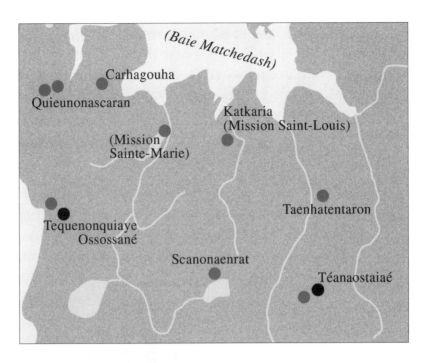

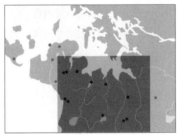

Chapitre 29

Jesus taïtenr

*1638, en ce printemps au très important
village de Teanaostaiaé[1].*

Nuit de torture dans la maison du chef-guerrier.
Les feux rougeoient, la résine bout, les tisons s'accumulent. Une chaleur suffocante règne, appesantie

---

1. Teanaostaiaé : signifie « sentinelle de la rivière ». Situé près du Hilsdale actuel, en Ontario, entre les rivières Coldwater et Sturgeon, il comptait deux mille habitants.

par l'épaisse fumée et l'odeur tenace de la chair grillée.

Patiemment, accompagné de Pieds-Dansants, Loup-Curieux attend son tour pour faire souffrir Ononkwaia, chef-guerrier des Iroquois, à qui ils ont infligé une sanglante défaite, faisant quatre-vingts prisonniers. Ce raid, auquel participaient des alliés anishnabecks, dont Flèche-Rapide, avait pour but de venger la mort au poteau de torture de Taratouan et de ses vingt-huit compagnons. Loup-Curieux ne doute pas que le brave Tarantouan ait fait honneur aux Ouendats en mourant sans crier grâce. Ce soir, c'est au tour de l'un de ses bourreaux de prouver sa valeur, et une colère sans borne l'habite. S'amplifie au fur et à mesure que le supplicié dévoile son courage. L'homme marche maintenant sur les feux incandescents, répétant sans cesse les mots que la Robe-Noire lui a appris en le baptisant. « Jesus taïtenr », leur crache-t-il au visage par défi, exacerbant sa colère. « Jésus, aie pitié de moi », signifient ces mots que lui a enseignés le premier sorcier introduit dans leur village. Pourquoi, au cours de cette nuit, ce sorcier-ci s'est-il empressé de les révéler à leur ennemi ? Pourquoi s'en est-il fait un allié, lui promettant une place dans le ciel des baptisés ? Une fois rendu là, cet Iroquois fera la guerre à Amantacha, à Satouta, à Tsiko, à Aenons et aux autres. À quoi sert la grande victoire qu'ils viennent de remporter si la Robe-Noire envoie ce guerrier en éclaireur dans l'au-delà ? Et à quoi servira cette torture si, aidé de la formule magique de la Robe-Noire, l'ennemi meurt sans une plainte ?

Rien de son immense colère ne transpire dans le visage de Loup-Curieux, mais, en lui, tout gronde et tremble. Il doit arracher un cri de souffrance en remplacement de ces incantations devenues mélopée de mort. Ces paroles qu'il a jadis répétées en français sans savoir ce qu'elles signifiaient et qui aujourd'hui le narguent dans sa langue.

« Jésus taïtenr », psamoldie le prisonnier maintenant à sa merci. « Jésus, aie pitié de moi. »

— Tu es fatigué, dit doucement Loup-Curieux en posant la main sur l'épaule écorchée. Repose-toi un peu, poursuit-il avec compassion, en forçant sa victime à s'asseoir sur les braises. Tu as les fesses bien au chaud, maintenant.

— Jesus taïtenr, lance l'homme en le défiant du regard.

Au moyen d'un bâton, Loup-Curieux groupe les tisons autour des organes génitaux.

— Jésus taïtenr, raille Ononkwaia.

— Arrête de le faire souffrir, intervient la Robe-Noire. Achève-le : c'est un baptisé, maintenant.

— Ce sont nos coutumes, réplique d'un ton ironiquement poli Loup-Curieux en pesant sur la tête du supplicié.

— Vos coutumes ne sont pas de bonnes coutumes.

— Vous avez de semblables coutumes de l'autre côté du Grand Lac Salé. Amantacha l'a dit. Vous faites brûler les gens et les faites souffrir.

— Seulement ceux qui ont commis des crimes contre Dieu.

— L'homme qui est torturé sur la croix avait commis un crime contre Dieu ?

— Ce n'était pas un homme, c'était Jésus, le fils de Dieu.

— Vous avez torturé le fils de votre Dieu et vous ne voulez pas que je torture mon ennemi ?

Soudain, le supplicié montre des signes de défaillance. Loup-Curieux le relève promptement et le porte dans ses bras vers une couche où on lui donne à boire afin qu'il reprenne des forces. Il ne doit pas mourir avant d'avoir demandé grâce, sinon la malédiction se retournera contre eux. La Robe-Noire se précipite à son chevet pour lui faire bénéficier de ses pouvoirs surnaturels.

— Jesus taïtenr, Jesus taïtenr, balbutie l'Iroquois.

« Jésus, aie pitié de moi. » Dans la bouche de son ennemi ancestral, ces paroles deviennent insulte, provocation et maléfices. Il ne doit pas laisser faire la Robe-Noire. Les gens de Teanaostaiaé ne réalisent-ils pas le danger qu'ils courent en offrant l'hospitalité à ces sorciers ? Il adviendra d'eux ce qu'il est advenu d'Ihonatiria et d'Ossossané : la mort dans les maisons, qu'on abandonne parce que trop grandes à entretenir.

— Ne laisse pas la Robe-Noire avec le prisonnier, conseille Loup-Curieux au chef-guerrier qui préside le sacrifice.

— Les chefs civils et le conseil les ont acceptées. Il faut être prudent. Tu es d'Ihonatiria… Les Robes-Noires disent que l'Esprit du ciel vous a punis parce que vous les avez accusées de sorcellerie.

Incapable de réfuter l'argument, Loup-Curieux choisit de quitter les lieux en attendant que le supplicié ait repris un peu de vigueur. Solidaire, Pieds-Dansants lui emboîte le pas. Une bouffée d'air frais et le chant des grenouilles les accueillent à leur sortie. Ensemble, ils arpentent la rue, graves et silencieux, levant de temps à autre la tête vers l'abîme constellé d'étoiles qui les fait se sentir infimes.

— À Teanaostaiaé, il y en a qui prétendent que l'Esprit du ciel que les Français nomment Dieu est supérieur à nos esprits, parce que les Français savent fabriquer des objets de fer et possèdent le bâton de feu, laisse échapper Pieds-Dansants, songeur.

— Ce dieu n'est pas pour nous… Il a pris le corps d'un homme de l'autre côté du Grand Lac Salé qui est impossible à traverser avec nos canots.

— Tu dis vrai. S'il était venu pour les Peuples d'Ici, il serait né de ce côté-ci du Grand Lac Salé que les bateaux des Français peuvent traverser… Les membres du conseil de Teanaostaiaé ont été ensorcelés par la parole d'Echon.

— Pour le plus grand malheur du village, soupire Loup-Curieux.

Il aimerait tant posséder l'éloquence afin de mettre en garde les habitants de cet important village. Hélas, il en est dépourvu et, de surcroît, il vient d'Ihonatiria. Ici, on craint de prêter l'oreille aux survivants de ce village maudit par les Robes-Noires, de peur d'en subir le triste sort. Ici, on s'illusionne sur les avantages commerciaux qu'entraînera l'installation de ces sorciers. Ici, on pense encore à bien nourrir l'Ours... Lui, il cherche à le défendre. Malheureusement, il prévoit qu'ici, dans ces quatre-vingts maisons, la maladie sévira et que la moitié des deux mille habitants succomberont. Il entend déjà les pleurs et les gémissements et voit les récoltes abandonnées dans les champs. L'importante victoire qu'ils célèbrent aujourd'hui est neutralisée par les défaites de demain qu'ils subiront à l'intérieur de leurs palissades. L'ennemi le plus redoutable se trouve parmi eux. Il s'attaque à l'âme même de son peuple. C'est de l'intérieur qu'ils périront. Lynx-des-Neiges a prédit que la vengeance du castor s'accomplirait parce que trop de fourrures leur passent dans les mains. Il avait raison : trop de fourrures leur passent dans les mains pour nourrir l'esprit du chaudron d'or. Cet esprit dont les Robes-Noires boivent le sang et que le supplicié invoque.

— Pour le plus grand malheur du village, reprend Pieds-Dansants, branlant tristement la tête au souvenir de sa nouvelle épouse emportée par la maladie.

D'un geste consolateur, Loup-Curieux lui pétrit l'épaule. Les liens d'amitié qu'il a développés envers ce compagnon de route puis de canotée se sont renforcés depuis qu'ils ont guerroyé ensemble. L'un et l'autre accablés par le deuil, ils se sont lancés au combat avec la furie de ceux qui n'ont rien à perdre. Quelles satisfaction et consolation ils ont retirées à ramener des prisonniers !

Satisfaction et consolation qui se voient, en cette nuit, annihilées par les ténébreuses machinations de la Robe-Noire.

— Le prisonnier a reçu l'eau du baptême sans l'avoir demandée… Cette eau, la Robe-Noire l'a toujours refusée à Soranhes, qui pourtant la demandait et avait appris leurs incantations… Que faut-il y comprendre ? demande Pieds-Dansants.

— La Robe-Noire préfère envoyer notre ennemi dans son au-delà… Si Soranhes avait reçu cette eau, son âme aurait pu rejoindre celle d'Amantacha. Pauvre Soranhes, il s'est suicidé et son âme est condamnée à errer dans l'au-delà [2].

— L'âme d'Ononkwaia ira rejoindre celles des Français et des baptisés. Il est un grand guerrier… S'il meurt sans gémir, il vaincra l'âme des nôtres… Il puise son courage dans l'assistance et la formule magique de la Robe-Noire… Nous devons lui faire demander grâce.

— Nous devons vaincre la Robe-Noire dans sa chair, renchérit Loup-Curieux.

Plus déterminés que jamais, les deux hommes reviennent vers la maison du chef-guerrier, leur haine et leur colère focalisées sur la Robe-Noire qui les combat dans le corps de leur ennemi. La Robe-Noire qui leur a volé leurs êtres chers et qui désagrège leur société par la conversion. Cette sournoise et perfide conversion qui sape les fondements de leur peuple. Et détache de lui Parole-Facile, déplore Loup-Curieux. Il fut un temps où ils étaient tous grains égaux d'un seul épi. Puis la soif du prestige en a séparé quelques-uns, nommés atiwarontas. A suivi la maladie, qui en a fait tomber plusieurs, et maintenant la conversion divise ceux qui restent sur l'épi dépouillé.

---

2. À la fin de l'été 1637, inconsolable, Soranhes s'est donné la mort.

Les convertis n'ont plus le droit de participer aux festins ni aux funérailles. Désormais, dans la joie comme dans l'adversité, Parole-Facile et lui ne sont plus unis. Autour du feu, ils ne mangent plus la même chose, Parole-Facile et Petite-Pluie s'abstenant de viande certains jours. Ils n'accomplissent plus les mêmes tâches, certains autres jours étant interdits de travail. Maintenant, au cou de Parole-Facile pend une médaille qui, prétend-il, a plus de pouvoirs que son oki, et il porte un nom français : Joseph Barthélémie. Que signifie-t-il ? Personne n'en sait rien, mais Joseph Barthélémie n'a pas encore obtenu le privilège de posséder un bâton de feu. Ni aucun converti, d'ailleurs. Alors l'Aigle attend car il n'a pas l'intention d'abandonner ses fonctions de chef, les convertis se devant de renoncer au pouvoir, contrairement aux Robes-Noires, qui l'acquièrent chaque jour davantage.

Cette désagrégation de leur société les affaiblit face à un ennemi à qui les Agnonhas du Sud (Hollandais) n'imposent pas de Robes-Noires pour échanger avec eux. Cet ennemi qui, en cette nuit, leur résiste en alliant son courage à la formule magique du sorcier.

Pieds-Dansants s'arrête à quelques pas de la maison de torture, puis, se tournant vers Loup-Curieux, déclare d'un ton sinistre :

— Si Ononkwaia meurt sans se lamenter...

— Mon esprit ne veut pas s'arrêter à un tel malheur.

— Le mien s'y est arrêté... La Robe Noire est cause de nos maux car par le fer elle nourrit de fourrures l'esprit de son chaudron... Le fer est donc cause de nos maux... Et aussi cause de nos guerres... L'ennemi que nous avons vaincu s'était aventuré hors de son territoire afin de piller les fourrures le long de la Grande Rivière pour obtenir le fer... As-tu déjà pensé à renoncer au fer ?

— À redevenir comme avant ?

— Oui… Comme avant le fer… La seule façon d'affaiblir l'esprit du chaudron d'or, c'est de l'affamer.

— En l'affamant, nous affamons l'Ours.

— Avant le fer, l'Ours vivait bien gras.

Vivre comme avant le fer. N'est-ce-pas ce que préconisait Lynx-des-Neiges? Est-il possible de faire marche arrière? De se débarrasser des Robes-Noires en éliminant toute marchandise provenant de l'autre côté du Grand Lac Salé? Jugée d'abord irréalisable, voire utopique, cette idée a fait son chemin en lui depuis que l'Oueskarini l'a émise, et, maintenant qu'elle est exprimée par un Ouendat, elle le séduit.

— Le nouveau mari de Petit-Tonnerre aussi est décédé au cours de l'hiver. Elle m'a offert de vivre comme avant avec elle… Avant, elle avait mauvais caractère… Elle aura encore mauvais caractère… Je me consolerai à l'idée que je retrouverai mon autre femme dans l'au-delà… Si Ononkwaia ne gémit pas, seras-tu des nôtres avec ta femme?

— J'en serai… Aonetta est comme morte depuis la mort de nos enfants, mais elle sera à mes côtés, promet Loup-Curieux en pressant Pieds-Dansants de pénétrer dans la maison, où la torture a repris.

Les séances de mutilation ont commencé. On coupe, on ampute, on cautérise avec des tisons. Loup-Curieux s'acharne sur sa victime quand vient son tour, l'attaquant dans sa chair comme il l'a attaqué dans la sienne à travers ses enfants. « Jesus taïtenr », répète l'ennemi, à qui il arrache des lambeaux de peau sur les cuisses pour les lui faire manger. Ces mots le poussent à aller plus loin dans la souffrance de l'autre. Chaque fois, ils l'obligent à plus de cruauté. « Je vais calfeutrer ton canot », ironise-t-il en versant de la résine bouillante sur les chairs à vif. Et toujours ces mots l'amènent à la recherche d'une douleur de plus en plus intense dans ce corps. D'une souffrance plus atroce qui arrachera enfin un cri et anéantira le pouvoir de la formule magique de la Robe-Noire.

« Jesus taïtenr. » Il hait ces mots. Il hait la Robe-Noire qui les a enseignés à son ennemi. Il hait les Français qui leur ont imposé les maléfiques sorciers. Il hait le fer qui les accompagne. Le fer rougi des haches qui brûle si bien les chairs, le fer tranchant des couteaux qui lacère si bien les muscles. Loup-Curieux utilise le fer contre le pouvoir des Robes-Noires. Il retourne contre eux cette arme dans le corps du supplicié devenu le champ de bataille où il livre son combat. S'il parvient à le faire gémir, il aura renversé le pouvoir surnaturel de « Jesus taïtenr ». Vaincu l'ennemi sans nom et sans visage. Rien ne l'arrête. Surtout pas ce bras noir qui intervient à l'occasion pour porter la croix aux lèvres d'Ononkwaia.

Le jour se lève et l'on traîne le supplicié vers le bûcher. L'homme tient bon. Son corps n'est que meurtrissure, brûlure, déchirure, mutilation, mais les deux mots fatidiques reviennent constamment sur ses lèvres. Loup-Curieux sent qu'il perd des forces en même temps que sa victime. Le combat de l'un et la souffrance de l'autre s'achèvent. À l'instant où il rend le dernier souffle, l'homme prononce « Jesus taïtenr » et Loup-Curieux a l'impression de mourir avec lui.

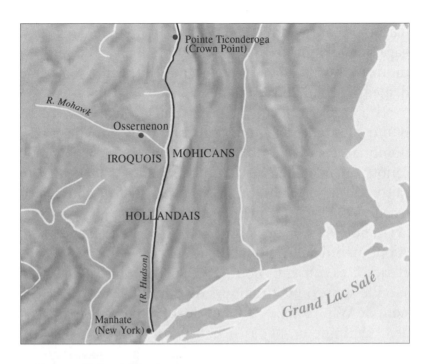

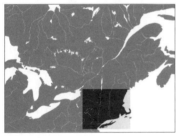

Chapitre 30

Elle seule

1639, en la lune iroquoienne où l'on sème (mai),
village iroquois d'Ossernenon.

Jouir des plaisirs du sexe avec une fille est une chose ;
s'unir avec elle par le mariage en est une autre. Sa
popularité de brillant joueur de baggataway lui a fait
croire qu'il lui serait tout aussi facile de dénicher une
épouse qu'une partenaire sexuelle. Il se trompait. Si sa
peau plus foncée ne posait pas de problème dans une

liaison de courte durée, elle constituait un frein dans l'engagement à long terme et l'engendrement de sa progéniture. Il avait beau être devenu Hatériata, son sang demeurait celui de Wapitik.

Il a réalisé cet amer constat peu de temps avant le retour des guerriers qui ont rapporté au village de nombreuses et belles fourrures dérobées à un convoi de canots ouendats, en sus d'un prisonnier à torturer. En raison de ses origines, on lui avait refusé de prendre part à cette expédition, le maintenant de faction à la porte de la Grande Maison, où il exerçait la surveillance depuis son adoption officielle. À quoi lui avaient servi tous les efforts et sacrifices consentis pour être digne du nom d'Hatériata si on le soupçonnait toujours de camoufler un traître du nom de Wapitik? Ce refus eut des répercussions parmi la gent féminine et, par ricochet, parmi leurs parents. Un guerrier limité à des patrouilles d'adolescent n'avait guère de chances de s'illustrer. Son avenir s'annonçait tout aussi limité que sa mission de peu d'envergure car jamais il ne pourrait acquérir du prestige en rapportant trophées et butins de guerre.

Il essuya un premier refus. Puis un deuxième. On le prétendait trop jeune alors même qu'on commençait à le juger trop vieux pour continuer à faire partie de l'équipe de baggataway. Il ne risqua pas d'essuyer un troisième refus et se contenta de relations passagères jusqu'au jour où il rencontra Qui-Maîtrise-l'Argile.

Il la rencontra alors pour la première fois, bien qu'il l'eût croisée des milliers de fois. Il la découvrit sans jamais l'avoir recherchée. Il la vit comme une merveilleuse apparition, elle pourtant anodine à ses yeux auparavant.

Ce jour-là, il était en quête d'une âme plus que d'un corps. Sa main, la veille, avait tâté les fourrures au dense duvet rapportées par les guerriers et Wapitik s'était signalé à lui. Des souvenirs, des images, des figures jaillissaient, à l'image d'un ruisseau mystérieux où sa mère allait cueillir l'eau. Cette autre mère. En un autre pays… Cet autre père chasseur… Cet autre lui, enfoui dans les profondeurs de son être comme ce ruisseau creusant son chemin dans le secret de la terre… Cet autre lui, remuant dans le tombeau de sa mémoire. Cette mémoire qu'il avait dû verrouiller pour survivre. Ou renaître en un autre nommé Hatériata. Sa main, ce jour-là, rencontra celle, atrophiée, de Qui-Maîtrise-l'Argile, à laquelle manquait le petit doigt. Elle était toute limoneuse de la glaise qu'elle était allée chercher le long de la rivière. Cette glaisière se trouvant assez éloignée du village, il l'accompagnait pour assurer sa protection et l'aider à rapporter la matière nécessaire à la fabrication de ses poteries.

L'artisane était née avec le bras droit plus court que le gauche et la main difforme. Pour contrer cette distraction de la nature, sa mère lui avait attribué le nom clanique de Qui-Maîtrise-l'Argile, fixant ainsi très haut pour sa fille l'objectif de dextérité à atteindre. La fillette s'y appliqua si tôt et si bien qu'elle devint maître dans l'art de fa-çonner et de décorer les poteries. Hélas, les récipients en métal commençaient sérieusement à détrôner les pots en terre cuite, de sorte que son beau talent ne pouvait s'épanouir avec la latitude d'antan. Il ne servait à rien, en effet, de se donner corps et âme à la création de pièces considérées pour leur utilité bon marché. Un pot était un pot et Qui-Maîtrise-l'Argile était celle qui les fabriquait. Il la connaissait bien. Ou plutôt croyait la connaître. Ce jour-là, donc, il lui avait tendu la main pour l'aider à se relever alors qu'elle s'était étalée malencontreusement dans une flaque de boue. Elle le gratifia d'un sourire qui enjoliva son visage trop étroit. Trop osseux. Un visage jusque-là sans attrait. En retirant avec une certaine gêne sa main handicapée de la sienne, elle lui posa une question :

— Est-ce que les femmes fabriquent des poteries, d'où tu viens ?

C'est ainsi qu'il la rencontra, la découvrit, la vit pour la première fois. Avant elle, jamais personne ne s'était intéressé à ce qu'il avait déjà été ni à l'endroit d'où il venait. Tous, y compris lui-même, s'étaient évertués à éliminer Wapitik. Tous, à l'exception de cette fille, de cinq ans sa cadette, mais combien plus mature. Plus profonde. Plus ouverte d'esprit.

Avec elle, il s'autorisa à parler de Wapitik, et plus il lui en parlait, plus il s'en libérait. Ainsi, il retrouvait un équilibre dans son identité, car elle l'acceptait tel qu'il était, sans renier ce qu'il avait été. Elle l'acceptait pour ce qu'il était, et ce qu'il était ne pouvait être sans ce qu'il avait déjà été.

Elle seule le connaissait vraiment car elle seule connaissait aussi Wapitik. Grâce à elle, il put enfin en porter le deuil. L'enterrer décemment dans son cœur qu'elle illuminait. Enjolivait de son visage trop étroit. Refaçonnait de sa main atrophiée à laquelle manquait le petit doigt.

Elle seule l'aimait vraiment. Entièrement. Lucidement.

Elle seule, il aimait vraiment. Pour la première fois. Et la dernière.

Elle seule acceptait son passé et avec nulle autre il n'envisageait l'avenir.

« Elle seule », se répète Hatériata en marchant vers la maison de Qui-Maîtrise-l'Argile afin de l'accompagner à une importante démonstration à laquelle sont conviés les villageois. « Elle seule, elle seule », ne cesse-t-il de se répéter depuis des soleils. Depuis des lunes. Depuis en fait qu'il songe à aborder la question de leur mariage avec ses parents. Cette formule qui bat en lui comme son cœur le pousse vers son destin. Leur destin. La répéter le rassure. Le fortifie. Lui interdit de renoncer au rêve de devenir son époux. Un jour, il osera dévoiler ce rêve aux parents de Qui-Maîtrise-l'Argile. Osera demander leur permission d'être choisi par elle pour vivre ensemble et avoir des enfants.

Un jour, il osera… Un jour, quand il aura des cadeaux à leur offrir… Des garanties à leur donner sur le bonheur futur de leur fille… Pour l'instant, ses mains sont vides et il se répète inlassablement sa formule qui, à l'instar du nom « Qui-Maîtrise-l'Argile », fixe le but à atteindre en dépit des obstacles.

Hatériata croise des gens, des couples, des familles qui, les yeux brillants de curiosité, se pressent vers la place publique, au centre d'Ossernenon. Les enfants courent, excités, bruyants, impatients. Comme leurs parents, ils ont hâte de découvrir la nature de cette démonstration qu'on enveloppe de mystère et sur laquelle on n'a cessé de s'interroger au cours de la journée.

Le jeune homme entend le chef civil lancer une dernière fois les invitations en déambulant par les rues. Il accélère le pas vers sa bien-aimée et s'arrête bientôt devant sa maison, qu'il considère, le cœur gonflé d'espoir. Cette habitation deviendra-t-elle un jour la sienne ? Y occupera-t-il une case avec elle ? Mais que pourrait-il lui rapporter en tant qu'époux, à l'exception de quelques rares fourrures qu'il parvient à récolter durant l'hiver ? Des fourrures de moindre qualité, dont celle du castor est presque absente, la bête étant en voie d'extinction sur leur territoire [1].

Hatériata hésite à soulever la natte du portique, se sentant tout à coup indigne d'y pénétrer. « Elle seule », se répète-t-il plusieurs fois, canalisant ses forces vers le but fixé. C'est la tête haute qu'il doit rencontrer les parents de

---

1. On situe vers 1639 la disparition du castor sur le territoire des Iroquois agniers (Mohawks).

Qui-Maîtrise-l'Argile. C'est sa valeur qu'il doit leur démontrer. S'il a les mains vides, le courage ne lui manque pas et il suffit d'y mettre des armes pour qu'elles apportent du prestige sous ce toit. Animé d'une belle assurance, il entre et se voit aussitôt entraîné vers la sortie par Qui-Maîtrise-l'Argile.

— Vite, Hatériata! Vite! Allons voir ce que nos yeux n'ont jamais vu. Ce que nos oreilles n'ont jamais entendu. Tous les gens de la maison sont déjà rendus. Vite! le presse-t-elle en trottinant.

Interdit, Hatériata constate qu'effectivement le village entier semble s'être agglutiné sur la place publique. Qui-Maîtrise-l'Argile l'informe que ses parents sont parmi les premiers arrivés, ce qui lui fait réaliser qu'elle et lui seront parmi les derniers. De quel œil ses parents jugeront-ils ce fait? Avec lui, leur fille sera-t-elle condamnée à toujours se contenter des dernières places?

Hatériata joue des coudes pour leur frayer un chemin dans la foule curieuse qui se resserre et les laisse à la périphérie. Plus petite que lui, Qui-Maîtrise-l'Argile ne voit que des dos et des derrières de tête. Il la hisse donc sur ses épaules, d'où elle lui décrit la scène.

— Mes yeux voient le chef du village, le chef-guerrier, son fils le Géant, qui est comme ton frère, et autant de guerriers que les doigts d'une main.

— Que fait le Géant?

— Il attend… Tous les guerriers attendent… Notre chef tient un paquet enveloppé d'étoffe au bout de ses bras… Il se promène pour que tous le voient.

— Quelle sorte de paquet?

— Un paquet long… Il a été obtenu en échange de… Attends… De deux fois les doigts des mains de peaux de castor.

— C'est ce que j'entends… C'est beaucoup pour un seul paquet… Il le développe?

— Pas tout de suite… Il le montre encore… Le fait toucher au Géant et aux autres guerriers… Il le reprend… Le développe… Oh !

— Quoi ? Que voient tes yeux ?

Hatériata sent passer dans la foule un mouvement de stupeur admirative à la vue de l'objet mystérieux.

— Que voient tes yeux ?

— Ils voient… Ils voient… Oh !

Soudain, le tonnerre éclate dans le silence de la foule ébaubie. Les enfants fuient, les fillettes laissent échapper des cris stridents. Des femmes se sont jetées par terre, quelques hommes aussi, qui, honteux, se relèvent prestement. Une odeur de foudre flotte dans l'air.

Hatériata a senti sursauter Qui-Maîtrise-l'Argile sur ses épaules, mais l'y a maintenue fermement. Il se tient droit debout derrière la foule décousue et aperçoit au centre de la place publique le chef-guerrier qui brandit fièrement un bâton de feu encore fumant.

Voilà l'arme suprême entre leurs mains. L'arme tant convoitée, capable de faire trembler tous les Peuples d'Ici. Hatériata capte le regard du Géant et ne peut que l'envier d'être parmi les élus appelés à manier l'arme fabuleuse.

Pendant que peu à peu les villageois se remettent de leur frayeur, le chef-guerrier prépare l'arme pour un second coup. Il fait voir à tous la poudre noire, magique et porteuse de foudre, et les plombs ensorcelés que l'arme fait pénétrer dans le corps. D'une voix forte, il indique que ces articles valent autant de castors à l'échange que l'arme elle-même. Il procède avec lenteur, solennité, chacun de ses gestes recelant un pouvoir occulte. Un pouvoir encore incompris, mais enfin accessible. Puis, aux yeux de la foule muselée par la fascination, le chef-guerrier installe l'arme sur sa fourquine et la présente à son fils afin qu'il la fasse éclater comme le tonnerre. À la surprise générale, celui-ci invite Hatériata à venir le rejoindre.

Qui-Maîtrise-l'Argile manifeste alors son désir d'être descendue de ses épaules, mais Hatériata l'y maintient solidement et s'avance d'un pas sûr, affichant haut et fort ses sentiments à son endroit. «Elle seule, elle seule», marmonne-t-il entre ses dents, humant avec délectation l'odeur de la foudre, qui s'accentue au fur et à mesure qu'il s'approche du Géant. «Si la puissance a une odeur, c'est bien celle-là», pense-t-il.

— Hatériata, ta victoire au jeu était ma victoire parce que mon cœur battait avec le tien dans ta poitrine… Aujourd'hui, l'honneur qu'on me fait est ton honneur parce que ton cœur bat avec le mien dans ma poitrine… À toi de faire éclater le tonnerre, offre le Géant, indiquant l'arquebuse chargée en position de tir sur sa fourquine.

En déposant Qui-Maîtrise-l'Argile, Hatériata remarque les parents béats de celle-ci au premier rang. Il leur accorde un regard plein de confiance et de respect, avant de recevoir les instructions du chef-guerrier.

Honneur suprême. Moment unique. Hatériata pose les mains sur l'arquebuse et ressent un mouvement dans la foule, saisie de crainte et d'admiration. Au simple contact, l'arme fabuleuse lui transmet sa puissance et la certitude qu'elle seule saura garantir son avenir avec Qui-Maîtrise-l'Argile.

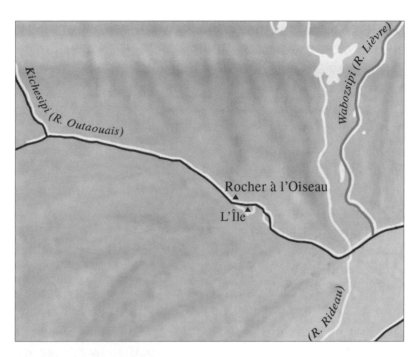

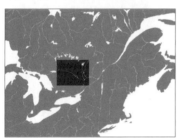

Chapitre 31

L'Île de Tessouat

1639, en fin d'été, sur l'Île des Kichesipirinis.

Île de la mort que plus aucun gardien ne surveille. Poste de douane abandonné, passage libre. Ce que voient ses yeux et ce qu'entendent ses oreilles lui fait plus mal qu'une pointe de lance dans la chair. Et lui, Tessouat, troisième du nom, sait très bien qu'il ne peut retirer cette pointe, mais qu'il doit se l'enfoncer jusqu'à s'en transpercer.

Ses yeux voient des corps, par centaines, couverts de pustules et dévorés de fièvre. Ses yeux voient la vomissure et les excréments dans les cabanes où gisent pêle-mêle les vivants et les morts. Ses yeux voient les chiens dévorer les cadavres. Qu'arrivera-t-il à ces défunts dans l'au-delà? Comment pourront-ils entreprendre le grand voyage s'ils se retrouvent dans l'estomac, puis dans la crotte d'un chien?

Plus personne n'a la force d'enterrer les morts. Plus personne n'a la force de donner à boire. Ses oreilles entendent monter, de partout, pleurs, râles, gémissements et délires. Ses oreilles entendent passer la Grande Rivière tout autour, avec ses eaux fraîches et tumultueuses, sans qu'elle puisse éteindre le feu dans les bouches desséchées.

Ses oreilles entendent le chaman malade qui se lamente de son impuissance et reproche à certains de songer à abandonner les croyances de leurs pères.

« Le corps des Kichesipirinis est de hache », déclarait Tessouat, deuxième du nom, dit le Borgne, aux Ouendats et à leurs alliés français, les menaçant par cette métaphore d'empêcher les haches de circuler. Quelques mois plus tard, il décédait, et son peuple affligé exigea, en plus du péage usuel, d'exorbitants cadeaux de condoléances. Dès lors, le passage se rouvrit pour qui payait et ainsi le demeura.

Aurait-il dû adopter la ligne dure de son prédécesseur? Aurait-il pu empêcher les haches de transiter par l'Île sans porter ombrage aux Français, qui, en escortant les convois des Ouendats, assurent par la même occasion la sécurité des siens sur la Grande Rivière, où guettent des Iroquois dont certains sont munis du bâton de feu? Il se sent responsable d'avoir permis au mal étrange d'accoster l'Île en même temps que les Robes-Noires et les Ouendats aux bras chargés de haches. Ses yeux ont vu le mal apparaître sous forme de taches sur les visages, s'étendre ensuite sur tous les membres et devenir des boutons purulents. Ils ont vu tomber tout aussi facilement les robustes gardiens de l'Île que les femmes et les enfants [1].

Troisième du nom, Tessouat ferme les yeux. Se bouche les oreilles. La mort règne sur son Île, qu'emprisonne dans ses eaux la Mahamoucébé, la rivière du commerce, par laquelle les haches circulent. En lui s'enfonce la pointe de lance empoisonnée du doute. Le corps des Kichesipirinis aurait-il dû demeurer de hache ?

---

1. Durant l'été 1639, la petite vérole se répandit dans la vallée du Saint-Laurent. L'épidémie s'étendit le long de l'Outaouais et atteignit la Huronie avec le retour des marchands en provenance de Québec et de Trois-Rivières.

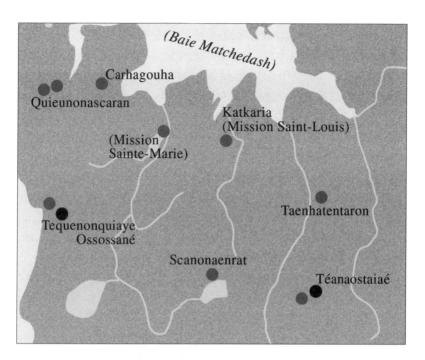

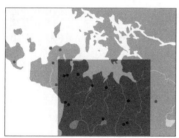

Chapitre 32

Séparation

1640, en la lune iroquoienne où le poisson doré donne (avril), village d'Ossossané.

Loup-Curieux et Parole-Facile ont tenu à voir ensemble le lever du soleil. Sous les étoiles pâlissantes, ils se sont rendus sans bruit sur un petit monticule choisi la veille pour son élévation et sa position au milieu des champs. Dans l'attente de l'aube, ils s'y sont assis pour fumer, conscients de la gravité de leur démarche et de la fugacité du temps.

Les chances qu'ils se revoient s'avéraient aléatoires ; celles qu'ils continuent à vivre dans la même communauté, nulles. Le soleil allait se lever sur le jour de leur séparation, Loup-Curieux partant vivre avec un groupe de traditionalistes, Parole-Facile demeurant à Ossossané, où la famille avait déménagé à la suite de l'anéantissement d'Ihonatiria. L'un comme l'autre avaient apporté des objets à échanger et attendaient l'astre sacré pour le faire.

Le froid de la nuit avait couvert rigoles et flaques d'eau d'une mince pellicule de glace. Éprouvé par la maladie, les fesses trempées par le sol humide, Parole-Facile se mit à frissonner, puis à grelotter. Par respect, Loup-Curieux fit mine de n'en rien voir, sachant que son cousin souffrait d'être réduit à un tel état d'affaiblissement.

Lui-même n'avait pas été atteint par la maladie, ni Aonetta. Était-ce dû au fait qu'ils avaient été hébergés auprès de Pieds-Dansants dans la maison du Loup, où la Robe-Noire ne s'était pointée qu'une seule fois, expulsée sur-le-champ par Petit-Tonnerre, qui avait envoyé voler son crucifix par la porte ? Sans doute, car la maison de la Grande Tortue, qui s'était montrée plus hospitalière aux sorciers, avait perdu la moitié de ses gens, dont l'Aigle, sa fille de neuf ans et son fils de six ans, ainsi que le fils de Parole-Facile, également âgé de neuf ans. De tous les maux qui ont sévi depuis l'arrivée des Robes-Noires, celui-ci avait été le plus foudroyant. Le plus monstrueux. Il consumait les corps de fièvre et les couvrait de pustules qui, une fois guéries, grêlaient la peau de cicatrices. Parole-Facile en avait plein le visage, ainsi que sa fille de trois ans.

Parce qu'il leur restait peu de temps à être ensemble, il passa vite. Trop vite. Aux premières lueurs blanchissant le ciel succédèrent les premiers rayons étincelant sur le givre et la glace. Revenus au pays depuis peu, les oiseaux se sont mis à lancer leurs cris, occupés déjà à revendiquer leur territoire et à préparer leurs accouplements. Puis le disque doré s'est hissé à l'horizon, illuminant çà et là les désolantes silhouettes de plants de maïs desséchés. Délavés. Abandonnés sur place au temps de la récolte. Des plants brisés par les oiseaux et les ratons-laveurs, en quête de grains. Des plants à l'image de leur société frappée par le fléau. Le grand fléau [1]. Aveugle et impitoyable envers les Peuples d'Ici.

Les voilà placés l'un et l'autre devant ce qui est à l'origine des voies différentes qu'ils s'apprêtent à emprunter. C'est ici et maintenant que la scission s'opère. Sur ce monticule, à l'heure où le soleil qui fait croître toute végétation éclaire des plants morts debout.

— Est-ce que vos femmes ont ce qu'il faut de semences ? s'enquiert Parole-Facile.

— Elles ont ce qu'il faut de semences pour ce que nous avons défriché.

— Nos femmes n'auront pas ce qu'il faut de bras pour ensemencer tout ce qui est défriché… Vos femmes parties, cela en fait encore moins… Et moins de bras d'hommes pour rebâtir le village en plus petit, ajoute Parole-Facile.

— La décision est prise de rebâtir ?

— Non, pas encore… Le conseil doit remplacer l'Aigle pour prendre une décision. Il décidera peut-être de déménager… Nos maisons sont deux fois trop grandes et il y a moitié moins de femmes pour ramasser le bois de chauffage… Moitié moins de femmes aussi pour cultiver des champs trois fois trop grands… L'Ours manque de bras pour reconstruire, glisse Parole-Facile dans une dernière tentative pour faire changer d'idée à son cousin.

---

1. L'épidémie de petite vérole qui a sévi dans les vallées du Saint-Laurent et de l'Outaouais, ainsi qu'en Huronie, de l'été 1639 au printemps 1640.

— Nos bras construiront hors de la vue des Agnonhas et des Robes-Noires pour sauver l'Ours, répond Loup-Curieux avec conviction.

— Ou l'affaiblir… L'Ours a déjà perdu beaucoup de bras[2].

— Ce sont les Agnonhas et les Robes-Noires qui privent l'Ours de ses bras… Nos pensées nous séparent… C'est ainsi… J'agis selon ma pensée, toi selon la tienne… Cet hiver, sous presque tous les toits, les langues parlaient de tuer les Robes-Noires… Cet hiver, ta pensée était sœur de la mienne car ta langue désirait la mort des sorciers.

— Comme beaucoup parmi les gens de l'Ours, j'ai désiré la mort des sorciers, mais il aurait fallu que le meurtrier ne soit pas un fils de notre tribu ni d'aucune tribu de la confédération. Fendre le crâne d'une Robe-Noire, c'est fendre le crâne de l'Ours, a dit l'Aigle lors du conseil général tenu à ce sujet[3]. La vie d'une Robe-Noire vaut beaucoup plus que celle d'Étienne Brûlé… Les Français ne pardonneraient jamais leur exécution.

— Il ne reste qu'une façon de se débarrasser des Robes-Noires qui nourrissent l'esprit de leur chaudron d'or avec des fourrures… Les langues ont parlé sous tous les toits de priver les Robes-Noires de maïs et de fourrures… Si les bras avaient suivi les paroles des langues, notre groupe serait resté.

— Priver les Robes-Noires de maïs et de fourrures, c'est priver l'Ours du fer… Cela est impossible.

---

2. Certains historiens supposent que, par suite des épidémies, la population des Hurons (Ouendats), estimée à trente mille âmes en 1630, est tombée à dix mille âmes en 1640. D'autres avancent que, de 1634 à 1640, le peuple huron fut réduit de moitié. Des quatre tribus de la confédération, celle de l'Ours fut le plus atteinte.

3. En mars 1640, un conseil général eut lieu pour étudier la position que devait prendre la confédération vis-à-vis des jésuites, tenus pour responsables de la propagation de la maladie. Les chefs n'arrivèrent pas à un consensus, une seule tribu s'opposant à leur exécution.

— Cela est impossible à cause des atiwarontas et de ceux qui agissent comme des atiwarontas... Sans eux, notre groupe n'irait pas s'établir ailleurs, résume Loup-Curieux.

— Le désir du fer a donné naissance aux atiwarontas... Il y en a dans tous les villages, dans toutes les tribus, chez tous les Peuples d'Ici. Il y a un atiwaronta dans le cœur de tout homme... Éliminer le fer est possible, mais pas le désir du fer...

— Ce désir mène l'Ours à sa perte.

— Ou à sa victoire...

— Contre qui, cette victoire? Y a-t-il en tes mains l'arme toute-puissante qu'on sait maintenant en des mains iroquoises? Contre quoi, cette victoire? Qu'a fait le fer contre la maladie qui a empêché les femmes de récolter ce maïs?

D'un geste large, Loup-Curieux indique les champs de culture ceinturant la palissade, construite, selon les suggestions des Robes-Noires, en quadrilatère flanqué de deux bastions aux coins, chacun permettant à des soldats armés d'assurer la défense de deux façades.

— Le fer ne peut rien contre la maladie, mais il a aidé les hommes de ton groupe à défricher, remarque Parole-Facile.

Loup-Curieux accuse le coup, se remémorant avec un certain embarras cette première entorse à leur ligne de conduite.

— Renoncer au fer sera difficile, confesse-t-il. Pourtant, nos pères et les pères de nos pères ont vécu sans lui.

— Tu dis vrai... Ils ont vécu sans lui, mais nos pères ont aimé le fer... Ma mémoire se souvient du gros arbre abattu par mon père avec une hache de fer.

— C'était à Quieunonascaran... Tes fesses doivent se souvenir de la plus grosse souche que cet arbre a laissée dans le champ. Tu t'assoyais toujours dessus, évoque Loup-Curieux d'un ton espiègle.

— Oh oui! mes fesses se souviennent. Elle était pointue, cette souche.

— Tes fesses trouvaient la souche pointue, mais ton visage voulait montrer qu'elle était confortable, rappelle Loup-Curieux, échappant un petit rire auquel son cousin répond.

— Elle l'était pour mon âme... C'était la souche du plus gros arbre abattu de mémoire d'homme... et cet homme était Taïhy, mon père.

— Nous vivions heureux sans le fer, conclut Loup-Curieux.

Ces mots les catapultent au temps de leur enfance. En ce temps où leurs champs regorgeaient des fruits du labeur des femmes et où, gamins enthousiastes, ils rêvaient de voir des chiens français aux oreilles molles et de munir un jour les mains de l'Ours du bâton de feu.

Qu'en est-il d'eux trente ans plus tard? Qu'en est-il de l'Ours?

— Mon cœur se réjouira d'apprendre que vous vivez heureux sans le fer, avoue Parole-Facile.

— Mon cœur se réjouira de garder une place pour toi près de notre feu. Tu es comme mon frère, mais nos pensées nous séparent... C'est ainsi... Nos croyances aussi nous séparent... Quand ton fils est mort, tu as enlevé l'oki des Robes-Noires de ton cou et tu as cessé de pratiquer leurs coutumes... Ma pensée a alors retrouvé la tienne. Aujourd'hui, je vois encore l'oki des Robes-Noires à ton cou et tu pratiques encore leurs coutumes... Nos croyances ne sont plus les mêmes... Tu agis pour plaire aux Robes-Noires afin d'obtenir le bâton de feu qui t'aidera à défendre l'Ours... J'agis pour affamer l'esprit du chaudron d'or des Robes-Noires, pour défendre l'Ours... Toi et moi avons un même but. Toi et moi sommes fils de l'Ours.

— Toi et moi sommes frères en l'Ours.

— Des frères qui ne vivront plus sous le même toit ni de la même manière... Le soleil levé m'indique de partir... Il est témoin de ce qui nous unit et nous sépare... Il est témoin du fer que je te laisse.

Loup-Curieux dépose devant son cousin cinq chaudrons empilés les uns dans les autres, celui du dessus contenant des couteaux, des haches, des hachettes, des pointes de flèche et de harpon, tous objets auxquels les traditionalistes renoncent.

— Le ciel est témoin de la pierre laissée en échange, déclare Parole-Facile en désignant près de lui un récipient d'écorce rempli d'armes et d'outils de silex, d'obsidienne et de quartz.

Émus, les deux hommes se composent un visage imperturbable. Révéler leurs sentiments n'est pas dans leurs coutumes ; alors, en marchand et fils de marchand, ils manifestent simplement leur agrément à l'échange, puis se lèvent afin de prendre congé l'un de l'autre.

— Ton groupe nous quitte, indique Parole-Facile en apercevant des gens qui, chargés de paquets, franchissent la porte de la palissade.

Loup-Curieux se tourne vers eux et fait signe d'attendre à Pieds-Dansants, qui mène la marche avec Petit-Tonnerre. D'un geste cérémonial, il se défait de son carquois, porté en bandoulière, et l'offre à son cousin.

— L'enseignement des Robes-Noires t'interdit de porter un oki... Ce carquois n'est pas un oki... Prends-le... Il est fait de la peau de Quatre-Pattes... Elle t'accompagnera...

Du bout du doigt, effleurant le carquois, Parole-Facile touche à son enfance. L'énorme différence entre ses rêves d'alors et ce qu'il est devenu le frappe. Quelque part, en quelque temps, il y a eu rupture entre l'enfant et l'homme. Peut-être était-ce le jour où il a sacrifié Quatre-Pattes par ambition. Petit garçon, il s'imaginait plus tard valeureux guerrier et chef élu pour ses grandes qualités. Le voilà miné par la maladie et le doute, pressenti pour remplacer l'Aigle et portant le nom de Joseph Barthélémie dans l'espoir d'obtenir un bâton de feu. Est-ce lui ou son cousin qui fait fausse route?

— Garde aussi les flèches: leurs pointes sont en fer, précise Loup-Curieux.

— Accepter ces flèches remplit mon cœur d'inquiétude. Il te faut du fer pour te protéger.

— Ne crains pas pour moi… Mon oki me protège, assure Loup-Curieux en touchant la petite tortue suspendue à son cou.

Parole-Facile accepte le carquois, désolé de n'avoir rien à offrir en retour. Il l'accroche en bandoulière, enserre les avant-bras de Loup-Curieux et l'attire un moment vers lui pour enregistrer son odeur et sa stature, de tout temps plus grande que la sienne. Les frères en l'Ours, tournés l'un vers l'autre, échangent un long regard d'adieu.

Seul sur son monticule, Parole-Facile regarde marcher Loup-Curieux entre les plants dressés comme des squelettes, portant contre sa hanche les objets de pierre dans leur contenant. Bientôt, son cousin rejoint le groupe, qui se met en branle. Groupe qui lui semble bien vulnérable, dépourvu des armes des Agnonhas, et qu'il accompagne du regard. Lorsque le dernier membre de la petite colonne d'exilés volontaires disparaît à l'horizon, Parole-Facile revient à Ossossané, peinant pour rapporter les objets de fer en raison de son affaiblissement. Alors qu'il pénètre dans la palissade érigée à la française, il se sent tout à coup vulnérable, lui aussi.

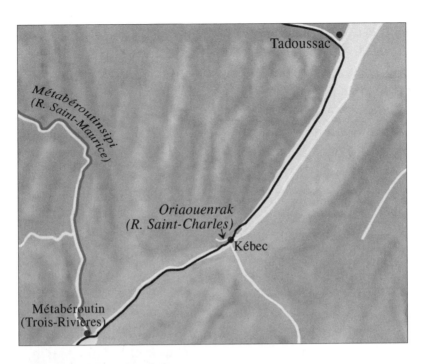

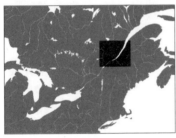

Chapitre 33

La dernière
évasion

*1642, en la lune algonquienne
des fruits sauvages (août), Kébec.*

Lynx-des-Neiges boit de l'eau-de-feu à l'embouchure
de la rivière, où bientôt la marée montera. Les Innus
nomment cette rivière Cabirecoubat, « celle qui
tourne et fait plusieurs pointes », et les Ouendats,
l'Oriaouenrak, « la rivière à la truite ». Quant aux
Français, ils l'appellent rivière Saint-Charles, un nom

qui n'évoque rien chez les Peuples d'Ici. Lui, Lynx-des-Neiges, il l'a baptisée «rivière Captive». Captive des Agnonhas, Français ou Anglais, inévitablement, parce que trop près de leurs habitations. Trop intime avec le grand fleuve où voyagent les bateaux de bois. Comme toute captive, elle perdra peu à peu son identité pour adopter celle des maîtres qu'elle sert. Rivière Captive, voilà qui lui convient.

Assis les jambes repliées devant lui, sciemment, il boit. Pour oublier. S'oublier. Il n'a cure maintenant d'être reconnu comme fugitif par les Français. Il va leur échapper de toute façon. S'évader de lui-même et de ce monde où il n'a plus sa place. Ce nouveau monde, importé de l'autre côté du Grand Lac Salé, et qui chamboule l'ancien qu'il a connu.

Près de la rivière Captive, il boit et l'entend pleurer. Comme pleurent les femmes et les enfants. Tant de larmes ont coulé pour tant de morts qu'il se sent étranger au royaume des vivants, la plupart des siens l'attendant dans l'au-delà. Il ne lui reste plus maintenant que sa fille N'Tsuk, le mari de celle-ci et leurs deux fils, le plus jeune, de trois ans, nommé Wapitik. Il affectionne tellement cet enfant qu'il ne peut supporter l'idée de le perdre comme il a perdu son fils. Alors, il boit. Pour oublier.

Oublier ce qu'il a entendu de la bouche des rescapées oueskarinies qui se sont échappées des Iroquois et qui ont rejoint Métabéroutin dans un état lamentable, le corps lacéré par les buissons, exténuées et à moitié mortes de faim. Ce qu'elles avaient vécu n'était cependant que douceur comparativement à ce dont elles avaient été témoins. L'attaque, en pleine nuit d'hiver, de leur campement, à proximité de la Kichesipi, le massacre des leurs, la pénible marche vers la captivité sur la surface blanche de la rivière, les bébés brûlés sous les yeux horrifiés de leur mère en cours de route, et, dans les bourgades iroquoises, les prisonniers et prisonnières livrés à la torture des ennemis, qui se vantaient d'avoir l'aide des Étrangers du Sud. En raison de leur âge et de leur sexe, on avait épargné ces femmes, dans le but d'en faire des esclaves. Par elles, il avait appris le décès de Plume-de-Perdrix, la dernière sœur qui lui restait, les deux aînées ayant été fauchées par la grande fièvre qui couvre les corps de pustules. Les Iroquois avaient également massacré son mari, ses deux fils et ses deux petites-filles, de sorte que seule sa fille Nesk, au pays de son mari attikamek, portait encore son sang. Tant de larmes ont coulé pour tant de morts. Alors, il boit. Pour oublier.

Oublier que les Iroquois possèdent le bâton de feu et ne craignent donc plus les Français. Par conséquent, décimés par la maladie, les Ouendats et les Anishnabecks se trouvent maintenant à leur merci. Tragiquement, ils tombent dans leurs embuscades, le long des rivières, et se font piller leurs fourrures. Avec ces fourrures, les Iroquois obtiennent des bâtons de feu et, avec ces bâtons de feu, ils pillent encore plus de fourrures. Des fourrures de castor. Alors, il boit pour oublier.

Oublier cette vengeance qui délaisse le visage de la maladie pour prendre celui de la guerre des fourrures. Fourrures de castor, anciennement protégées par les Français détenant l'arme suprême, aujourd'hui piratées par les ennemis jouissant du pouvoir que confère cette arme. Jadis si redoutés, leurs alliés français tremblent maintenant devant les Iroquois, qui sont beaucoup plus nombreux qu'eux et qui les combattent à armes égales [1]. À peine les Français avaient-ils érigé un fort à l'embouchure de la rivière des Iroquois (Richelieu) pour leur bloquer la

---

1. Alors que la colonie française ne comptait pas trois cents âmes au total, les Agniers, qui attaquaient dans le secteur de la Nouvelle-France, comptaient huit cents guerriers.

route que ceux-ci l'ont attaqué, nullement impressionnés par la présence d'Onontio. Ils ont également capturé une Robe-Noire et plusieurs membres d'un convoi d'Ouendats retournant dans leur pays. Rien ne les effraie. Rien ne les arrêtera. Alors, il boit.

Il boit pour oublier les reproches et les insultes de son gendre. Entre eux, les frictions n'ont fait qu'augmenter depuis que les nombreux décès les ont contraints à vivre sous le même wigwam. Chez les Oueskarinis, il n'est plus une famille, plus une bande qui n'ait été reconstituée. Le nombre de chasseurs ayant chuté drastiquement, ils ont dû se réorganiser en fonction des meilleurs territoires et il a passé l'hiver sur celui de Flèche-Rapide, à Nominingue. Avec ardeur, il a défendu la possibilité de compter N'Tsuk parmi les chasseurs. Avec mépris, Flèche-Rapide l'a accusé d'avoir manqué à leurs coutumes en enseignant à sa fille des choses d'homme et d'être une bouche inutile parce qu'il boit. En cela, son gendre a raison. Alors, il boit. Pour oublier qu'il boit les profits de leur saison de chasse. Oublier ce qu'il est devenu. Il boit pour oublier qu'il n'est plus chez lui en ce pays devenu étranger. Pour oublier l'étranger qu'il est devenu chez lui.

Le voilà membres engourdis, lèvre pendante, œil vitreux devant les flots de la rivière Captive montant à l'assaut de la grève. Il se remémore Loup-Curieux, à qui, sur cette même grève, il avait demandé de lui obtenir des Anglais un bâton de feu pour délivrer Wapitik. Qu'est-il advenu de ce marchand lié à lui par la magie de l'oki trouvé dans le gésier d'une outarde ? La maladie ou la guerre l'aurait-elle emporté, pour qu'il ne fasse plus partie des convois ouendats ? Cette année encore, N'Tsuk l'attend à Métabéroutin, dans l'espoir de lui échanger leurs fourrures. Que pensera-t-elle de lui, son père, quand elle découvrira qu'il a filé avec une partie de ces fourrures pour les troquer contre de l'eau-de-feu avec des Innus de sa connaissance, à Kébec ? Flèche-Rapide a raison : de grand chasseur nourrissant les bouches des siens, le voilà devenu bouche inutile, avalant à grands traits les profits des siens. Quelle déchéance ! Son ancêtre Wapitik le voit-il de l'au-delà, jugeant qu'ils auraient mieux fait de se creuser un chaudron de bois plutôt que d'en désirer un en métal ? Que de honte il ressent ! Alors, il boit.

Il boit pour oublier. Pour s'oublier. Pour se perdre et se retrouver. Perdre ce qu'il est devenu. Retrouver ce qu'il était. L'eau-de-feu endort sa douleur et sa honte. Le conduit vers un état de non-être de son être. Ou de plus-être de son être. Il ne sait pas... Son esprit s'embrouille... Ses sens s'émoussent.

Il entend aboyer des chiens... Sent l'eau de la rivière Captive lui caresser les jambes, lui chatouiller les fesses, lui enlacer la taille... Les chiens aboient toujours... Des chiens qui viennent de l'autre côté du Grand Lac Salé... Les chiens d'Ici n'aboient pas, mais hurlent. Les Français, l'ayant reconnu, viennent-ils pour s'emparer de lui et l'emprisonner ? Possible. Il s'en moque... Il va leur échapper... S'évader encore une fois... Se soustraire à leurs lois...

L'eau-de-feu l'emmène très loin. Si loin qu'aucun homme ne pourra le rejoindre...

Les chiens hurlent, rabattant et épuisant les wapitis... Sur ses raquettes, il court aussi vite que le lynx sur la neige... Le grand cervidé panique, s'essouffle, s'empêtre... Il voit le blanc de ses prunelles apeurées, la vapeur à son museau couvert de frimas... Il voit la viande qu'il rapportera au wigwam, la peau que Goutte-de-Rosée tannera pour confectionner de beaux vêtements décorés de broderies, les tendons qui deviendront cordes, les os transformés en couteaux et grattoirs... Les chiens hurlent dans le blanc de la neige... Le blanc du pelage où se mêle le sang du wapiti à celui du chien sacrifié.

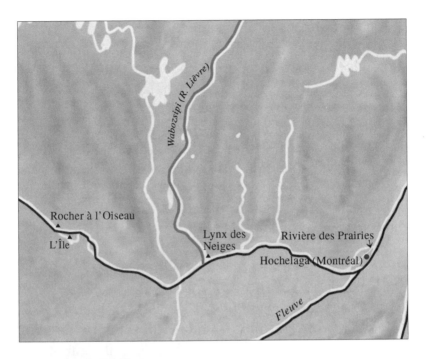

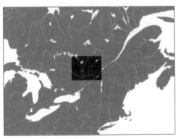

Chapitre 34

Le maître
à genoux

1643, Ville-Marie, chapeautée par la Société Notre-Dame de Montréal pour la conversion des sauvages de la Nouvelle-France.

Avec dignité, Tessouat, troisième du nom, s'avance vers la Robe-Noire pour recevoir le baptême. Ce qui reste de son peuple l'y oblige. Il se doit de lui garantir un refuge en cette île giboyeuse se trouvant maintenant sous la protection des Français.

M. de Maisonneuve, son parrain, lui a promis un champ et deux hommes pour le travailler pendant un an. De plus, il lui fera don d'une arquebuse et de tout ce qu'il faut pour s'en servir. Depuis l'an dernier, les Français consentent à échanger le bâton de feu avec ceux qui se convertissent. Alors, il se convertit.

Il a bien averti les Robes-Noires de se tenir prêtes à pratiquer leur rituel de l'eau, car si lui, depuis toujours récalcitrant à leur enseignement, renonce aujourd'hui publiquement à ses croyances, il ne doute pas que plusieurs en feront autant afin de se munir de l'arme suprême.

Il leur faut à tout prix s'armer et se regrouper car le peuple de la Grande Rivière n'a plus sa rivière, dont les Iroquois se sont emparés. Et lui, le maître de l'Île, n'a plus d'île. Il l'a quittée comme on quitte un canot percé. Avec les siens, malades, apeurés, affamés. Jamais il n'aurait cru devoir abandonner le lieu de leur naissance et de leur sépulture. Jamais il n'aurait cru que cette place stratégique puisse devenir un lieu si vulnérable. Il a suffi pour cela que la maladie et la famine la privent de ses gardiens et de ses guerriers, et que les Iroquois, armés d'arquebuses, attaquent en nombre.

Ce que voient ses yeux le brûle comme la pointe d'une lance empoisonnée qui s'enfonce toujours en lui. Son peuple, jadis fier et prospère sur l'Île, n'est plus qu'un peuple errant, quémandant nourriture et protection à l'Étranger. Son peuple est comme un arbre coupé de ses racines et tombé dans la rivière qui l'a fait échouer ici.

Il se rappelle tout le maïs et toutes les fourrures qui ont transité par les mains des Enfants de la Grande Rivière. Tous les outils de cuivre des lointains ancêtres, toutes les peaux, dents de morse, poteries qui, depuis toujours, ont passé par leurs mains. Et il revoit, dans l'entrepôt des Français, les montagnes de fourrures allumant l'étincelle de la cupidité dans les yeux. Est-ce parce que cette étincelle brilla aussi dans les siens que ses yeux voient aujourd'hui ce qu'ils voient ?

Tessouat, ancien maître de l'Île, tombe à genoux afin que les siens puissent avoir à manger et un lieu où être à l'abri. Il ferme les yeux et baisse la tête afin que les bâtons de feu, qu'ils n'ont jamais pu obtenir auparavant, les protègent des Iroquois, qui les ont obtenus bien avant eux. Dans son cœur, il s'adresse au Dieu des Français, dorénavant le sien. « Puisque nos ennemis ne t'honorent pas, ne t'occupe pas d'eux et défends-nous car maintenant nous voulons croire en toi. »

D'être acculé à cet acte de soumission le fait souffrir profondément dans sa fierté, mais il espère que son exemple incitera les siens à se joindre à l'armée des chrétiens pour écraser l'ennemi païen qui les a dépossédés.

L'eau coule sur son front pour le laver d'une souillure ancienne. Il devrait ressentir un bonheur intense mais il n'éprouve que le regret de ce temps où l'Étranger n'avait pas encore traversé le Grand Lac Salé.

Il portera désormais le nom de Paul Tessouat. À travers les prières, Tessouat entend la voix de ses ancêtres gronder de colère. Là-bas, sur l'Île, les sépulcres jaune et rouge ont tremblé.

En ouvrant les yeux, il voit tomber quelques gouttes. C'est tout ce qui lui reste de la Grande Rivière.

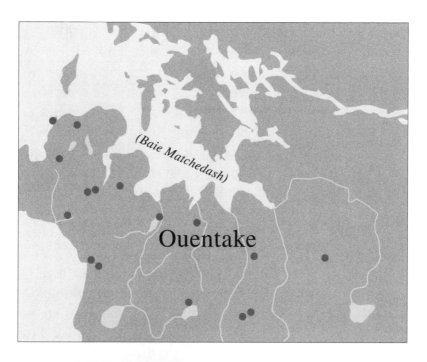

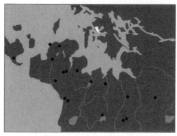

Chapitre 35

Seul
dans le champ

*1643, en la lune iroquoienne du maïs qui mûrit
(août), quelque part au Ouentake.*

Loup-Curieux s'efforce de ralentir l'allure. Durant toute la nuit, il a marché sur la route vicinale, pour emprunter, à la barre du jour, le sentier menant au lieu de leur refuge. De temps à autre, il se retourne, nerveux, comme si un ennemi le talonnait. L'oreille tendue, il scrute alors les denses feuillages de la forêt.

Pourquoi tant craindre ? Personne ne l'a vu et il a pris grand soin de brouiller ses traces, marchant parfois sur des pierres, parfois dans le cours d'un ruisseau. Pourquoi tant se presser ? Les nouvelles qu'il rapporte aux membres de sa petite communauté ne sont guère réjouissantes et, de toute façon, elles ne changeront rien à leur décision de vivre sans le fer. Au contraire, tous et toutes ne seront que plus convaincus de la sagesse de vivre à l'écart des routes du commerce, maintenant reliées aux sentiers de la guerre.

Les siens n'ont à craindre ni les ennemis ni les Robes-Noires, se répète Loup-Curieux, diminuant peu à peu la longueur de ses foulées. Cette réflexion le calme. Le rassure. Le transporte en pensée vers la petite colonie des enfants de l'Ours, établie, depuis trois ans déjà, en un endroit retenu par Pieds-Dansants. Lors de sa quête d'un site convenable, ce dernier avait découvert une hutte de castors habitée sur la rive d'un petit lac situé au sommet d'une colline. La présence de ces bêtes, disparues ailleurs, permettait de supposer que l'endroit était peu ou pas fréquenté. Ils s'installèrent donc en aval du barrage que les industrieux rongeurs avaient aménagé sur le ruisseau décharge et décidèrent à l'unanimité de vivre en paix avec eux. Petit-Tonnerre, en charge des cultures aménagées au pied de la colline, fut la première à y trouver un avantage et mit sur pied un système d'irrigation à partir du ruisseau, dont le débit était facilement contrôlable par le barrage. La pluie se faisait-elle rare qu'il suffisait d'y pratiquer et d'y entretenir une brèche. Une fois la demande comblée, cette brèche était colmatée en une nuit par les vaillantes bêtes et le barrage continuait d'emmagasiner une formidable réserve d'eau dans ce lac alimenté de sources de fond. Petit-Tonnerre développa une singulière admiration pour ces braves animaux, à qui elle allait offrir, chaque matin, une pincée de tabac. Bien vite, ils furent considérés comme les esprits protecteurs de leur communauté.

L'esprit des castors protège les siens comme eux protègent les castors, se convainc Loup-Curieux. Ailleurs au Ouentake, la sécheresse et la guerre sévissent. Beaucoup de femmes ont été tuées au travail. Les champs comme les chemins ne sont pas sûrs. Un de leurs villages a été brûlé de fond en comble par les Iroquois, qui se sont servis des survivants comme bêtes de somme pour transporter dans leur pays les fourrures qui y étaient entreposées. Partout, ces ennemis sont à l'affût et s'attaquent à la coalition, affaiblie en nombre par la maladie. Entre les Ouendats et les Français, la route est bloquée par plusieurs groupes armés qui veillent aux endroits stratégiques de la Grande Rivière et du fleuve. Les marchands qui se sont risqués à descendre cet été au poste de Trois-Rivières l'ont appris à leurs dépens, un groupe s'étant fait capturer à l'aller, près de l'île nommée Ville-Marie, où des Français se sont établis, l'autre groupe ayant subi le même sort au portage des chutes du Gros Chaudron et un peu plus loin en amont. Les survivants de ces attaques ont déploré, outre de nombreuses morts, des pertes considérables en fourrures et en marchandises de troc. Les Iroquois sèment la terreur et raflent tout sur leur passage. Assoiffés de fourrures, ils vont jusqu'à dépouiller de leurs vêtements les guerriers morts au combat, comme l'avaient fait les Français après la bataille de l'île de la Victoire. Le fait que l'ennemi s'abaisse à cet acte dégradant illustre à quel point le motif de la guerre a changé. « La guerre que tu connaîtras ne sera pas celle que j'ai connue », avait prédit son père. Quelle juste vision de l'avenir lui avait été transmise par le rêve des bâtons de feu qui se retournaient contre eux !

Maintenant qu'il possède l'arme suprême, l'Iroquois agit comme le Français, faisant la guerre pour obtenir des fourrures qui lui procurent l'arme toute-puissante avec laquelle il poursuit la guerre. À l'instar de son père, Lynx-des-Neiges aussi avait eu une juste vision de l'avenir. Cette vengeance du castor qu'il prédisait n'est-elle pas en train de s'accomplir autant envers les Ouendats qu'envers les Anishnabecks, que les Iroquois attaquent, massacrent, pillent et terrifient, allant même jusqu'à remonter la Grande Rivière en plein hiver ? Qu'est-il advenu de ce Lynx-des-Neiges qui était plus qu'un fournisseur et autre chose qu'un ami ? Qu'est-il advenu de sa fille N'Tsuk ? Vit-elle encore ? Son habileté à décocher ses flèches avec précision l'a inspiré à entraîner leurs femmes au tir à l'arc et elles s'y débrouillent très bien. Cette légère entorse à la répartition des tâches de chacun des sexes s'avérait indispensable, puisqu'il n'y avait plus, en raison des guerres, que cinq hommes pour défendre la colonie d'une trentaine de personnes. Si jamais l'ennemi surgit, elles sauront riposter avec leurs armes, qui les accompagnent en tout temps.

Malgré lui, Loup-Curieux presse le pas. Pourquoi cette crainte irraisonnée en son âme ? Les siens vivent sous la protection des castors et ne dépendent plus du fer, ce qui les met à l'écart, mais aussi à l'abri. Le seul contact qu'ils maintiennent avec le reste de la confédération se résume à l'envoi, en fin d'été, d'un messager pour échanger les informations avec les parents et amis demeurés en leurs villages. C'est la première fois que leur conseil le désigne pour cette mission, qu'il a menée à Ossossané et à Teanaostaiaé, d'où sont originaires les membres de leur communauté. Le cœur lourd, il revient leur annoncer une affligeante nouvelle : l'Ours se meurt. La hache de fer lui a fendu le crâne en deux, divisant ses enfants en convertis et en non-convertis, les premiers ne se reconnaissant plus en lui comme frères des seconds.

La croix désormais les sépare sur terre comme dans l'au-delà. Ils ne vivent plus ensemble dans leur maison, ne voyagent plus ensemble dans leur canot, ne guerroient plus côte à côte. Chez les Français, on sépare maintenant les canotées, accordant préséance et meilleurs prix dans les transactions à celles des convertis[1]. Seuls ceux qui ont reçu l'eau du baptême bénéficient de la protection des Français et, s'ils possèdent quelque influence ou importance, du privilège d'obtenir un bâton de feu. Parole-Facile détient maintenant cette arme et ne le regarde plus comme son frère. Parole-Facile n'existe plus. Joseph Barthélémie l'a assassiné, crucifiant les pattes de l'Ours. Et lui, Loup-Curieux, il pleure la mort de ce cousin qui ambitionnait d'être un jour reconnu pour chef par les siens en raison de son éloquence, qu'il a, hélas, mise au service des Robes-Noires.

Joseph Barthélémie l'a renié, lui refusant l'hospitalité. « Mes frères se trouvent en Jésus, l'Esprit du ciel, lui a-t-il dit. En l'Ours, je n'ai plus de frères. »

Cette phrase a jeté un total désarroi dans son âme. « L'Iroquois qui reçoit l'eau du baptême devient-il ton frère en ce Jésus ? s'est-il informé. — En Jésus, nous sommes tous frères », a déclaré Joseph Barthélémie avec conviction.

Ces paroles attribuaient un fondement à ses pires appréhensions : l'ennemi baptisé devenant frère, le frère non baptisé devenait ennemi. Le comportement de Joseph Barthélémie ne lui permettait pas de supposer autre chose. Il s'était arrangé pour le rencontrer en cachette, alléguant qu'il était préférable pour eux de n'être pas vus ensemble.

Par son talent de persuasion, Joseph Barthélémie en avait convaincu plusieurs de recevoir l'eau du baptême et

---

1. « En 1643, les marchands hurons qui se présentaient à Trois-Rivières étaient séparés en deux groupes : chrétiens et non-chrétiens. Les premiers jouaient un rôle prédominant dans les transactions, les seconds voyaient leur nombre et leur influence diminuer. » (Bruce Trigger)

de pratiquer l'enseignement des Robes-Noires, qui le citaient en exemple. Avec Petite-Pluie, il s'employait à faire répéter les incantations aux nouveaux convertis ainsi qu'à les informer des jours sans viande et sans travail. Pour ce faire, il se référait à un guide, dessiné sur une feuille par les Robes-Noires, où le temps était divisé en soleils et en lunes. Symbole des responsabilités qu'on lui confiait, cette feuille, comme le bâton de feu, lui conférait beaucoup de prestige au sein de la secte. Bien qu'il fût déjà marié avec Petite-Pluie, il se remaria avec elle, nommée maintenant Anne, selon les rites des convertis, et, dès lors, prôna la fidélité conjugale. L'Esprit du ciel, asssurait-il, s'offensait de voir un homme et une femme s'accoupler sans avoir été mariés par une Robe-Noire.

Le discours de Joseph Barthélémie était hors de son entendement. Il savait que son cousin avait toujours été attiré par d'autres femmes que la sienne, à commencer par Aonetta. Si Petite-Pluie avait été d'une famille moins importante, sans doute n'aurait-il jamais espéré l'épouser. Croyait-il vraiment ce qu'il prêchait ou ne le prêchait-il que pour profiter des retombées du pouvoir grandissant des Robes-Noires et pour répondre aux attentes d'une famille de bien plus grande importance à laquelle il avait adhéré? En effet, lors de son mariage, son couple fut adopté par un «frère en Jésus» vivant de l'autre côté du Grand Lac Salé, qui s'engagea à veiller sur lui à condition que son nom fût donné à leur enfant[2]. Cette intégration dans une riche famille de convertis d'outre-mer justifiait amplement que leur fils de deux ans en porte le nom clanique de Jean.

---

2. Les jésuites prièrent les lecteurs de leurs *Relations* de fournir des fonds qui serviraient à aider les couples. Aux donateurs qui acceptaient de verser des rentes perpétuelles de dix ou quinze écus, on promit de donner leur prénom aux Hurons qui en bénéficiaient. Cette façon d'amasser des fonds pour permettre le travail missionnaire préfigurait celle, appliquée beaucoup plus tard, de «l'achat de petits Chinois».

Avec quelle indécence Joseph Barthélémie se targua de pouvoir échapper à la famine qui menaçait, grâce aux provisions de maïs que les Robes-Noires lui avaient données au nom de Jean! Ces provisions provenaient d'un village fortifié de convertis, où les nombreux engagés français qui s'employaient à cultiver pour le compte des Robes-Noires avaient accumulé une abondante réserve[3]. Qu'en était-il du partage qui, de tout temps, avait été pratiqué par les Ouendats, chacune de leurs maisons veillant au bien-être de ses membres et chacun des villages, au bien-être de ses maisons? Il lui semblait entendre encore l'envolée oratoire de Parole-Facile à la suite de l'interprétation de son rêve. «Donner des fourrures à manger à l'esprit du chaudron d'or, c'est donner à manger à nos enfants, à nos femmes, à nos vieillards, à nos guerriers. Donnons à manger au chaudron d'or et jamais nous ne connaîtrons la famine», avait-il clamé avec ferveur.

Comme ils en ont donné à manger, des fourrures, à l'esprit de ce chaudron, pour finalement affamer les enfants de l'Ours au lieu de les nourrir! N'était-ce pas par cet esprit que les Robes-Noires parvenaient à faire tomber la pluie du ciel? Pourquoi ne l'ont-elles pas invoqué en ce temps de guerre, alors que, de concert avec la sécheresse, la mort de nombreuses femmes a terriblement affecté le rendement des cultures? À Teanaostaiaé, certaines familles calculent qu'elles n'auront pas assez de maïs pour ensemencer au printemps prochain et comptent sur la cueillette de racines et de noix pour subsister durant l'hiver.

Il demeurait abasourdi devant son cousin, incapable de lui répliquer quoi que ce soit. Sous prétexte que c'était péché de le garder, Joseph Barthélémie lui a remis le

---

3. Il s'agit de la mission de Sainte-Marie-aux-Hurons, fondée en 1639, le long de la rivière Wye.

carquois de Parole-Facile dans lequel se trouvait un collier de wampums offert à Petite-Pluie à l'occasion de leur premier mariage. La notion de péché lui étant inconnue, il s'est informé de ce que c'était. « Toute chose qui déplaît à l'Esprit du ciel. » À cette réponse s'est ajoutée une longue liste de ces choses, tels le sexe, le rire, le jeu, les festins, les danses, l'interprétation des rêves, les okis, les sociétés de guérisseurs et même la nudité du corps. Il en conclut que cet esprit n'aimait pas que ses enfants jouissent de la vie et il quitta Joseph Barthélémie l'âme en deuil, emportant le carquois du défunt Parole-Facile.

Depuis, les arguments ne cessent d'affluer à son esprit, mais il est trop tard : Joseph Barthélémie n'est plus là pour les entendre et y serait-il qu'il ne voudrait probablement pas les entendre. Il fait partie maintenant d'une autre famille, qui s'est formée au détriment de la sienne. D'une autre société, qui est en train de se constituer au sein de la leur. La confédération deviendra-t-elle victime des hôtes qu'elle a accueillis ? Formant un tout petit noyau à l'origine, ces hôtes parasites se sont multipliés, s'étendant subrepticement de village en village, puis proliférant à la suite du passage de la maladie[4]. Voilà qu'ils ont institué une société de convertis à l'intérieur de celle des non-convertis. Une société qui s'isole de l'autre, déterminée à la gruger, conversion par conversion. Une société égoïste, ingrate envers celle qui l'a jadis nourrie. L'Ours blessé aura faim cet hiver, mais l'esprit du chaudron d'or ne le nourrira pas. Loup-Curieux se désole de ne pouvoir le secourir, se reprochant d'avoir compris trop tard que nourrir le chaudron d'or, c'était tout simplement nourrir la grande famille de l'esprit qui l'habite. Voilà ce qu'il aurait dû répliquer à Joseph Barthélémie.

---

4. Suite aux trois épidémies successives qui ont frappé la Huronie, il y eut un accroissement notable des conversions surtout à compter de 1641.

Le désir de s'éloigner des « frères en Jésus » et la hâte de retrouver ceux qui lui restent en l'Ours lui ont fait presser le pas à son insu. À la vue d'un point de repère indiquant qu'il approche de sa destination, Loup-Curieux double la cadence.

Il lui tarde de retrouver les membres de sa petite communauté, qui est parvenue à vivre en autarcie. Il les voit d'ici l'accueillir à son arrivée, s'informant d'un tel ou d'une telle, anxieux de connaître ce qui s'est passé au Ouentake en leur absence. Ce soir, ils s'assembleront dans une de leurs deux maisons pour l'écouter narrer son voyage. Il anticipe à quel point ils seront attristés de l'état de la situation et à quel point ils se sentiront davantage solidaires dans leur option. Ses frères et ses sœurs, ses pères et ses mères, ses fils et ses filles, ce sont désormais ces traditionalistes.

Ce soir, il leur soumettra l'idée de partager quelques semences avec les familles susceptibles d'en être complètement dépourvues au printemps prochain. Ensemble, ils étudieront la question, sous l'œil averti de Petit-Tonnerre, élue femme-chef et gardienne des semences. Tout dépendra de la récolte actuelle, qui promettait d'être excellente, ayant échappé à la sécheresse grâce à son système d'irrigation.

Petit-Tonnerre a passablement maté son caractère depuis qu'elle s'est investie corps et âme dans l'établissement de leur colonie. Une seule fois en l'espace de trois ans, elle a lancé un objet à la tête de quelqu'un. Peut-être n'avait-elle pas tout à fait à tort car il s'agissait d'un chaudron de métal que son fils avait rapporté en cachette à sa récente épouse lorsqu'il avait servi de messager. Entre Petit-Tonnerre et Pieds-Dansants, les sentiments amoureux ont refleuri, et le pauvre se tracasse maintenant, ne sachant plus à quelle femme il tiendra lieu de mari dans l'au-delà.

Loup-Curieux éprouve beaucoup d'admiration et de respect à l'endroit de Petit-Tonnerre. Personne n'a embrassé leur cause avec autant de fougue et de détermination. Elle lui inspire confiance et il sait qu'elle donnera un compte rendu exact de leur situation. Si celle-ci leur permet de fournir des grains pour ensemencer la terre des Ouendats avec les trois sœurs (maïs, fève, citrouille), ce sera pour leur communauté une grande victoire. Et peut-être même une incitation pour d'autres à suivre leur exemple.

Loup-Curieux se déplace rapidement, sautant les embûches, se glissant sous les branches, ne s'arrêtant plus pour regarder derrière. Il pense aux joies qui l'attendent. À Aonetta qui revient peu à peu habiter ses yeux depuis la naissance du petit Aigle, premier des quatre bébés à voir le jour dans la colonie. Bien qu'elle n'en soit pas la mère, il en est le père. Cela n'assombrit pas Aonetta. Elle comprend que, au cours de sa longue absence, il ait cherché la satisfaction de ses désirs auprès de Mains-Habiles, veuve de Dents-de-Loup, âgée de vingt-neuf ans, sans compter qu'à quarante-trois ans ses chances de procréer sont minces. Des enfants, il leur en faut. Avec quelle joie chacune de leur naissance a été célébrée ! Ne sont-ils pas leur continuité ? L'assurance de leurs vieux jours ? N'est-il pas cri plus triomphant que le vagissement du nouveau-né ? Et promesse plus inestimable que la vitalité de l'enfance ?

Représentant également les deux sexes, ces nouveaux petits de l'Ours sont allés chercher Aonetta dans son monde. Ce monde, coupé du monde, où elle s'était réfugiée à la mort de Doigt-du-Soleil et de Paisible-Tortue. Ce monde qui ressemble au néant d'où sont issus les nouveaux-nés et où l'on n'a pas encore conscience ni des douceurs ni des douleurs de l'existence.

Avec quel dévouement, quelle tendresse Aonetta s'occupe d'eux, ne laissant parfois à leur mère que le soin de les allaiter ! Aonetta ne sera jamais plus celle de jadis, mais la nouvelle femme qu'elle est devenue possède encore le pouvoir de le garder captif en ses yeux. Il brûle d'impatience de lui remettre le beau collier de wampums dont Petite-Pluie s'est départie, les Robes-Noires le jugeant comme un pernicieux reliquat de pratiques païennes. Il sait d'avance que ses yeux souriront. Et, quand les yeux d'Aonetta sourient, son être entier frémit.

Loup-Curieux sent la fraîcheur de l'eau et, multipliant les enjambées, il atteint le lac des castors. Aussitôt, il note une baisse du niveau de l'eau et distingue un bruit de cascade en provenance du barrage. Sans doute y a-t-on pratiqué une brèche. Mais pourquoi donc ? À la veille des récoltes, les cultures n'ont plus besoin d'être irriguées.

Avec prudence, il se faufile dans le petit sentier contournant le lac jusqu'au barrage, où il découvre avec consternation une brèche béante ainsi que des indices de la capture des castors. Aucun des leurs n'aurait commis un tel sacrilège. Qui alors ? Qui ?

Son cœur se serre. Il appréhende un malheur et, plutôt que de suivre le trajet habituel pour se rendre à leur colonie, située en aval, il se glisse, furtif et silencieux, sous le couvert de la forêt. Les sens aux aguets, il s'avance jusqu'à l'orée des cultures, où seul s'entend, dans un silence anormal, la stridulation des insectes.

Des oiseaux noirs s'envolent et viennent planer au-dessus de sa tête en croassant alors qu'une odeur de cadavre le cloue sur place. Privé de la force d'aller au-devant du destin, il reste là, à trembler comme la feuille sèche encore accrochée à la branche.

Il arrive trop tard, il le sait. L'irrémédiable s'est produit en son absence. Est-ce son oki qui l'a de nouveau protégé ? Hébété, il regarde le vent agiter doucement les fils soyeux de la tête des épis qu'on était à récolter. Il aimerait tellement croire que les grains sacrés, cachés dans leur enveloppe de feuilles, serviront à nourrir les siens.

Après avoir tournoyé, les oiseaux noirs s'apprêtent à se poser de nouveau. Furieux contre eux, Loup-Curieux manifeste sa présence afin de les chasser et se dirige vers l'endroit d'où ils se sont envolés. Avec précaution, il marche entre les plants que le bon Ihouskéha, fils d'Aataentsic, a donné aux hommes à cultiver. « Il faut respecter la plante sacrée », leur rappelait grand-mère alors que, chasseurs attitrés des bêtes nuisibles, Parole-Facile et lui s'étaient livrés à la folle poursuite d'un raton-laveur à travers les cultures.

Loup-Curieux sent son cœur se débattre et, par esprit de négation, il s'accroche à des détails réfutant l'inacceptable évidence. Des détails qui le renvoient à la vie, telle la grosseur respectable de leurs citrouilles, à l'ombre de leurs larges feuilles courant au sol. Telles aussi des cosses de fève, laissées à sécher sur leur tige enroulée à celle du maïs-tuteur, afin d'en extraire plus tard les graines d'ensemencement. Au bout de quelques pas, avec horreur, il aperçoit le corps envahi de mouches d'un homme scalpé, tombé face contre terre dans les citrouilles. Il n'a pas à le retourner pour voir de qui il s'agit et il demeure pétrifié, l'œil fixé à la plante des pieds du trépassé, qui connaissait la chorégraphie particulière à chacune de leurs danses rituelles. Il n'a pas à le retourner, mais il le fait, exhibant, déjà infestée de vers, la poitrine perforée par les projectiles ensorcelés que crache le bâton de feu. Pieds-Dansants n'a pas eu le temps de décocher une seule flèche et il s'est écroulé à faible distance de Petit-Tonnerre, abattue l'arc à la main. L'ennemi a attaqué par surprise, foudroyant les siens alors qu'ils étaient occupés à la récolte du maïs.

Des plants écrasés, à proximité, attirent son attention. Il y découvre Mains-Habiles et, couché sur le dos, son fils de treize ans, dont le bleu des yeux demeurés ouverts se noie dans celui du ciel. Y voit-il le Dieu de son père français ou l'Aataentsic de sa mère ? D'un geste frénétique, Loup-Curieux chasse les mouches du cadavre de la mère et de son fils, puis, doucement, caresse la tête fracassée de Mains-Habiles. Cette femme, il ne l'aimait pas de la même manière qu'il aime Aonetta, mais elle lui a apporté du réconfort et lui a donné un fils. Toujours, elle s'est montrée réceptive à ses besoins, sans jamais tenter d'éclipser Aonetta dans son cœur, et il lui en était reconnaissant. Mains-Habiles a maintenant rejoint son mari et son deuxième fils, emportés par la maladie. Le troisième, né de leur union, l'a-t-il suivie dans l'au-delà ? Un espoir insensé naît. Et si la protection de son oki s'était étendue à cet enfant et à Aonetta ?

Loup-Curieux se rue alors vers les maisons situées au centre de l'espace défriché, effrayant les noirs oiseaux, butant sur les cadavres, qu'il reconnaît un à un et desquels il chasse les essaims de mouches sur son passage. Plusieurs fois, ses entrailles se nouent à la vue de leur chair percée de morceaux ensorcelés, de leurs os brisés, de leur sang noirci. Bon nombre ont été tués alors qu'ils venaient juste de s'emparer de leurs armes. La mort a passé en son absence. Dans sa tête, son cœur bat comme un tambour de guerre, mais, au fur et à mesure qu'il s'approche des deux maisons demeurées indemnes, ses pas ralentissent, alourdis de tous ces corps massacrés. De toute cette puanteur et cette putréfaction.

Il marche et se voit marcher, retardant le moment. Il arrive trop tard. Beaucoup trop tard et il regrette de s'être tant pressé. S'il avait flâné un peu plus, ou, mieux, s'il s'était arrêté pour se reposer, il serait encore en route et tous ces gens seraient encore vivants dans son esprit. Ce qu'il donnerait pour pouvoir retourner à ces quelques instants d'auparavant où il ignorait ce qui l'attendait !

Le choc l'a dédoublé en deux êtres, dont l'un constate la tragédie et l'autre espère le miracle. Deux êtres, à la fois acteur et spectateur, marchant et se voyant marcher. S'approchant et se voyant s'approcher des maisons, l'oreille désespérément tendue pour discerner, à travers la stridulation des insectes et le croassement des oiseaux, le moindre signe de vie. Deux êtres qui s'arrêtent et se voient s'arrêter devant la porte de la maison, qui servait à la fois de garderie et d'hospice pour un vieil oncle et une vieille grand-mère, transmetteurs de la tradition orale. Deux êtres qui n'osent en franchir le seuil, s'accordant le répit qu'on accorde aux suppliciés pour se remettre de leurs souffrances. Entre eux et l'implacable vérité, il n'y a qu'une natte de joncs que Loup-Curieux soulève après un instant d'éternité.

Et là, l'horreur se dévoile dans toute son absurdité. Trois bébés et les deux vieillards ont été éventrés, égorgés, mais Aonetta et le petit Aigle manquent à l'appel. Paralysé devant l'insoutenable spectacle, Loup-Curieux remarque que toutes leurs tablettes de rangement ont été vidées de leurs vêtements et de leurs couvertures de fourrure. L'esprit à la dérive, il tente de reconstituer la scène, d'imaginer la réaction d'Aonetta lors de la sournoise attaque. Serait-elle parvenue à s'enfuir avec l'enfant? L'espoir insensé renaît avec force. «Aonetta!» hurle-t-il en se précipitant à l'extérieur. «Aonetta!» appelle-t-il, courant de gauche à droite, tournant sur lui-même dans l'espoir de la voir sortir de sa cachette, à l'orée de la forêt.

Rien ne bouge, comme si, tapis, les Iroquois l'épiaient.

«Viens t'attaquer à un guerrier, chien d'Iroquois! Je t'attends. Viens goûter à mes flèches. Viens goûter à mon couteau, fils de serpent! Je te ferai manger tes entrailles», menace-t-il en fonçant à l'aveuglette. Emporté par sa douleur et sa rage, il bute soudain contre Aonetta, recroquevillée sur le petit Aigle. Le souffle lui manque, ses jambes flanchent, et il tombe à genoux près d'elle.

La mort a figé l'épouvante dans les yeux d'Aonetta. Ces yeux qu'il s'imaginait tantôt souriants à la vue du collier et dans lesquels, à l'instant, il sombre. Est-ce pour vivre une telle souffrance qu'elle est revenue peu à peu habiter son regard ? N'eût-il pas été préférable qu'elle demeure dans ce monde qui ressemble au néant d'où sont issus les nouveau-nés et où l'on ne souffre pas encore ?

Pourquoi était-il au loin quand l'ennemi a frappé ? Cette femme, il l'aurait protégée jusqu'à la dernière goutte de son sang. Pourquoi lui faut-il être témoin et survivant de ce massacre ?

Frissonnant de tout son être, il fait glisser le collier hors du carquois et le lui présente, incapable d'arrêter le tremblement de sa main. « C'est pour toi, ma belle femme… De la part de ta sœur », murmure-t-il d'une voix étranglée. Il s'assoit pour la prendre dans ses bras. Raidie, elle vient avec ce fils de lui qu'elle a défendu jusqu'à son dernier souffle comme s'il s'était agi de son fils à elle. On l'a battue, poignardée, assommée, mais rien ne lui a fait lâcher prise. Tant bien que mal, il lui passe l'ornement de wampums au cou et l'étreint contre lui en même temps que l'enfant. Les mouches s'envolent, bourdonnent, reviennent. Comme dans le rêve de son père où les bâtons de feu s'étaient retournés contre eux, il ne se sent plus tout à fait vivant. À l'exception de lui, ils étaient tous morts, bien qu'il ait reçu la décharge en plein cœur. Le voilà, seul vivant dans ce champ jonché de cadavres. Seul vivant, avec tous ces morceaux de fer qui, dans la chair des morts, lui transpercent le cœur. Seul, tragiquement seul, pour réclamer le sang par le sang.

« Je te vengerai, Aonetta. Je vengerai mon petit Aigle… Notre petit Aigle… J'irai les surprendre dans leurs champs… Je vengerai chaque homme, chaque femme, chaque enfant, chaque bébé… Je brûlerai leurs maisons… Je détruirai leurs récoltes… Dans les yeux de l'ennemi, je laisserai autant de souffrance et d'horreur qu'il y en a dans tes yeux à toi, ma belle Aonetta. »

Du bout du doigt, il parcourt l'arête du nez, le pourtour des lèvres, le lobe de l'oreille. Il n'est que haine et tendresse. Promesse de vengeance et serment d'amour. Sans fin, il la berce et la cajole, sentant le froid du cadavre de sa femme et de son fils le glacer. Et, sans cesse, les mouches tourbillonnent autour de sa tête.

« Je te fabriquerai un cercueil pour t'y coucher avec le petit Aigle dans tes bras et le beau collier de ta sœur au cou... À la fête des Morts, je viendrai chercher vos ossements pour les enterrer avec ceux de nos deux autres enfants. Nous serons tous réunis pour le temps qui ne s'achève jamais, ma belle femme. »

Des débris de son esprit fragmenté échappent à la réalité, d'autres se rattachent au devoir qui lui incombe d'assurer la sépulture de ses frères et sœurs, pères et mères, fils et filles en l'Ours.

Il entonne la mélopée qui lui fut révélée à son adolescence alors qu'il s'était retiré seul et sans vivres, à la recherche de la vision de son avenir. Sa mélopée de guerre et de mort, qu'il aurait chantée au poteau de torture. L'Iroquois ne pourrait le faire autant souffrir dans sa chair qu'il le fait souffrir présentement par la chair des siens.

Sa triste mélodie plane au-dessus des généreuses cultures, qui, en plus de subvenir à leurs besoins, auraient suffi à fournir des grains aux familles qui en manqueront au printemps. Ces grains qu'à lui seul il récoltera et entreposera, se faisant femme pour les donner à d'autres femmes afin qu'elles ensemencent la terre de l'Ouentake. Ces grains arrosés de leur sueur et noyés de leur sang, laissés pour lui à léguer comme le plus précieux des héritages.

Parfois, son chant s'arrête, et il se marmonne des directives. « Pour les cercueils, je prendrai l'écorce des maisons… Pour les échafauds, les poutres…» Mentalement, il démolit les habitations, qu'ils ont bâties au nombre de deux de façon à ce qu'ils aient toujours un toit, advenant l'incendie de l'une d'elles. Toit maintenant inutile pour lui seul.

Jusqu'à ce que le soleil ne soit plus témoin de sa souffrance et de ses promesses de vengeance, Loup-Curieux fait entendre son chant de mort, seul, dans le champ de morts. Et, toujours, il berce Aonetta, privé à jamais des yeux de cette femme dans lesquels, petit garçon, il est tombé.. Ces yeux désormais figés d'épouvante et d'où il ne pourra plus jamais ressortir.

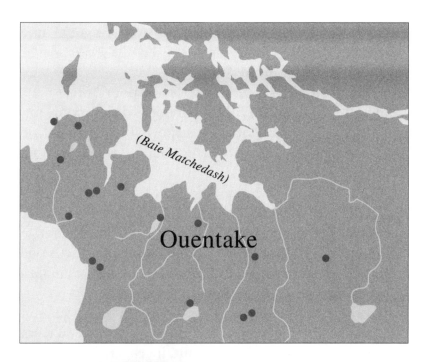

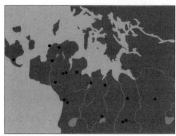

Chapitre 36

Le loup solitaire

1645, automne.

Depuis, il rôde, se déplace la nuit, sans bruit, pour assouvir sa vengeance. Le jour, il se cache, il épie, il observe.

Patient et prudent, il attend le moment propice pour fondre sur ses victimes et s'évanouir aussitôt dans la forêt. Sa flèche silencieuse élimine quiconque s'attarde ou s'isole et son couteau a déjà égorgé une famille endormie à l'intérieur même du village où il s'était introduit par un soir sans lune.

C'est l'automne. Il revient se terrer pour l'hiver dans cette hutte dressée au cœur du cimetière de la colonie où, couchés sur leur plateforme, ses morts l'attendent. Il ne leur rapporte pas des nouvelles mais des scalps qu'il accroche à leurs cercueils.

C'est l'automne. Les conditions ne lui permettent plus ses incursions en territoire ennemi, les arbres dénudés et bientôt la neige trahissant sa présence. Alors, il vient se reposer. Ici, il ne risque rien. Les Iroquois n'ont cure de traquer un homme seul. C'est par dizaines, par centaines qu'ils tuent.

C'est l'automne. Il n'a ni provisions ni bois pour son feu. Cela ne l'inquiète pas. Il est endurci au froid et il vivra des produits de sa chasse. À défaut, il grugera l'écorce des arbres, comme fait l'Anishnabeck affamé. S'il meurt, il en sera ainsi et son corps se trouvera déjà au cimetière. Personne ne le pleurera ici, mais, dans l'au-delà, il sera accueilli par toute la colonie, qui organisera un festin en son honneur. Dans l'au-delà, il retrouvera les yeux d'Aonetta. Il retrouvera ses enfants. Ses amis.

C'est l'automne. Il se retire parmi les bêtes. Loin des hommes. Très peu comprennent ce qu'il est devenu. Les convertis le tiennent pour un sorcier. Les non-convertis, pour un homme devenu fou par trop de douleur. En réalité, il n'est qu'un homme demeuré seul. Seul vivant pour exercer la vengeance.

Loup solitaire, il vient renifler les cadavres des siens et s'aiguiser les crocs pour le retour des feuilles.

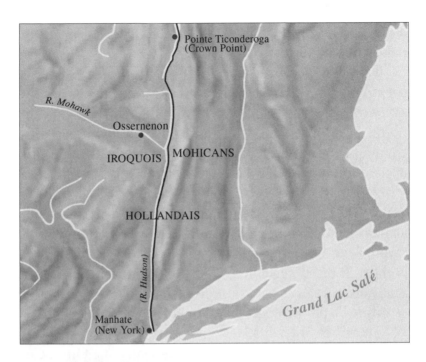

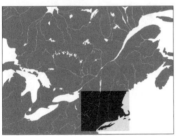

Chapitre 37

Mort à l'ennemi

1646, en la lune iroquoienne de la pêche du grand poisson (octobre), village d'Ossernenon.

Il ne s'est rien passé. Les têtes d'Ondesson[1] et de son compagnon, fixées aux piquets de la palissade, n'ont attiré que les mouches, comme n'importe quelle autre

---

1. Ondesson : nom donné par les Iroquois agniers au père Isaac Jogues, jésuite. Il fut tué le 17 octobre et, le 18, son compagnon nommé Jean la Lande subit le même sort.

chair morte. La foudre n'a pas déchiré le ciel, le soleil ne s'est pas caché et la terre n'a pas tremblé.

Il ne s'est rien produit non plus quand on a jeté leurs corps décapités dans la rivière. Rien, sinon qu'en lui tout s'est éclairci. Hatériata comprend maintenant qui était cet homme, en observant ces têtes exposées à la vue de quiconque viendrait en leur village. Elles y sont comme une déclaration de guerre aux Français et une provocation envers leur Esprit du ciel. Son regard interroge la bouche grande ouverte d'Ondesson, d'où sortaient des paroles qui jetaient la confusion dans son âme. Ondesson disait tout savoir de ce qui se passait avant la naissance et aussi après la mort. Il disait également pouvoir communiquer avec le plus puissant des esprits, dont il était l'envoyé. Pourtant, cet esprit ne l'a pas protégé quand on a levé la hache sur lui.

Graves et interdits, les villageois viennent voir ces hommes dangereux exécutés par le clan de l'Ours. Ces hommes étranges et si différents d'eux. Personnellement, il se sentait une certaine affinité avec Ondesson, du fait qu'ils étaient tous deux d'anciens captifs. Il y a quatre ans, lorsqu'on avait torturé cette Robe-Noire, une vieille femme puissante du clan du Loup l'avait pris en adoption. Au début, sa nouvelle famille lui avait infligé toutes sortes de mauvais traitements, mais, devant son courage, elle en avait fait l'un des leurs, à tel point qu'aujourd'hui elle condamne son exécution. Mais lui, Hatériata, cette exécution, il l'approuve. Jamais ennemi ne fut plus redoutable et plus perfide qu'Ondesson.

Il y a trois ans, Ondesson s'était évadé, avec la complicité de sa mère adoptive. De retour chez les siens, plutôt que d'y rester, il s'était exposé à servir d'otage, à la suite du traité de paix conclu avec les Français[2]. « L'Esprit du ciel

---

2. Proposé par les Agniers (Mohawks), un traité de paix est conclu au cours de l'été 1645 entre eux et la coalition laurentienne (Français, Hurons,

m'a donné le pouvoir de faire de vous ses enfants. Ainsi, nous serons tous frères d'une seule et même famille », leur avait-il annoncé. Le sachant anishnabeck de naissance, Ondesson lui avait laissé entendre que faire partie d'une seule et même famille signifiait pour lui qu'il pourrait, sans danger aucun, se rendre en territoire oueskarini pour tenter de retrouver ses parents naturels et leur présenter sa femme et ses deux enfants. À leur tour, ses parents pourraient venir le visiter à Ossernenon et rencontrer sa famille adoptive. Se pourrait-il que cet esprit si grand et si puissant se soit souvenu de lui et ait envoyé Ondesson préparer une paix entre tous ?

Le Géant le mettait en garde. « La paix ne tombe pas du ciel comme la pluie », disait-il. Il fallait se méfier de celui qui répandait de telles inepties. La paix était une chose réglée par les hommes et non envoyée par un esprit sans qu'il en coûte rien. La paix avait un prix. Elle exigeait que l'on échange des prisonniers et des cadeaux, que l'on cède des acquis pour en gagner d'autres. En ce qui concernait les Kanienkehakas (Agniers), cette trêve leur permettait de chasser sur des territoires neutres où le gibier à poil abondait encore. « Ondesson est fourbe », affirmait le Géant, s'appuyant sur le fait que la Robe-Noire avait osé offrir à une autre nation de leur confédération, venue en délégation dans leur village, un collier de deux mille wampums afin de l'inciter à commercer directement avec les Français. C'était là saboter le rôle d'intermédiaires que les Kanienkehakas tenaient depuis longtemps entre les Étrangers et le reste de la confédération.

Il arrivait mal à mesurer le danger que représentait Ondesson sur le plan politique car il avait été plus ou

---

Algonquiens). Affaiblis en nombre et en armes, désireux de sauver le commerce des pelleteries, les Français consentent à une clause secrète qui exclut les Algonquiens non convertis.

moins maintenu dans l'ignorance de ces choses. Devenir Hatériata et, par la suite, le mari de Qui-Maîtrise-l'Argile avaient canalisé toute sa volonté et toute son énergie. À compter de son adoption officielle, partout et en tout temps, il s'était évertué à répondre aux exigences de sa communauté et jamais celle-ci n'avait manifesté le souhait de le voir s'investir dans le champ politique.

Ihota, sa mère, considérait Ondesson comme un être anormal et maléfique, alors que le Géant le tenait pour un ennemi. Pour Hatériata, le visage de l'ennemi était celui de l'Ouendat contre qui il avait guerroyé dans le cours supérieur de la Grande Rivière. Cet orgueilleux Ouendat, au canot chargé de maïs et de fourrures, qui croyait pouvoir gérer à sa guise les leviers du commerce. Il ne comprenait pas comment un homme tel Ondesson, qui désirait faire d'eux une seule et même famille, pouvait être un ennemi. Un si perfide et puissant ennemi qu'il ne l'a jamais vu ni entendu venir. Un ennemi qui, sournoisement, s'est glissé dans les champs pour infester de vers les plants de maïs et qui s'est introduit dans les corps pour les rendre malades. Que pouvait son bâton de feu contre le mauvais sort que cet ennemi leur jetait ? Impuissant, il a vu mourir Ihota, qui l'avait toujours traité comme son propre fils. Puis il a vu dépérir Qui-Maîtrise-l'Argile, leur fils de quatre ans et leur nouveau-née d'à peine une lune. Ondesson lui a alors proposé de les sauver tous les trois par des incantations magiques et de l'eau miraculeuse versée sur leur front.

Le cœur battant à tout rompre, il a regardé cette eau couler sur les tempes fiévreuses et se perdre dans les cheveux. Dans son délire, Qui-Maîtrise-l'Argile comptait les doigts de leurs enfants comme ils avaient fait lors de leur naissance, émerveillés d'en trouver cinq à chaque main et à chaque pied. À un moment donné, elle se souleva de sa couche et, l'apercevant à son chevet, d'un geste coutumier, elle lui caressa l'oreille coupée. Ce geste d'acceptation à l'endroit de Wapitik, l'esclave anishnabeck, se transforma en geste d'adieu et la main atrophiée, à laquelle manquait le petit doigt, retomba, immobile. Plus jamais Qui-Maîtrise-l'Argile ne triompherait de son handicap en modelant d'admirables poteries. Plus jamais elle ne lui caresserait l'âme à travers la peau. Plus jamais elle ne s'occuperait de leurs enfants, qui, peu de temps après, la rejoignirent dans l'au-delà.

Fou de douleur et de rage, il s'en prit à Ondesson. « Menteur ! Tu as dit que tu les sauverais, hurlait-il en le secouant. — Ils sont sauvés. Ils sont au ciel. Ils sont sauvés. » Ondesson persistait dans son odieux mensonge, lui faisant serrer les doigts autour de sa gorge. Le Géant s'interposa avant qu'il ne l'étrangle, l'exécution de la Robe-Noire ne relevant pas de lui.

Maintenant, il sait qu'Ondesson n'a jamais eu l'intention de les sauver et que jamais ennemi n'a été aussi perfide. Les Étrangers qui trafiquent avec eux disent donc vrai : les Robes-Noires sont envoyées par les Français pour les détruire, comme elles ont détruit les Ouendats.

— Vois, il ne s'est rien passé, dit le Géant en lui entourant les épaules de son bras amical.

— Il n'était pas un envoyé de l'Esprit du ciel.

— Un esprit n'offre pas de wampums…

L'attroupement grossit. Les gens murmurent sourdement. Se rappellent leurs défunts, emportés par la maladie. Leurs propos exhalent la colère. Non, ils ne se laisseront pas détruire par l'ennemi caché sous la robe noire. Ils ne se laisseront pas berner comme les Ouendats et les Anishnabecks, qui acceptent ces sorciers autour de leur feu.

« Mort aux Français ! » lance un guerrier qui a combattu ceux-ci. « Mort aux Français et à leurs alliés ! Qu'ils voient ce que nous avons fait de leur espion. »

«Mort aux Français et à leurs alliés!» reprend-on avec véhémence. «Mort aux Ouendats!» crie Hatériata, qui s'est distingué au cours d'embuscades meurtrières contre ceux-ci. «Mort aux Ouendats!» reprend-on avec l'assurance des maîtres des rivières qu'ils sont devenus grâce au blocus qu'ils maintiennent sur celles-ci.

Une haine puissante, viscérale déferle. Hatériata la sent tout entière présente dans sa bouche et dans son cœur. Il la sent tout autour de lui, qui s'enfle et rugit. Et gronde et menace.

Il la sent, cette haine, qui le prend et l'unit à tous ces gens de son clan vociférant devant les dépouilles de l'ennemi envoyé pour les détruire.

Il est Hatériata et il ne connaît ni la peur ni le découragement. Pendant longtemps, il a veillé devant la porte de la Grande Maison sans avoir à décocher ses flèches contre un ennemi. Mais voilà que, par ruse, l'ennemi a franchi le seuil, prononçant de fausses paroles de paix. Voilà qu'il s'est prétendu messager de l'Esprit du ciel quand en réalité il est l'envoyé des Français pour semer la mort. Voilà qu'il lui a ravi sa femme et ses enfants.

Il est Hatériata, de la nation des Kanienkehakas. Il fait partie du clan des plus féroces guerriers ayant pour mission de protéger la porte du soleil levant de la Grande Maison. L'ennemi a osé y pénétrer, mais, démasqué, il a eu le crâne fendu et la tête fixée à un piquet. C'est peu payer pour tout le mal qu'il a fait. Sa mort ne rachète pas celle de Qui-Maîtrise-l'Argile. Ondesson mourrait-il cent fois qu'il ne pourrait racheter la disparition de cette femme qui, de sa main infirme, lui avait façonné un bel avenir au sein de sa famille. Ondesson mourrait-il mille fois qu'il ne saurait racheter la mort de ses enfants, d'Ihota et de tous les habitants d'Ossernenon que la maladie a fauchés sans qu'aucun chaman puisse les guérir. Ce sont des centaines, des milliers d'autres morts qu'il faut pour racheter toutes ces vies.

« Mort aux Anishnabecks ! Mort à l'ennemi ! » vocifère le Géant, qui a fait des incursions du côté de ces chasseurs.

La haine envahit jusqu'au sang d'Hatériata. « Mort aux Anishnabecks ! Mort à l'ennemi ! » scande-t-il avec les siens.

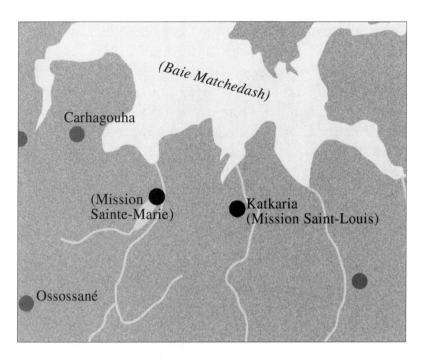

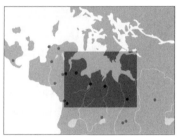

Chapitre 38

L'homme à l'oreille coupée

1649, en la lune iroquoienne
des débordements d'eau (mars), Katkaria.

Hier encore village sans nom, simplement désigné par les Français sous l'appellation de mission Saint-Louis, Katkaria signifie aujourd'hui « le petit cercle des assassinés ». Assassinés hier, à l'aube, par les Iroquois. De tous les braves guerriers demeurés sur place après l'évacuation précipitée des femmes et des enfants, seulement deux ont réussi à s'échapper et, bien que grièvement blessés, à rejoindre la mission fortifiée de Sainte-Marie[1]. Ils y ont rapporté la nouvelle de cette terrible défaite ainsi que celle, dévastatrice pour les convertis, de la capture d'Echon et d'une autre Robe-Noire. Vraisemblablement, l'Esprit du ciel ne les a pas protégés.

Katkaria, où sept cents personnes avaient construit leur maison, n'est plus qu'un bourg en cendres à l'intérieur d'une palissade partiellement détruite. Il n'y reste que le tracé des rues et, çà et là dans les ruines, les cadavres calcinés des vieillards et des malades. Incapables de fuir, ils furent ligotés dans leur demeure, que les ennemis incendièrent après l'avoir vidée de leur butin de fourrures.

À l'intérieur de Katkaria s'était retranchée ce matin une avant-garde iroquoise surprise dans sa marche contre la mission Sainte-Marie par une troupe de cent cinquante Ouendats. Après un combat acharné, ces derniers sont parvenus à reprendre la place, mais la victoire fut de courte durée car Katkaria se voit de nouveau attaqué, cette fois-ci en force, par le gros des effectifs iroquois, se joignant à son avant-garde. Déterminés à mourir plutôt que de capituler, les guerriers se battent avec la furie du désespoir, espérant que leur sacrifice sauvera l'Ouentake et la confédération, qui ne doit compter désormais que sur elle-même. Il est inutile d'attendre une quelconque aide de l'Esprit du ciel, qui n'a pas daigné secourir les Robes-Noires, et illusoire d'espérer des renforts militaires, la route de la Grande Rivière menant aux Français se trouvant bloquée par les ennemis. Affaiblie en nombre, minée par la maladie, manquant de poudre pour les quelques bâtons de feu des convertis, ainsi que de haches et de pointes de flèche en fer pour les non-convertis, la

---

1. Les missions Saint-Louis et Sainte-Marie étaient situées à moins d'une journée de marche l'une de l'autre.

confédération se bat-elle en désespoir de cause? Sans doute, croit Loup-Curieux dans le feu de l'action. Qu'importe! Il se bat et se battra jusqu'à la dernière goutte de son sang, tel qu'il en a fait serment au ciel avec Pieds-Dansants, du haut de la falaise, à Kébec.

Il se bat parce qu'il lui faut d'autres scalps pour orner ses cercueils. Il se bat parce qu'il s'est promené dans les ruines de Teanaostaiaé, attaqué par surprise alors que ses habitants assistaient à la cérémonie de la Robe-Noire[2]. Il se bat parce qu'il a vu la désolation et la terreur sur son chemin. Et partout le doute. La division. La dissidence. L'intolérance.

À lui seul, il a déjà tué beaucoup d'hommes, et son oki le protège. Il a quitté la solitude de la forêt pour venir manger le maïs dans les maisons. Mais, de maïs et de maisons, il n'y en a plus. Il ne reste de certains villages où l'ennemi est passé que les cendres et le souvenir. Et cet ennemi, il le poursuit. Depuis longtemps sans toit, il vit comme une bête, à la fois proie et prédateur, veillant à ne pas laisser de traces, mais sachant repérer le moindre indice. Rien n'échappe à sa vue. À son ouïe. À son odorat. De loin, hier, il a aperçu des volutes de fumée s'élevant dans le ciel et il rattrapé cette troupe de guerriers parmi lesquels il a retrouvé Joseph Barthélémie. À ses côtés, il assure présentement la protection d'une brèche que les assaillants tentent sans cesse d'élargir dans la palissade. Autour d'eux, ce ne sont que cris, injures, défis, pétarades des bâtons de feu, bruits de chute et de lutte.

Loup-Curieux retrouve l'ivresse des combats. Il n'est plus l'homme seul épiant la victime, mais le guerrier de nouveau uni aux siens. Le maïs qui l'a nourri, les jeux qu'il

---

2. Le 6 juillet 1647, à l'aube, les Iroquois attaquent l'important village de Teanaostaiaé pendant la messe. Le père Antoine Daniel y périt. Plus de sept cents personnes y sont tuées ou capturées, ce qui équivalait à dix pour cent de la population huronne restante.

a partagés à l'orée des cultures, le tabac qu'il a fumé, le poisson qu'il a pêché, les compétitions de crosse qu'il a disputées, les voyages d'affaires, les festins, les cérémonies, les chasses collectives, tout cela lui insuffle courage et énergie. C'est tout cela qu'il défend, et mourir n'est rien, pour autant que son peuple survive. Ce n'est plus seulement Aonetta qu'il venge, mais toutes les femmes qui ont été surprises aux champs avec leurs enfants. Toutes les grands-mères, gardiennes des semences, et tous les Anciens, gardiens des croyances. Toutes les familles, tous les clans, toutes les tribus.

À l'heure présente, il n'y a ni convertis ni traditionalistes. Le sang qui coule dans les veines de Joseph Barthélémie est le même que celui qui coule dans les siennes. Il ne fait plus qu'un avec lui. Avec eux. Sa propre identité se perd, se fond dans celle de tous ces hommes lancés dans la bataille. La solidarité qui fut l'essence même des Ouendats se manifeste dans toute sa plénitude à cet instant ultime où son peuple risque de disparaître. Et lui, Loup-Curieux, il s'abreuve à cette solidarité que les Robes-Noires ont mise en péril. Elle l'exalte, lui donne le sentiment d'être invincible. Avec précision, il décoche ses flèches plus rapidement que son cousin n'a le temps de recharger son arme. Soudain, la brèche permet le passage d'un homme qu'il vise aussitôt, mais sa flèche se fiche dans le bouclier de l'assaillant. Le bâton de feu de Joseph Barthélémie le seconde, couchant l'ennemi par terre. Un deuxième puis un troisième Iroquois se glissent rapidement par la brèche. Se protégeant de son bouclier, l'un d'eux, d'une taille exceptionnellement grande, se rue sur Joseph Barthélémie et l'abat d'un coup de hache dans la gorge. À l'instant où le sang gicle sur lui, Loup-Curieux saisit le regard d'adieu sur le visage grêlé de Parole-Facile et il bondit sur son assassin pour le poignarder au cœur. L'autre Iroquois, dont l'une des oreilles est manquante, surgit devant lui en brandissant sa hache. Loup-Curieux évite le coup et la lui fait perdre. L'homme tire alors son couteau. Une lutte à mort s'engage. Une lutte à armes égales. Couteau contre couteau, corps contre corps. Un impact d'une violence inouïe les ébranle. Ils sont animés par la même fureur et se livrent des coups d'égale force. L'un d'eux périra et chacun cherche à enfoncer son couteau dans le corps de l'autre. Loup-Curieux reconnaît chez son adversaire une férocité qui n'a d'égale que la sienne. Jamais ennemi ne lui a paru si concret. Si présent. Si semblable à lui. Leurs muscles durcis se défient, leurs membres se nouent, leurs peaux se collent. Ensemble, ils roulent dans les cendres et le sable, suant, grognant, soufflant. Ils se mordent, s'insultent, se crachent au visage. Soudain, un coup mal paré. Loup-Curieux ressent une vive brûlure à la poitrine. Du sang lui envahit bientôt la bouche et un voile noir glisse devant ses yeux. Il s'écroule, sent vaguement qu'on lui empoigne la chevelure pour le scalper, et sombre dans le néant.

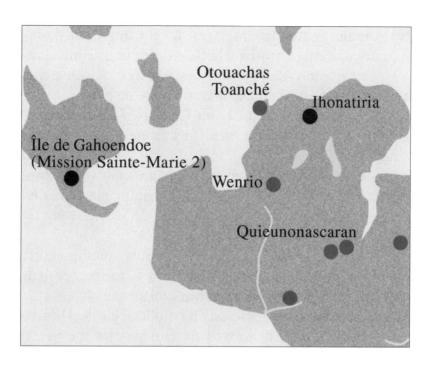

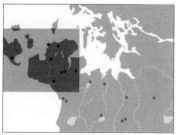

Chapitre 39

La voix
de la cloche

1650, en la lune iroquoienne où les jours
sont plus grands (février), île de Gahoendoe
du lac Attignaouantan[1].

Loup-Curieux aurait préféré mourir de la main de cet ennemi plutôt que de vivre ce qu'il vit aujourd'hui.

---

1.   Île Christian du lac Huron, où les jésuites déménagèrent, les Hurons ayant abandonné leur terre ancestrale après avoir incendié leurs villages. C'est le 14 mai 1649 que les jésuites vidèrent totalement la mission fortifiée de Sainte-Marie et qu'ils y mirent le feu pour qu'elle ne puisse tomber aux mains des Iroquois ou des Hollandais.

Ses oreilles entendent sonner la cloche. Chef-de-la-Journée a donné l'ordre de la faire tinter pour convoquer les gens à venir prier. Dans les pauvres maisons mal réchauffées, faute de bois, on s'empresse de partir.

— Fais-le pour nous, Loup-Curieux. Fais-le pour les enfants, supplie une dernière fois Petite-Pluie avant de courir vers la chapelle.

— Espérons qu'elle puisse avoir au moins un jeton, échappe la veuve d'un guerrier de la tribu de la Corde en berçant sa fillette malade dans ses bras décharnés. Avec un jeton, on pourrait avoir quelques glands.

— Les Robes-Noires ont bien plus que quelques glands, réplique-t-il. Les Robes-Noires mangent à leur faim du maïs. Jamais elles ne sont malades.

— Tais-toi ! N'offense pas les Robes-Noires. Cela va nous attirer des malheurs. Il ne faut pas les mettre en colère. Songe à notre demande.

— Je ne peux abandonner mon oki. C'est grâce à lui si j'ai survécu à la bataille. Mon crâne est scalpé, mais je suis vivant. J'ai vu mourir vos maris et j'aurais préféré mourir comme eux de la main de l'ennemi plutôt que de manger aujourd'hui dans la main des sorciers.

La femme étreint le corps squelettique et fiévreux de sa fille et se met à marmonner des prières : « Iatoüain on Atio aoüetti Andaourachaens, dè faoteendichiaé Ecaronhiatè chè econde hatè[2]. »

— À toi de te taire, femme. C'est parce que nous avons abandonné nos croyances et nos coutumes que nous avons perdu l'Ouentake. L'Esprit tout-puissant que tu invoques n'a rien fait pour nous.

— Il nous veut en son paradis. Si nous mourons sans l'offenser, nous irons le rejoindre. Notre pays est dans le ciel, maintenant.

---

2. Je crois en Dieu le Père tout-puissant, créateur du ciel et de la terre.

— Non. Notre pays, l'Ouentake, il est là-bas, sur la terre ferme. Nos ennemis en ont pris possession. Ils s'y sont installés et attendent que nous quittions cette île pour nous tuer. Depuis qu'ils sont avec nous, les sorciers à la robe noire ont apporté la maladie, la faim et la guerre. Ils sont ici pour nous exterminer jusqu'au dernier.

— Je t'en prie, Loup-Curieux, n'offense pas l'Esprit tout-puissant, car les Robes-Noires ne nous donneront pas de jetons.

Et pas de jetons de cuivre, pas d'aumônes de nourriture distribuée à la porte de la maison des Robes-Noires sur l'heure de midi. De la farine de maïs bouillie dans l'eau pour les plus pieux, du poisson séché et quelques glands amers pour les autres convertis [3].

Devant la détresse de la femme, Loup-Curieux se tait. Mourir aurait été un grand honneur et un privilège. Survivre est la pire des calamités. En le protégeant, son oki désire-t-il qu'il soit témoin jusqu'à la fin de la vengeance du castor?

La fille de Petite-Pluie, baptisée Catherine, geint en évacuant des selles liquides et nauséabondes. Dans l'espoir de la soulager, il pose la main sur le ventre creux de la jeune fille pubère, allongée près de lui. Elle entrouvre les paupières et s'agite. Aussitôt, il s'empare de sa main osseuse et lui caresse doucement le front. Il sait qu'elle veut lui parler du regret qu'elle a d'avoir mangé la corde de son arc, faite d'un boyau de cerf.

— Je n'ai pas de colère dans mon cœur et j'irai te chercher des écorces.

— Dangereux, souffle-t-elle en lui étreignant les doigts.

---

3. Ce système de distribution de la nourriture encouragea les Hurons, tenaillés par la faim, à faire preuve d'une grande piété chrétienne, dans l'espoir de bénéficier d'un traitement préférentiel. (Cf. Bruce Trigger)

— Pas pour Loup-Curieux, tu sais bien.

Il pose la main décharnée de Catherine sur le dessus de sa tête, ornée d'une large cicatrice aux allures de vieux cuir ratatiné.

— L'ennemi pense que je suis mort parce qu'il m'a scalpé. Je lui ai joué un tour.

La malade ébauche un sourire avant de s'endormir et Loup-Curieux se met à la laver et à nettoyer sa couche. C'était jadis une tâche de femme, mais la femme ici est trop faible pour le faire. Aux enfants, elle a presque tout donné de la maigre pitance obtenue en échange de sa ferveur et de son assiduité aux cérémonies des Robes-Noires. Maintenant, elle tient à peine debout et ne peut se rendre à la chapelle. Il fut un temps où elle maniait vaillamment la bêche avec l'enfant sur son dos. Ses mamelles regorgeaient d'un lait abondant et riche. Elle faisait provision de bois sec pour l'hiver et le visiteur trouvait toujours chez elle de quoi se nourrir et se réchauffer. La voilà réduite à quémander, comme on fait de l'autre côté du Grand Lac Salé. Les choses ont changé. Autour de lui, plus rien n'est pareil. Le rêve qui l'a visité quand il était marchand se réalise de façon implacable. Il revoit nettement le canot incontrôlable qui s'aligne sur des chutes meurtrières et où il est maintenu prisonnier par des forces obscures. Il revoit la pince de l'embarcation plonger dans des eaux toutes noires. Noires comme les robes noires et les oiseaux de la mort. Noires comme le voile qui lui a glissé sur les yeux quand l'ennemi lui a enfoncé son couteau dans la poitrine. Et il revoit briller dans tout ce noir le chaudron d'or où habite l'esprit qui se nourrit de fourrures. L'anoo auquel les sorciers s'abreuvent du sang de cet esprit après avoir prononcé leurs paroles magiques. Ce sang qui leur donne un pouvoir sur le reste des convertis, qui, eux, ne font que manger des petits morceaux de chair.

Plus rien n'est pareil autour de lui. Quand il a repris conscience après la bataille, il était rendu chez son ancien partenaire tionnontaté, celui qui lui fournissait le meilleur des tabacs et qui était comme son frère. De lui, il a appris que les Ouendats avaient vidé et incendié leurs propres villages, de peur qu'ils ne servent à l'ennemi, et qu'ensuite ils s'étaient dispersés, qui au nord, qui à l'ouest, qui au sud. Des gens venus cueillir les corps à Katkaria l'avaient trouvé encore en vie et, l'ayant reconnu, l'avaient emmené chez les Tionnontatés, sachant qu'il y avait des relations. Il ne se souvient pas du voyage sur la piste de la baie de Nottawasaga. Le récit qu'on lui en fit, des vieillards, des femmes et des enfants terrorisés qui s'enfonçaient dans la neige juteuse jusqu'à la fourche, lui déchira le cœur. Cette piste, il la connaissait mieux que quiconque, pour l'avoir tant de fois parcourue, et voilà qu'on l'y traînait de peine et misère, risquant à tout instant d'être attaqué.

N'était-ce pas là un signe? N'avait-il pas, à l'âge de quinze ans, montré à Champlain et à l'homme à la robe grise (Le Caron) cette route du commerce, devenue un chemin de l'exode?

Son partenaire avait fait venir un chaman pour le soigner de ses blessures. Il mit du temps à guérir, mais ne retrouva ni les mêmes forces ni le même corps. Il s'essoufflait très rapidement et devait désormais porter un chapeau pour protéger son crâne contre le soleil et le froid.

Vivre dans la maison de son partenaire, c'était un peu comme vivre chez lui, sauf qu'il se sentait amoindri. Avant, il faisait partie d'une puissante confédération et on le considérait comme un parent riche, mais, la confédération ayant été anéantie, il faisait figure de cousin pauvre. De réfugié parmi des centaines d'autres à qui on offrait l'asile. En été survint la sécheresse et il comprit que les Tionnontatés n'auraient pas suffisamment de vivres pour nourrir tout ce monde. Alors, en dépit du fait que les

Robes-Noires s'y étaient réfugiées avec bon nombre de convertis, il se dirigea vers l'île de Gahoendoe au début de l'automne.

Il y découvrit, déjà érigé, un bâtiment de pierres muni de bastions pour y loger les Robes-Noires avec leurs employés, et y trouva beaucoup trop d'Ouendats en proportion des rares cultures brûlées par la sécheresse. La population était surtout constituée de femmes et d'enfants, les hommes adultes étant morts au combat, et, pour cette raison, très peu d'espace avait été défriché. Il y retrouva Petite-Pluie et sa fille de treize ans, seule enfant qui lui restait, ainsi qu'une femme du village de Teanaostaiaé, avec sa fillette de six ans, qui l'acceptèrent dans une des cases d'une maison de fortune où s'entassaient d'autres réfugiés. En retour, il pêchait pour elles et travaillait avec des ouvriers français à défricher pour le printemps suivant. Risquer sa vie en tendant ses filets dans les parages de l'ennemi lui était naturel, mais non abattre des arbres avec des étrangers au ventre plein alors que le sien était vide depuis longtemps. N'allaient-ils pas vivre tous ensemble des ressources de cette île ? Pourquoi les Français ne partageaient-ils pas équitablement avec tous, comme eux l'avaient toujours fait ? Comment les Ouendats en étaient-ils arrivés à dépendre ainsi de ceux qui auparavant dépendaient d'eux ?

Bien que les Robes-Noires aient révélé leur vulnérabilité face à l'ennemi, elles gardaient le contrôle sur l'ensemble des déracinés entassés sur l'île. Chef-de-la-Journée faisait parler la cloche, et les feuilles de la division du temps dictaient les jours sans viande et sans travail. Il n'était pas question d'avoir des relations sexuelles avec les veuves qui l'hébergeaient, car cela offensait l'Esprit du ciel. Il avait beau rappeler à celles-ci que les sorciers avaient dû, eux aussi, incendier leur plus importante mission (Sainte-Marie) et qu'Echon, leur chef incontestable, était mort au poteau de torture sans que son Dieu le secoure, elles persistaient à s'accrocher à des litanies, des rites et des commandements. En s'éveillant, elles faisaient le signe de la prière, que les fillettes répétaient, puis elles offraient à l'Esprit du ciel leur faim, leur misère, leurs maladies. C'était, à son avis, de bien piètres présents. Lui, aux esprits, il avait toujours offert de son meilleur tabac.

Plus rien n'était pareil autour de lui. Catherine, qui avait mangé la corde de son arc parce qu'elle avait faim, fut rudement giflée par Petite-Pluie. Cela le révolta. Jamais il n'avait vu d'adulte humilier et corriger un enfant auparavant. Que se passait-il donc dans la tête de Petite-Pluie ? Ou plutôt dans celle d'Anne ? Pourquoi voyait-elle partout des offenses envers l'Esprit du ciel, qui, à son tour, punissait les hommes en les faisant rôtir au royaume des Morts sans que jamais les flammes s'éteignent ni que la chair se consume ?

Dieu était partout, assuraient les deux femmes, et Il voyait tout. Si l'on commettait du mal, il fallait le dire au sorcier, qui plaidait leur cause auprès de Lui afin qu'Il ne les punisse pas dans l'au-delà. De temps à autre, elles se concertaient sur les offenses au Tout-Puissant qu'elles allaient confesser. Avaient-elles laissé voir un sein ou rêvé d'un festin ? Ou travaillé un jour interdit ? Ou omis de réciter leurs prières ? Dernièrement, on leur fit savoir que le Tout-Puissant s'offusquait de son oki et on leur donna une médaille afin de le remplacer. Sans même y accorder un coup d'œil, il retourna la médaille. Les femmes lui apprirent alors que le Tout-Puissant se contenterait qu'il dénoue simplement l'oki suspendu à son cou. Pour rien au monde, il ne ferait cela. Surtout pas pour ces jetons de cuivre dont dépend maintenant son peuple.

— Donnez-nous un jeton, Seigneur, balbutie la femme.

— Chacun de ces jetons est une offense à notre peuple. Quand les Agnonhas sont venus parmi nous, nous leur avons toujours réservé les meilleures choses à manger et les avons placés près des feux les mieux entretenus. Nous avons veillé à ce qu'ils ne s'égarent pas en forêt et nous leur avons fait des présents. Aux sorciers, nous avons construit des maisons, porté leurs bagages et pagayé à leur place. Que font-ils aujourd'hui ? Ils mangent du maïs et nous des racines, de l'ail et de l'écorce quand nous n'avons pas de jetons. J'en ai vu qui ont mangé des excréments.

— Tais-toi, Loup-Curieux. Mes oreilles ne peuvent t'écouter, sinon elles subiront la torture éternelle.

— Ma langue doit parler car je vais partir. Ainsi, ma présence ne vous tiendra plus dans la peur. Je vais parler, car bientôt il n'y aura plus d'Ouendats pour m'entendre. J'aurais pu être un chef, mais je n'avais pas le don de l'éloquence. Avoir su parler, j'aurais peut-être pu éviter notre destruction. Quand les Agnonhas sont venus, le maïs était la monnaie d'échange et l'ouendat, la langue du commerce. Maintenant, il n'y aura plus jamais de grains de maïs déposés par nos femmes dans le sol sablonneux de l'Ouentake car nous n'avons plus de pays. Le maïs va disparaître avec nous. La peau du castor est déjà monnaie d'échange et les incantations des Robes-Noires sont la langue du commerce. Chaque jour, sur cette île, il y a des nôtres qui meurent de faim, de froid et de maladie. Et chaque jour, sur cette île, il se trouve un Français pour offrir une poignée de glands en échange des fourrures des défunts. J'ai vu des gens dépouiller leurs morts de leur sépulture, puis se dépouiller eux-mêmes de leurs vêtements et finir par mourir de froid. J'ai vu…

— Je sais ce que tu as vu… Ne le dis pas… Tais-toi ! Tais-toi !

La femme se recroqueville sur son enfant et l'étreint avec affection. Par respect, Loup-Curieux s'abstient de dire qu'il a vu des désespérés se nourrir du cadavre de leurs proches. La femme en a entendu parler et elle rejette de toutes ses forces la perspective d'en arriver à cette fin.

Longtemps, il la regarde, ramassée tout entière sur sa progéniture. Que ne ferait-elle pas pour que cette chair issue de son ventre lui survive ? Qu'est-ce qu'un jeton de cuivre dans cette optique ?

Lui, il pense en homme. En guerrier. Il est né pour enlever la vie. Celle des arbres, des bêtes, des ennemis. Il est l'action et le geste d'éclat. Le voyageur qui s'est frotté à d'autres peuples et qui a vu d'autres paysages.

Elle, elle pense en femme. Elle est née pour donner la vie. Celle des hommes et celle des plantes. Ses gestes sont sans éclat et quotidiens, et pourtant, sans eux, le plus grand des guerriers peut mourir de faim. Elle n'a pas été plus loin qu'à l'orée des cultures, et ses blessures sont dans le creux de ses reins, invisibles et grandissantes avec l'âge. Elle pense à demain, à ce qu'il lui faut faire pour remplir le ventre des siens. Lui, il pense à hier, quand son peuple était puissant et qu'il rentrait triomphant avec les têtes de ses ennemis.

Il est le loup qui défend sa meute. Ses crocs cherchent à mordre l'adversaire au cou et, la nuit, il hurle sa colère à la lune. Elle est la louve qui se tait et ramène une souris à ses petits.

— Je ne peux enlever mon oki, mais je partirai. J'irai dans les forêts de notre pays cueillir l'écorce des pins, des bouleaux et des trembles pour vous.

— Les ennemis sont partout là-bas. Tu vas te faire tuer. Tu n'as même plus de corde à ton arc.

— Je ne crains rien : mon oki me protège… Moi parti, il vous sera plus facile d'avoir des jetons.

Elle acquiesce d'un hochement de tête et se ferme les yeux pendant qu'il ramasse ses effets.

— Ton cœur est bon, Loup-Curieux. Tu le fais pour les enfants.

— Pour les enfants et pour vous. Je suis un guerrier, mais la faim a mangé la corde de mon arc. Je ne peux plus livrer de combat. Si notre peuple réussit à survivre, ce sera par vous, les femmes.

Elle ouvre les yeux et échange avec lui un regard d'une grande intensité, où tout est dit et compris.

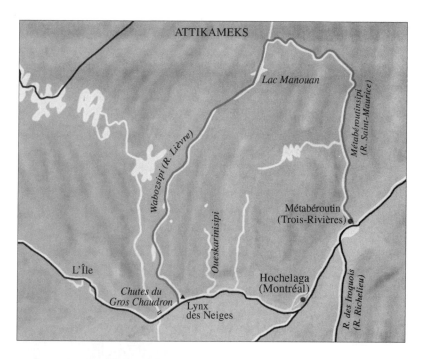

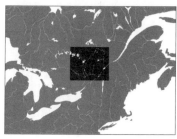

Chapitre 40

Les grains éparpillés

1650, en la lune iroquoienne où les fraises mûrissent (juin), au confluent de la Wabozsipi et de la Kichesipi.

« Là, lui avait indiqué son père, je connais un homme du nom de Toujours-Plus-Loin. » Leur canot s'était détaché du convoi pour se diriger vers une pointe en forme de crochet, où il fit la connaissance de Lynx-des-Neiges.

— Là, c'est là que j'arrête, indique Loup-Curieux en abordant le canot de Petite-Pluie, où elle prend place avec sa compagne de l'hiver et leurs deux filles.

Il n'ira pas plus loin ni ne rejoindra le convoi plus tard.

— Tu n'as pas encore de corde à ton arc. C'est dangereux. Les Iroquois sont partout, dit Catherine en promenant un regard inquiet autour d'elle.

— Pas pour Loup-Curieux, tu sais bien. L'ennemi me croit mort, réplique-t-il en soulevant son couvre-chef d'écorce de bouleau qu'elle trouve cocasse.

— Pourquoi tu ne viens pas avec nous et les Pères?

Loup-Curieux s'offusque du vocable de « père », de plus en plus utilisé pour désigner la Robe-Noire, mais il n'en fait rien paraître. Dans son esprit, un homme qui ne va jamais avec une femme ne peut être père et, par conséquent, ne peut savoir ce que cela suppose. Lui, il sait. Il en a payé le prix à la mort de ses enfants, qu'il n'a pas pu protéger.

— Parce que mon oki veut que je reste ici.

Loup-Curieux se tourne un instant vers l'ancien lieu de troc où Lynx-des-Neiges lui a remis son oki. L'endroit l'interpelle. L'attire. Il se doit d'aller à la rencontre de cet esprit protecteur qui a fait de lui le témoin impuissant de la destruction de son peuple.

— Tu verras, à Kébec, il y a un puissant esprit qui ordonne aux eaux de monter et de se retirer sur la grève, lui apprend-il, la voyant attristée de sa décision.

— Est-ce que c'est le Créateur du ciel et de la terre? s'informe l'autre fillette.

Il ne sait que répondre devant le froncement de sourcils de leurs mères. Ces filles sont baptisées et il ne faut pas troubler leurs croyances. Elles font partie de ce contingent d'environ trois cents âmes qui ont choisi de s'exiler à Kébec, dans l'espoir d'y trouver une terre d'accueil sous la gouverne des Robes-Noires. Incapables de défendre l'île de Gahoendoe, celles-ci se retirent avec les soldats français. Devant l'Iroquois qui envahit l'Ouentake, les Robes-Noires capitulent et les Ouendats se dispersent[1]. Dans toutes les directions, des petits groupes cherchent un refuge permanent et quelques-uns se joignent même volontairement à l'ennemi, y retrouvant leurs parents et amis prisonniers. Voilà les Ouendats condamnés à être des grains éparpillés en des terres étrangères.

— Est-ce que c'est le Créateur du ciel et de la terre? répète la fillette devant son silence.

— Oui, c'est le Créateur du ciel et de la terre, répond-il, conscient que ces enfants ne seront jamais comme les enfants ouendats de sa génération. À l'âge de l'insouciance, elles ont appris à craindre l'ennemi et à manquer de nourriture. Plus d'une fois, elles ont vu le visage de la mort dans leur maison. Leurs narines ont respiré les odeurs infectes de la maladie et leurs oreilles ont entendu les Robes-Noires prononcer des incantations magiques. Il ne veut pas troubler leur âme et se console à la simple idée qu'elles ont survécu à l'atroce hiver.

— Il y aura toujours une natte pour toi dans notre maison, dit la femme de Teanaostaiaé. Sans toi, nous ne serions pas ici. Tu nous as apporté des écorces, deux perdrix et un lièvre, cet hiver. Avec les jetons, cela a suffi. Je n'oublie pas ce que tu as dit. Nous ferons en sorte que le sang ouendat se perpétue.

Le sang, oui, mais l'esprit, les croyances, les coutumes, le mode de vie, tout cela disparaîtra. Qu'est-ce qu'un Ouendat sans son pays? Ce pays qui était au centre de l'univers et qu'ils abandonnent sans espoir d'y retourner un jour. Ils sont trop peu nombreux pour l'occuper.

---

1. Les réfugiés hurons s'en allèrent soit dans les forêts du centre de l'Ontario, soit dans la région des lacs Michigan et Supérieur, soit vers le sud pour se joindre aux Andastes.

Encore moins pour le défendre. Les quelques survivants, composés en majorité de femmes et d'enfants, sont comme les quelques feuilles accrochées désespérément à la branche de l'arbre, l'hiver venu.

Des canots les doublent. Tantôt au milieu du convoi, les femmes risquent maintenant de se retrouver à la fin, ce qui les mettra en péril, advenant une embuscade. Les adieux ne doivent pas s'éterniser.

Loup-Curieux caresse le bras de chacune des femmes et pose la main sur la tête des fillettes avant de s'éloigner de leur canot.

— Tu es un grand voyageur… Tu viendras nous voir à Kébec, lance Catherine.

Il ne répond pas, sachant très bien qu'il n'ira pas. Il est un grand voyageur, certes, mais jamais il ne se soumettra à la voix de la cloche. Jamais plus il ne veut l'entendre sonner, triomphante et puissante. Il remontera le cours de la Wabozsipi et s'enfoncera très loin au cœur des forêts, où se récoltaient les fourrures qu'il troquait en ce lieu même contre du maïs.

Stoïque, il regarde s'éloigner le canot, sachant qu'il ne reverra plus ni ces femmes ni ces fillettes. Voilà ce qui reste de son peuple. Des spectres en errance à la suite des sorciers qui usurpent le vocable de « père ». Des exilés faméliques et dépenaillés, cramponnés à des croyances nouvelles auxquelles ils comprennent peu de chose. Des pauvres laissant derrière eux les riches terres de l'Ouentake et les cimetières où reposent les os de leurs ancêtres.

Il contemple la Grande Rivière, cette route du commerce qu'Ochasteguin a ouverte en combattant aux côtés de Champlain. Jamais plus il ne la sillonnera. Ici, elle se fait large et paisible, mais ailleurs elle se cabre et rugit. Il la connaît comme l'on connaît un être intime, devinant ses humeurs à son parfum, à son langage ou à la couleur de son eau. C'est son père qui la lui a présentée, comme lui il l'a présentée à son fils.

Avec tristesse, Loup-Curieux se remémore ce voyage d'initiation et ce garçon merveilleux qu'était Doigt-du-Soleil. Comme il aurait aimé que ce fils ait pu constater la grandeur de son peuple quand plus de soixante chefs et notables, dans leurs habits d'apparat, sont arrivés à bord de cent quarante canots à Kébec ! Chacun avait pris soin de sa chevelure, de ses ornements, habits et peintures corporelles, pour renouveler l'alliance, ignorant qu'elle allait les conduire à leur perte et que Kébec, alors lieu de gloire, deviendrait lieu d'exil.

Il revoit défiler ses voyages dans sa mémoire, ainsi que les visages de son père, de Parole-Facile, de Taïhy, de Pieds-Dansants, de Yocoisse, de Dents-de-Loup, tous membres de ses canotées. L'émotion lui étrangle la gorge et il serre les mâchoires. Un Ouendat se doit de cacher ses sentiments.

Catherine se retourne pour le saluer de la main. Curieusement, cette corde d'arc qu'elle a mangée a créé un lien particulier entre eux. Il voit qu'elle pleure et il soulève son chapeau pour faire naître un sourire vacillant. Il sent des larmes lui monter aux yeux et il les refoule, dans son désir de laisser en héritage à cette jeune convertie la dernière image d'un vrai Ouendat.

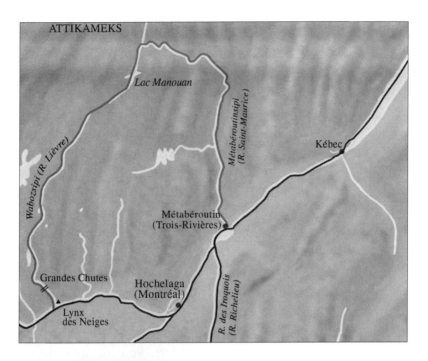

ATTIKAMEKS

Lac Manouan

Métabéroutinsipi
(R. Saint-Maurice)

Wabozsipi (R. Lièvre)

Kébec

Métabéroutin
(Trois-Rivières)

Grandes Chutes

Hochelaga
(Montréal)

Lynx
des Neiges

R. des Iroquois
(R. Richelieu)

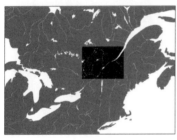

Chapitre 41

Réponse

1650, en la lune algonquienne où les oiseaux perdent leur duvet et gagnent leurs plumes (juillet), en amont des Grandes Chutes de la Wabozsipi (chutes High Falls de la rivière du Lièvre).

Songe et mensonge. Vie ou mort ? Dans quel pays son oki l'a-t-il guidé ?

Auprès de lui, Aataentsic, mère de tous les hommes, et ses deux fils, le bon Iouskéha et le mauvais Tawiscaron, qu'il ne sait distinguer l'un de l'autre.

Aataentsic lui offre à boire. Il voit de près son visage, qui n'a rien de la malveillance qu'on lui prête. Puis les traits s'estompent et il sombre dans le néant. Le voilà au pays des âmes. Il doit retrouver Aonetta et les enfants. Se renseigner sur le chemin à suivre.

Il émerge. Aataentsic tourne dans ses doigts la petite tortue nouée à son cou. Elle sourit, passe une main douce sur son front et approche de ses lèvres un morceau de viande qu'elle a mâché. Pourquoi ne lui présente-t-elle pas du maïs? Cela fait si longtemps qu'il en a mangé. Il détourne la tête et glisse dans l'abîme où brille le chaudron d'or.

L'esprit qui se nourrit de fourrures est assis sur une montagne d'ossements. «Je cherche Aonetta. — Elle est là, répond l'esprit en lui désignant des squelettes pêle-mêle. Ils sont tous là : les Kichesipirinis, les Oueskarinis, les Innus, les Mohicans, les Ouendats. Peu importe où ils ont été enterrés... Tu n'as qu'à chercher. Tu finiras bien par la trouver. »

Il s'agenouille au pied de la montagne et commence à trier, mais chaque os qu'il prend se transforme en os de castor. L'esprit éclate de rire avant de disparaître.

Il émerge de nouveau, haletant. Aataentsic lui essuie le visage en prononçant quelques mots pour le calmer. Comment Aataentsic peut-elle parler ouendat avec un accent oueskarini? Où est-il? Qui est cette femme penchée sur lui?

Sa vision est floue, sa bouche asséchée, son corps entier brûlant et affaibli. «Aataentsic», appelle-t-il en l'agrippant par le bras.

— Repose-toi... Mes fils t'ont trouvé... la jambe coincée, entend-il à travers le bourdonnement de ses oreilles et le tumulte incessant d'une chute.

La jambe coincée. Oui, il se souvient. Il est mort la jambe coincée dans l'anfractuosité d'un rocher, son canot par-dessus lui. Il est mort seul, au pied de ces grandes chutes dressées sur sa route, à quelques jours de l'embouchure de la rivière. En escaladant le sentier rocailleux du portage avec son canot sur les épaules, il a perdu pied et dégringolé jusqu'en bas… C'est ainsi que son oki voulait qu'il meure : prisonnier de son canot, au pied des chutes. C'est ainsi qu'il est mort, résigné à ce que son rêve prémonitoire se réalise jusqu'au bout… Et, jusqu'au bout, se délivrant de sa vie, il a chanté sa mélopée funèbre, qu'enterrait le tonnerre de l'eau… Jusqu'au bout, il a défié le chaudron d'or brillant dans les noirs remous. Et, parce qu'il est demeuré fidèle à Aataentsic jusqu'au bout, celle-ci prend soin de lui maintenant.

Il s'efforce de garder les yeux ouverts et il devine plus qu'il ne la voit la Mère des hommes touchant du doigt son oki. C'est elle qui l'a déposé dans le gésier de l'outarde que Lynx-des-Neiges allait abattre. Du monde des esprits, elle le lui a fait parvenir par l'entremise de ce chasseur, et par l'oki elle l'a guidé vers les chutes fatales.

— Que fais-tu ici ? demande Aataentsic.

Pourquoi cette question dont elle connaît la réponse ? La sachant acariâtre de réputation, il n'ose la contrarier.

— J'obéis à mon oki, répond-il poliment. Où est Aonetta ? Où est ma femme ?

La déesse se tait, lui prodiguant des caresses sur la poitrine.

— Mon fils Amiconse a reconnu le tatouage du loup, dit-elle après un moment.

Ce nom le tire de sa somnolence. Aataentsic n'a pas de fils appelé Amiconse, un nom de consonance anishnabecke. Qui est donc cette femme ? Il lui saisit la main. Fulgurant, le souvenir jaillit, de cette main jadis sur son cœur, rejoignant d'étrange façon celle d'Aonetta. « N'Tsuk », murmure-t-il.

Elle lui enveloppe doucement la main des siennes.

— Je suis là pour te soigner… Pour te guérir… Je suis là.

Quelle humiliation d'être réduit à cet état lamentable aux yeux de cette femme faisant partie des nomades qu'il a toujours plus ou moins dénigrés dans son for intérieur ! Lui, le fier, l'habile et prospère marchand de la confédération des Ouendats, pour qui elle ne cachait ni son attirance ni son admiration. Le voilà vaincu, défait, déchu, errant sans pays et sans famille. Le voilà sans force, presque sans vie, sous ses soins et à sa charge. Il se dégage brusquement et détourne la tête.

N'Tsuk soupire. Elle comprend ce qu'il ressent et elle promène un regard navré sur le corps décharné au flanc droit écorché. N'eût été le tatouage du loup totémique, Amiconse l'aurait tué, croyant avoir affaire à un Iroquois venu investiguer la rivière en amont des Grandes Chutes.

Âgé maintenant de dix-sept ans, Amiconse brûle du désir de venger son père, mort au poteau de torture des Iroquois. Elle, elle ne sait plus si elle veut réclamer le sang du sang. Ou si elle doit le réclamer. C'est pour le savoir qu'elle est venue avec ses fils consulter l'esprit de sa jumelle, qui repose avec les siens au pied d'un grand pin, en face de Rocher-Montagne. En dépit des dangers, elle est venue dans l'espoir que ce double d'elle-même rendu au royaume des morts veuille bien la guider au royaume des vivants. Les Anishnabecks sont partout en déroute, fuyant dans les bois ou se réfugiant auprès des Français. Les hommes qui leur restent doivent-ils se sacrifier pour venger ceux qu'ils ont perdu jusqu'à ce qu'il n'en reste plus un seul ?

La découverte de Loup-Curieux à l'article de la mort, la jambe brisée et coincée, n'est-elle pas la réponse du monde des esprits ? Depuis que ses fils l'ont ramené dans l'abri, elle se répète les propos de son père lorsqu'il lui avait donné le collier de wampums fabriqué par les Mohicans. Ce collier où figure un arbre avec ses branches et ses racines. L'arbre des Anishnabecks, dont elle est une branche. « L'homme fait couler le sang de l'homme… Quand l'homme perd son sang, l'arbre perd sa sève… La femme peut faire naître de nouvelles branches à l'arbre et perpétuer la sève… Ce collier pour te rappeler que, par ton ventre, l'arbre des Anishnabecks sera toujours parcouru de sève. »

Par son ventre, encore soumis aux règles de la lune. Encore habité du désir de l'homme. De cet homme. Par son ventre, l'arbre des Anishnabecks vivra, fût-il nourri du sang ouendat.

Maintenant, elle en est convaincue : Loup-Curieux est la réponse qu'elle attendait. La dernière fois qu'ils se sont vus, il l'a enfermée dans ses bras vigoureux et elle a frémi contre son corps robuste. Avant de la quitter, il lui a dit qu'il appartenait à l'homme de verser son sang. Comme il en a versé ! Elle s'apitoie sur la large cicatrice du prélèvement de la chevelure, dont le coupable a omis de suivre le pointillé, tatoué par bravade, pour indiquer où inciser. Quelle cicatrice, un si humiliant vestige de défaite, a-t-il laissée dans l'âme de Loup-Curieux ?

— Laisse-moi… Va-t'en avec tes fils… L'Iroquois est partout, dit-il d'une voix mal contenue.

— L'abri est en amont… Du haut des chutes, mes fils surveillent… Les canots des Iroquois sont lourds à porter et le portage des Grandes Chutes est très difficile… Nous sommes en sécurité… S'ils viennent, nous aurons le temps de fuir… Je te soignerai. Nous partirons quand tu seras guéri.

— Je suis un Ouendat, pas un chasseur.

Mais qu'est un Ouendat sans l'Ouentake, pense-t-il amèrement. Il ne veut pas de la pitié de N'Tsuk. Cette femme, il a eu le désir de la prendre sans jamais le réaliser. Il est trop tard maintenant. Son être n'aspire qu'à retrouver Aonetta dans l'au-delà.

— Que fait un Ouendat au pays des chasseurs? redemande-t-elle, osant toucher son pénis.

Il a déjà répondu à cette question et il demeure la tête tournée de côté, le nez dans les branches de sapinage servant de tapis.

— Tu es ici parce que tu obéis à ton oki... Cet oki est entre toi et moi depuis que mon père l'a déposé dans ta main... C'est lui qui a coincé ta jambe dans les rochers afin que mes fils te trouvent... C'est lui qui m'a soufflé à l'oreille de venir consulter l'esprit de ma jumelle... L'oki nous veut ensemble.

Loup-Curieux ferme les yeux, étonné de trouver agréables les manipulations de la femme. Les paroles de N'Tsuk donnent effectivement un sens à son accident et au pèlerinage qu'elle a fait. L'oki les veut ensemble. Aataentsic attend encore quelque chose de lui avant de lui permettre de rejoindre Aonetta. La Mère de l'humanité a ses raisons, qu'il ignore et auxquelles il se soumet. Aataentsic se confond avec N'Tsuk, vers qui il se tourne.

— Tu dois reprendre des forces avant, dit-elle avec un sourire entendu, constatant l'absence d'érection.

Elle lui offre un petit morceau de viande crue en lui recommandant d'en sucer le sang. Il l'accepte, acceptant ainsi de faire désormais partie des chasseurs nomades.

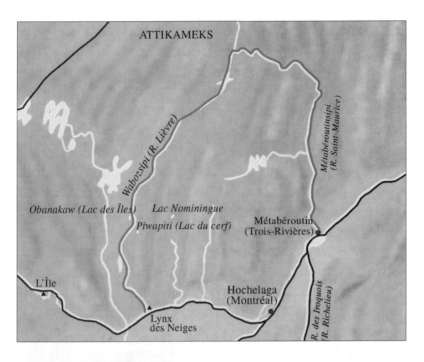

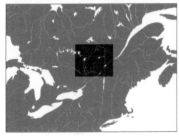

Chapitre 42

La vengeance du castor

1652, en la lune algonquienne des fleurs naissantes (mai), petit lac Nominingue.

N'Tsuk communie avec tout ce qui l'entoure. La douceur de vivre coule en elle comme la sève sous l'écorce et le lait dans ses mamelles. Le chant des oiseaux revenus, le soleil sur sa peau et la caresse légère du vent lui parlent déjà de l'été. Agenouillée à la pince avant du canot, elle se retourne vers Loup-Curieux, qui, à la gouverne, coiffé de son drôle de chapeau d'écorce, partage son attention entre la surveillance des rives et la contemplation de leur fille, installée à la barre centrale. Bien ficelée dans sa nagane à laquelle elle a accroché son collier de wampums, repue de lait, bercée par les flots, la petite roupille. Quel apaisement sa naissance a apporté chez Loup-Curieux! Tout au long de la grossesse, le futur père s'était montré réservé, semblant manifester peu d'intérêt pour le mystère de son ventre. Il les avait suivis en leurs chasses, certes, mais son esprit était demeuré au Ouentake. Il parlait peu et toujours en sa langue, ne faisant aucun effort pour apprendre la leur. Alors qu'avec ses fils N'Tsuk avait réappris à rire autour du feu, Loup-Curieux demeurait taciturne et songeur, comme s'il était ennuyé d'être en leur présence. Ou ennuyé d'être en vie. À la naissance de leur fille, elle le vit sourire pour la première fois. Tout son visage en était rayonnant. Il l'avait déposée à ses genoux et avait dénoué l'oki à son cou pour le nouer au sien. Puis, avec une grande tendresse, il avait dit: «Aonetta, tu es Aonetta. Cet oki est à toi, maintenant. Il te protégera comme il m'a protégé.» Depuis ce temps, quand Loup-Curieux accorde un regard à Aonetta, la paix baigne son visage. Et depuis, entre eux, leurs sentiments vont au-delà de l'obéissance à cet oki qui les a réunis.

Se sentant observé, Loup-Curieux échange avec elle un regard de tendre complicité. Bien que, en raison de l'allaitement, il se prive d'avoir des rapports sexuels, il lui manifeste un réel et profond attachement.

— Nous allons plus vite que vous, les taquinent Wapitik et Amiconse en les doublant dans le canot qu'ils se sont fabriqué.

— Ensemble, recommande Loup-Curieux, utilisant un mot oueskarini.

«Ensemble», répète Wapitik, heureux de voir l'Ouendat mettre en pratique l'enseignement qu'il lui dispense. Âgé de treize ans, il a en quelque sorte adopté Loup-Curieux comme père et lui voue une grande admiration. En retour, celui-ci lui accorde la faveur d'apprendre quelques mots.

Amiconse, pour sa part, déjà homme et en âge de se marier, considère Loup-Curieux sur un pied d'égalité plutôt que dans un rapport père-fils, tout en lui témoignant cependant le respect dû à son âge. Responsable de la gouverne, il ralentit la cadence afin de réintégrer la flottille d'une vingtaine de canots.

Comme la plupart d'entre eux, N'Tsuk ne croit pas qu'ils courent un réel danger en ces territoires oueskarinis qu'ils reviennent habiter. Avec son lourd canot, l'Iroquois ne s'aventure guère loin en amont de leurs tumultueuses rivières. Les Oueskarinis ont-ils eu raison de décider de se reconstituer, famille par famille, bande par bande, pour tenter de se réorganiser ? La chute de l'Ouentake et la perte de la Grande Rivière aux mains des Iroquois ont complètement détruit le réseau établi depuis des générations par leurs pères. Les survivants ouendats, déracinés, et les Anishnabecks, confinés à l'arrière-pays, ont perdu le grenier à maïs ainsi que l'axe principal de sa distribution. Les reconquérir s'avère impossible, leur allié français ayant lui-même perdu le contrôle du fleuve. L'Iroquois est maître partout.

Partout sauf ici, croit N'Tsuk, voyant luire l'espoir comme le scintillement du soleil sur les vaguelettes. Ici, Aonetta grandira sans craindre la guerre ni la famine. Amiconse prendra femme, Wapitik aussi un jour. Des enfants naîtront. Sa cousine Nesk, veuve, ayant perdu ses deux fils à la guerre et laissé sa fille mariée chez les Attikameks, épousera un cousin de Flèche-Rapide. Ensemble, comme au temps de leur jeunesse, elles cueilleront des framboises et feront provision de viande séchée. Les Oueskarinis, regroupés ici, exploiteront les ressources de leur territoire en attendant que le fléau passe. Le fléau rouge et noir. Rouge de leur sang sur la hache de l'Iroquois et noir de leur mort sur la robe des sorciers.

Ici, en ces territoires que son mari a légués à ses fils. Ces territoires qu'elle connaît et reconnaît. N'Tsuk scrute la berge, cherchant à repérer un lieu de portage. Il lui semble tout à coup qu'il se passe quelque chose d'inhabituel. D'insolite. Pourtant rien ne bouge, rien ne bruit. Soudain, venant de la rive sud, une dizaine de canots se pointent, accompagnés de détonations et de cris.

— Vite ! Femmes, enfants, à l'abri ! lance Loup-Curieux.

L'effroi multiplie leurs coups de pagaie et ils atteignent bientôt la pointe opposée, où s'élève une côte sablonneuse.

À peine l'embarcation a-t-elle touché la grève que N'Tsuk s'empare de la nagane d'Aonetta, tandis que les hommes s'organisent à la hâte pour livrer combat. Wapitik se range aux côtés de Loup-Curieux, qui lui fait signe d'aller avec elle pour la protéger. Décidé à se battre, le garçon refuse, mais il se voit aussitôt chassé avec rudesse et il la rejoint.

Les cris et les coups de feu des assaillants, qui se rapprochent à vive allure, poussent les femmes et les enfants vers la forêt. N'Tsuk court de toutes ses forces dans le sable qui se dérobe sous ses pas. Wapitik la précède et se dirige vers un bosquet où ils pourront se cacher. Mais, de ce bosquet et de la forêt, surgissent d'autres hommes qui lancent furieusement leurs cris de guerre. C'est l'affolement. Femmes et enfants tentent d'échapper à la charge et rebroussent chemin. N'Tsuk voit Nesk s'écrouler d'un coup de massue derrière la tête. Wapitik tente de l'entraîner vers la grève, mais elle demeure clouée sur place, ne sachant dans quelle direction fuir. Les canots ennemis accostent. Un homme à l'oreille coupée saute de l'un d'eux. Aussitôt Loup-Curieux se rue sur lui et reçoit une décharge de bâton de feu en pleine poitrine. Le bruit terrifiant de l'arme toute-puissante se répète, fauchant les hommes, terrifiant les femmes. Une odeur âcre se répand dans l'atmosphère. Tout n'est que cris et pleurs autour de N'Tsuk. Saisie de panique, elle écrase la nagane contre elle, au risque d'étouffer le bébé, alors que Wapitik tourne dans tous les sens comme un animal traqué à la recherche d'une issue.

Avec horreur, elle voit le couteau de l'homme à l'oreille coupée ouvrir le ventre de son fils Amiconse, qui tressaille de tous ses membres, et elle ressent la déchirure jusqu'en ses propres entrailles. Cet homme fonce maintenant vers elle, la hache levée. L'heure est venue de mourir. Soudain, Wapitik bondit et se place devant elle pour la protéger. « Non, Wapitik ! » crie-t-elle. L'ennemi s'arrête net et la dévisage. La haine fait place à la stupéfaction. « Sauve-toi, femme », lui ordonne-t-il en lui tournant le dos.

Elle détale vers la forêt avec Wapitik. Une énergie incroyable lui fouette le sang. Elle court avec agileté et rapidité, sautant les obstacles et grimpant les talus sans ralentir. Des branches lui griffent le visage, s'accrochent à ses cheveux, mais elle poursuit sa course folle, serrant toujours la nagane, où Aonetta pleure à tue-tête. La douceur de vivre qui coulait paisiblement en elle s'est muée en une fureur de vivre qui la propulse loin du massacre et loin de l'homme à l'oreille coupée.

* * *

Le soir, sur la plage.

Autour d'un grand feu, on célèbre la victoire en mangeant les provisions des victimes et en supputant le nombre de bâtons de feu que leur procureront leurs fourrures au comptoir des Assirionis (Hollandais).

À l'écart près de l'eau, Hatériata regarde monter la lune, qui jette sa lumière blanche sur les cadavres jonchant le sable. Plus rien ne le rattache à ceux qui ont arraché les scalps. Plus rien ne le rattache à ceux qui les ont perdus. Plus rien n'a de sens. La haine qui l'unissait aux autres face à l'ennemi commun n'a plus sa raison d'être depuis que l'ennemi a le visage de sa sœur. Car c'était sa sœur, cette femme qu'il a voulu tuer. C'était N'Tsuk. Lorsqu'il l'a entendue crier son nom, tous ses souvenirs d'enfance ont éclaté avec la rapidité de l'éclair et tout le passé qui avait été refoulé a ressurgi avec force. Sur le coup, il a cru qu'elle l'avait reconnu, mais quand il a compris qu'elle s'adressait à son fils, il a eu l'impression de s'être perpétué dans ce garçon. Parmi les Kanienkehakas, il avait dû tuer Wapitik pour survivre, mais il ne le tuerait pas une seconde fois. Pas plus qu'il ne tuerait cette femme avec qui, enfant, il a bu l'eau puisée à un ruisseau mystérieux par la même mère et posé ses pieds dans les pas du même père.

Il ne sait plus très bien qui il est, mais ce qu'il fut s'est mis à le hanter dès l'instant où la troupe, dont il fait partie depuis la mort du Géant, s'est aventurée profondément à l'intérieur du territoire ennemi. Plutôt que d'exacerber sa haine et sa colère, ce nouvel environnement n'a fait que le troubler. Et le marginaliser. Alors que les autres envahissaient un pays, il retournait dans le sien. Plus le groupe progressait vers l'amont, plus il reculait vers le passé. Les paysages, l'eau, le soleil, le vent, les bruits, tout cela lui tenait un langage familier et diluait la notion d'ennemi.

Qu'est-ce qu'un ennemi? Quel tort lui ont causé ces gens qui gisent sur la plage? Peut-être a-t-il tué son père ou sa mère sans le savoir. Ou un quelconque parent. Chose certaine, il a fait couler le sang des siens.

Plus rien ne le rattache à ceux qui ont perdu leur chevelure. Plus rien ne le rattache à ceux qui la leur ont arrachée. Il entend les vainqueurs se distribuer le butin, mais lui, il a gagné et perdu. Il est kanienkehaka et oueskarini. Hatériata et Wapitik. Mais, en réalité, il ne peut être rien d'autre qu'un traître à ses deux identités.

L'absurdité de sa vie lui apparaît dans toute son évidence. Pourquoi aller plus loin ? C'est ici qu'il s'arrête.

Hatériata s'empare de son couteau. Demain, il ne s'éveillera pas pour se peindre le visage aux couleurs de la guerre. Puisse Wapitik lui survivre !

* * *

N'Tsuk déambule parmi les morts, ballottant dans ses bras l'enfant affamée. Hier, durant la fuite éperdue, son lait s'est écoulé et elle a dû ensuite offrir des seins taris au bébé, dans l'espoir de la calmer. Wapitik, tout tremblant et transi, s'est alors serré contre elle, et ainsi ils ont passé la nuit. Elle, à pleurer sans relâche ; lui, à écouter de loin l'ennemi célébrer sa victoire.

Ce matin, quand plus aucun son ne leur parvenait, Wapitik a proposé d'aller en éclaireur. Malgré la crainte de le perdre, elle l'a laissé partir pour sa première mission d'homme. Au bout d'un long moment, il est revenu, ébranlé, lui annoncer que leurs assaillants étaient partis et que tout le monde semblait mort.

Et la voici découvrant un à un les cadavres qu'elle a pleurés au cours de la nuit. Elle connaît leurs noms, leurs qualités, leurs défauts, les liens qui les unissaient entre eux. Ensemble, ils ont festoyé, dansé, chassé et pêché.

Son regard caresse les corps déjà raidis, rencontre les yeux fixés sur l'éternité, remarque les crânes à la chevelure arrachée des hommes.

Voilà Nesk, étendue face contre terre. N'Tsuk s'agenouille, la retourne avec bien des difficultés, puis, de sa main, essuie le sable pour retrouver le visage de sa confidente et amie. Elles savaient tant de choses l'une de l'autre depuis leur enfance jusqu'à leur vie de femme et de mère. Tant de secrets les unissaient, comme celui d'accepter l'homme par-devant plutôt que par-derrière. Tant de fois elles se sont peigné les cheveux et voilà qu'elle effleure les nattes engluées de sang. Elle n'a plus de larmes pour pleurer et elle se lève, accablée, pour passer à un autre cadavre, ici celui d'un enfant, là celui de sa mère, là celui du cousin de Flèche-Rapide, et là celui éventré de son fils Amiconse, près duquel elle s'écroule. Elle souffre, jusque dans ses fibres les plus profondes, de l'absence de vie en cet être issu de son corps et elle se sent mourir avec lui. À ses côtés gît Loup-Curieux, dont le drôle de chapeau protégeant sa cicatrice a roulé vers l'eau et dont le visage exprime une étrange sérénité.

— Regarde : Aonetta est sauvée. Ton oki l'a protégée, dit-elle en lui montrant leur fille afin qu'il puisse lui sourire de l'au-delà.

— Pourquoi tout ça ? s'insurge Wapitik avant d'éclater en sanglots sur le corps de son frère.

Elle ne sait que répondre et son regard erre des corps massacrés aux rares canots qui n'ont pas été volés et qu'on a défoncés, dans un dernier geste de destruction.

— Je me vengerai. Je les tuerai, je les tuerai tous, promet Wapitik entre ses pleurs. Je te vengerai, mon frère. Je te vengerai.

N'Tsuk n'a plus de larmes pour pleurer. Elle n'a plus de lait, ni assez de forces pour crier vengeance. Elle n'a plus de peuple. Elle n'a plus de fils Amiconse. Plus d'amie et confidente. Plus de mari. Ni provisions, ni fourrures, ni canot.

Pourquoi ce carnage ? Cette extermination d'un peuple par un autre ? Son père parlait sans cesse de la vengeance du castor. Du sacrilège qu'on commettait par le trafic de sa fourrure. Que peut-elle faire pour calmer l'esprit de la bête ?

Soudain, elle aperçoit un corps étendu à l'écart des autres sur la grève et elle se dirige vers lui, secouant doucement l'enfant qui hurle sa faim. Avec consternation, elle reconnaît l'homme à l'oreille coupée, qui a ouvert le ventre d'Amiconse et renversé Loup-Curieux d'une décharge d'arquebuse. Elle devrait cracher sur sa dépouille, mais cet homme a aussi permis qu'elle échappe au massacre avec Aonetta et Wapitik.

Elle demeure interdite devant la pupille fixe où se lit une indicible détresse qui épouse la sienne. Toute la nuit, elle a repoussé la possibilité que cet homme soit son frère. Jamais Wapitik n'aurait commis pareille atrocité. Il était enjoué, pacifique, sans malice aucune. Jamais il n'aurait levé la main contre les gens de son sang.

Et pourtant c'est bel et bien lui. Elle le reconnaît, en dépit du temps écoulé et malgré sa coiffure iroquoise. Une immense pitié lui emplit le cœur. Wapitik a exécuté l'homme à l'oreille coupée, que les Iroquois ont abandonné, ne le reconnaissant plus comme un des leurs. Qui voudra de lui au Royaume des Morts? Retrouvera-t-il leur père, qui a tué tant de castors pour aller le délivrer avec le bâton de feu? Leur mère, qui a versé plus de larmes sur ses vêtements qu'elle n'y avait brodé de poils de porc-épic?

N'Tsuk s'accroupit près de son frère, se rappelant sa naissance, alors que sa mère n'en finissait pas de pisser dans un trou de neige. Elle n'a pas de larmes à verser sur lui, mais seulement un cri qu'elle lance au ciel à pleins poumons:

— Wapitik est mort!

Aonetta réclame du lait et N'Tsuk la sort de sa nagane pour lui présenter le sein, bredouillant tout bas:

— J'ai retrouvé Wapitik, papa. Viens le chercher pour l'emmener avec toi au paradis de la chasse.

Aonetta tire rageusement sur le tétin douloureux et N'Tsuk entend son fils répéter: « Je les tuerai. Je les tuerai tous. »

Non. Elle ne lui donnera pas l'occasion de venger le sang par le sang.

Ils répareront un canot, ramasseront les miettes oubliées par l'ennemi et rejoindront le territoire que Lynx-des-Neiges désirait léguer au pauvre Wapitik.

Elle ne sait si l'esprit du castor est maintenant en paix. Si tout ce sang et toutes ces morts ont suffi à éteindre sa colère. Mais la vie exige qu'elle retourne sur ce territoire ancestral, et la vie, c'est ce petit être qui s'enrage à téter ses mamelles vides. C'est Aonetta, que le puissant oki de son père protège. C'est son fils Wapitik, qu'elle doit soustraire à la vengeance de la vengeance et qu'elle va ramener chez lui, près du ruisseau mystérieux du lac Piwapiti.

Le lait reviendra dans ses mamelles. Comme une femme, elle ira ramasser la mousse des vieux épis de quenouille pour tapisser le cône d'écorce servant à recueillir les besoins naturels de l'enfant. Elle plongera les doigts dans le noir de la terre pour extirper les racines de l'ail et du cresson, cueillera et fera sécher les baies. Comme un homme, elle fabriquera les pièges et le canot. Lancera le filet à l'eau. Traquera la bête. Comme un homme, elle enseignera à son fils à abattre le wapiti empêtré dans la neige.

Elle sera la femme. Elle sera l'homme. Elle sera la mère. Elle sera le père. Elle sera l'arbre et la sève. Par elle, l'arbre des Peuples d'Ici vivra toujours [1].

---

1. On ne sait si le massacre des Oueskarinis par les Iroquois au lac Nominingue, rapporté par le révérend père Alexis de Barbezieux, capucin, dans l'*Histoire de la province ecclésiastique d'Ottawa*, tient de la légende ou de la réalité historique. Quoi qu'il en soit, sur cette pointe sablonneuse du petit lac Nominingue, de nombreuses pointes de flèche et des débris d'armes de diverses sortes ont été retrouvés. De plus, dans les écrits de l'époque, la dernière mention des Oueskarinis date de 1649, alors qu'on situe ce combat entre 1651 et 1652.

Lexique
simplifié

Les langues amérindiennes ont été déformées dès le premier contact avec des Européens, tout comme les Canadiens de la Nouvelle-France ont déformé la langue des conquérants anglais, faisant du mot *back house* «bécosse». À ces altérations s'ajoute la diversité des dialectes des deux principales familles linguistiques. À titre d'exemple le mot «grand» en langue algonquienne peut être traduit par kiche, kitche, kici, kitchi, katche, tshishe.

Voici les racines de quelques mots du roman pouvant faciliter leur compréhension:

KICHE: GRAND comme dans **Kiche** Manito signifiant le «Grand Esprit».

SIPI: RIVIÈRE, FLEUVE, comme dans Missis**sipi** signifiant «le gros fleuve» ou plus poétiquement «le père des fleuves».

DJIWAN: COURANT comme dans Saska**tchewan** signifiant le «courant du dégel».

WABOZ: LIÈVRE comme dans **Wabush** (dialecte innu) signifiant «lièvre».

INI: PEUPLE.

AMIK: CASTOR.

MANITO: ESPRIT.

À partir de ces racines se sont formés les mots suivants:

KICHESIPI: la GRANDE RIVIÈRE ou rivière des Outaouais.

WABOZSIPI: la RIVIÈRE DU LIÈVRE.

KICHEDJIWAN: le GRAND COURANT ou rapides du Long-Sault près de Carillon.

KICHESIPIRINI: le PEUPLE DE LA GRANDE RIVIÈRE.

AMIKWA-NINI: le PEUPLE DU CASTOR.

OUESKARINISIPI: la RIVIÈRE DES OUESKARINIS ou rivière de la Petite-Nation.

Bibliographie

Assiniwi, Bernard : *Histoire des Indiens du Haut et du Bas-Canada, tome 1. Mœurs et coutumes des Algonkins et des Iroquois*, Montréal, Leméac.

Beaulieu, Alain et Viau, Roland : *La Grande Paix, chronique d'une saga diplomatique*, Montréal, Libre Expression.

Beauvais, Johnny : *Kahnawake, a Mohawk Look at Canada, Adventures of Big John Canadian, 1840-1919*.

CHAMPLAIN, Samuel de : *Œuvres de Champlain*, présenté par Georges-Émile Giguère, tomes 1, 2, 3, Montréal, Éditions du Jour.

CÔTÉ, Louise, TARDIVEL, Louis, VAUGEOIS, Denis : *L'Indien généreux. Ce que le monde doit aux Amériques*, Montréal, Boréal.

COURSOL, Luc : *Lac-du-Cerf*, La Mémoire du Temps.

DELÂGE, Denys : *Le Pays renversé*, Montréal, Boréal.

DESPRÉS, Couillard Azarie, ptre : *Louis Hébert, premier colon canadien et sa famille*, Paris, Société Saint-Augustin, Desclée de Brouwer.

DESROSIERS, Léo-Paul : *Iroquoisie, 1534-1652*, Québec, Septentrion.

GAFFIELD, Chad (directeur), CELLARD, André, PELLETIER, Gérald, VINCENT-DOMEY, Odette, ANDREW, Caroline, BEAUCAGE, André, FORTIER, Normand, HARVEY, Jean, SOUCY, Jean-Marc : *Histoire de l'Outaouais*, Institut québécois de recherche sur la culture, 1994.

GAGNON, Ernest : *Le Fort et le château Saint-Louis (Québec). Étude archéologique et historique*, Québec, Typographie Léger Brousseau, 1895.

GUINARD, Joseph-E., o.m.i : *Les noms indiens de mon pays, leur signification, leur histoire*, Rayonnement.

JACQUIN, Philippe : *Les Indiens Blancs, Français et Indiens en Amérique du Nord (XVIe-XVIIIe siècle)*, Montréal, Libre Expression.

LABERGE, Marc, illustrations de François Girard : *Affiquets, matachias et vermillon, Ethnographie illustrée des Algonquiens du nord-est de l'Amérique aux XVIe, XVIIe, et XVIIIe siècles*, Recherches amérindiennes au Québec, collection « Signes des Amériques ».

LA GRANGE, Richard : *Le Nord, mon père, voilà notre avenir… Une histoire de L'Annonciation et de canton Marchand.*

LE JEUNE, Paul, jésuite : *Un Français au pays des « bestes sauvages »*, édition préparée par Alain Beaulieu, Agone.

MARIE-VICTORIN, frère : *Flore laurentienne*, Montréal, Presses de l'Université de Montréal.

Notre histoire, Québec-Canada. Un pays à explorer, 1000-1600, Éditions Format.

PERROT, Nicolas : *Mémoire sur les mœurs, coustumes et relligion des sauvages de l'Amérique septentrionale*, Agone.

Les Relations des jésuites, tomes 1, 2, 3, 4, Montréal, Éditions du Jour.

SAGARD, Gabriel : *Le Grand Voyage du pays des Hurons*, présentation par Marcel Trudel, Montréal, Hurtubise HMH, collection « Documents d'histoire », Cahiers du Québec.

TOOKER, Elizabeth : *Ethnographie des Hurons, 1615-1649*, Recherches amérindiennes au Québec.

TRIGGER, Bruce G. : *Les Enfants d'Aataentsic. L'histoire du peuple huron*, Montréal, Libre Expression, 1991 ; *Les Indiens, la fourrure et les Blancs, Français et Amérindiens en Amérique du Nord*, Montréal, Boréal.

Un mémoire pour l'avenir. L'archéologie et la M.R.C. d'Antoine Labelle. Brochure publiée par la M.R.C. d'Antoine-Labelle dans le cadre d'une entente avec le ministère des Affaires culturelles, 1991.

VIAU, Roland : *Enfants du néant et mangeurs d'âmes. Guerre, culture et société en Iroquoisie ancienne*, Montréal, Boréal.

La vie quotidienne des Indiens du Canada à l'époque de la colonisation française, Paris, Hachette.

VINCENT TEHARIOLINA, Marguerite : *La Nation huronne, son histoire, sa culture, son esprit*, Éditions du Pélican.

Voyage au-delà de la mémoire. 8000 ans d'activités humaines dans la MRC de Rouyn-Noranda, Culture et communications Québec, Archéo 08, décembre 2001.

WRIGHT, James Vallière : *La Préhistoire du Québec*, Montréal, Fides, 1980.

Remerciements

L'écriture d'un roman historique ne saurait se passer de collaboration. Les premiers collaborateurs, quoique bien involontaires, sont les auteurs des livres mentionnés dans la bibliographie. Parmi ceux-ci, *Les Enfants d'Aataentsic*, de Bruce Trigger, anthropologue, furent largement consultés et devinrent pour moi un genre de bible. Avec une grande simplicité, le professeur Trigger a éclairé ma lanterne sur certains sujets, se montrant digne du nom de Nyemea, « la Tortue-qui-sait-comment », que lui a conféré le clan de la Grande Tortue de la confédération des Wendats.

Je remercie aussi Alain Fréchette, du musée Stewart, ainsi que Marc Côté, directeur général de Corporation Archéo 08, qui mériteraient tous deux d'être appelés « Chercheur-de-Vérités ».

À Mme Denise Desharnais, j'attribuerais le nom de « Celle-qui-permet-l'Accès-à-la-Connaissance ». Technicienne en documentation, elle a mis à ma disposition les archives et les volumes de l'ancien séminaire et de la polyvalente Saint-Joseph de Mont-Laurier.

Pour leur savoir transmis oralement, je suis reconnaissante à MM. Adelmar Cyr et Albéria Léonard, qui, tout au long de leur vie, ont lu et écrit dans le grand livre de la forêt.

Je tiens à souligner la participation d'Arianne Themens, qui a amicalement fait office de recherchiste, ainsi que celle de mon amie Gisèle Desautels Caumartin, qui m'aide à la révision des textes. Enfin, je remercie la Commission de toponymie du Québec.

Table